PRINS VAN STRIJD

Van dezelfde auteur:

De verborgen prinses

www.fantasyfan.nl

Nieuws over auteurs en boeken, het FantasyFan Forum, en de ledenpagina's voor de lezers van *Science Fiction & Fantasy* WARP.

LYNN
FLEWELLING
PRINS VAN STRIJD

UITGEVERIJ

Oorspronkelijke titel: HiddenWarrior
Vertaling: Jet Matla
Omslagbeeld: George Underwood

Eerste druk: september 2004

ISBN 90 225 3933 4 / NUR 334

© 2003 Lynn Flewelling
© 2004 voor de Nederlandse taal: De Boekerij bv, Amsterdam
Uitgeverij M is een imprint van De Boekerij bv, Amsterdam

Voor mijn vader

Het Skalaanse Jaar

I. WINTERZONNEWENDE – Rouwnacht en Festival van Sakor; plechtigheid van de langste nacht en viering van het lengen der dagen dat dan ingaat.

1. Sarisin: Kalveren
2. Dostin: Heggen en greppels controleren en bijwerken. Erwten en bonen zaaien voor veevoer.
3. Klesin: Haver zaaien, tarwe, gerst (voor het mouten).

II. LENTENACHTEVENING – Bloemenfeest in Mycena. Voorbereiding voor het planten, vruchtbaarheidsriten.

4. Lithion: Boter karnen, kaas maken (liefst van schapenmelk). Hennep en vlas zaaien.
5. Nythin: Braakland ploegen.
6. Gorathin: Graanvelden wieden. Schapen wassen, scheren.

III. ZOMERZONNEWENDE

7. Shemin: Begin van de maand: maaien, hooien. Eind/Lenthin: graanoogst op gang.
8. Lenthin: Graanoogst.
9. Rhythin: Oogst opslaan. Velden ploegen en beplanten met wintertarwe of rogge.

IV. OOGST IN HUIS – Laatste graan binnen, dankfeest voor het gewas.

10. Erasin: Varkens de bossen in voor eikels en beukennootjes.
11. Kemmin: Nogmaals omploegen. Ossen, varkens slachten en roken. Storm op zee. Eind visseizoen.
12. Cinrin: Verstelwerk binnen; dorsen.

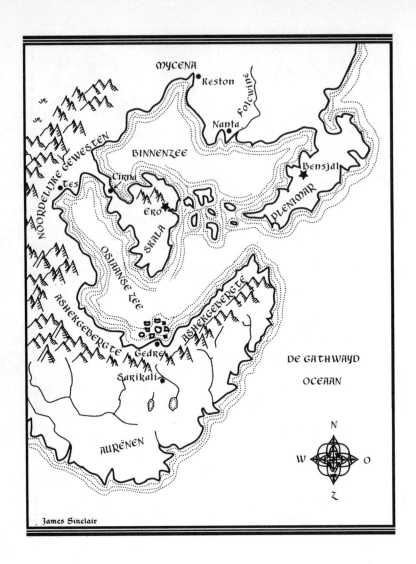

MYCENA

•Keston

Nanta•

FOLCWINE

BINNENZEE

Bensjal

NOORDELIJKE GEWESTEN

•Tes

Cirna•

•Ero

PLENIMAR

SKALA

OSIAANSE ZEE

ASHEKGEBERGTE

ASHEKGEBERGTE

Gedre•

DE GATHWAYD

OCEAAN

Sarikali•

AURËNEN

N

W   O

Z

James Sinclair

· SKALA ·

James Sinclair

DEEL I

Ik vluchtte uit Ero als een doodsbang jongetje en ik kwam terug in de wetenschap dat ik een meisje in een geleende huid was.

De huid van Broer.

Nadat Lhel me de stukjes bot had laten zien die in de oude lappenpop van mijn moeder verstopt zaten, en een glimp van mijn ware gezicht, hulde ik me in mijn lichaam als een levensgroot masker. Mijn ware gestalte bleef verborgen achter een dunne sluier van vlees.

Wat er daarna gebeurde is me nooit helemaal duidelijk geworden. Ik weet nog dat ik Lhels wooneik bereikte. Ik herinner me dat ik met Arkoniël in de bron keek en dat ik dat bange meisje naar ons terug zag kijken.

Toen ik koortsig en met pijn in al mijn botten wakker werd in mijn eigen kamer in de burcht, herinnerde ik me alleen de prikjes van Lhels zilveren naald in mijn huid en een paar flarden van een droom.

Maar ik was blij dat ik er nog altijd als een jongen uitzag. Want ik was jong en wilde de waarheid niet onder ogen zien; ik zag alleen Broers gezicht dat me van-uit de spiegel aankeek. Alleen mijn ogen waren van mij, en de wijnkleurige moe-dervlek op mijn arm. Dankzij deze kenmerken kwam het beeld dat Lhel me had laten zien weer in me op. De weerspiegeling van mijn ware gezicht in het zacht deinende oppervlak van de bron — het gezicht dat ik noch accepteren noch tonen kon.

En met dit geleende gezicht zou ik de man ontmoeten die zonder het te weten mijn lot en dat van Broer, van Ki, en zelfs van Arkoniël, bepaald had, lang voor-dat wij geboren werden.

I

Op de grens van waken en duistere dromen werd Tobin zich langzaam bewust van de geur van bouillon en het zachte, onverstaanbare gefluister van stemmen vlak bij hem. Als een baken schoven ze de duisternis opzij, zodat hij echt ontwaakte. Dat was Nari's stem. Wat deed zijn kindermeisje in Ero?

Tobin deed zijn ogen open en zag met een mengeling van opluchting en verwarring dat hij in zijn oude slaapkamer in de burcht was. Een vuurpotje stond bij het open raam; het wierp rode lichtpatronen door de gaatjes van het koperen deksel. Het kleine nachtlampje verspreidde een helder schijnsel naast hem en liet schaduwen dansen op de balken boven zijn hoofd. De lakens en zijn nachthemd roken naar lavendel en frisse lucht. De deur was dicht, maar hij hoorde toch hoe Nari rustig stond te praten met iemand op de gang.

Slaapdronken liet hij zijn ogen langs de muren van zijn kamer glijden, blij dat hij gewoon thuis was. Er stonden een paar van zijn wasfiguurtjes op de vensterbank en in de hoek bij de deur stonden de houten oefenzwaarden. De spinnen waren druk geweest in de balken van het plafond; spinnenwebben zo groot en fijn als de sluier van een adellijke dame dansten licht op een luchtstroom.

Er stond een kom op het tafeltje naast zijn bed, met een benen lepel ernaast. Het was de lepel waarmee Nari hem altijd gevoerd had wanneer hij ziek was.

Ben ik ziek?

Was Ero alleen maar een koortsdroom geweest? vroeg hij zich doezelig af. En de dood van zijn vader, en van zijn moeder, dat ook? Hij was een beetje stijf en midden op zijn borst deed het zeer, maar hij was eerder hongerig dan ziek. Toen hij zijn hand naar de kom uitstak viel zijn blik op iets dat zijn slaperige ideetjes wegvaagde.

De lelijke oude pop lag voor iedereen zichtbaar op de klerenkist tegen de muur. Zelfs van zijn bed af kon hij de nieuwe witte draad zien waarmee de smerige zijkant van de pop was dichtgenaaid.

Tobin greep de gewatteerde deken vast terwijl gefragmenteerde beelden zijn hoofd binnenslopen. Het laatste wat hem helder voor de geest stond, was dat hij in Lhels enorme holle eik in het woud ten noorden van de burcht lag. De heks had de pop losgetornd en had hem piepkleine stukjes bot laten zien – babybotjes, Broers botjes – die in de vulling verstopt gezeten hadden. Verstopt door zijn moeder toen ze het ding in elkaar gezet had. En door een botsplinter in plaats van huid te gebruiken, had Lhel de ziel van Broer weer aan die van Tobin gekoppeld.

Tobin stak twee bevende vingers in de hals van zijn nachthemd en tastte voorzichtig rond naar de pijnlijke plek op zijn borst. Ja, daar zat het: een smalle bobbel op zijn borstbeen waar Lhel zijn huid weer dichtgenaaid had, als was het een gescheurde tuniek. Hij voelde de fijne steekjes zitten, maar geen bloed. De wond was bijna helemaal geheeld, hij was niet rafelig en bloederig zoals die op Broers borst. Tobin drukte er even op, en voelde het scherpe stukje bot dat onder zijn huid verborgen was. Hij kon het heen en weer bewegen als een losse tand.

Huid sterk, maar bot sterker, had Lhel gezegd.

Hij trok zijn kin in en zag dat het bobbeltje en de steekjes niet te zien waren. Net als de eerste keer kon niemand zien wat ze bij hem gedaan had.

Hij werd even duizelig toen hij zich herinnerde hoe Broer gekeken had, terwijl hij met zijn gezicht op het zijne gericht boven hem zweefde terwijl Lhel aan het werk was. Het gezicht van de geest was vertrokken van pijn; tranen van bloed drupten uit zijn zwarte ogen en de open wond op zijn borst.

Stil maar, kiesa. Doden kennen geen pijn, had Lhel gemompeld, maar dat had ze mis.

Tobin ging met opgetrokken benen op zijn zij liggen; hij staarde verdrietig naar de pop. Al die jaren had hij het ding verstopt, al die angst en zorgen die hij erom uitgestaan had, en hier lag hij nu, open en bloot.

Maar hoe was hij hier gekomen? Hij was hem vergeten toen hij halsoverkop de stad ontvlucht was.

Plotseling werd hij door redeloze angst bevangen en bijna had hij om Nari geschreeuwd als de schaamte zijn keel niet dichtgeknepen had. Hij was een Koninklijke Gezel, en veel te oud om zijn kindermeid nodig te hebben.

En wat zou ze wel niet van die pop zeggen? Het zat er dik in dat ze die nu al gezien had. Broer had hem eens een visioen gegeven dat liet zien hoe de mensen reageerden als ze het wisten: spottend hadden ze hem aangekeken. Alleen meisjes speelden met poppen…

Tranen welden op in zijn ogen en de vlam van zijn nachtlampje werd een veelpuntige ster. 'Ik ben geen meisje!' fluisterde hij.

'O jawel.'

En toen stond Broer opeens naast zijn bed, al had Tobin de formule die hem opriep niet uitgesproken. De kille aanwezigheid van de geest golfde over hem heen.

'Niet waar!' Tobin drukte zijn handen tegen zijn oren. 'Ik weet toch wie ik ben.'

'Ik ben de jongen!' siste Broer. En toen, met een vuile grijns: 'Zusje.'

'Nee!' Tobin huiverde en verborg zijn gezicht in het kussen. '*Nee nee nee nee!*'

Zachte handen tilden hem op. Nari drukte hem tegen zich aan en streelde zijn haar. 'Wat is er, diertje? Wat is er aan de hand?' Ze had nog steeds haar werkkleren aan, maar haar bruine haar hing al los over haar schouders. Broer was er nog steeds, maar ze leek hem niet op te merken.

Tobin klemde zich even aan haar vast en drukte zijn gezicht tegen haar schouder zoals hij altijd had gedaan, voor hij zich daar te trots voor was gaan voelen.

'Jij wist het,' fluisterde hij. 'Lhel heeft het me verteld. Je wist het al die tijd al! Waarom heb je me niks verteld?'

'Omdat ik het haar verboden had.' Iya stapte de kleine lichtkring binnen. De helft van haar hoekige, gerimpelde gezicht bleef in schaduwen gehuld, maar hij herkende haar aan haar versleten reiskleding en de dunne, staalgrijze vlecht die over haar schouder tot aan haar middel hing.

Broer wist ook nog wie ze was. Hij verdween, maar een seconde later vloog de pop al van de kist, recht in haar gezicht. Vervolgens waren de houten zwaardjes aan de beurt, die klepperden als een snavel van een kraanvogel terwijl Iya ze met geheven hand afweerde.

Toen begon de zware linnenkast dreigend te wankelen en schoof krassend over de vloer in Iya's richting.

'Houd op!' schreeuwde Tobin.

De kast bleef staan waar hij stond en Broer verscheen weer naast het bed, en om hem heen knetterde het van haat toen hij naar de oude tovenares keek. Iya rilde, maar week geen duimbreed.

'Kan je hem zien?' vroeg Tobin.

'Ja. Hij wijkt niet van je zijde sinds Lhel die nieuwe binding heeft aangebracht.'

15

'Kan jij hem ook zien, Nari?'

Ze huiverde. 'Nee, het Licht zij dank niet. Maar voelen des te beter.'

Tobin wendde zich weer tot de tovenares. 'Lhel zei dat jíj haar opdracht had gegeven het te doen! Dat jij wilde dat ik er net zo uitzag als mijn broertje!'

'Ik heb gedaan wat Illior van me vroeg.' Iya ging op het voeteneind van het bed zitten. Nu werd ze helemaal door het licht beschenen. Ze zag er vermoeid en oud uit, maar toch was er een harde blik in haar ogen en hij was opeens blij dat Nari in de buurt was.

'Het was de wil van Illior,' zei Iya nogmaals. 'Wat gebeurd is, is gebeurd voor Skala, en natuurlijk voor jezelf. De dag nadert waarop jij zal gaan regeren, Tobin, zoals je moeder had moeten regeren.'

'Maar dat wil ik niet!'

'Dat verbaast me niets, mijn kind.' Iya zuchtte en de harde trekken van haar gezicht verzachtten iets. 'Het was echt niet de bedoeling dat je de waarheid zo snel onder ogen moest zien. Het moet een vreselijke schok voor je zijn, zeker door de manier waarop je erachter kwam.'

Tobin keek naar zijn deken, vol schaamte. Hij had gedacht dat het bloed dat uit zijn kruis sijpelde het eerste symptoom van de pest was. De waarheid was veel erger geweest.

'Zelfs Lhel was totaal verrast. Arkoniël vertelde me dat ze je je ware gezicht heeft laten zien voordat ze de nieuwe bezwering uitsprak.'

'Dit is mijn ware gezicht!'

'*Mijn gezicht!*' sneerde Broer.

Nari schrok zich lam en Tobin vermoedde dat zelfs zij het gehoord had.

Hij keek Broer nog eens goed aan; de geest zag er minder nevelig uit dan vroeger, hij leek haast echt. En ook Tobin realiseerde zich nu dat hij de stem van zijn tweelingbroer hardop gehoord had, niet als gefluister in zijn hoofd.

'Hij is bijzonder storend,' merkte Iya op. 'Wil je hem even wegsturen, alsjeblieft? En hem vragen zich niet zo op te winden deze keer?'

Tobin had de neiging om te weigeren, maar omdat Nari kippenvel leek te hebben sprak hij de woorden uit die Lhel hem had geleerd. 'Bloed, mijn bloed. Vlees, mijn vlees. Bot, mijn bot. Ga weg.' Broer loste in het niets op alsof er een kaars was uitgeblazen, en de temperatuur in de kamer werd meteen een stuk aangenamer.

'Hé ja, dat is beter!' Nari nam de kom op en liep naar het vuurpotje. Ze schepte hem vol bouillon die ze in een pot te warmen had gezet. 'Hier, pak aan, dat kun je wel gebruiken. Je hebt in geen dagen iets naar binnen gekregen.'

Hij liet de lepel voor wat hij was, nam de kom aan en dronk hem gretig leeg. Het was Kokkies speciale ziekenbouillon, rijk en voedzaam dankzij een mergpijpje, peterselie, wijn en melk, en een hoop helende kruiden.

Tobin reikte Nari de kom aan en ze schepte nog eens op. Iya bukte zich om de pop op te rapen. Ze legde hem op haar schoot, verplaatste de onregelmatige armen en beentjes en keek peinzend naar het schetsmatige gezichtje.

Tobin kon opeens niets meer door zijn keel krijgen en hij zette de kom neer. Hoe vaak had hij zijn moeder niet precies in die houding zien zitten? Tranen welden voor de tweede maal in zijn ogen op. Ze had de pop gemaakt om Broers ziel dicht bij zich te houden. Het was Broer geweest die ze voor zich had gezien wanneer ze ernaar keek, Broer die ze vastgehouden had en wiegde en suste en overal met zich meedroeg tot de dag dat ze zich uit het torenraam wierp.

Altijd Broer.

Nooit Tobin.

Was haar boze geest nu nog steeds hier?

Nari zag hem rillen en knuffelde hem weer. Hij trok zich niet terug.

'Vroeg Illior je echt mij dit aan te doen?' fluisterde hij.

Iya knikte treurig. 'De Lichtdrager sprak tegen me via het Orakel uit Afra. Je weet toch wat dat is?'

'Hetzelfde Orakel dat tegen koning Thelátimos zei dat hij zijn dochter tot koningin moest kronen.'

'Juist. En nu heeft Skala weer een koningin nodig, een van hetzelfde bloed om het land te helen en te verdedigen. Ik beloof dat je het op een dag allemaal zult begrijpen.'

Nari knuffelde hem en drukte een zoen op zijn kruin. 'Het was bedoeld om je veilig te laten opgroeien, diertje.'

De gedachte aan haar medeplichtigheid raakte hem diep. Hij worstelde zich los uit haar omarming, ging zover mogelijk van haar af tegen de rand van het bed zitten en trok zijn benen – lang, met schenen als messen, jongensbenen – onder zijn nachthemd. 'Maar waarom?' Hij raakte het litteken aan en schrok zich lam. 'Vaders zegel en moeders ring! Ik had ze hier aan een ketting...'

'Ik heb ze hier, diertje. Ik heb ze voor je bewaard.' Nari haalde de ketting uit haar schortzak en stak hem het sieraad toe.

Tobin hield de talismans stevig in zijn hand. Het zegel, een zwarte steen gezet in een gouden ring, droeg het diepe stempel van de eikenboom van Atyion, het grote landgoed dat nu van Tobin was, al had hij het nog nooit gezien.

De andere ring was zijn moeders verlovingsring geweest. De gouden zetting was elegant en verfijnd, hij bestond uit een krans van gouden blaadjes die een amethist vasthielden waarin de jeugdige profielen van zijn ouders waren uitgesneden. Hij had uren naar dat portret gestaard; hij had zijn ouders nooit samen gelukkig gezien, op de manier zoals ze er hier uitzagen.

'Hoe kom je daaraan?' vroeg de tovenares zacht.

'Ik vond hem in een gat onder een boom.'

'Wat voor boom?'

'Een dode kastanjeboom op de achterste binnenplaats van mijn moeders huis in Ero.' Tobin zag dat ze hem strak aankeek. 'Die bij de keuken en de moestuin.'

'Ach ja. Dat is de boom waar Arkoniël je broertje heeft begraven.'

En waar mijn moeder en Lhel hem weer opgroeven, dacht hij. *Misschien is ze toen de ring kwijtgeraakt.* 'Wisten mijn ouders wat jullie aan me veranderd hebben?"

Hij zag dat Iya Nari snel even aankeek voor ze antwoordde. 'Ja. Dat wisten ze.'

Dat was een slag voor Tobin. 'Ze lieten jullie gewoon begaan?'

'Voor je geboren werd, vroeg je vader me om jou te beschermen. Hij begreep de woorden van het Orakel en gehoorzaamde zonder te aarzelen. Ik weet zeker dat hij jou de profetie geleerd heeft die het Orakel aan koning Thelátimos gegeven heeft.'

'Ja.'

Iya was even stil. 'Voor je moeder was het een andere kwestie. Ze was niet erg sterk en de bevalling was ontzettend zwaar. En ze is nooit over de dood van je broertje heen gekomen.'

Tobin moest even slikken voor hij het durfde te vragen. 'Haatte ze mij soms daarom?'

'Ze heeft je nooit gehaat, diertje, nooit!' Nari drukte haar hand op haar hart. 'Ze was gewoon een beetje in de war, dat is alles.'

'En nu moesten we er maar een punt achter zetten,' zei Iya. 'Tobin, je bent erg ziek geweest en je hebt twee dagen aan één stuk door geslapen.'

'Twee?' Tobin keek naar buiten. Een dun maansikkeltje had hem de weg hiernaartoe gewezen, nu was hij zowat halfvol. 'Wat voor dag is het?'

'De eenentwintigste Erasin, diertje. Je verjaardag kwam en ging terwijl je sliep. Ik zal Kokkie zeggen dat ze voor morgenavond maar honingtaartjes moet bakken.'

Tobin schudde verward zijn hoofd terwijl hij naar de maan bleef staren.

18

'Ik… Ik was in het bos. Wie heeft me naar huis gedragen?'

'Tharin stond opeens voor de deur met jou in zijn armen, en Arkoniël stond achter hem met de arme Ki,' zei Nari. 'Ik viel haast flauw, net als die dag dat je vader jouw…'

'Ki?' Het duizelde Tobin toen een andere herinnering plotseling in hem opborrelde. In zijn koortsdromen had Tobin boven Lhels eikenboom gezweefd en ver beneden zich had hij vlak bij de bron, op een bed van dode bladeren…

'Nee, Ki zit veilig in Ero. Niemand heeft me zien vertrekken.'

Maar hij werd opeens door angst bevangen, want in zijn droom was het wel degelijk Ki geweest die op de grond lag, met Arkoniël in tranen naast zich op zijn knieën. 'Hij heeft zeker de pop gebracht, hè? Daarom heeft hij me gevolgd.'

'Ja, diertje.'

'Dan was het geen droom.' Maar waarom moest Arkoniël dan zo huilen?

Pas na enige tijd besefte hij dat er nog tegen hem gesproken werd. Nari had zijn schouders vast en schudde hem zacht heen en weer. 'Tobin, wat heb je? Je bent opeens spierwit!'

'Waar is Ki?' bracht hij fluisterend uit en hij klemde zijn knieën tegen elkaar terwijl hij zich schrap zette voor het antwoord.

'Dat zég ik nou net,' zei Nari en haar ronde gezichtje vertrok zich weer van bezorgdheid. 'Hij slaapt in je oude speelkamer. Jij was zo ziek en je woelde zo in die koortsdromen van je, dat ik dacht dat jullie beter apart konden slapen, want hij was ook zo vreselijk gewond.'

Tobin klom meteen het bed uit, want meer hoefde hij niet te horen.

Iya greep zijn arm vast. 'Wacht. Hij is vreselijk ziek, Tobin. Hij is op zijn hoofd gevallen en het ziet er niet zo best uit. Arkoniël en Tharin verzorgen hem dag en nacht.'

Hij probeerde zich los te trekken, maar ze liet hem niet gaan. 'Laat hem maar rusten. Tharin was totaal in paniek en liep als een dolle heen en weer tussen jullie kamers. Hij lag naast Ki's bed te slapen toen ik er net langskwam.'

'Laat me los! Ik zweer dat ik ze niet wakker zal maken, maar alsjeblieft, ik moet Ki even zien!'

'Luister nou eens naar me,' zei Iya streng. 'Luister goed, kleine prins, want doe je dat niet dan kan het je leven kosten. En het hunne.'

Bevend ging Tobin op de rand van het bed zitten.

Iya liet hem los en vouwde haar handen over de pop in haar schoot. 'Ik zei al dat het niet de bedoeling was geweest dat je deze verschrikkelijke waarheid al zo vroeg zou horen, maar het is gebeurd en we kunnen er niets meer aan veranderen. Luister en sluit deze woorden in je hart. Ki en Tharin weten niets, en *mogen* ook niets te weten komen, over ons geheim. Behalve Arkoniël weten alleen Lhel, Nari, jij en ik de waarheid, en zo moet het blijven tot de tijd aanbreekt dat je je geboorterecht opeist.'

'Tharin weet het ook niet?' Opgelucht keek Tobin voor zich uit. Het was kapitein Tharin geweest die hem samen met zijn vader geleerd had een strijder te worden.

'Je vader vond dat een van de ergste dingen van de hele kwestie. Hij hield van Tharin zoals jij van Ki houdt. Het heeft zijn hart gebroken dat hij zijn geheim niet met zijn vriend mocht delen, en de last werd er alleen maar zwaarder door. En nu moet jij dezelfde last dragen.'

'Ze zouden mij nooit verraden.'

'Niet met opzet, natuurlijk niet. Ze zijn allebei net zo koppig en stoutmoedig als Sakors stier. Maar tovenaars, zoals de magiër van je oom, kennen trucs om achter de waarheid te komen. Magische trucs, Tobin. Ze hoeven iemand niet te martelen om achter zijn diepste gedachten te komen. Als Niryn er ook maar een vermoeden van zou krijgen wie jij werkelijk bent, zou hij precies weten in welke hoofden hij naar het bewijs moest zoeken.'

Tobin kreeg het er koud van. 'Ik geloof dat hij zoiets bij me gedaan heeft toen ik aan hem werd voorgesteld.' Hij stak zijn linkerarm uit en liet haar de moedervlek zien. 'Hij raakte hem aan en ik kreeg zo'n eng, kriebelig gevoel vanbinnen.'

Iya fronste haar voorhoofd. 'Ja, dat kan wel kloppen.'

'Maar dan weet hij het!'

'Nee, Tobin, want je wist het zelf nog niet. Tot een paar dagen geleden zou elke tovenaar alleen maar de gedachten van een jonge prins aangetroffen hebben, over valken en paarden en zwaarden. Dat is ook de hele tijd onze bedoeling geweest, zo konden we je beschermen.'

'Maar Broer. De pop. Die zou hij toch gezien kunnen hebben?'

'De magie van Lhel heeft een sluier over die gedachten gelegd. Niryn zou ze kunnen vinden, maar alleen als hij wist waarnaar hij moest zoeken. Zo te horen is hij daar nog niet achter.'

'Maar nu weet ik het wél! Wat moet ik nu als ik terugga?'

'Zorg ervoor dat hij geen reden heeft om zich weer in je gedachten te verdiepen. Verstop de pop, zoals je tot nu toe gedaan hebt, en blijf zo veel mogelijk bij Niryn uit de buurt. Arkoniël en ik zullen alles doen om je te beschermen. Misschien is het ook wel tijd om me weer eens te laten zien in gezelschap van de zoon van mijn mecenas.'

'Ga je met me mee naar Ero?'

Ze glimlachte en gaf hem een schouderklopje. 'Ja. Ga nu maar even naar je vrienden toe.'

Het was koud op de gang maar Tobin merkte het niet. Ki's deur stond op een kiertje, waardoor een zilveren lichtstreep over de biezen op de vloer viel. Tobin glipte naar binnen.

Ki sliep in het oude bed met hoge zijkanten, tot de kin toegedekt met warme lappendekens en spreien. Zijn ogen waren dicht en zelfs in de warme gloed van het nachtlampje zag hij er lijkbleek uit. Donkere kringen omringden zijn ogen en om zijn hoofd zat een dik wit linnen verband.

Tharin sliep in een oude leunstoel naast het bed, gewikkeld in zijn lange cape die hij droeg als hij op veldtocht ging. Zijn grijsblonde haar viel in warrige strengen over zijn schouders en de stoppels van een week benadrukte zijn ingevallen wangen boven zijn korte baardje. Alleen al zijn aanblik gaf Tobin een goed gevoel; hij had zich altijd veilig gevoeld als Tharin in de buurt was.

Maar meteen schoot hem Iya's waarschuwing te binnen. Hier waren de twee mensen van wie hij meer hield en die hij meer vertrouwde dan wie ook ter wereld, en nu lag hun veiligheid in zijn handen. Een wilde, weerbarstige liefde voor hen welde op in zijn hart als hij dacht aan die kille, geelbruine ogen van Niryn. Tobin zou hem eigenhandig de nek omdraaien als hij het waagde zijn vrienden kwaad te doen.

Tobin liep op zijn tenen naar het bed, maar Tharin sloeg zijn bleekblauwe ogen op voor hij het voeteneind had bereikt.

'Tobin? Het Licht zij gedankt!' riep hij zacht uit, terwijl hij de jongen op schoot trok en hem zo hard tegen zich aandrukte dat het pijn deed. 'Bij de Vier, we waren zo verschrikkelijk ongerust! Je sliep maar en sliep maar. Hoe gaat het met je, jochie?'

'Beter.' Licht gegeneerd bevrijdde Tobin zichzelf en liet zich op de vloer glijden.

Tharins glimlach verdween. 'Nari zei dat je dacht dat je de Rood-Zwarte Dood had opgelopen. Je had meteen naar mij moeten komen in plaats van er als een dolle vandoor te gaan! Als ik eraan denk wat twee jongens alleen allemaal kan overkomen... De hele rit hebben we langs de weg gekeken omdat het ons niet verwonderd zou hebben als we jullie lichamen in een greppel zouden vinden.'

'Wij? Met wie was je dan?' Heel even was Tobin bang dat ook zijn voogd achter hem aan was gereden.

'Koni en de anderen van de garde, natuurlijk. En probeer het onderwerp niet te veranderen. We hebben jullie niet bepaald onbeschadigd aangetroffen.' Hij wierp een blik op Ki en Tobin wist dat hij zich nog steeds ongerust maakte over zijn vriend. 'Je had gewoon in de stad moeten blijven. Jullie hebben het die arme Arkoniël en de anderen behoorlijk lastig gemaakt. Ze kunnen geen voet meer verzetten.' Maar Tobin keek hem aan en zag dat hij niet kwaad op hem was. 'Je hebt ons zo verschrikkelijk laten schrikken.'

Tobins lip begon te trillen en hij keek snel naar de grond. 'Het spijt me zo.'

Tharin sloeg zijn arm weer om hem heen en klopte hem op de schouder. 'Nou ja,' zei hij schor. 'We zijn weer allemaal bij elkaar nu.'

'Het komt toch wel goed met Ki, hè?' Tharin gaf geen antwoord en Tobin zag dat de ogen van de strijder glinsterden van tranen. 'Tharin, hij wordt toch weer beter?'

De man knikte, maar de twijfel was van zijn gezicht te lezen. 'Arkoniël zegt dat hij waarschijnlijk een dezer dagen weer bijkomt.'

Tobin begon zo te trillen dat hij even op de armleuning van de stoel moest gaan zitten. 'Waarschijnlijk?'

'Hij zal door dezelfde koorts bevangen zijn die jij had, en dan nog die klap op zijn hoofd…' Hij strekte zijn arm uit om een pluk zwart haar van Ki's verband te strijken. Er sijpelde gelig vocht door. 'Het moet weer verschoond worden.'

'Iya zei dat hij gevallen is.'

'Ja. Maar hij heeft ook een flinke tik gehad. Arkoniël denkt… Nou ja, we denken dat die demon van jou ermee te maken heeft.'

Tobin dacht dat hij een stomp in zijn maag kreeg. 'Br… Heeft de geest hem geslagen?'

'We denken dat hij Ki heeft overgehaald die pop van jou hiernaartoe te brengen.'

Tobin kreeg het er benauwd van. Als dit waar was, zou hij Broer nooit ofte nimmer meer oproepen. Broer kon de pot op wat hem betrof.

'Je… Je hebt hem gezien? De pop, bedoel ik?'

'Ja.' Tharin keek hem onzeker aan. 'Je vader dacht dat hij met je moeder naar beneden was gestort en door de rivier was meegenomen. Hij heeft nog een stel mannen opdracht gegeven hem te zoeken. Maar jij had hem de hele tijd, is het niet? Waarom heb je hem dan verstopt?'

Wist Tharin ook wie Lhel was? Hij had geen idee en kon Tharin dus maar de halve waarheid vertellen.

'Ik dacht dat jij en vader me uit zouden lachen. Poppen zijn voor meisjes.'

Tharin lachte droef. 'Niemand zou je om deze pop hebben uitgelachen.

22

Het is zonde dat dat het enige is wat ze je heeft nagelaten. Als je wilt, kan ik ook nog wel zo'n mooie op de kop tikken die ze maakte voordat ze ziek werd. Half Ero heeft die poppen thuis staan.'

Er was een tijd geweest dat Tobin er zo graag een gewild had dat het pijn deed. Maar hij wilde hem uit haar handen ontvangen, als bewijs dat ze van hem hield, of hem in elk geval erkende, zoals ze Broer erkend had. Maar zover was het nooit gekomen. Hij schudde het hoofd. 'Nee, ik hoef geen andere meer.'

Misschien begreep Tharin dat wel, want hij maakte er geen woorden meer aan vuil. Samen keken ze naar Ki's borst die omhoog en omlaag ging onder de dekens. Tobin moest zich vreselijk inhouden om niet naast hem te kruipen, maar Ki zag er zo breekbaar en ziek uit dat hij het niet durfde. Hij voelde zich te onrustig om stil te blijven zitten, dus liep hij uiteindelijk maar naar zijn eigen kamer zodat Tharin ook nog even een dutje kon doen. Iya en Nari waren verdwenen en daar was hij blij om; hij had geen zin om met wie dan ook te praten.

De pop lag op het bed waar de tovenares gezeten had. Toen Tobin ernaar keek en probeerde te begrijpen wat er gebeurd was, werd hij opeens overvallen door zo'n razernij dat hij nauwelijks meer lucht kreeg.

Ik roep hem nooit meer op. Nooit meer!

Hij greep de pop vast en smeet het gehate ding in de klerenkist; hij sloeg het deksel met een klap dicht.

Dat luchtte op. Broer mocht rondspoken in de burcht zoveel hij maar wilde; hij mocht hem hebben als hij dat graag wilde, maar het was uitgesloten dat hij mee terug mocht naar Ero.

Hij vond zijn kleren netjes opgevouwen op een plank in zijn kast. Kleine zakjes lavendel en munt vielen uit de vouwen van zijn tuniek toen hij hem oppakte. Hij drukte de fijne wol tegen zijn gezicht en ademde de geur in. Nari had ze ertussen gelegd nadat ze ze gewassen en versteld had. Ze had waarschijnlijk bij zijn bed gezeten terwijl ze eraan bezig was.

Hij was kwaad op haar geweest, maar die gedachte veranderde dat. Het maakte niet uit wat ze zo veel jaar geleden gedaan had, hij wist dat ze van hem hield en hij hield ook nog van haar. Hij kleedde zich snel aan en liep stilletjes de trap op naar boven.

Er brandden een paar lampjes in nissen op de gang van de tweede verdieping en maanlicht viel naar binnen door de roosvensters bovenin, maar het was er nog altijd schemerig en koud. Arkoniëls kamers lagen aan het eind van de gang en Tobin hield de zware deur tegenover zijn werkkamer nauwlettend in de gaten – het was de deur naar de torenkamer.

Als hij ervoor ging staan, vroeg hij zich af, zou hij dan nog steeds moeders boze geest voelen, aan de andere kant? Hij bleef zo veel mogelijk aan de andere kant van de gang lopen.

Er kwam geen antwoord toen hij op Arkoniëls slaapkamerdeur klopte, maar er scheen nog licht onder de deur van de werkkamer ernaast door. Tobin tilde de klink op en ging naar binnen.

Overal stonden lampen zodat er geen schaduw te bekennen viel en de grote kamer in een zee van licht baadde. Arkoniël zat aan de tafel bij het raam; leunend op zijn hand las hij een vel perkament. Hij schrok op toen Tobin binnenkwam en stond snel op om hem te begroeten.

Verbaasd zag Tobin hoe uitgeput de tovenaar eruitzag. Zijn wangen waren ingevallen en hij had een grauwe tint alsof hij ziek geweest was. Zijn wilde zwarte krullen zaten plat en vet tegen zijn hoofd geplakt, zijn tuniek was verkreukeld en zat vol vlekken en inktspatten.

'Eindelijk wakker,' zei hij en hij deed zijn best opgewekt te klinken waarin hij jammerlijk faalde. 'Heeft Iya al met je gesproken?'

'Ja. Ze zei dat ik er met niemand over mocht praten.' Tobin raakte zijn borst aan, hij had er absoluut geen zin in om het weer over dat gehate geheim te hebben.

Arkoniël zuchtte diep en keek de kamer rond of hij er niet met zijn gedachten bij was. 'Ja, het was niet de beste manier om erachter te komen, Tobin. Bij het Licht, het spijt me vreselijk. Geen van ons had het verwacht, zelfs Lhel niet. Het spijt me zo erg…' Hij keek Tobin nog steeds niet aan. 'Zo had het niet mogen gebeuren. Een grote fout.'

Tobin had de tovenaar nog nooit zo verstrooid en wanhopig gezien. Arkoniël had tenminste geprobeerd zijn vriend te worden. Iya niet, die kwam alleen als het haar uitkwam.

'Bedankt dat je Ki geholpen hebt,' zei hij toen het wel erg lang stil bleef.

Alsof Tobin hem een slag in zijn gezicht gegeven had sprong Arkoniël geschokt achteruit. Toen lachte hij hol. 'Niets te danken, mijn prins. Wat moest ik anders. Hoe is het met hem? Is er iets veranderd?'

'Hij slaapt nog steeds.'

'Slaapt.' Arkoniël liep terug naar de tafel, raakte dingen aan, tilde ze op en legde ze in gedachten verzonken weer neer.

Tobin kreeg het weer benauwd. 'Hij wórdt toch wel beter? Hij had geen hoge koorts. Waarom wordt hij nu niet wakker?'

Arkoniël speelde met een houten liniaal. 'Ja, zo'n hoofdwond, dat gaat je niet in je kouwe kleren zitten. Dat heeft tijd nodig.'

'Tharin zei dat je dacht dat Broer het gedaan had.'

'Broer was bij hem. Misschien wist hij dat we de pop nodig hadden – je weet het niet. Hij kan Ki pijn gedaan hebben maar misschien bedoelde hij het niet zo.' Weer begon hij zonder enige noodzaak dingen op te pakken en neer te leggen alsof hij vergeten was dat Tobin hier nog steeds stond. Ten slotte raapte hij het document op dat hij aan het lezen was, en hield het omhoog zodat Tobin het zien kon. De lakzegels en het overdreven krullerige handschrift betekenden maar één ding. Het was het werk van heer Oruns klerk.

'Iya vond dat ik het jou moest vertellen,' zei Arkoniël moedeloos. 'Dit is gisteren gebracht. Je moet terug naar Ero zodra je sterk genoeg bent om te reizen. Orun is woedend, uiteraard. Hij heeft veel zin om de koning een brief te schrijven, waarin hij eist dat er een andere schildknaap voor je wordt gezocht.'

Tobin liet zich in een stoel naast de tafel vallen. Sinds de eerste dag in Ero had Orun geprobeerd Ki van hem af te pakken. 'Maar waarom! Het was Ki's fout toch niet?'

'Dat kan hem natuurlijk geen barst schelen. Hij ziet een kans om voor elkaar te krijgen wat hij altijd gewild heeft – iemand die jou kan bespioneren.' Arkoniël wreef in zijn ogen en liet zijn vingers door zijn haar glijden, waardoor het verwarder zat dan ooit. 'Maar één ding is zeker. Hij zal erop toezien dat je er nooit meer zomaar vandoor gaat. Je moet vanaf nu ontzettend goed oppassen. Orun, Niryn of wie dan ook mag geen reden hebben om te denken dat je meer bent dan het verweesde neefje van de koning.'

'Dat heeft Iya me al uitgelegd. Ik zie Niryn toch al niet zo vaak. Ik zal hem niet opzoeken, want ik vind het een griezel.'

'Ik ook,' gaf Arkoniël toe, en hij begon weer meer op de oude Arkoniël te lijken. 'Voor je weggaat, kan ik je een paar dingen leren – manieren om je gedachten te verhullen.' Een mager glimlachje verscheen rond zijn lippen. 'Maak je geen zorgen, het is een kwestie van concentratie. Ik weet heus wel dat je niks met magie te maken wilt hebben.'

Tobin haalde zijn schouders op. 'Ik zit er nu toch al tot over mijn oren in; ik kan er niet meer omheen.' Somber plukte hij aan het eelt op zijn duim. 'Korin vertelde dat ik de eerstvolgende erfgenaam zal zijn, tot hij zelf een erfgenaam heeft. Wil Orun me daarom zo graag in zijn macht hebben?'

'Uiteindelijk wel, ja. Maar voorlopig heeft hij alleen Atyion in zijn macht – in jouw naam natuurlijk, maar hij is er de baas. Hij is een ambitieus mannetje, onze Orun. Als er iets mocht gebeuren met prins Korin voor hij trouwt…' Hij schudde zijn hoofd. 'We moeten hem goed in de gaten houden. En maak je niet te veel zorgen om Ki. Orun heeft daarover niet het laatste woord, hoezeer hij ook mag dreigen. Alleen de koning kan daarover beslissen. Ik weet zeker dat het wel goed komt als je weer terug bent.'

'Iya gaat met me mee naar Ero. Ik heb honderd keer liever dat jij meekomt.'

Arkoniël glimlachte en nu was het een echte glimlach, vriendelijk en verlegen en welgemeend. 'Ik wou dat dat kon, maar voorlopig is het 't beste dat ik me hier verstop. De Haviken kennen Iya nu toch al, maar mij nog niet. En Tharin gaat mee, en Ki natuurlijk.'

Toen hij Tobins moedeloze blik zag, ging hij op zijn hurken zitten en pakte hem bij zijn schouders. 'Ik laat je toch niet in de steek, Tobin. Ik weet ook wel dat het erop lijkt, maar dat is niet waar. Dat zal ik nooit doen. En mocht je me nodig hebben, dan vind ik wel een manier om naar je toe te komen. Als Orun weer een beetje in zijn oude doen is, kan je hem misschien vragen om wat vaker hier te mogen komen. Ik weet zeker dat prins Korin je daarin zal steunen.'

Het was een schrale troost, maar Tobin knikte. 'Ik wil Lhel zien. Wil je me even brengen? Nari wil vast niet dat ik alleen ga en Tharin kent haar nog steeds niet, of wel?'

'Nee, al wilde ik meer dan ooit dat hij overal van wist.' Arkoniël stond op. 'Morgenochtend vroeg, oké?'

'Maar ik wil er meteen heen!'

'Meteen?' Arkoniël keek uit het raam. 'Het is al middernacht geweest. Je hoort in bed te liggen.'

'Ik heb dagen achter elkaar geslapen! Ik ben helemaal niet moe.'

Arkoniël lachte weer. 'Maar ik wel, en Lhel ligt ook te slapen. Morgenochtend, goed? We gaan zo vroeg als je wilt, zodra het licht is. Kom op, ik loop even met je mee om te zien hoe het met Ki is.'

Hij wees naar de lampen die meteen doofden, op eentje na. Tot Tobins verbazing huiverde hij en sloeg hij zijn armen om zich heen. 'Beetje mistroostig hier, 's nachts, vind je niet?'

Tobin kon het niet laten even naar de torenkamerdeur te kijken toen hij de gang op liep, en hij wist bijna zeker dat Arkoniël het ook deed.

2

Tobin werd wakker in de leunstoel met de zon op zijn gezicht en Tharins mantel om zich heen gewikkeld. Hij rekte zich uit en boog zich voorover om te zien of er iets aan Ki's toestand was veranderd.

Zijn vriend had niet bewogen, maar Tobin meende dat hij iets meer kleur op zijn wangen had dan gisternacht. Hij reikte onder de dekens naar Ki's hand. Die was warm, nog een bemoedigend teken.

'Kun je me horen? Ki, je slaapt nu al eeuwen. Het is een prachtige dag voor een ritje. Word wakker. Alsjeblieft?'

'Laat hem slapen, kiesa.'

'Lhel?' Tobin draaide zich om en verwachtte haar in de deuropening te zien staan. Maar in plaats daarvan zweefde de heks achter hem langs in een ovaal van vreemd licht. Hij zag de bomen om haar heen: sparren en kale eiken bedekt met sneeuw. Terwijl hij keek begonnen dikke vlokken neer te dalen, die zich vastgrepen in haar donkere krullen en in de ruige stof van haar jurk. Het was net of hij door een raam naar haar keek. Rondom het ovaal zag de kamer er net zo uit als anders, maar zij was duidelijk op haar thuisbasis.

Verrast probeerde Tobin haar aan te raken, maar de vreemde manifestatie week terug en schrompelde ineen tot hij alleen nog maar haar gezicht kon zien.

'Nee! Niet aanraken,' waarschuwde ze. 'Arkoniël brengt jou. Ki laten rusten.'

Ze verdween terwijl Tobin verbijsterd staarde naar de plek waar ze was geweest. Hij begreep niet precies wat hij zojuist gezien had, maar hij geloofde haar onvoorwaardelijk. 'Ik ben snel weer terug,' beloofde hij Ki, en impulsief boog hij zich voorover en gaf hem een kus op zijn verbonden hoofd. Blozend om die dwaze ingeving snelde hij naar buiten en rende de trap naar Arkoniëls kamers op.

Bij daglicht leek de gang heel gewoon en ongevaarlijk en de deur naar de torenkamer was een deur als alle andere. De deur van de werkkamer stond open en hij hoorde Iya en Arkoniël praten.

Arkoniël liet een lichtpatroon uit zijn gestrekte vingers verschijnen toen Tobin de kamer inliep. Iets raakte met kracht de muur naast Tobins hoofd en kletterde op de vloer. Geschrokken zag hij dat het alleen maar een gespikkelde boon was.

'…en dat is alles wat ik tot nu toe bereikt heb,' zei Arkoniël op gefrustreerde toon. Hij zag er nog steeds moe uit en toen zijn oog op Tobin viel, werden de rimpels om zijn mond nog dieper dan ze al waren. 'Wat is er? Is Ki…'

'Hij slaapt. Ik wil naar Lhel toe. Ze zei dat ik kon komen. Je zou me toch brengen?'

'Zei ze…' Arkoniël wisselde een blik met Iya en knikte. 'Ja, we gaan meteen.'

Het sneeuwde buiten net als in het visioen met Lhel. De dikke, natte vlokken smolten zodra ze de grond raakten, maar ze bleven wel op de takken liggen, als een suikerlaagje op een taart, en hij kon zijn adem als rook zien opstijgen. De weg achter de burcht was bedekt met herfstbladeren, een vervaagd tapijt van geel en rood dat zacht knisperde onder Gosi's hoeven. Verderop glinsterden de bergtoppen wit tegen de grauwgrijze lucht.

Hij probeerde tijdens de rit de vreemde verschijning van Lhel uit te leggen.

'Ja, ze noemt dat haar toverraam,' zei de tovenaar en hij leek niet in het minst verbaasd.

Voor Tobin hem meer kon vragen stapte de heks tussen de bomen vandaan om hen mee te nemen. Ze wist altijd wanneer ze op welk deel van de weg waren.

Vuil en met gaten tussen haar tanden, gekleed in een vormeloze bruine hobbezak die was versierd met glimmende hertentanden, zag ze er eerder uit als een bedelares dan als een heks. Ze kneep haar ogen samen, schudde haar krullen en grijnsde. 'Jullie kiesa's hebben nog geen ontbijt gehad. Kom, ik geef eten jullie.'

Alsof het een gewone dag was en er niets bijzonders was gebeurd, draaide ze zich om en liep weer tussen de bomen door. Tobin en Arkoniël bonden snel hun paarden vast en haastten zich achter haar aan. Ze bewaakte haar schuilplaats goed, want in al die tijd dat Tobin haar kende, had ze nog nooit hetzelfde pad genomen en het was Ki en hem nooit gelukt om de weg naar haar wooneik te vinden. Hij vroeg zich af of Arkoniël de weg wel wist.

Na vele kronkels en bochten kwamen ze op de open plek uit waar haar eikenboom stond. Hij was vergeten hoe groot hij was. 'Grootmoedereik', had Lhel hem genoemd. De stam was zo groot als een boerenhuisje en hij was hol geworden zonder de boom te doden. Een paar leerachtige, koperkleurige blaadjes ritselden nog in de bovenste takken en de bodem was bezaaid met honderden eikels. Een vuurtje knapperde achter de lage spleet die dienst deed als ingang. Ze glipte even naar binnen en kwam weer tevoorschijn met een kom vol reepjes gedroogd vlees en een paar gerimpelde appeltjes.

Tobin had geen zin om te eten maar Lhel gaf hem de kom en zei geen woord tot hij en Arkoniël hadden gedaan wat ze had bevolen.

'Kom nu,' zei ze en ze liep terug naar de eik. Arkoniël stond al op om te volgen maar ze belette hem dat door haar wenkbrauw op te trekken.

Binnenin brandde nog een vuurtje in een kuil in het midden van de vloer van aangestampte aarde. Lhel deed de flap van hertenhuid die als deur diende naar beneden en ging op het met bontvachten bedekte bed zitten; ze klopte op de plek naast haar. Toen Tobin ging zitten draaide ze zijn gezicht naar het licht en bekeek het een tijdje, vervolgens deed ze zijn tuniek open om het litteken te inspecteren.

'Is goed,' zei ze en ze wees naar haar schoot. 'Jij ziet meer bloed?'

Tobin bloosde en schudde het hoofd. 'Dat komt toch niet meer, hè?'

'Ooit, later. Maar je zal het maantij wel voelen, in buik.'

Tobin herinnerde zich de hete pijn in zijn onderbuik maar al te goed; die had hem hier tenslotte heen gebracht. 'Dat vind ik maar niks. Het doet pijn.'

Lhel grinnikte. 'Geen enkel meisje vindt fijn.'

Tobin huiverde toen ze dat woord uitsprak, maar Lhel leek het niet op te merken. Ze rommelde wat in de schaduwrijke hoek achter zich en gaf hem een buideltje met gedroogde, blauwgroene blaadjes erin. '*Akosh*. Als pijn komt, maak thee met klein beetje, niet meer.' Ze liet hem een plukje tussen haar vingers zien en deed of ze ze verkruimelde in een kop heet water.

Tobin deed het zakje in zijn tuniek en staarde naar zijn ineengeslagen handen. 'Ik wil dit niet, Lhel. Ik wíl geen meisje zijn. En ik wil ook geen… koningin worden.' Hij kon het woord nauwelijks over zijn lippen krijgen.

'Jij kan niet veranderen je lot, kiesa.'

'Lot? Jij hebt dit gedaan. Jij en de tovenaars!'

'Godin Moeder en de Lichtdrager vertellen: zo moet het zijn. Dat is lot.'

Tobin keek op en zag haar met haar wijze, droevige ogen naar hem kijken. Ze wees naar de lucht. 'Goden wreed, ja? Voor jou en Broer.'

'Broer! Heeft Arkoniël je verteld wat hij heeft gedaan? Ik roep hem nooit meer op. Nooit! Ik geef jou de pop wel terug; zorg jij er maar voor.'

'Nee, jij moet. Zielen sterke band.' Lhel sloeg haar handen ineen.

Tobin kneep zijn vuisten ineen tot de knokkels wit zagen. 'Ik haat hem!'

'Je hebt hem nodig.' Lhel nam zijn handen in de hare en sprak tot zijn geest zonder woorden, zoals ze altijd deed wanneer ze per se begrepen wilde worden. 'Jij en hij moeten samen blijven zodat de magie bewaard blijft. Hij is wreed. Wat kan hij anders zijn, kwaad en eenzaam, terwijl jij de hele tijd het leven leidt dat hem ontzegd is? Misschien kun je het nu beter begrijpen, nu je de waarheid kent?'

Tobin wilde het niet begrijpen, wilde het niet vergeven maar haar woorden troffen desondanks doel. 'Je hebt hem pijn gedaan toen je dat botje in mijn borst naaide. Hij huilde tranen van bloed.'

Lhel vertrok haar gezicht. 'Dat is nooit de bedoeling geweest, kiesa. Ik heb alles gedaan voor hem wat ik kon, maar sinds jullie geboorte heeft hij zwaar op mijn hart gedrukt.'

'Op jóúw hart gedrukt?' sputterde Tobin tegen. 'Jij was er anders niet bij toen hij me kneep en pestte, mijn moeder en vader kwelde en bedienden het huis uit joeg… En hij heeft Ki bijna vermoord!' Het vuur vervaagde toen er tranen in zijn ogen opwelden. 'Heb je Ki gezien? Hij wordt maar niet wakker.'

'Jawel. En jij houdt pop en zorgt voor Broer.'

Tobin wreef boos in zijn ogen. 'Het is niet eerlijk!'

'Stil, kiesa!' zei ze opeens bits en ze trok haar handen uit de zijne. 'Wat hebben de goden met "eerlijk" te maken? Eerlijk dat ik hier woon, ver van mijn volk? Woon in boom? Voor jou doe ik dit. Voor jou wij allemaal lijden.'

Tobin kromp ineen alsof ze hem geslagen had. Zo'n toon had nog nooit iemand tegen hem aangeslagen.

'Jij zúlt koningin van Skala worden. Dat jouw is lotsbestemming! Wil jij jouw volk in steek laten?' Ze zweeg en schudde haar hoofd, en haar stem was weer vriendelijk. 'Je bent jong, kiesa. Te jong. Eens houdt het op. Wanneer jij Broers huid weghaalt, jullie beiden vrij.'

'Maar wanneer is dat dan?'

'Ik weet niet. Illior zegt jou, misschien.' Ze streelde zijn wang, nam zijn hand en drukte hem tegen haar rechterborst. Hij was zacht en zwaar onder de ruwe wol. 'Eens zal jij vrouw zijn, kiesa.' Haar stem streelde zijn ziel. 'Ik zie de angst in jouw hart, angst dat je je kracht kwijtraakt. Maar vrouwen hebben hun eigen kracht. Waarom denk je dat jullie maangod koninginnen voor Skala koos? Ze waren allemaal strijders, je voorouders. Dat mag je nooit vergeten.

Vrouwen dragen de maan in hun baarmoederbloed, en hun hartenbloed.'

Ze raakte de binnenkant van haar pols aan waar de dunne blauwe bloedvaten door de huid heen schemerden. Er verscheen een smalle maansikkel, in fijne zwarte lijntjes getekend. 'Dat ben jij – een schijfje maan, het grootste deel is in duister gehuld.' Ze streek erover met haar vinger en een cirkel verscheen, over de buitenste rand van de sikkel. 'Maar wanneer er een volle maan verschijnt, zal jij je kracht kennen.'

Zijn kunstenaarsoog vertelde Tobin dat het ontwerp onevenwichtig bleef omdat er een afnemende maan in ontbrak, maar Lhel had het er verder niet over. In plaats daarvan raakte ze zijn platte buik aan. 'Hier zal jij grote koninginnen maken.' Haar ogen raakte de zijne en Tobin zag dat er respect in lag. 'Leer hen alles over mijn volk, Tobin. Ook de tovenaars.'

'Iya en Arkoniël weten ervan. Zij kwamen naar jou toe, toen ze hulp nodig hadden.'

Lhel snoof verachtelijk en leunde achterover. 'Maar dat zijn dan ook enigen,' zei ze hardop. Ze trok het zilveren mes uit haar gordel, prikte in haar linkerduim en perste er een druppel bloed uit. Daarmee tekende ze een maansikkel op Tobins voorhoofd, en maakte er een cirkel van. 'De Moeder beschermt jou, kiesa.' Ze kuste het teken dat ze had gemaakt. 'Ga maar terug nu.'

Toen Tobin de open plek met Arkoniël verliet bleef hij even bij de bron staan, om te kijken hoe het merkteken eruitzag. Er was niets van te bekennen; misschien was het verdwenen toen ze hem kuste. Hij keek ook nog even of hij dat andere gezicht zag, maar hij was blij dat hij alleen zijn eigen gezicht zag.

Tobin bracht de rest van de dag bij Ki door, en zag hoe Nari en Kokkie teder wat bouillon tussen zijn lippen lepelden en de dikke wollen doeken verwisselden waarop hij zich bevuild had. Het deed hem pijn zijn vriend zo hulpeloos te zien. Ki was dertien; als hij eens wist dat hij nu als een baby behandeld werd…

Tobin wilde slechts alleen zijn, maar iedereen bemoeide zich met hem. Tharin bracht boetseerwas en hield hem gezelschap. Sergeant Laris bracht wat mannen mee om bakshi en het bikkelspel te spelen, maar Tobin bedankte ervoor. Ze probeerden hem uit zijn sombere stemming te halen, en praatten en grapten tegen Ki alsof hij hen kon horen, maar Tobin werd er alleen maar zwaarmoediger van. Hij wilde niet over paarden of jagen praten, zelfs niet met Tharin. Het leek net of hij loog of de zaken ontkende als hij het daarover had. Lhels woorden spookten door zijn hoofd, en hij voelde zich een vreemde in zijn eigen huid. Zijn nieuwe geheimen zaten als frambozenpitjes tussen zijn tanden en konden ieder moment losraken en naar buiten vliegen als hij zijn hoofd er niet bijhield.

'Kijk nou toch, je hebt die arme Tobin helemaal uitgeput!' riep Nari toen ze met een stapel schoon linnengoed de kamer in kwam. 'Hij is zelf nog maar net uit bed. Ga nou maar en laat de jongen even met rust.'

Ze werkte de soldaten de deur uit maar Tharin bleef. 'Wil je dat ik blijf, Tobin?'

Maar zelfs dat wilde hij niet. 'Sorry, ik denk dat ik een beetje moe ben.'

'Dan moet je terug naar bed,' zei Nari. 'Ik haal wel een kop soep voor je en een warme steen voor je voeteneind.'

'Nee alsjeblieft. Laat me hier maar bij hem zitten.'

'Hij kan hier best slapen als hij dat graag wil. Die stoel is prima voor een dutje.' Met een laatste knipoog over zijn schouder leidde Tharin Nari de deur uit voor ze Tobin nog meer kon betuttelen.

Tobin trok zijn benen op in de leunstoel en keek een tijdje naar het dalen en rijzen van Ki's borst. Toen richtte hij zijn blik op de gesloten oogleden van zijn vriend, en wenste heel hard dat ze open zouden gaan. Zonder succes. Toen pakte hij de bijenwas op die Tharin had meegebracht en kneedde die om hem zacht te maken. Het vertrouwde gevoel en de zoete geur kalmeerden hem zoals gewoonlijk en hij begon er een paardje voor Ki mee te vormen; dat vond hij altijd het mooiste. Tobin had hem een houten gelukspaardje gegeven toen hij bij hem was komen wonen en Ki droeg het dag en nacht aan een koord om zijn hals. Tobins houtsnijkunst was in de loop der jaren flink vooruitgegaan en hij had hem vaak een nieuw paardje aangeboden, maar daar had Ki niets van willen weten.

Tobin was net bezig de manen met zijn nagel in te kepen toen hij voelde dat er iemand op de drempel stond. Iya glimlachte naar hem toen hij opkeek en hij vermoedde dat ze er al een tijdje had staan kijken.

'Mag ik er even bij komen zitten?'

Tobin haalde zijn schouders op. Iya zag dat blijkbaar als een uitnodiging, trok een andere stoel naar voren en boog zich voorover om het paardje te bekijken. 'Wat kun je dat toch goed. Is het een offerpaardje?'

Tobin knikte; hij zou het straks naar het huisaltaar brengen. Het hoofd van het paard was eigenlijk te lang en hij haalde iets van de neus af. Maar nu was het weer te kort. Hij gaf het op en rolde het hele beest tot een balletje op.

'Ik wil gewoon blijven wie ik ben!' fluisterde hij.

'En dat blijft ook zo, voor een tijd althans.'

Tobin raakte zijn gezicht aan en betastte de bekende contouren. Het gezicht dat Lhel hem had getoond was zachter, iets ronder op de wangen, alsof een beeldhouwer er een beetje was bij had gedaan en het met zijn duimen glad had gestreken. Maar de ogen – die waren hetzelfde gebleven. Net als het maansikkeltje op zijn kin.

'Is het… kun je… haar zien?' Hij kon zich er niet toe zetten om het woordje 'mij' uit te spreken. Zijn vingers begonnen weer nerveus in de was te knijpen.

Iya grinnikte. 'Welnee, de kust is veilig.'

Tobin wist dat ze bedoelde veilig voor koning Erius en zijn tovenaars, maar die bedoelde hij niet. Wat zouden Korin en de anderen zeggen als ze erachter kwamen? Meisjes werden niet toegelaten tot de Gezellen.

Iya stond op om te gaan maar haar oog viel op het nieuwe paardje dat vorm kreeg in zijn handen. Ze grabbelde in een buideltje aan haar gordel, haalde er een paar zachte, beige-bruine veertjes uit die ze aan hem gaf.

'Uil,' zei Tobin die het patroon herkende.

'Ja. Voor Illior. Misschien zou je af en toe eens een offer aan de Lichtdrager kunnen brengen. Leg ze maar gewoon op het vuur.'

Tobin zei niets maar toen ze weg was liep hij naar de hal, vulde een klein koperen kommetje met wat houtskool uit de grote haard en zette het op de plank van het huisaltaar. Hij fluisterde een gebedje aan Sakor om Ki weer sterk te maken, legde het paardje op de gloeiende kooltjes en blies erop tot de was begon te smelten. Het hele votief werd opgenomen in het vuur, een teken dat de god geluisterd had. Toen nam hij een van de uilenveertjes, draaide het rond in zijn vingers en vroeg zich af welk gebed hierbij zou passen. Daar had hij niet naar gevraagd. Hij legde het op de kooltjes en fluisterde: 'Lichtdrager, help me. En help ook Ki.'

Het veertje smeulde een seconde lang, een sliertje zurige rook steeg op. Toen vatte het vlam en verdween in een groene flits. Tobin huiverde en zijn knieën knikten. Dit was een dramatischer antwoord dan Sakor hem ooit gegeven had. Eerder bang dan gerustgesteld, gooide Tobin de kooltjes weer terug in de haard en rende naar boven.

De volgende dag leek op de vorige en ging nog langzamer voorbij. Ki sliep maar door en de bezorgde Tobin vond hem er nog bleker uitzien dan anders, al was Nari het niet met hem eens. Tobin maakte drieëntwintig paardjes, keek uit het raam terwijl Laris de manschappen drilde op het exercitieterrein van de kazerne en doezelde wat in de leunstoel. Hij speelde zelfs even met de bootjes en de houten inwoners van zijn speelgoedstad, al was hij er nu veel te oud voor en stond hij snel op toen hij iemand naar boven hoorde komen.

Tharin bracht hem avondeten op een dienblad en at met hem mee. Tobin had nog steeds weinig zin om te praten maar hij was blij met het gezelschap. Na het eten deden ze een spelletje bakshi op de vloer.

Ze hadden net de stenen geworpen toen Tobin heel even de dekens zag bewegen. Hij sprong overeind, boog zich over Ki en pakte zijn hand. 'Ben je wakker, Ki? Kun je me horen?'

Zijn hart juichte toen Ki's donkere wimpers over zijn wang streelden. 'Tob?'

'En ik,' zei Tharin en hij veegde Ki's haar van zijn voorhoofd. Zijn hand trilde, maar hij glimlachte.

Ki keek versuft om zich heen. 'Meester Porion… je moet zeggen… te moe om te rennen vandaag.'

'Je bent op de burcht, weet je nog?' Tobin kon zich maar net bedwingen om Ki's hand niet fijn te knijpen. 'Je bent me hiernaartoe gevolgd.'

'Wat? Waarom zou…' Hij bewoog zijn hoofd naar rechts en naar links, in een poging wakker te blijven. 'O ja. De pop.' Zijn ogen sperden zich open. 'Broer! O Tobin, ik heb hem gezien.'

'Weet ik. Het spijt me dat hij…' Tobin stopte midden in de zin. Tharin stond naast hem en kon alles horen. Hoe moest hij zorgen dat Ki er niet nog meer uitflapte wat niet voor Tharins oren bestemd was?

Maar Ki zakte alweer in. 'Wat is er gebeurd? Waarom… waarom heb ik zo'n koppijn?'

'Weet je dat niet meer?' vroeg Tharin.

'Ik, de pop… Ik weet nog dat ik reed…' Ki zakte weer weg en heel even dacht Tobin dat hij weer in slaap was gevallen. Toen fluisterde hij, met zijn ogen dicht: 'Heb ik je op tijd gevonden, Tob? Ik weet niks meer vanaf het moment dat ik in Alestun kwam. Heb je de pop gekregen?'

Tharin drukte zijn hand tegen Ki's wang en fronste zijn voorhoofd. 'Hij voelt nogal warm aan.'

'Honger,' piepte Ki.

'Nou, dat is in elk geval een goed teken.' Tharin stond op. 'Ik zal wat cider en soep voor je halen.'

'Vlees.'

'We beginnen met een kop cider en dan zien we wel weer.'

'Sorry,' zei Ki schor zodra Tharin weg was. 'Ik had niks over… *hem* moeten zeggen.'

34

'Geeft niks. Pieker er maar niet over.' Tobin zat op de rand van zijn bed. 'Heeft Broer je pijn gedaan?'

Ki's blik werd wazig. 'Ik… ik weet het niet. Ik weet niet meer…' Toen, opeens: 'Waarom heb je me dat nooit verteld?'

Eén afschuwelijke seconde lang dacht Tobin dat Ki hem met Lhel en Arkoniël had gezien en zijn geheim ontdekt had. Hij stond op het punt hem de waarheid te vertellen toen Ki verderging.

'Ik zou je heus niet hebben uitgelachen, hoor. Ik weet toch dat hij van je moeder was. Maar al was het gewoon een ouwe pop, dan nog zou ik je nooit uitlachen,' fluisterde Ki. Zijn ogen keken hem droef en vragend aan.

Tobin keek naar hun ineengestrengelde vingers. 'Die eerste nacht dat je bij me sliep, gaf Broer me een visioen. Ik zag hoe de mensen naar me zouden kijken als ze wisten dat ik hem had.' Hij maakte een hulpeloos gebaar. 'Ik zag jou en je… Ik was gewoon bang dat je mij maar een watje zou vinden als je het wist.'

Ki snoof zwakjes. 'Ik zou wel gek zijn als ik alles zou geloven wat *hij* me liet zien.' Hij keek rond, alsof hij bang was dat Broer meeluisterde en fluisterde toen: 'Het is een vals kreng, vind je ook niet? Ik bedoel, hij is je tweelingbroer en zo, maar het is net of hij niet helemaal af is…' Hij kneep in Tobins hand. 'Ik snapte eerst niet waarom hij wilde dat ik hem bij je bracht, maar nu… Hij wilde zeker dat we er ruzie om zouden krijgen, Tob. Hij heeft altijd al een hekel aan me gehad.'

Dat kon Tobin niet ontkennen, zeker niet in het licht van de gebeurtenissen hier.

'Ik was toch al van plan achter je aan te gaan, natuurlijk,' zei Ki en hij klonk gekwetst. 'Waarom ben je hem zomaar gesmeerd zonder mij?'

'Dat was het niet! Ik dacht dat ik de pest had; ik was bang dat ik jou en Tharin ook zou aansteken. Onderweg was ik doodsbang dat het al te laat was, dat de doodsvogels je in onze kamer zouden opsluiten en…'

Tobin stopte toen hij de paniek weer voelde opkomen. Langs Ki's wang gleed een traan.

'Als je ziek was geweest… Als je weg was gegaan en in je eentje aan de rand van de weg had liggen sterven… Dan zou ik mezelf wat aangedaan hebben!' fluisterde Ki hees. 'Dan was ik liever dood geweest dan dat ik verder had moeten leven met die gedachte!' Hij greep Tobins hand. 'Als je maar nooit meer… Laat het uit je hoofd, hè!'

'Het spijt me, Ki. Ik zal het nooit meer doen.'

'Zweer het, Tob. Waar jij heen gaat, daar ga ik ook heen, maakt niet uit waar naartoe. Zweer het op de Vier.'

Ze grepen elkaars vuist op de soldatenmanier. 'Ik zweer het op de Vier.'

Broer had het mis, dacht hij kwaad. *Of hij loog expres, omdat hij jaloers was.*

'Mooi. Dat is dan afgesproken.' Ki probeerde zijn hoofd langs het kussen af te vegen maar het lukte hem niet helemaal. Tobin gebruikte de punt van het laken om zijn tranen te deppen.

'Bedankt,' zei Ki verlegen. 'Maar wat is er nu echt gebeurd?'

Tobin vertelde zoveel hij kon, al kon hij niet bedenken hoe Ki de weg naar Lhels huiseik gevonden had, en Ki kon het zich niet herinneren.

'Ik vraag me af wat Ouwe Schijtebroek hiervan zal zeggen.'

'Kalm aan maar, ik zal het hem wel uitleggen. Jouw fout was het niet.' Ki was nog maar net wakker, dus vertelde Tobin hem liever niet over de brief.

Gerustgesteld sloot Ki zijn ogen. Tobin bleef stil zitten tot hij zeker wist dat zijn vriend was ingeslapen. Toen hij probeerde zijn hand los te maken, sloten Ki's vingers zich steviger om de zijne.

'Ik had je nooit uitgelachen, Tob,' murmelde hij. 'Nooit.' Weer druppelde er een traan tussen zijn wimpers door en biggelde naar zijn oor.

Tobin veegde hem weg met zijn vinger. 'Weet ik toch.'

'Voel me niet lekker. Koud… Wil je er niet bij komen?'

Tobin schopte zijn schoenen uit, klom onder de dekens en probeerde hem niet aan te stoten. Ki mompelde wat en draaide zijn gezicht naar hem toe.

Tobin keek hoe hij in slaap viel tot zijn eigen oogleden te zwaar werden. Toen Tharin eindelijk terugkwam met de cider en de soep, hoorde Tobin al niets meer.

Arkoniël en Iya kwamen Tharin in de hal tegen en hoorden het goede nieuws. Arkoniël snikte het haast uit van opluchting, natuurlijk omdat Ki eindelijk weer wakker was, maar ook dat hij zich niets herinnerde dat zijn leven in gevaar kon brengen. Of dat aan Lhel of Broer te danken was maakte hem niet uit, zolang Ki maar niet hoefde te sterven.

'Ik denk dat ik vannacht maar in Tobins bed slaap,' kondigde Tharin aan en wreef zich over zijn onderrug. 'Ik heb het even gehad met stoelen en ik heb zo'n idee dat Tobin Ki niet meer in de steek laat.'

'Je hebt je nachtrust wel verdiend,' zei Iya. 'Ik denk dat ik ook maar eens onder de wol kruip. Kom je ook naar boven, Arkoniël?'

'Ik blijf nog even hier.'

'Het komt wel goed met hem,' zei ze en ze glimlachte geruststellend. 'Maak het niet te laat, hè?'

Tharin liep achter haar aan naar de trap maar wendde zich nog even om naar Arkoniël. 'Heb jij ooit gehoord van iemand die de jongens "Broer" noemen?'

Arkoniëls hart sloeg een slag over. 'Wanneer hadden ze het erover?'

'Meteen toen Ki bijkwam. Iets over iemands broer die hem die pop had gegeven. Nooit van gehoord?' Hij gaapte en streelde zijn baard. 'Nou ja, hij was nog behoorlijk suf. Misschien iets wat hij gedroomd had.'

'Dat lijkt mij ook,' zei Iya en ze stak haar arm door de zijne terwijl ze hem meenam de trap op. 'Of misschien hoorde je het niet goed. Kom nou maar mee, voor we je naar boven moeten dragen.'

Arkoniël wachtte tot het hele huis sliep en sloop toen de kamer van de jongens binnen. Tobin was bij Ki in bed gekropen. Zelfs slapend leek hij treurig en uitgeput, maar bij Ki speelde een vage glimlach om zijn lippen. Terwijl Arkoniël toekeek bewoog Tobin zich en hij greep naar de schouder van zijn vriend, als om zich ervan te verzekeren dat hij er nog was.

Arkoniël liet zich in de stoel neervallen, want hij stond nog steeds niet helemaal vast op zijn benen. 's Nachts kwam het altijd harder aan, de herinnering aan wat hij gedaan had. En wat hij bijna gedaan had.

Hij had dat afgrijselijke moment de afgelopen dagen honderden keren opnieuw meegemaakt. Woelend in bed zag hij Ki op zich af komen door de bomen heen, zag hij die vrolijke glimlach verschijnen toen hij Tobin zag bij de bron van Lhel, die haar ware gedaante onthulde. Ki stak zijn hand op, en wuifde naar… Naar wie? Had hij haar gezien, haar herkend, of zwaaide hij alleen naar Arkoniël? Lhel had snel een bontmantel over Tobin heen gegooid, maar was ze snel genoeg geweest?

Dat was het enige spoortje hoop dat hem restte, want hij had nu eenmaal een eed gezworen tegenover Iya en Ranai, die dag dat ze erin toestemden een ander kind op de burcht toe te laten. En hij had gezegd dat het een kind moest zijn dat niemand zou missen.

Ja, hij wilde die eed gestand doen en hij had Ki echt willen doden, maar zijn hart had hem verraden en de bezwering verstoord; hij had hem op het laatste moment in een verblindingsspreuk willen veranderen maar in plaats daarvan werd Ki bijna getroffen door een explosie die hem de lucht in wierp als een handvol kaf. Hij zou dood zijn geweest als Lhel zijn hart niet weer tot kloppen had weten te verleiden. Ze had gezegd dat ze meteen alle eventuele herinneringen aan het zien van Tobin had weggevaagd, en daarvoor in de plaats een vaag idee van ziekte had geweven. Hadden hij en Iya maar geweten dat zoiets mogelijk was…

Al was hij nog zo blij dat Ki leefde, hij kon niet om de waarheid heen: hij had zijn plicht verzaakt door Ki niet te doden, en Ki zelf verraden door het te proberen.

Jarenlang had hij zich voorgehouden dat hij anders was dan Iya en Lhel. Het zag ernaar uit dat het niets met medeleven te maken had – hij was gewoon een zwakkeling.

Beschaamd sloop hij naar zijn kamer en liet de twee onschuldige kinderen achter in een vredige toestand die zijn hart nooit meer zou kennen.

3

Ki was nog te zwak om de volgende dag al op te staan, dus sneed Kokkie de verlate verjaardagstaart aan in de ziekenboeg. Het hele huishouden at staande zijn portie. Nari gaf Tobin een nieuwe trui en strakke broek die ze had gebreid en Koni, de pijlenmaker, gaf hem zes schitterende nieuwe pijlen. Laris had benen lokfluitjes voor hem gesneden en Ki en Arkoniël gaven hem verlegen een speciaal vuurbestendig buideltje om vuurspaanders in te vervoeren.

'Helaas ligt mijn cadeautje nog in Ero,' zei Tharin.

'Het mijne ook,' zei Ki met zijn mond vol taart. Zijn hoofd was nog niet helemaal genezen maar met zijn eetlust zat het wel goed.

Voor de eerste keer sinds lange tijd leek het erop dat alles weer een beetje normaal begon te worden. Tobins hart zwol van vreugde toen hij het lachende en pratende gezelschap aanschouwde. Als Iya er niet geweest was, had het elk willekeurig verjaarsfeestje kunnen zijn dat hij had meegemaakt.

De dag daarop werd Ki al behoorlijk rusteloos en vroeg Nari om hem zijn kleren te geven, maar ze wilde er niet van horen – hij mocht de speelkamer niet uit. Hij zeurde en mokte zo erg dat ze zijn kleren ergens anders in veiligheid bracht, voor het geval dat.

Zodra ze de kamer uit was sprong Ki uit bed en wikkelde zichzelf in een deken.

'Zo, nu ben ik in elk geval op,' pruttelde hij. Al vrij snel begon hij zich weer ziek te voelen maar hij wilde niet toegeven dat Nari gelijk had gehad. Hij slikte zijn misselijkheid in en stond erop dat ze een spelletje bakshi speelden. Na een paar worpen zag hij echter alles dubbel en hij liet zich toch maar weer door Tobin in bed helpen.

'Niks aan haar vertellen, hè?' smeekte hij en hij sloot zijn ogen. De hoofdpijn werd alleen maar erger als hij probeerde de twee fronsende Tobins te laten samenvallen tot een.

'Tuurlijk niet, maar misschien zou je toch af en toe wel eens iets van haar aan kunnen nemen.' Ki hoorde hoe hij in de stoel bij het bed ging zitten. 'Je ziet er nog steeds behoorlijk gammel uit.'

'Morgen is het weer over,' zei Ki en hij hoopte maar dat het waar was.

Het werd kouder. Kleine scherpe sneeuwvlokken vielen neer uit een betrokken lucht en het dode gras in de wei schitterde elke ochtend van de rijp.

Ki slokte alle soep, custard en gebakken appeltjes die Kokkie naar boven stuurde op alsof hij in geen maanden gegeten had, en vroeg elke dag om vlees. Hij bleef mopperen dat hij zich opgesloten voelde, maar Tobin zag ook wel in dat hij nog lang niet de oude was. Hij werd snel moe en had soms nog flink last van zijn ogen.

Ze hadden het wel gehad met spelletjes lang voordat Ki in staat was beneden in de hal met oefenzwaarden aan de gang te gaan. Om hem bezig te houden, maakte Tobin een soort nest van stevige kussens en dekens naast de speelgoedstad, en ze verzonnen een nieuw spel door bekende routes uit te stippelen door de straten en de Gezellen erdoor te laten rijden, op weg naar een of ander pretje.

Ki tilde het dak van het Oude Paleis af en nam de kleine gouden plaquette uit zijn houder bij de houten troon. Hij hield hem zo dat het licht erop viel, en kneep zijn ogen toe voor de kleine lettertjes. 'Mijn ogen worden beter, denk ik, want ik kan het lezen. "Zolang er een dochter uit het geslacht van Thelátimos heerst en verdedigt, zal Skala nimmer onderworpen worden". Weet je, dit is de eerste keer dat ik hiernaar kijk sinds Arkoniël ons lezen leerde.' Hij fronste zijn donkere wenkbrauwen. 'Heb je er wel eens bij stilgestaan dat het beter is dat je oom hier niet van weet? De plaquette uit de echte troonzaal is verdwenen, weet je nog? Mijn vader beweerde eens dat Erius hem omgesmolten had in de tijd dat hij alle stenen kopieën die op elke kruispunt in het land stonden in zee liet gooien.'

'Je hebt gelijk.' Het was nooit in Tobin opgekomen dat het een risico was hem zo openlijk te laten slingeren; bovendien kreeg die gedachte een onheilspellender tintje in het licht van wat hij een maand eerder niet geweten had. Hij keek om zich heen en vroeg zich af wat een veilige bergplaats zou zijn. Het mocht dan een gevaarlijk dingetje zijn, het was nog steeds een geschenk van zijn vader.

En niet alleen een geschenk, een boodschap bovendien. Het begon hem te

dagen dat de speelgoedstad niet alleen voor het vermaak van een kind was gemaakt; zijn vader had hem onbewust een basis gegeven en klaargestoomd
voor de dag...

'Tob, alles kits?'

Tobin sloot zijn hand om de plaquette en stond op. 'Ja, ik dacht even aan
mijn vader.' Hij keek weer om zich heen, en opeens had hij het. 'Ik weet de
perfecte plaats.'

Ki volgde hem toen hij terugsnelde naar zijn eigen kamer en de kledingkist
opendeed. Hij had de pop niet meer aangeraakt sinds hij hem daar verstopt
had, maar hij haalde hem nu tevoorschijn en vond de naad aan de zijkant
waar de steken lang genoeg waren om het kleine gouden plaatje tussen te
schuiven. Hij duwde hem diep in het poppenlijfje en schudde hem om te zorgen dat hij er niet uit kon glippen. Toen hij klaar was begroef hij de pop weer
onder de kleren en grijnsde naar Ki. 'Ziezo. Deze heb ik al lang genoeg verborgen weten te houden.'

De volgende middag verbrak het geluid van dravende paardenhoeven de win-
terstilte op de weg naar Alestun. Ki liet zijn bakshistenen voor wat ze waren en
de jongens renden naar het raam.

'Weer een koerier van heer Orun,' zei Tobin fronsend terwijl hij de boodschapper in zijn gele livrei de slotbrug op zag komen. Sefus en Kadmen ontvingen hem bij de poort.

Ki keek hem verwilderd aan. 'Weer? Wat wilde de vorige dan? Tobin!'

Tobin krabbelde wat korstmos van de stenen vensterbank. 'Hij wil dat ik
terugkom naar Ero, maar Tharin heeft hem geschreven dat ik nog te ziek ben
om te rijden.'

'Is dat alles?'

'Nee,' gaf Tobin zuchtend toe. 'Orun zei dat hij weer naar de koning zou
schrijven.'

'Over mij.'

Tobin knikte grimmig.

Ki zei niets, maar keek weer uit het raam. Tobin zag de bezorgde blik in zijn
ogen.

Tharin bracht hen het nieuws. 'Meer van hetzelfde. Je voogd staat te popelen
je weer in de buurt te hebben.'

'En om mij uit zijn buurt te krijgen,' zei Ki.

'Daar lijkt het wel op.'

Ki liet het hoofd hangen. 'Dit is allemaal mijn schuld, niet, Tharin? Ik heb hem alle reden gegeven. Ik had naar jou moeten gaan zodra ik Tobin miste. Ik weet ook niet waarom ik luisterde naar die…' Afwezig wreef hij over de verkleurende bult op zijn voorhoofd en keek Tobin treurig aan. 'Ik wilde je alleen maar zo snel mogelijk inhalen. En kijk nou eens waar dat op uitliep…'

'Ik laat je heus niet wegsturen. Wat stond er precies in de brief?'

Tharin overhandigde Tobin het opgevouwen perkament en hij liet zijn ogen er snel overheen glijden. 'Hij wil dat ik vandaag al terugkom! Maar Ki kan nog lang niet rijden.'

Tharin glimlachte weinig vrolijk. 'Ik betwijfel of heer Orun dat een gegronde reden vindt. Maar maak je geen zorgen. Nari staat de koerier beneden omstandig uit de doeken te doen dat je nog altijd hoge koorts hebt. Dus zou ik maar in mijn kamer blijven zolang hij hier is. Heer Orun ziet er vast geen been in om ons een spion op ons dak te sturen.'

'Daar kan je donder op zeggen,' zei Iya die om de hoek van de deur keek. 'Zou je voor je onderduikt nog even boven willen komen, Tobin? Ik moet je iets laten zien. Privé,' voegde ze eraan toe toen Ki naar de deur liep.

Tobin keek zijn vriend verontschuldigend aan terwijl hij haar volgde.

'Wat dan?' vroeg hij toen ze de gang doorliepen.

'Er zijn dingen die we moeten bespreken, nu we nog tijd hebben.' Ze zweeg even. 'Haal de pop even, als je wilt.'

Tobin deed wat ze gevraagd had en ze liepen de trap naar de tweede verdieping op. Arkoniël ontving hen in zijn werkkamer en tot Tobins verrassing was hij niet alleen. Lhel zat vlak naast hem aan de lange tafel. Iedereen keek zeer ernstig maar hij was hoe dan ook blij haar te zien.

'Jij hebt geroepen Broer?' vroeg Lhel en hij vermoedde dat ze het antwoord al wist.

'Nee,' bekende hij.

'Roepen, nu.'

Tobin aarzelde en sprak toen struikelend over de woorden de formule uit.

Broer verscheen in een hoek zo ver mogelijk van de deur. Hij was mager en verfomfaaid, maar Tobin kon de kille kracht van zijn aanwezigheid door de kamer voelen zinderen.

'Nou, wat denk je?'

Lhel keek Broer vorsend aan en haalde toen haar schouders op. 'Ik zeg, binding is sterker nu. Dus hij ook sterker.'

'Ik vraag me af of Ki hem nog steeds kan zien,' mompelde Arkoniël.

'Ik laat hem niet in Ki's buurt komen.' Tobin wendde zich kwaad naar de geest. 'Ik roep je nooit meer op, tenzij je zweert dat je hem met geen vinger meer aanraakt! Kan me niet schelen wat Lhel zegt!' Hij zwaaide met de pop in Broers richting. 'Zweer het, of je kan wegblijven en verhongeren.'

Tobin zag de haat in Broers zwarte ogen glinsteren, maar die was op de tovenaars gericht, en niet op hem.

'Niemand zag hem in Tobins kamer,' zei Iya alsof ze de uitbarsting niet gehoord had.

'Zij die oog hebben zien hem duidelijker nu,' zei Lhel. 'En hij maakt anderen zien hem wanneer hij wil.'

Tobin keek weer naar Broer en zag hoe het lamplicht hem op dezelfde wijze bescheen als de andere aanwezigen; dat was nooit het geval geweest. 'Hij ziet er… echter uit, vind ik.'

'Moeilijker om jullie uit elkaar te houden, als de tijd komt, maar dat moet zo zijn.'

Even won Tobins nieuwsgierigheid het van zijn angst. 'Kom hier,' beval hij de geest. Tobin stak zijn hand uit om hem aan te raken, maar zoals gewoonlijk sneed zijn hand door ijskoude lucht. Broer grijnsde naar hem; hij had veel weg van een wild beest dat hem zijn tanden liet zien.

'Ga weg!' zei Tobin streng en hij was opgelucht dat de jaloerse geest meteen gehoorzaamde. 'Mag ik nu gaan?'

'Nog heel even, alsjeblieft,' zei Arkoniël. 'Weet je nog dat ik je beloofde een trucje te leren om je gedachten te beschermen? Het is tijd dat we daarmee aan de slag gaan.'

'Maar het is geen magie. Dat zei je, weet je nog?'

'Waarom ben je toch zo bang voor magie, Tobin?' vroeg Iya. 'Zonder magie was je allang dood geweest. En je kunt er zo veel moois mee verrichten! Dat heb je zelf ook gezien. Met één handbeweging kan ik vuur maken zonder hout, of eten in de wildernis. Waarom ben je er bang voor?'

Omdat magie verrassing en angst, verdriet en gevaar betekent, dacht Tobin. Maar hij kon hen dat niet vertellen; want hij wilde niet dat ze wisten hoeveel macht ze over hem hadden. Dus haalde hij zijn schouders op.

'Veel soorten magie, kiesa,' zei Lhel zacht en hij zag een glimp van de geheime symbolen op haar wangen. 'Jij wijs, jij respecteert. Sommige magie goed, sommige kwaad. Maar we doen geen kwaad bij jou, kiesa. Maken jou veilig.'

'En dit is geen echte magie, maar eerder een bescherming ertegen,' verzekerde Arkoniël hem. 'Het enige dat je moet doen is je iets heel duidelijk voorstellen, door een plaatje in je hoofd te maken. Kun je je de zee voorstellen, bijvoorbeeld?'

Tobin dacht aan de haven van Ero in de ochtendschemering, met de grote voor anker liggende handelsschepen en de kleine vissersbootjes dansend op de golfjes.

Hij voelde een koele aanraking op zijn voorhoofd maar niemand had bewogen.

Iya grinnikte. 'Dat was erg goed.'

'Heel goed,' beaamde Lhel.

Tobin opende zijn ogen. 'Is dat alles?'

'Dat is een begin, maar een heel goed begin,' antwoordde Arkoniël. 'En je moet het vanaf nu zo vaak oefenen als je kunt, en het meteen doen wanneer Niryn of een van de andere Haviken naar je kijkt. Het moeilijkste is nog om niet te verraden dat je hard aan iets anders zit te denken.'

'Arkoniël trok altijd een gezicht alsof hij buikkramp had,' zei Iya en ze keek hem liefdevol aan, net zoals Nari wel eens naar Tobin keek. 'En je moet niet steeds aan hetzelfde denken. Het is het handigste als je je richt op iets dat je net gedaan hebt. Dat is heel natuurlijk. Dus als je net terugkomt van de valkenjacht, denk je aan de riempjes aan zijn poot, de prooi, het geluid van zijn belletjes.'

Tobin probeerde het nogmaals, door aan het spel te denken dat Ki en hij net hadden gespeeld.

'Uitstekend!' zei Arkoniël. 'Maar onthoud goed, dat je beste verdediging tegen Niryn en zijn kompanen is dat je ze nooit een reden geeft in je hoofd te kijken.'

Tobins verontschuldigingen werden de volgende dag al naar Ero gezonden. De jongens keken uit Ki's raam naar de koerier die in de verte verdween en staken hun tong naar hem uit.

Langzamerhand was Ki sterk genoeg om Nari's strenge regels te ontduiken; ze maakten een wandelingetje rond de burcht en brachten een bezoekje aan de kazerne. Ki wilde Arkoniël opzoeken, maar de tovenaar reageerde niet op zijn geklop.

Op weg naar de trap vroeg Ki, die het maar vreemd vond dat de deur niet werd geopend: 'Waar denk jij dat hij kan zijn?'

'Hij is er wel,' zei Tobin en hij haalde zijn schouders op. 'Ik weet niet wat er is, ik sprak hem gisteren nog.'

'Ik heb hem niet meer gezien sinds je verjaarspartijtje,' zei Ki. 'Het lijkt wel of hij me ontloopt.'

Tobin sloeg hem goedmoedig op zijn schouder. 'Maar waarom zou hij dat nou doen?'

Ki was verbijsterd hoe snel zijn hervonden energie hem weer in de steek liet. Tegen het middaguur voelde hij zich alweer een dweil en zag hij weer dubbel. Dat beangstigde hem, want Iya had beloofd dat dat snel verleden tijd zou zijn. De gedachte dat ze het mis had was te griezelig om bij stil te staan. Wie zou een blinde schildknaap in dienst nemen?

Zoals gewoonlijk voelde Tobin aan wat hem dwarszat zonder dat hij het hoefde te vertellen, en hij vroeg om hun avondeten boven te brengen.

Die nacht sliepen ze in Tobins kamer. Ki zuchtte gelukzalig terwijl hij zich in de zachte kussens liet ploffen. Al was het dan maar voor een paar nachten, het was geweldig dat alles weer gewoon was, zoals het altijd geweest was. Hij had al in geen dagen aan Ero of zijn vijanden bij de Gezellen gedacht.

Tobin hield zich in gedachten met dezelfde zaken bezig terwijl hij de dansende schaduwen die de kaarsvlam veroorzaakte bekeek. Een deel van hem miste Korin en de anderen en de opwinding van het paleisleven. Maar die boze brieven van Orun wierpen daar een flinke smet op. Het was niet voor de eerste keer dat hij wenste dat alles weer was zoals vroeger.

'Dit klereding jeukt,' gromde Ki en hij wreef over zijn voorhoofd. Hij wendde zijn gezicht naar Tobin. 'Hoe ziet het eruit?'

Tobin schoof Ki's zachte bruine pony opzij om het beter te kunnen zien. Een flinke jaap met gezwollen, korstige randen liep van de haargrens naar Ki's rechteroog. De bult vervaagde nu van roodpaars naar vlekkerig groen. 'Je moet een rots of zo geraakt hebben toen je viel. Doet het nog pijn?'

Ki lachte. 'Ja zeg, begin jij me nu ook al te bemoederen! Het is al erg genoeg dat ik de hele dag binnen moet blijven. Mijn ouweheer had me allang naar buiten gejaagd, dat kan ik je wel vertellen. "Wie z'n been niet gebroken heb of zijn darmen niet achter zich aan mot slepen, gaat als de sodemieter naar buiten om zijn werk te doen."'

'Mis je je familie nog steeds?'

Ki vouwde zijn handen over zijn borst. 'Een paar mis ik wel. Ahra en een paar van mijn broers.'

'Als we ons leven in Ero weer op poten hebben, gaan we ze opzoeken,' beloofde Tobin hem. 'Ik wil zo graag weten waar jij vandaan komt.'

Ki keek weg. 'Nee, dat wil je helemaal niet.'

'Waarom niet?'

'Gewoon.' Hij grijnsde even naar Tobin. 'Bij de ballen van Bilairy, ik wil er toch ook niet meer heen! Wat kan jou dat nou schelen?'

Tobin ging er verder niet op in; Ki had het volste recht op een paar eigen geheimen, en hij had gelijk, het was al zo lang geleden. Hij streek Ki's haar nog verder naar achteren, zogenaamd om de wond beter te bekijken. 'Dat zal overigens een fraai litteken worden.'

'Niet om over op te scheppen, jammer genoeg,' mopperde Ki. 'Denk je dat de meisjes me zouden geloven als ik vertelde dat we onderweg een stel Plenimaraanse deserteurs of bandieten tegen waren gekomen? Volgens mij geloven Una en Marilli dat best.'

Tobin grinnikte, maar tegelijkertijd voelde hij de bekende steek van jaloezie opkomen. Hij had genoeg verhalen gehoord over de warmbloedige leden van Ki's gezin, en ook Ki had een overmatige belangstelling voor alles wat een rok aanhad.

Tobins verlegenheid op dat vlak had hem heel wat plagerijtjes opgeleverd van zijn vrienden. Ki deed daar volop aan mee. Iedereen – ook Tobin zelf – had het aan zijn leeftijd en aangeboren schichtigheid geweten.

Tot nu toe.

Nu, met zijn vingers nog steeds vervlochten met Ki's warme haar, begon Tobin eindelijk te begrijpen wat dat boze slangetje in zijn binnenste kon betekenen. Hij haalde zijn hand weg en ging liggen, met de dekens tot aan zijn kin.

Ik houd niet op die manier van meisjes omdat ik...

Hij legde zijn armen over zijn gezicht om de blos te verbergen en gebruikte Arkoniëls truc. Hij dacht aan Gosi's ruige wintervacht, het gevoel van ijzige regen in zijn nek, de scherpe klauwen van zijn valk op zijn vuist – van alles om dat schuldige gevoel maar weg te nemen. Van alles om maar niet te denken aan het gevoel van zijn vingers in het zachte haar van zijn vriend.

Ik ben een jongen! Ki zou nooit...

Ki was opvallend rustig en toen Tobin zijn arm een stukje optilde, zag hij hem nadenkend naar de balken staren. Even later zuchtte hij diep.

'En hoe zit dat nu met Orun? Als hij het nu echt voor elkaar krijgt dat je oom me wegstuurt?'

'Dat heb ik toch gezegd, dat sta ik niet toe.'

'Ja, dat weet ik wel.' Ki's grijns kwam tevoorschijn terwijl hij Tobins hand greep, maar hij was nog steeds bezorgd. 'Hoe dan ook, Tob, wat er ook gebeurt, ik zal altijd achter je staan, al is het maar als soldaat in jouw garde.' Hij was doodernstig. 'Wat er ook gebeurt, Tobin, ik steun je door dik en dun.'

'Dat weet ik toch,' bracht Tobin uit, ingeklemd tussen dankbaarheid en schuldgevoel. 'En ik jou. Ga nu maar slapen, voor Nari binnenkomt om je naar je eigen bed te jagen.'

Orun sloeg de volgende dag terug met een derde boodschapper, en zonder erbij na te denken ging Tobin naar beneden om het nieuws in ontvangst te nemen. Tharin was in gesprek met de man en keek verrast op toen Tobin de trap afrende. Tobin had niet meteen door wat die blik betekende.

Hun bezoeker bleek een hoogst ongebruikelijke koerier. Het was Oruns persoonlijke knechtje, Bisir. Het was een rustige, gedweeë knaap, knap op een bepaalde manier zoals alle jongens van Oruns personeel. Met zijn grote, donkere ogen en zachte, nerveuze handjes had Bisir Tobin altijd aan een haas doen denken. Hij was een van de weinigen van Oruns personeel die altijd aardig tegen hem deed en nog belangrijker, die zich altijd beleefd jegens Ki gedroeg.

'Ik heb een brief voor u van heer Orun, prins Tobin,' zei Bisir en hij keek enigszins schuldig toen hij Tobin het verzegelde vel perkament overhandigde. 'En mag ik daaraan toevoegen, mijn prins, dat ik blij ben u weer zo gezond te zien. De laatste brief van kapitein Tharin verontrustte mijn meester nogal, omdat er sprake zou zijn van enig levensgevaar waarin u verkeerde.'

Toen pas besefte Tobin hoe dom hij was geweest. Het zou nu geen zin meer hebben om over zijn wankele gezondheid te schrijven. Hij maakte de brief open en zag dat het niets had uitgemaakt. Orun dreigde hem te komen halen, als het moest met paard en wagen.

'Niks aan de hand,' zei Ki terwijl Tobin liep te ijsberen voor het raam. 'Rijden is echt geen probleem.'

Iya was daar niet zo zeker van, en die nacht gingen ze terneergeslagen naar bed. Tobin kon niet slapen en hij richtte een smeekbede tot Sakor en Illior, en vroeg zich af of de goden een petitie wel konden horen als die niet op de rook van een offergave was meegevoerd.

Toen hij de volgende ochtend opstond was het eerste wat hij zag iets wits op de vloer. Het was sneeuw. Een van de luiken was opengewaaid en een klein beetje had zich opgehoopt op de biezen langs het raam. Meer waaide nu naar binnen. Hij sprong uit bed, vloog naar het raam en keek naar buiten terwijl de verwaaide vlokken op zijn wangen bleven plakken.

De weide was verdwenen, verdwenen achter dikke, golvende witte gordijnen. Hij kon nog net een deel van het dak van een kazernebarak onderscheiden, maar de brug was een vage vlek in de verte.

Hij maakte een sneeuwbal en gooide hem naar Ki om hem te wekken. Blijkbaar hadden de goden een gulle bui gehad.

De sneeuwstorm duurde wel drie dagen, waarbij de poorten dichtgesneeuwd raakten en Bisir gedwongen was bij hen te logeren. Dit leverde natuurlijk de nodige problemen op. Iya had zich al voorgesteld, maar Arkoniël moest zich helaas boven verstoppen voor het geval Bisir door de burcht ging zwerven en op plaatsen kwam waar hij niet gewenst was.

De jonge hofbediende was verlegen en voelde zich eerst niet zo op zijn gemak. Hij was duidelijk niet op zijn plaats in dit simpele, landelijke huishouden. Er was hier niets voor hem te doen, hij hoefde niemand te bedienen. De vrouwen wilden niet dat hij hen voor de voeten liep in de hal, dus namen Koni en een stel andere jonge soldaten hem onder hun hoede en sleepten hem mee naar de kazerne. Ki en Tobin keken vanaf de overloop toe hoe ze hem zwakjes tegenstribbelend meenamen. Te midden van ruwe soldaten die pittige taal uitsloegen, zag Bisir eruit of hij op weg was naar zijn executie.

Ze zagen hem de volgende dag bij het ontbijt pas terug. Hij zag er voor zijn doen behoorlijk verfomfaaid uit, maar hij lachte even hard als Koni en de anderen om een grap, iets wat Tobin hem nog nooit had horen doen.

Zelfs nadat de sneeuwstorm was overgewaaid, lagen de wegen zo tjokvol sneeuw dat er voorlopig geen sprake van reizen kon zijn. Drie gouden weken lang brachten ze door alsof ze nooit in Ero geweest waren.

Rijden was nu onmogelijk, maar ze vochten eindeloze sneeuwbalgevechten uit met de soldaten, maakten een heel eskader sneeuwmannen en oefenden zwaardvechten in de kazerne. Koni betrok Bisir steeds in dit vermaak, maar een strijder zou Bisir wel nooit worden.

Een paar keer lukte het Tobin en Ki om ongezien weg te sluipen en dan gingen ze op zoek naar Lhel aan de rand van het bos, maar de heks was ofwel ingesneeuwd, of ze had geen zin zichzelf te laten zien.

Ki werd een stuk sterker, maar soms had hij bij het boogschieten opeens weer last van zijn ogen. Hij wilde eigenlijk naar Tharin, maar kwam uiteindelijk bij Iya terecht, op een middag dat Tobin rustte. Toen hij er eenmaal was, was hij bang om precies te vertellen wat er aan de hand was. Iya was heel vriendelijk, gaf hem een stoel bij het vuur en overhandigde hem een beker kruidenwijn. Toen hij er ten slotte uitflapte wat hem dwarszat, was ze opgelucht.

'O, je ogen? Nou, laten we eens zien wat ik daaraan kan doen.' Iya boog zich voorover en drukte een hand tegen zijn voorhoofd. Een paar minuten lang zweeg ze en stond daar maar met haar ogen half toegeknepen, alsof ze naar iets in haar hoofd luisterde. Ki voelde iets kouds over zijn hals glijden; het kriebelde een beetje maar het voelde niet onaangenaam.

'Je hebt me nooit verteld dat je een heleres was.'

'Ach, ik weet zo het een en ander,' mompelde ze.

Wat ze ook deed, ze leek tevreden toen ze weer ging zitten. 'Ik zou me er geen zorgen over maken. Die klap op je kop werkt nog steeds na. Ik weet zeker dat het van voorbijgaande aard is.'

'Ik hoop het maar. Als we teruggaan…'

'Moet je je opnieuw een waardig Gezel betonen,' raadde Iya hem aan, wijs als altijd. 'Maar je vrienden weten al wat je waard bent, en wat je ook doet, je vijanden zullen toch niet veranderen.'

'Mijn vrienden,' murmelde Ki en hij dacht aan Arkoniël. Wat Tobin en de anderen ook zeiden, het was zo klaar als een klontje dat Arkoniël hem meed. Hij had hoogstens een keer om de hoek gekeken toen Ki ziek op bed lag en sindsdien hadden ze elkaar niet meer gesproken. Dat deed pijn. Ki had de tovenaar altijd graag gemogen, zelfs wanneer hij hem dwong te leren lezen en schrijven. Deze onverklaarbare koelte was nauwelijks te verdragen.

Hij dorst er ook niets tegen Tharin over te zeggen, want hij was bang voor het antwoord. Maar nu kon hij zich niet langer inhouden. Iya kende Arkoniël beter dan wie ook. 'Is Arkoniël kwaad op me omdat ik Tobin weg heb laten vluchten?'

Iya trok een wenkbrauw op. 'Kwaad? Hoe kom je daar nu bij? Je weet toch dat hij niet het risico kan lopen dat onze gast hem ziet.'

'Hij ging me al uit de weg voor Bisir hier was.'

'Hij vraagt de godganse tijd naar je.'

Ki staarde haar aan. 'Echt?'

'Jazeker.'

'Maar ik zie hem nooit.'

Iya streek de voorzijde van haar gewaad glad. 'Hij is vreselijk druk met die bezwering waaraan hij werkt. Daar besteedt hij vrijwel al zijn tijd aan.'

Ki zuchtte. Maar hij had Tobin om de paar dagen bij zich geroepen; hem niet.

Iya zag de twijfel in zijn ogen, of nam een kijkje in zijn geest, want ze glimlachte. 'Maak je daar alsjeblieft geen zorgen over, mijn kind. Je ziekte joeg hem de stuipen op het lijf maar dat durfde hij niet toe te geven. Misschien heeft hij een wat vreemde manier om het te tonen, maar hij geeft erg veel om je. Ik zal het er wel eens met hem over hebben.'

Ki stond op en boog dankbaar. Hij had nog steeds te veel ontzag voor haar om haar te omhelzen. 'Dank u wel, juffrouw. Ik zou vreselijk verdrietig zijn als hij me niet meer mocht.'

Verbaasd ontving hij een aai over zijn wang van Iya. 'Daar hoef je echt niet bang voor te zijn, mijn jongen.'

4

Niryn vermaakte zich kostelijk bij de aanblik van Orun, die kookte van woede en zich opvrat van nijd over Tobins afwezigheid. Hij had meteen al het vermoeden gehad dat de kanselier het voogdijschap naar zich toe had getrokken om via Tobin zijn banden met het koninklijk huis aan te halen. Als het kind een meisje geweest was had hij zich ongetwijfeld zo snel mogelijk met haar verloofd. Hij was een machtig man, dat was waar, en zijn kruiperige loyaliteit tegenover de moeder van de koning had hem zowel rijkdom als status opgeleverd; Erius zou een dergelijke band zeker in overweging hebben genomen.

Maar in plaats daarvan zat hij opgezadeld met dat magere, schichtige knulletje, erfgenaam van de rijkste landgoederen van Skala, en kon Orun zijn hand op de knip van de staat houden. Niryns eigen greep op de koning was vrij stevig, maar het zat hem niet lekker dat juist de meest weerzinwekkende figuur van heel Ero met zijn neus in de boter was gevallen. Dus beidde hij zijn tijd en had hij zijn spionnen in Oruns huis uitgezet om te zien wanneer Orun een uitglijder zou maken. Oruns voorliefde voor minderjarige jongens was geen geheim, al beperkte hij zich wat zijn lusten betrof wijselijk alleen tot bedienden, schandknapen en hoertjes die het wel uit hun hoofd lieten hem te verklikken. Maar als hij zich per ongeluk aan Tobin zou vergrijpen? Dat zou Niryn eigenlijk uitstekend uitkomen. De tovenaar had al eens met de gedachte gespeeld het lot een handje te helpen.

Niet dat het wat uitmaakte. De koning kon op elk willekeurig moment – en hierop had Niryn wel enige invloed – ongestraft de hand leggen op Tobins kastelen, landerijen en schatkisten. Tobin was nog jong en had vrijwel geen vrienden onder de edelen; nu zijn ouders dood waren had niemand er een boodschap aan hem zijn loyaliteit te betuigen.

Als Ariani's dochter was blijven leven, in plaats van dit scharminkel, zou het een andere kwestie zijn geweest. De pest en droogte teisterden al jaren het land en de boeren hadden zich tot Illior gewend. Het was niet al te moeilijk geweest om de koning aan zijn verstand te brengen dat elk familielid van het vrouwelijk geslacht een bedreiging van zijn eigen positie vormde. Als de Illioranen te sterk werden zouden ze een 'dochter van Thelátimos' kunnen zoeken en een leger kunnen samenstellen om hem van de troon te stoten. De oplossing was snel gevonden.

Niryn had bijna een dodelijke fout gemaakt door te laten vallen dat de zuster van de koning, Ariani, de grootste bedreiging van allemaal betekende. Erius had hem bijna laten executeren, zo woedend was hij. Dat was de eerste keer geweest dat Niryn zijn magische krachten op de koning had toegepast.

Het incident werd vergeten en Niryn zag tot zijn tevredenheid dat de toegeeflijkheid van de koning zich niet uitstrekte tot de kinderen van zijn zuster. Ze hadden het stilzwijgend als een gunstig voorteken beschouwd dat zijn nichtje doodgeboren was. Later, toen de prinses waanzinnig bleek te zijn geworden, hoefde Niryn zich niet meer met de bewoners van de burcht bezig te houden. Zelfs de meest fanatieke Illioranen zouden geen behoefte hebben aan de zoveelste gestoorde koningin. Niemand zou Ariani noch haar vervloekte demonenzoontje op de troon willen zien.

Maar er waren nog wel anderen. Een meisje, ieder meisje, zou plotseling uit kunnen roepen dat ook zij een 'dochter van Thelátimos' was en dan zou kunnen blijken dat de Profetie van Afra nog steeds niet was vergeten, hoeveel priesters en tovenaars de koning ook zou laten executeren. Niryn hield daar terdege rekening mee.

Niemand merkte dat Niryn maandelijkse bezoekjes aan Ilear begon te brengen. Hij kleedde zich als een rijk koopman en gebruikte een bezwering om de geesten van lieden te benevelen wanneer ze hem dachten te herkennen. Op die manier had hij al jaren kunnen komen en gaan wanneer het hem uitkwam. Wie had de leider van de Haviken durven bespioneren?

Terwijl hij op een mistige middag het marktstadje binnenreed, genoot hij zoals altijd van zijn anonimiteit. Het was pluimveedag en het gekraai, gekwaak en gegak van de vogels in hun rieten kooien was niet van de lucht binnen de ommuurde marktplaats. Niryn glimlachte in zichzelf terwijl hij zijn rijdier door de menigte loodste. Wie van hen kon voorzien dat de ruiter op wie ze mopperden hun leven met één woord kon beëindigen?

Hij liet de markt achter zich en reed de heuvel op naar de meest welvarende buurt, waar hij een schitterend stenen huis bezat. Een page deed open en Vena, Niryns halfblinde oude kindermeid, heette hem welkom in de hal.

'Ze zit al de hele morgen handenwringend voor het raam, meester,' zei ze knorrig en ze nam zijn mantel aan.

'Is hij het?' riep een meisje van boven.

'Ja, Nalia, liefje, ik ben het!' antwoordde Niryn.

Nalia holde de trap af en kuste hem op beide wangen. 'Je bent een hele dag te laat, weet je dat wel!'

Niryn kuste haar ook en hield haar toen op armlengte afstand om haar te bewonderen. Ze was een jaar ouder dan prins Korin en had het zwarte haar en de donkere ogen van haar familie, maar helaas kon je haar niet knap noemen. Haar alledaagse voorkomen werd nog minder aantrekkelijk gemaakt door een weke kin en een onregelmatige wijnvlek die vanaf haar linkerwang tot over haar schouder reikte. Ze schaamde zich ervoor en was erg verlegen; ze meed elk soort gezelschap. Dit kwam hem heel goed uit, want zo was het wel heel eenvoudig om haar verborgen te houden in dit afgelegen stadje.

Haar moeder, een nicht van de koning van moederskant, was nog lelijker geweest, maar op de een of andere manier toch aan de man geraakt en had een meisjestweeling op de wereld gezet. Hij hield zich toen nog zelf bezig met de moordpartijen en het hart van de vader stond stil toen hij de deur voor de tovenaar opende. De moeder werd afgemaakt in het kraambed; zo ging dat in het begin van Erius' slachtingen, toen Niryn de zaken nog persoonlijk afhandelde.

Nalia's zusje was een schatje geweest, het lot dat haar zusje en moeder getroffen had was haar gunstiger gezind. Ze zou een schoonheid zijn geworden op latere leeftijd, maar schoonheid is helaas moeilijk te verbergen. Of in de hand te houden.

Niryn was van plan geweest ze alle drie te vermoorden, maar toen hij het tweede krijsende wichtje van haar moeders borst afhaalde kreeg hij een visioen – het visioen dat al zijn daden vanaf dat moment bepaald had. Hij zag in dat hij niet slechts de jachthond van de koning hoefde te zijn, maar de meester van Skala's toekomst kon worden.

Andere tovenaars zagen af en toe een glimp van haar in hun eigen visioenen, en een aantal Illioraanse priesters eveneens. De angst van de koning dat Korin wat zou overkomen had Niryn de macht en de middelen gegeven om anderen om zeep te helpen voor ze doorkregen wat er werkelijk aan de hand was, en hij zijn lieve, gewillige Naliaatje boven water zou halen. Alleen híj mocht de toekomstige koningin naar het hof brengen wanneer de tijd rijp zou zijn. Alleen híj mocht haar bespelen als ze de troon zou bestijgen.

Hij beheerste Erius, maar hij wist dat hij nooit die koppige jonge Korin zou beheersen. Die jongen had te veel van zijn moeders bloed in zich en vertoonde geen greintje waanzin. Hij zou lang heersen terwijl pest en ongeluk zich uitbreidden over Skala tot het land als een kaartenhuis zou instorten door één enkele inval van de vijand.

Agnalain de Waanzinnige en haar geslacht hadden de kroon besmet; dat zou niemand ontkennen. Zijn Nalia was afstammeling van Thelátimos van zowel vaders- als moederszijde. Dat zou Niryn bewijzen, wanneer de tijd daar was. Hij, en hij alleen, zou het Zwaard van Ghërilain in handen van een vrouw geven wanneer de Lichtdrager het teken gaf. Zij kon ondertussen veilig en anoniem opgroeien; ze wist zelf niet eens wie ze was. Ze wist slechts dat ze wees was, en dat Niryn haar weldoener en voogd was. Omdat er geen andere mannelijke vrienden werden toegelaten, verafgoodde ze hem en miste hem vreselijk wanneer hij weg was naar zijn, zoals hij haar had wijsgemaakt, scheepszaken in de hoofdstad.

'Het is heel gemeen dat je me zo lang laat wachten, oom,' zei ze klaaglijk, al zag hij haar ene wang rood worden van plezier toen ze hem meetrok naar de zitkamer. Hij ging in zijn leunstoel zitten en ze klom meteen op zijn schoot, gaf hem nog een zoen en trok plagerig aan zijn baard.

Haar gezicht mocht dan ontsierd worden door de wijnvlek, met haar figuurtje was niets mis. Niryn legde zijn ene arm om haar slanke taille en liet zijn hand liefdevol over de royale zwelling van haar boezem glijden terwijl hij haar kuste. 's Nachts, in hun verduisterde slaapkamer, was ze net zo mooi als elke andere maîtresse die hij ooit had gehad; bovendien was ze hem zo toegewijd dat het hem soms onpasselijk maakte.

Orun mocht die magere lat van een prins hebben. Zonder de macht van hertog Rhius – en daar had Niryn ook de hand in gehad – was de zoon van Ariani de zoveelste mannelijke usurpator, en vervloekt bovendien. Het zou een fluitje van een cent zijn om hem uit de weg te ruimen, wanneer de tijd daar was.

5

Door een warme wind uit het zuiden kwam er begin Cinrin een eind aan Tobins vrijwillige ballingschap. Winterse regenbuien lieten de sneeuw smelten als suikergoed. De sneeuwforten zakten ineen en hun leger van sneeuwpoppen bestond uit pokdalige lijken, geveld door de zacht-weerziekte.

Twee dagen later verscheen er een koninklijke koerier met een brief van Korin en de zoveelste vinnige oproep van heer Orun.

'Uit met de pret,' zei Ki nadat Tobin de aanmaning had voorgelezen aan Tharin en de anderen rond de haard.

Bisir had een gezonde kleur gekregen en hij was eerder vrolijk dan verlegen dankzij zijn onbedoelde logeerpartij, maar nu zag hij er weer uit als een bang konijn. 'Zegt hij iets over mij?'

'Maak je maar niet druk om Orun,' zei Tobin. 'Het was jouw schuld toch niet dat we ingesneeuwd raakten. Hij kan jou het weer toch niet aanrekenen.'

Bisir schudde het hoofd. 'En of hij dat kan.'

'Morgenvroeg, zodra het licht is, vertrekken we,' zei Tharin die net zo somber uit zijn ogen keek als de jonge bediende. 'Nari, zorg dat alles ingepakt klaarstaat.'

'Natuurlijk zorg ik ervoor!' zei Nari beledigd, maar Tobin zag dat ze haar ogen bette met een punt van haar schort terwijl ze de trap opliep.

Kokkie bereidde een verrukkelijk afscheidsmaal die avond, maar niemand leek veel honger te hebben.

'Je weet zeker dat je met me meegaat, Iya?' vroeg Tobin, die een stukje lamsvlees heen en weer schoof over zijn bord.

'Misschien kun je Tobins hoftovenares worden,' stelde Ki voor.

'Ik betwijfel of de koning dat een goed idee zou vinden,' antwoordde Iya.

'Maar ik kom wel een tijdje logeren, gewoon om te kijken hoe de vlag erbij hangt.'

Tobins hart was bezwaard toen hij en Ki zich de volgende ochtend bij kaarslicht aankleedden. Hij had geen trek in zijn ontbijt; er zat een brok in zijn keel en het afscheid lag hem als een steen op de maag. Ki was stiller dan gewoonlijk en zei haastig gedag toen de tijd van vertrek was aangebroken. Bisir keek ronduit mismoedig.

Het was regenachtig en koud toen ze door Alestun trokken. De wegen waren veranderd in dikke, zompige modderpoelen en de reis vorderde dan ook niet erg. Toen ze de beboste helling afdaalden naar het open veld aan de voet van de bergen, gingen de regenbuien gepaard met rukwinden. De schemering viel vroeg in deze tijd van het jaar. Ze brachten de nacht door in een herberg die aan de weg lag en de volgende dag, rond het middaguur, kwam de kust in zicht. De hemel was loodkleurig, de zee en de verre rivier haast zwart tegen de winterse bruine velden. Zelfs Ero leek met as bestrooid op haar hoge heuvel.

Ze spoorden hun paarden de laatste mijlen tot galop aan en de scherpe geur van de zee leek hen te begroeten. Dat, en de opwinding om met zijn mannen achter zich naar zijn andere thuis te galopperen, verdreven Tobins sombere stemming een beetje. Tegen de tijd dat ze de brede stenen Bedelaarsbrug bereikten, voelde hij zich sterk genoeg om zijn voogd onder ogen te komen. Zelfs de sloppen tussen de brug en de stadsmuur konden zijn vastberadenheid niet temperen. Hij ontdeed zijn beurs van koper en zilver, en wierp de munten naar de bedelaars die langs de route stonden opgesteld. Tobin en zijn strijders brachten een groet aan de maansikkel en de vlam die in de grote stenen boog van de zuiderpoort gebeiteld stonden, door hart en gevest aan te raken om de patroonheiligen van de stad eer te bewijzen. Tharin kondigde Tobins komst aan en de hellebaardiers bogen toen hij hen passeerde. Iya werd even terzijde genomen om haar zilveren insigne te tonen en een van de wachters maakte een aantekening op een wasplankje. De lippen van de tovenares vormden een dun, boos lijntje terwijl ze haar plaats naast Tobin weer innam. Tobin had gehoord van de insignes die de vrije tovenaars van de Haviken moesten dragen en had die van Iya gezien. Maar nu drong het pas tot hem door waar ze voor stonden.

De smalle straatjes leken nog donkerder en smeriger sinds hun wekenlange verblijf in de bergen. Dit was een arme wijk en de gezichten die hij uit de raampjes zag gluren waren ingevallen en doodsbleek.

'Stinkend Ero,' murmelde hij en hij rimpelde zijn neus.

Iya keek hem met vreemde blik aan vanonder haar kap, maar zei verder niets.

'Waarschijnlijk waren we lang genoeg weg om de stank onze neuzen uit te krijgen,' zei Ki.

Hun paarden weer tot een drafje aansporend, kletterden ze de steile, kronkelende straatjes naar de Palatijnse Ring op. De straten werden iets schoner naarmate ze hoger kwamen en in een aantal ervan hingen de bogen van wintergroene takken en tarwe al boven de deuren, ter voorbereiding van het Festival van Sakor.

De kapitein van de Palatijnse Garde groette Tobin bij de poort. 'Prins Korin heeft een boodschap voor prins Tobin achtergelaten, heer,' sprak hij en hij maakte een diepe buiging. 'Hij verzoekt zijn neef om naar de grote eetzaal te gaan zodra hij aankomt.'

'Heeft heer Orun een boodschap voor me achtergelaten?' vroeg Tobin.

'Nee, mijn prins.'

'Dat valt dan alweer mee,' mompelde Ki.

Tobin wendde zich aarzelend tot Bisir. 'Ik denk dat je je meester beter het nieuws kunt gaan vertellen.'

De jonge knecht boog in het zadel en reed zonder een woord te zeggen verder.

De kale takken van de stokoude olmen vormden een doorzichtige tunnel waaronder de jongens verder reden.

Tobin stopte even bij de koninklijke graftombe en salueerde voor de stoffelijke resten van zijn ouders die in de catacomben onder de grond lagen. Door de zwart geworden houten pilaren die het platte pannendak droegen kon Tobin de flakkerende vlam van het altaarvuur zien dat de gezichten van de koninginnenbeelden bescheen.

'Wil je naar binnen?' vroeg Tharin.

Tobin schudde zijn hoofd en reed verder.

De tuinen van het Nieuwe Paleis leken wel een palet van zwart en grijstinten. Vanuit alle ramen van de schitterende huizen en villa's die op de top van Ero's heuvel lagen twinkelden lichtjes, als een zwerm vuurvliegjes in de winter.

In de buurt van het Oude Paleis reed Iya met Laris en de anderen naar Ariani's oude huis om daar onderdak te zoeken. Tharin bleef bij de jongens en reed met hen mee naar de vleugel van de Gezellen. Omdat hij niet wist of hij welkom was, was Tobin maar al te blij met zijn en Ki's gezelschap, terwijl ze door de fletse gangen beenden.

De eetzaal van de Gezellen was leeg maar vrolijke klanken leidden hen vanzelf naar Korins feestzaal. De dubbele deuren stonden open en een stroom van licht en muziek baande zich een weg om de verloren zonen te begroeten. Honderden lampen verlichtten de zaal en het was er verstikkend heet na een koude dag te paard.

Korin en de andere edele Gezellen zaten aan de lange tafel op het podium, vergezeld van een paar speciale vrienden en favoriete jonkvrouwen. De schildknapen waren druk met de bediening. Garol stond achter Korins stoel met een kan wijn klaar en links van hem sneed Tanil dikke plakken vlees. De enige die ontbrak aan deze gebruikelijke tafelschikking was meester Porion. Hij was nergens te bekennen. En hoe graag Tobin de knorrige oude veteraan ook mocht, het speet hem niet dat hij de opmerkingen over zijn wekenlange afwezigheid van de training pas later te horen zou krijgen.

Hele rijen gasten van diverse leeftijden zaten aan twee tafels die lager stonden. En Tobin zag ook de gebruikelijke groep artiesten die voor het vermaak zorgden. Op dat moment was een gezelschap van Myceense acrobaten druk doende een hoge menselijke toren te vormen.

Hun aankomst was Korin geheel ontgaan. Aliya zat op zijn schoot, giechelend en blozend over iets dat hij in haar oor had gefluisterd terwijl hij met een van haar rode vlechten speelde. Toen Tobin de tafel naderde, was hij nauwelijks verbaasd dat zijn neef behoorlijk boven zijn theewater was, ook al was het nog vroeg in de avond.

Aan het eind van de tafel waren Tobins vrienden Nikides en Lutha in druk gesprek gewikkeld met de donkerharige Una, en het was eerder een serieuze conversatie dan een flirtziek babbeltje.

Lutha was de eerste die hem opmerkte. Zijn smalle gezicht begon te stralen terwijl hij Nikides aanstootte en uitriep: 'Kijk, prins Korin, je eigenzinnige neef is eindelijk weer thuis!'

'Kom in mijn armen, neefje!' riep Korin uit. 'En jij ook, Ki. Zo, jullie hebben jezelf eindelijk uitgegraven? We hebben jullie gruwelijk gemist. En je verjaardag natuurlijk ook.'

'Ik heb tenminste een tijdje mijn oude plek terug gehad,' zei Caliël lachend. Hij verliet de ereplaats aan Korins rechterkant en nam een stoel naast de roodbaardige Zusthra.

Ki voegde zich bij de andere schildknapen om ze te helpen met de bediening. Tharin kreeg een ereplaats aan de rechtertafel met de oudere vrienden van de prins. Tobin keek tersluiks om zich heen of hij een spoor van zijn voogd kon ontdekken; Orun probeerde immers altijd een plaatsje te veroveren wanneer Korin iets organiseerde. Maar Tobin zag tot zijn opluchting dat hij deze keer verstek had laten gaan.

Ki werd ook hartelijk welkom geheten. Misschien had Orun alleen gedreigd. Verderop aan tafel viel zijn blik wel op hun oude wraakzuchtige plaaggeest, Moriël de Pad. De bleke knaap met de scherpe trekken bekeek zijn rivaal met onverholen afkeer; als Orun zijn zin had gekregen, had Tobin zijn kamer met hem in plaats van met Ki moeten delen.

Toen hij om zich heen keek of Ki dat gemerkt had, werd zijn blik getroffen door twee donkere ogen. Vrouwe Una wuifde verlegen naar hem. Haar open blik had Tobin altijd een ongemakkelijk gevoel gegeven. Nu zijn nieuwe geheim als een splinter in zijn hart stak, kon hij niet anders dan zijn blik snel afwenden. Hoe zou hij haar ooit nog onder ogen kunnen komen?

'Aha, iemand is blij dat je weer thuis bent,' merkt Caliël op, die Tobins blos ietwat verkeerd interpreteerde.

'Een beker wijn voor mijn neef, en snel een beetje!' riep Korin. Lynx bracht Tobin een gouden beker op houten voet en Garol, die eigenlijk niet echt nuchter te noemen was, knoeide flink terwijl hij er wijn ingoot.

Korin boog zich voorover en nam Tobins gezicht nauwkeurig in zich op. 'Je ziekte heeft je geen kwaad gedaan. Je dacht toch dat je de pest had?'

Korin was nog zatter dan hij had gedacht, en rook sterk naar wijn. En toch was hij hartelijk verwelkomd, en daar was Tobin maar al te blij mee.

'Ik wilde niet dat de doodsvogels het paleis zouden dichttimmeren,' legde hij uit.

'Over vogels gesproken, je valk heeft je zeer gemist,' riep Arengil die verderop aan tafel zat met zijn zangerige Aurënfaier accent. 'Ik heb haar in topconditie gehouden, maar ze mist haar meester.'

Tobin hief zijn beker in de richting van zijn vriend.

Korin stond wankelend op en sloeg met een lepel tegen een schaal met ganzenbotjes. De minstrelen stopten met spelen en de acrobaten dribbelden haastig weg. Toen hij ieders aandacht had, hief Korin zijn beker met een blik op Tobin. 'Een plengoffer voor mijn neef, voor zijn verjaardag.' Met onvaste hand schonk hij een halve beker over het bevlekte tafelkleed uit en goot de rest naar binnen terwijl de anderen de verplichte druppels over het kleed sprenkelden. Korin veegde zijn mond aan zijn mouw af en sprak vervolgens deftig: 'Twaalf jaar oud is hij, mijn neef, en twaalf kussen zal hij van ieder meisje aan tafel ontvangen om hem zo snel mogelijk een man te laten worden. En nog eentje extra, omdat het alweer een maand geleden is. Aliya, jij eerst.'

Het was nutteloos om te protesteren, want Korin kreeg altijd zijn zin. Tobin probeerde niet in elkaar te krimpen toen Aliya haar armen stevig om hem heen sloeg en de gevraagde kussen overal op zijn gezicht liet neerdalen. Korin mocht van haar denken wat hij wilde, maar Tobin had haar altijd scherp van tong en harteloos gevonden. Bij de laatste kus drukte ze haar mond stevig op de zijne, en draaide zich lachend om. Een stuk of zes meisjes vochten om de volgende beurt, waarschijnlijk meer belust op Korins goedkeuring dan op die van Tobin. Toen het Una's beurt was, liet ze haar lippen verlegen en heel licht over zijn wang gaan, met haar ogen dichtgeknepen. Tobin zag over haar schouder dat Alben met zijn zwarte paardenstaart grijnzend om zijn verlegenheid tussen een gniffelende Zusthra en Quirion stond.

Toen de beproeving ten einde was zette Ki een houten plank met peterseliebrood en een vingerkommetje voor hem neer. Tobin zag dat hij zijn lippen kwaad op elkaar klemde.

'Het was maar een grapje,' fluisterde Tobin maar Ki was niet van streek door het kussen.

Nog steeds kwaad nam Ki de plank weer weg. Even later hoorde Tobin het gekletter van borden en Ki's gesmoorde gevloek. Hij keek achter zich en zag Mago en Arius die niet meer bijkwamen van het lachen terwijl Ki met zijn handen vettige restjes van de vloer schraapte en weer op het gevallen bord legde. Uit de blik die Ki hem toezond, begreep Tobin dat de twee meteen weer met hun laaghartige trucjes begonnen waren.

Tobin had het Mago niet vergeven dat hij Ki had zitten opjutten zodat Ki hem uiteindelijk een vuistslag had verkocht, wat Ki weer een afranseling op de tempeltrappen kostte. Hij wilde al opstaan toen Korins schildknaap, Tanil, met één stap bij hem was en hem wat plakken lamsvlees opschepte.

'Ik handel dat wel af,' mompelde hij.

Tobin ging met gefronst voorhoofd weer zitten. Zoals gewoonlijk lette Korin niet op dat soort zaken. 'Wat wil je voor je verjaardag hebben, neefje?' vroeg hij. 'Je zegt het maar. Een met goud versierd borstkuras misschien, om dat versleten leren geval te vervangen? Een slechtvalk of een mooi nieuw Aurënfaier paardje? Ik weet het – een zwaard! Er is een nieuwe wapensmid in de Hamerstraat, je hebt nog nooit zulke mooie hartsvangers gezien…'

Tobin kauwde langzaam en overdacht het aanbod. Hij had geen behoefte aan vervanging van zijn zwaard of zijn paard – hij had ze beide van zijn vader gehad – en zijn oude wapenrusting zat hem nog steeds prima, al werd alles wat krapjes. Bovendien had hij zoveel cadeaus gehad sinds hij aan het hof was dat hij niets kon bedenken wat hij nu moest vragen, behalve één ding. En hij durfde Ki's mogelijke verbanning hier niet aan te snijden. Hij wist niet eens of het wel in zijn neefs macht lag om over deze zaak te beslissen en wilde niet het risico lopen dat hij Ki tegenover iedereen in verlegenheid zou brengen.

'Ik zou het niet weten,' verzuchtte hij uiteindelijk.

Gejoel en gefluit waren zijn deel, al was dat niet zo gemeend. Toch hoorde Tobin Urmanis' zusje Lilyan tegen Aliya fluisteren: 'Hij speelt nog steeds de eenvoudige boerenpummel, wat hij ten slotte ook is.'

'Misschien zou de prins een ander soort cadeau willen hebben,' stelde Tharin voor. 'Een reisje, bijvoorbeeld.'

Korin lachte. 'Een reis? Kijk, dat is nu een cadeau waaraan we allemaal wat hebben. Waar zou je heen willen, Tobin? Afra misschien, of helemaal naar Erind? Lekkerder gebakken paling dan daar zal je niet krijgen en ze zeggen dat de hoeren daar net zo vet en lenig zijn!'

Caliël sloeg zijn arm om de nek van zijn vriend, en probeerde het dronken geratel te stoppen. 'Hij is daar nog een beetje te jong voor, vind je niet?'

Hij gaf Tobin een vriendschappelijk knipoogje over Korins schouder. Alleen Caliël en Tanil konden Korin een beetje bijsturen wanneer hij te diep in zijn beker gekeken had.

Nog steeds had Tobin geen idee wat hij moest zeggen en hij keek Tharin bijna wanhopig aan. De man glimlachte en legde zijn hand tegen zijn borst, alsof hij iets aanwees.

Tobin begreep het meteen. Hij legde zijn hand tegen zijn vaders zegelring die onder zijn tuniek aan een ketting hing en zei: 'Ik zou mijn landgoed Atyion wel eens willen zien.'

'Zo dichtbij maar?' Korin keek hem pruilend aan.

'Ik heb het nog nooit gezien,' herinnerde Tobin hem eraan.

'Goed dan, dan gaan we naar Atyion! Ik kan wel een nieuw paard gebruiken en de kudden zijn het best aan deze kant van de Osiaanse Zee.'

Iedereen juichte nu. Tobin kreeg een warm gevoel vanbinnen toen iedereen hem zijn beker toestak, en nu nam hij zelf ook maar een ferme teug wijn. Heer Orun had steeds een ander excuus gevonden om Tobin daar niet heen te laten gaan. Maar wat dit betreft had Korin tenminste het laatste woord.

'Kijk, kijk, wie hebben we daar,' sneerde Mago toen hij Ki Ruan zag helpen om de etensresten in zijn aalmoezenmand te doen.

'Ja, wie hebben we daar ook weer,' echode Arius, Mago's schaduw, terwijl hij Ki's arm heen en weer schudde. 'Ons grasriddertje is eindelijk thuisgekomen. Ik heb gehoord dat heer Orun razend op je is, dat je de prins zomaar hebt laten weglopen.'

'En meester Porion is ook helemáál niet gelukkig met je gedrag,' zei Mago grijnzend. 'Zou je het leuk vinden om voor de tweede keer op de tempeltrappen te knielen? Hoeveel slagen zal hij jou deze keer door de prins laten geven?'

Als antwoord stak Ki bliksemsnel zijn voet uit waardoor Mago plat voorover viel. Het geroosterde lamsvlees op de schotel die hij droeg verspreidde zich over het hele gangpad.

'Struikel je nou weer over je eigen voeten, Mago?' grinnikte Tanil die net langsliep. 'Ruim dat maar gauw op voor Chylnir je betrapt.'

Mago krabbelde overeind. Zijn fraaie tuniek zat onder het vet. 'Je dacht zeker dat je slim was, hè?' siste hij tegen Ki. 'Als ik dan zo onhandig ben, kan heer Kirothius het klusje vast wel afmaken.' Hij beende met de lege schotel weg naar de keuken. Arius keek Ki even giftig aan voor hij achter Mago aan dribbelde.

'Over mij hoef je niet in te zitten,' mompelde Ki terwijl hij het lamsvlees opraapte en naar Ruan bracht. Hij vond het niet prettig dat Tanil de beschimpingen van de andere jongens had gehoord.

Maar de ogen van de hoofdschildknaap glansden van pret. 'Het is jouw schuld toch niet dat hij over zijn eigen voeten struikelt, of wel soms? Leuk trucje was dat. Kan je het mij ook eens leren?'

Pas na middernacht brachten Tharin en Caliël de prinsen naar hun slaapkamers. Korin was stomdronken en na enkele pogingen om op te staan viel hij al op zijn neus. Tharin pakte hem op en droeg hem naar zijn deur.

'Truste, lief neevje. Lief lief neevje,' bracht Korin nog uit terwijl Tobin en Caliël zich verder over hem ontfermden. 'Droom maar fijn en welkom thuis! Caliël, ik geloof dat ik moet kotsen.'

Zijn vriend dreef hem vlug naar binnen, maar aan de geluiden te horen waren ze te laat met een kom.

Tharin schudde vol afkeer zijn hoofd.

'Zo is hij niet altijd,' zei Tobin die altijd klaarstond om zijn neef te verdedigen.

'Maar te vaak naar mijn smaak, of die van zijn vader, waarschijnlijk,' gromde Tharin.

'En anders de mijne wel,' bromde Ki die de grendel van hun deur omhoog tilde.

De deur botste tegen iets zwaars aan toen hij hem probeerde te openen. Er klonk een verrast geluid aan de andere kant en even later werd de deur wijd door Baldus, hun page, geopend. 'Welkom thuis, mijn prins! En heer Tharin, wat leuk u te zien.'

Er brandden nog wat kaarsen en de kamer rook heerlijk naar bijenwas en naar de dennen die in de buurt van hun balkon groeiden.

Baldus haastte zich de zwart-gouden beddengordijnen opzij te schuiven en het dek terug te slaan. 'Ik zal een beddenpan gaan halen, mijn prins. Molay en ik waren zo blij dat u eindelijk terugkwam! Heer Ki, de bagage is in de inloopkast. Ik neem aan dat u het zelf wilt uitpakken, zoals altijd.' Hij hield een hand voor zijn mond omdat hij moest geeuwen. 'O, en er is een brief van uw voogd, prins Tobin. Molay heeft hem op het schrijftafeltje gelegd, dacht ik.'

Dus die ouwe schijtebroek heeft er toch geen gras over laten groeien, dacht Tobin en hij pakte het gevouwen stuk perkament op. Aan de blikken te zien die Baldus aan iedereen behalve Ki schonk, was de penibele situatie van Ki geen geheim meer.

'Ga maar in de keuken slapen, waar het warmer is, ' zei Tobin tegen de jongen, want hij had geen behoefte aan pottenkijkers. 'En zeg maar tegen Molay dat ik hem vannacht niet nodig zal hebben. Ik wil gewoon gaan slapen.'

Baldus boog en trok zijn matrasje met zich mee.

Tobin haalde diep adem, verbrak het zegel en las de paar regels.

'Wat staat erin?' vroeg Ki zachtjes.

'Dat hij me morgen zal laten roepen en dat ik alleen verwacht word.'

Tharin las het zelf ook even. 'Alleen hè? De kanselier moet er geloof ik weer eens op gewezen worden met wie hij te maken heeft. Ik zal een erewacht met je meesturen. Laat maar weten wanneer je ons nodig hebt.' Hij gaf beide jongens een klap op de schouder. 'Geen lange gezichten, jongens. Liggen piekeren zal je niet helpen. Probeer wat te slapen en wat er morgen ook gebeurt, daar kunnen we morgen pas iets aan verhelpen.'

Tobin wilde Tharins advies graag aannemen, maar hij noch Ki wist iets te zeggen terwijl ze zich uitkleedden en hun nachthemden aantrokken. Ze lagen zwijgend naast elkaar en luisterden naar de tot sintels uiteenvallende kooltjes in de afkoelende haard.

Na een tijdje wreef Ki zijn voet tegen die van Tobin en verwoordde waarvoor ze allebei bang waren. 'Dit zou wel eens mijn laatste nacht bij jou kunnen zijn.'

'Dat hoop ik niet,' zei Tobin schor.

Het leek uren te duren voor Ki in slaap viel. Tobin lag stil terwijl hij daarop wachtte, gleed toen uit bed en pakte een kaars om mee te nemen naar de inloopkast.

Hun reisbagage lag in een hoop op de vloer. Hij maakte de pakken en tassen open en voelde tot hij de pop gevonden had. Hij wist dat hij hem niet hoefde aan te raken om hem op te roepen, maar hij vertrouwde Broer minder dan ooit en wilde hier geen risico nemen.

Alleen in het duister besefte hij dat hij weer bang was geworden voor de geest, nog banger dan toen Lhel hem de pop gegeven had. Maar zelfs dat weerhield hem er niet van de woorden te fluisteren; Broer wist af en toe wat de toekomst zou brengen, en Tobin zou niet kunnen slapen voor hij het tenminste gevraagd had.

Toen Broer verscheen, helder als een vlam in de pikdonkere ruimte, zag hij er nog steeds zo echt uit als de laatste keer.

'Zal Orun Ki morgen wegsturen?' vroeg Tobin.

Broer keek hem alleen maar aan, stom als een schilderij.

'Zeg het dan! Je hebt me toch ook andere dingen verteld.' *Gemene, pijnlijke dingen en leugens.* 'Zeg op!'

'Ik kan alleen vertellen wat ik kan zien,' fluisterde Broer ten slotte. 'Ik zie hem niet.'

'Wie zie je niet? Orun of Ki?'

'Die betekenen niks voor mij.'

'Wat heb ik dan aan je!' beet Tobin terug. 'Ga toch weg!'

Broer gehoorzaamde en Tobin gooide de pop terug op zijn oude plekje boven op de stoffige klerenkast.

Hij klom zijn bed weer in en kroop dicht tegen Ki aan. De regen kletterde op het dak en Tobin bleef ernaar liggen luisteren terwijl hij vergeefs wachtte tot de slaap hem zou omarmen.

6

De volgende morgen regende het nog harder. Overal in de vleugel van de Gezellen waren bedienden bezig met het neerzetten van kommen en schalen op de plekken waar het water door het stokoude plafond lekte.

Maar weer of geen weer, meester Porion zou gewoon doorgaan met de training. Tobin maakte Ki wakker zodra hij bedienden door de gangen hoorde schuifelen, en ze haastten zich om als eersten bij de paleisdeuren te zijn om de zwaardmeester op te wachten. Ondanks Mago's woorden was de oude krijger oprecht blij hen aan te treffen.

'Alles weer in orde, hoop ik?' vroeg hij en hij nam hen even op. 'Jullie zijn er zo te zien niet op achteruitgegaan.'

'Het gaat prima met ons, meester Porion,' verzekerde Tobin hem. 'En we hebben flink geoefend terwijl we weg waren.'

Een sceptische blik was het antwoord. 'Dat wil ik dan wel eens zien.'

Maar ze waren allebei helemaal hersteld. Zelfs Ki die toch het ziekst was geweest, kon de anderen goed bijhouden terwijl ze rondjes begonnen te lopen. Springend over de plassen en slippend in de modder met hun korte, kletsnatte capes die tegen hun dijen sloegen, renden de Gezellen het lange parcours rond het park, langs de graftombe en het drysianenbosje, rond de spiegelende vijver en langs het Nieuwe Paleis tot ze, zoals gewoonlijk, eindigden bij de trappen van de Tempel van de Vier midden in het park.

De aanbieding van hun offergaven was altijd routine geweest, maar deze keer bleef Tobin een paar minuten langer bij Sakors altaar staan, en fluisterde hartstochtelijk naar het wassen paardje dat hij daarna in de vlammen wierp. Toen hij er zeker van was dat niemand keek, glipte hij naar het witmarmeren altaar van Illior, waar hij een van Iya's uilenveertjes op de met wierook besprenkelde kooltjes legde.

De oproep van heer Orun kwam toen ze in de eetzaal hun brood en melk net op hadden. Tharin moet op de uitkijk hebben gestaan, want hij kwam tegelijk met de boodschapper binnen. In zijn fraaie blauwe tuniek, met elke gesp en speld blinkend gepoetst, sloeg hij geen slecht figuur. Korin gaf Tobin en Ki een bemoedigende knipoog toen beide jongens vertrokken.

Toen ze buiten gehoorsafstand waren, stuurde Tharin de boodschapper weg en wendde zich tot Ki. 'Wacht maar op ons in Tobins huis, oké? We zien je daar wel wanneer we terugkomen.'

Tobin en Ki wisselden een blik van verstandhouding; als het allemaal slecht zou aflopen, wilden ze liever niet onder het oog van de Gezellen in tranen uitbarsten.

Ki gaf Tobin een dreun op zijn schouder. 'Laat je niet omver praten. Sterkte.' En hij liep weg.

'Je kunt die natte kleren beter even uittrekken,' zei Tharin.

'Het kan me geen barst schelen wat Orun van mijn kleren vindt!' zei Tobin nors. 'Ik wil dat het zo snel mogelijk voorbij is.'

Tharin sloeg zijn armen over elkaar en keek Tobin streng aan. 'Dus je wilt als een gewone soldaat naar hem toe, met modder tot in je kruis? Bedenk eens wiens zoon je bent.'

Weer die woorden, en dit keer deden ze pijn. Tobin rende naar zijn kamer terug, waar Molay al een waskom warm water had klaarstaan en zijn beste kleren op bed had gelegd. Gewassen en met droge kleren stond Tobin voor de grote spiegel terwijl de page zijn zwarte krullen in model kamde. Een stuurse, gewone jongen in fluweel en linnen keek hem boos aan, klaar voor de strijd. Tobin keek in zijn eigen ogen en even leek het of hij een geheim deelde met de onbekende die zich achter zijn gezicht verborgen hield.

Oruns protserige huis stond in de doolhof van ommuurde villa's die allemaal op de gronden rond het Nieuwe Paleis stonden. Bisir stond bij de deur en leidde hen snel de hal in.

'Goedemorgen!' groette Tobin hem, blij om hier ten minste één vriendelijk gezicht te zien. Maar Bisir sprak geen woord en wendde zijn blik af. Het was alsof één nachtje in zijn meesters huis hem al het goede dat hem in de burcht overkomen was had afgenomen. Hij zag er bleker uit dan ooit en Tobin ontdekte nieuwe blauwe plekken op zijn polsen en nek.

Tharin zag ze ook en hij werd rood van kwaadheid. 'Hij heeft het recht niet…'

Bisir schudde even zijn hoofd en keek schuins naar het trappenhuis.

'Maakt u zich over mij maar niet druk, heer,' fluisterde hij. 'Mijn meester is in zijn kamer. U mag in de ontvangstkamer plaatsnemen, heer Tharin. De kanselier wil met de prins alleen spreken.' Hij pauzeerde, wrong nerveus in zijn handen en voegde eraan toe: 'Boven.'

Heel even dacht Tobin dat Tharin met hen mee naar boven zou stormen. Dat hij een hekel aan Orun had was geen geheim, maar Tobin had hem nog nooit zo kwaad gezien.

Bisir deed een stap naar Tharin toe en Tobin hoorde hem fluisteren. 'Ik blijf wel in de buurt.'

'Dat is tenminste iets,' mompelde Tharin. 'Maak je geen zorgen, Tobin, ik ben vlakbij.'

Tobin knikte, deed zijn best om dapper te zijn, maar toen hij achter Bisir aan naar boven liep, trok hij zijn ketting met het zegel uit zijn tuniek en kuste hem.

Hij was nog nooit boven geweest. Terwijl ze door een lange gang naar de achterzijde van het huis liepen, keek Tobin zijn ogen uit. Het houtsnijwerk en de wandkleden waren van de beste kwaliteit en de stoffen en het meubilair konden een vergelijking met die uit het Nieuwe Paleis glansrijk doorstaan. Jonge bedienden maakten zich uit de voeten toen ze naderden. Bisir negeerde hen alsof ze niet bestonden.

Hij stopte bij de laatste deur, deed hem open en liet Tobin in de enorme kamer erachter binnengaan. 'Vergeet het niet, ik wacht hier op de gang.'

Nu zat hij in de val en Tobin keek verbaasd om zich heen. Hij had een zitkamer of salon verwacht, maar dit was een slaapkamer. Een enorm met houtsnijwerk versierd bed domineerde het midden van de kamer. De beddengordijnen – dik geel fluweel met kleine gouden belletjes aan de zomen – waren gesloten. De gedrapeerde gordijnen voor de ramen eveneens. De wanden die uit panelen bestonden waren versierd met wandtapijten met groene bostaferelen, maar de kamer was zo heet als een smidse en de geur van de blokken cederhout die in de enorme stenen open haard knapperden, hing zwaar in de kamer.

Zelfs de kamer van prins Korin was niet zo uitbundig ingericht, dacht Tobin en hij schrok toen de belletjes aan het beddengordijn begonnen te rinkelen. Een weke witte hand verscheen en hield een van de zware gordijnen opzij.

'Ach, hier is onze kleine vluchteling, eindelijk terug waar hij hoort,' zei Orun liefjes en hij gebaarde Tobin dichterbij te komen. 'Kom, mijn kind en laat me zien hoe je ziekte je lieve gezicht aangetast heeft.'

Leunend in een stapel kussens lag heer Orun in een geelzijden ochtendjas, een grote fluwelen slaapmuts in dezelfde kleur bedekte zijn kale schedel. Een kristallen lamp hing aan een ketting en wierp schaduwen zodat zijn gezicht valer leek dan ooit, en zijn vlees hing slapper om zijn botten, zo leek het. De sprei was bedekt met documenten en naast hem op een dienblad lagen de resten van een uitgebreid ontbijt.

'Kom eens dichterbij,' drong Orun aan.

De rand van de matras lag haast op gelijke hoogte met Tobins borst. Hij moest dus wel omhoogkijken naar zijn voogd en had een groots uitzicht op de grijze haren in diens forse neus.

'Maar ga toch zitten, mijn prins. Er staat een stoel vlak achter je.'

Tobin negeerde deze mededeling en toonde zijn vertoornde gelaat terwijl hij zijn handen achter zijn rug ineensloeg, zodat de man niet zou zien hoe hij beefde. 'U hebt me laten komen, heer Orun, en hier ben ik. Wat is er aan de hand?'

Orun glimlachte heel onplezierig. 'Ik merk al dat je manieren er niet op vooruit zijn gegaan tijdens je uitje. Je weet best waarom je hier bent, Tobin. Je bent heel ondeugend geweest en je oom heeft alles gehoord over je wilde avontuurtje. Ik heb hem een lange brief geschreven zodra we ontdekten waar je heen was gevlucht. Natuurlijk heb ik mijn best gedaan om je in bescherming te nemen, want hij was zeer misnoegd. Ik legde de schuld waar hij hoorde, bij dat oliedomme boerenschildknaapje van je, met wie je bent opgezadeld. Al moeten we het die arme Kirothius maar niet al te kwalijk nemen. Misschien kwam hij je goed van pas daar in de wildernis, maar hoe konden we ook aannemen dat hij wist hoe hij aan het hof over de zoon van een prinses moest waken?'

'Hij dient me uitstekend! Zelfs Korin zegt dat.'

'Ach, jullie zijn allemaal dol op het joch, ik weet het. En we zullen geen moeite hebben een passende plek voor hem te vinden aan het hof. Ik heb zelfs geschreven dat ik hem wel hier bij mij te werk wilde stellen. En ik kan je verzekeren, hij zal hier een uiterst heilzame opvoeding krijgen.'

Tobin kneep zijn handen tot vuisten toen hij dacht aan de blauwe plekken op Bisirs polsen.

'En waarom je hier bent, wel, ik nam aan dat je me wel een beleefdheidsbezoekje wilde brengen na zo'n lange afwezigheid.' Orun pauzeerde. 'Niet? Maakt niet uit. Ik verwacht het antwoord van de koning bij de oorlogsverslagen van hedenmorgen, en ik dacht dat het misschien aardig zou zijn om het goede nieuws samen te lezen.'

Het was allemaal veel erger dan Tobin zich had voorgesteld. Orun was wel erg zeker van zijn zaak. Hij had waarschijnlijk spionnen in de hofhouding van de koning en wist al wat het antwoord zou zijn. De moed zonk Tobin in de schoenen: Ki zou geen twee dagen meer in zijn dienst mogen blijven zonder dat ze in de grootste problemen kwamen.

Orun klakte quasi-bezorgd met zijn tong en hield hem een fijn beschilderd bordje voor de neus. 'Wat ben je opeens bleek, mijn jongen. Neem een stukje cake.'

Tobin richtte zijn blik op de geborduurde rand van de sprei, en kon zich maar net weerhouden om het bordje uit Oruns handen te slaan. Het bed kraakte toen Orun zich weer achterover tegen de kussens liet zakken. En Tobin hoorde zijn voogd zelfgenoegzaam grinniken. Hij wilde dat hij toch op de stoel was gaan zitten, maar hij was te trots om terug te komen op zijn besluit. Hoe lang duurde het nog voor de krijgsverslagen binnenkwamen? Dat had Orun niet gezegd. Tobin werd duizelig van de hitte. Het zweet prikte op zijn bovenlip en een straaltje liep tussen zijn schouderbladen door. Hij kon de koele regen tegen de luiken horen spetteren en wenste dat hij weer buiten was, om nog een rondje met zijn vrienden te rennen.

Orun zei niets, maar Tobin wist dat hij nauwlettend in de gaten werd gehouden. 'Ik laat Ki niet van me afnemen,' gooide hij er uitdagend uit.

Oruns ogen waren zwartglimmende steentjes geworden, maar hij bleef glimlachen. 'Ik heb de koning een lijst met mogelijke vervangers gestuurd, jongelui met een passende achtergrond en stamboom. Maar misschien zou je er zelf iemand aan toe willen voegen? Ik ben geen onredelijk mens.'

Het leed geen twijfel dat Oruns lijst uitzonderlijk kort was geweest, met jongens die hem alles over Tobin wilden overbrieven. Tobin wist ook wie er bovenaan stond, want hij herinnerde zich maar al te goed die zelfvoldane uitdrukking van de Pad, gisteravond aan tafel.

'Goed dan,' sprak hij ten slotte en hij keek vanuit zijn ooghoeken naar Orun. 'Dan kies ik vrouwe Una.'

Orun lachte en klapte in zijn weke handen, alsof Tobin een bijzonder aardige mop had verteld. 'O enig, mijn prins! Ik moet niet vergeten dit aan je oom te vertellen. Maar alle gekheid op een stokje, onze Moriël staat te trappelen om te beginnen, en de koning heeft hem al eens zijn goedkeuring verleend…'

'Die nooit.'

'Als je voogd…'

'Nee!' Tobin stampte bijna met zijn voet. 'Moriël zal mij nooit dienen! Al moet ik naakt en alleen ten strijde trekken!'

Orun nestelde zich weer in de kussens en nam een kopje van het dienblad. 'Dat zullen we nog wel eens zien.'

Wanhoop overviel Tobin. Al had hij zich zo dapper tegenover Ki en Tharin gehouden, hij wist dat hij het nooit van de man zou winnen.

Orun nipte van zijn thee. 'Ik heb begrepen dat je Atyion wilt bezoeken.'

Dus Moriël was al aan het werk. Of misschien was het Alben. Hij had vernomen dat Orun nogal gesteld was op de verwaande knaap met zijn lange donkere lokken.

'Het landgoed is nu van mij. Waarom zou ik er niet heen gaan? Korin zei dat het goed was.'

Orun snoof. 'Aangenomen dat de prins zich ook maar iets herinnert van gisteravond. Maar je wilde vandaag toch niet vertrekken? Moet je horen hoe het regent. In deze tijd van het jaar kan het dagen aanhouden. Het zou me niet verwonderen als het zo ook nog begint te vriezen.'

'Het is maar een dag rijden…'

'En zo snel na je ziekte, mijn jongen?' Orun schudde het hoofd. 'Hoogst onverstandig. Trouwens, me dunkt dat je voorlopig genoeg avontuurtjes hebt gehad. Misschien wanneer je weer wat bent aangesterkt. In de lente is het een schitterende plaats, Atyion.'

'De lente? Het is mijn vaders huis. Míjn huis! Ik heb het recht erheen te gaan.'

Orun lachte nu breeduit. 'Ach, maar zie je, mijn jongen, je hebt momenteel nog geen enkel recht. Je bent nog maar een kind, en je staat onder mijn toezicht. Je moet vertrouwen in me hebben en accepteren dat ik beslis wat goed voor je is. Zoals je hooggeboren oom je kan vertellen, heb ik slechts het beste met je voor. Je bent wél de tweede erfgenaam, moet je bedenken.' Hij richtte zich weer op zijn ontbijt. 'Voorlopig.'

Tobin voelde een koude rilling ondanks de hitte. Achter dat glimlachende masker was Orun nog steeds razend op hem. Dit was het eerste deel van de straf.

Te bang en te boos om te spreken liep Tobin naar de deur, met het plan te vertrekken, wat Orun daar ook van mocht vinden. Net toen hij de klink wilde vastpakken zwaaide de deur open en botste hij haast tegen Bisir op.

'Vergeef me, mijn prins!' Tobin zag medelijden in Bisirs ogen en vermande zichzelf. De boodschapper van de koning moest aangekomen zijn.

Maar nee, het was Niryn die binnenstapte.

Van zijn stuk gebracht keek Tobin de lange tovenaar aan, en vulde zijn geest snel met zijn woede op Orun om zijn gedachten te verhullen. De woede leek als rook door zijn schedel te warrelen.

Regendruppels glinsterden in de gevorkte rode baard van de tovenaar terwijl hij voor Tobin boog. 'Goedemorgen, mijn prins! Ik hoopte al u hier te treffen. Gelukkig bent u op tijd terug voor het Festival van Sakor. En ik heb begrepen dat u ook een eigen tovenares hebt meegebracht?'

Die woorden brachten een kentering in zijn gedachten teweeg. Had Niryn toch in zijn hoofd gekeken, of had hij zelf spionnen rondlopen? 'Juffrouw Iya was een vriendin van mijn vader,' antwoordde hij.

'Ach ja, dat is ook zo,' mompelde Niryn alsof het hem weinig kon schelen. Hij trok een wenkbrauw op toen hij zich tot Orun wendde. 'Nog in bed, mijn heer? Bent u onwel?'

Zich moeizaam opduwend sloeg Orun zijn kamerjas strakker om zich heen en stapte met koninklijke waardigheid uit bed. 'Ik had geen idee dat ik officieel bezoek zou krijgen, heer Niryn. De prins kwam me even bezoeken na zijn afwezigheid.'

'Ach ja, die mysterieuze ziekte. Ik hoop dat u geheel hersteld bent, hoogheid?'

Tobin had erop durven zweren dat de man hem een knipoog gaf. 'Het gaat weer uitstekend, dank u.' Tobin verwachtte dat de tovenaar elk ogenblik zijn geest zou aanraken, maar Niryn had het veel te druk met het sarren van Orun.

Deze keek zijn onverwachte bezoeker argwanend aan terwijl hij de tovenaar en Tobin naar de gemakkelijke stoelen bij de haard leidde. De beide heren wachtten tot Tobin zat voor ze zelf plaatsnamen.

De oude hypocriet, dacht Tobin. Zodra er iemand in de buurt was, betoonde Orun hem alle hoffelijkheid die bij zijn positie paste.

'De prins en ik verwachten een koerier van de koning,' zei Orun.

'En toevallig ben ik in die hoedanigheid naar u toegekomen.' Niryn diepte een rol perkament op uit zijn wijde mouw en streek hem glad over zijn knie. De zware koninklijke lakzegels bungelden aan zijden linten aan de onderkant. 'Ik heb dit vanochtend vroeg ontvangen. Zijne Majesteit vroeg me het u persoonlijk te bezorgen.' Niryn liet zijn ogen over het document glijden maar Tobin zag dat hij de brief al haast uit het hoofd kende. 'Zijne Majesteit begint met u te bedanken voor de zorg voor het welzijn van zijn koninklijke neef.' Hij keek Orun aan en glimlachte. 'En hierbij ontheft hij u van alle verdere verantwoordelijkheid in dezen.'

'Wát?' Oruns fluwelen slaapmuts gleed naar één oor toen hij zich met een ruk naar voren boog. 'Wat... wat moet dat betekenen? Wat zegt u nu allemaal?'

'Het lijkt me volkomen duidelijk, Orun. U bent niet langer voogd van prins Tobin.'

Orun gaapte hem aan en stak toen een bevende hand naar de brief uit. Niryn gaf hem het vel en keek met voldoening toe hoe Orun de brief las. Toen de man klaar was, kletterden de zegels aan hun linten onophoudelijk tegen elkaar. 'Hij zegt niet eens waarom! Heb ik me niet trouw van mijn taak gekweten?'

'Daar zou ik me geen zorgen over maken. Hij dankt u immers zeer hoffelijk voor uw diensten.' Niryn boog zich voorover en wees op een alinea. 'Daar, ziet u wel?'

Niryn deed geen moeite om te verbergen hoe tevreden hij was met Oruns reactie. 'De dood van de hertog kwam zo onverwacht, en het was zeer vriendelijk van u meteen uw diensten aan te bieden,' ging hij luchtig voort. 'Maar koning Erius wenst u niet langer met de taak te belasten, uit angst dat de taak u stoort bij het beheer van de Schatkist. Hij zal een nieuwe voogd aanstellen zodra hij terugkeert.'

'Maar... maar ik leefde in de veronderstelling dat de aanstelling permanent was!'

Niryn stond op en keek hem medelijdend aan. 'Voorwaar, juist u zou toch een en ander moeten weten over het grillige gedrag van de koning.'

Tobin had dit alles verbijsterd aangehoord, en kreeg zijn stem weer terug. 'Mijn... De koning, is hij op de terugreis?'

Niryn bleef bij de deur staan. 'Jazeker, mijn prins.'

'Wanneer is hij hier?'

'Dat kan ik niet zeggen, mijn prins. Afhankelijk van de huidige onderhandelingen met Plenimar, waarschijnlijk zo tegen de lente.'

'Wat heeft dat te betekenen?' murmelde Orun, nog steeds met de brief in zijn hand. 'Niryn, u moet toch weten waarom de koning dit bedacht heeft.'

'Het is voor iedereen erg gevaarlijk om uitspraken te doen over de gedachten van koning Erius. Maar ik zou zeggen, mijn goede vriend, dat uw invloed eindelijk zijn grenzen bereikt heeft. Ik neem aan dat u begrijpt wat ik bedoel. Dat de Vier met u beiden mogen zijn. Een goede dag gewenst, mijn prins.'

Hij was verdwenen en heel even was het enige geluid het knetteren van het vuur en het onophoudelijk tikken van de regen. Oruns lippen bewogen zonder geluid terwijl hij in de vlammen staarde.

Er hing een geladen sfeer, het voelde aan als de stilte voor de storm. Tobin keek verlangend naar de deur en popelde om weg te gaan. Toen Orun niet bewoog stond hij langzaam op. 'Mag... mag ik nu gaan?'

Orun keek langzaam naar hem op en Tobin was bang dat hij door zijn knieën zou zakken. Uit de verwrongen trekken van de man sprak pure haat. 'Of je mag *gaan*? Dit is allemaal jouw werk, ondankbaar rotjong!'

Tobin deed een stap achteruit maar Orun kwam op hem af. 'Met je gehuichel en beledigingen. Ouwe schijtebroek, noemden jij en die uit de klei getrokken bastaard me niet zo achter mijn rug? Me uitlachen! Mij, die twee heersers heeft gediend! O, je dacht dat niet alles gehoord zou worden, hè?' sneerde hij, al had Tobin niets gezegd. Hij greep Tobin bij de arm en duwde hem de brief haast in zijn gezicht. 'Dit is allemaal jouw werk!'

'Niet waar, ik zweer het!'

Orun smeet de brief op de grond en trok Tobin dichter naar zich toe. Speeksel spoot in het rond toen hij minachtend zei: 'Achter mijn rug om naar de koning schrijven, hè?'

'Nee!' Tobin werd nu doodsbang. Oruns vingers hadden zich als klauwen in zijn armen vastgebeten. 'Ik heb niet geschreven, ik zweer het…'

'Leugens! Allemaal leugens heb je geschreven!' Orun greep de kraag van Tobins tuniek en schudde hem door elkaar. Zijn vingers zaten onder de ketting die hij strak trok om Tobins hals.

'Hem tegen mij opzetten, zijn trouwste dienaar!' Oruns ogen werden twee nauwe spleetjes in de vetlaag van zijn gezicht. 'Of was het die hielenlikker van je die beneden zit? Goede oude heer Tharin!' Het sarcasme droop van zijn woorden af. 'Zo nederig. Zo trouw. Altijd kwispelstaartend aan je vaders voeten als een zielige straathond. En altijd tevoorschijn komen wanneer hij niet gewenst is…' Tobin zag dat er een nieuwe, gevaarlijke gedachte in Oruns ogen opdook.

'Wat heeft híj de koning verteld? Wat had híj te vertellen?' siste hij, en hij pakte Tobin bij zijn hals en rammelde hem zo hard door elkaar dat Tobin zich aan Oruns armen vast moest grijpen om op de been te blijven.

Oruns greep werd nog vaster en Tobin kreeg haast geen lucht meer. 'Niets!' zei Tobin hees.

Orun bleef maar doorschreeuwen en kneep hem haast fijn, maar Tobin verstond de woorden maar nauwelijks omdat het bloed begon te gonzen in zijn oren. Zwarte vlekken doemden voor zijn ogen op en Oruns gezicht leek zo groot als de maan. De kamer draaide rond en rond. Hij kon niet meer op zijn benen blijven staan.

'Wat heb je gezegd?' krijste Orun. 'Nou, zeg op!'

Toen zakte Tobin in elkaar en een dodelijke kou trok over hem heen. Toen hij weer iets kon zien zag hij Orun die voor iets terugdeinsde, met zijn handen angstig voor zich uit. Maar Orun keek niet naar hem, merkte Tobin nu, maar naar een wriemelende zwarte massa die vorm aannam tussen hen in.

Nog steeds languit liggend waar hij was gevallen, keek Tobin toe hoe de vorm een bekende, dreigende gedaante aannam. Hij kon Broers gezicht niet zien, maar Oruns uitdrukking sprak voor zich.

'Wat is dit voor tovenarij?' fluisterde de man doodsbang. Hij keek niet-begrijpend van Tobin naar de geest, terwijl Broer naderbij kwam. Orun probeerde uit te wijken maar kwam in aanvaring met het wijntafeltje. Het viel om en blokkeerde zijn vluchtpoging.

Te duizelig om op te staan, zag Tobin hoe Broer een spookachtige hand ophief. De geest kwam meestal als een wervelwind uit de lucht vallen en begon vervolgens met meubels te smijten en woest om zich heen te meppen. Deze vastberaden voorwaartse beweging was veel griezeliger, Tobin voelde de haat en de dreiging van zijn tweelingbroer uitgaan; het beetje kracht dat hij nog bezat werd erdoor opgeslorpt. Hij wilde het uitschreeuwen maar zijn tong leek wel verlamd.

'Nee...,' zei Orun schor. 'Hoe is dit mogelijk?'

En nog steeds had Broer geen aanval gedaan. In plaats daarvan strekte hij zijn arm uit en raakte met één vinger de borst van de door panische schrik bevangen man. Orun slaakte een kreet en viel achterover over het omgevallen tafeltje, alsof hij geduwd was. Vonken sprongen op toen een uitgestrekte arm in het vuur terechtkwam.

Het laatste wat Tobin zich kon herinneren was de aanblik van Oruns voeten in zijn slippers die krampachtig schokten in het vurige schijnsel, en de stank van verschroeid vlees.

7

Het was als een lopend vuurtje door het Oude Paleis gegaan. Mago en zijn makkers trokken gekke bekken naar Ki tijdens de ochtendloop. Bij de tempel liep Alben pardoes tegen hem aan en fluisterde: 'Vaarwel, grasridder!' zo zacht dat alleen Ki het kon horen.

Zodra Tobin en Tharin vertrokken waren, had Ki gedaan wat Tharin hem had aangeraden. Via een bediendegangetje haastte hij zich naar Tobins huis. De hofmeester deed open op zijn geklop en keek alsof hij hem al verwacht had. Hij nam Ki's natte mantel aan en zette een makkelijke stoel bij de haard.

'De manschappen zijn op het achtererf aan het oefenen en juffrouw Iya is in de gastenkamer. Moet ik hen uw komst meedelen, heer?'

'Nee, ik blijf hier wel rustig zitten.' De hofmeester boog en liet hem alleen.

Ondanks het brandende haardvuur was de hal koud en vol schaduwen. De grijze mist drukte zacht tegen de ramen en regen kletterde neer op het hoge dak. Veel te rusteloos om te zitten begon Ki te ijsberen en te piekeren. Hoelang zou Tobin wegblijven? Als Orun nu eens een reden verzon om hem daar te houden? Zou Tharin dan terugkomen om hem het nieuws te vertellen? Of moest hij hier nog de hele dag in de zenuwen zitten?

Toen hij opkeek bleek hij onder aan de enorme trap te staan. Hij was maar één keer boven geweest en dat was genoeg voor hem geweest. Tobins vader had dat deel van het huis gelaten zoals het was, de kamers stonden vrijwel leeg en waren het domein van muizen. Ki wist zeker dat er geesten huisden die vanuit donkere hoeken naar hem loerden.

De hertog had alleen de begane grond gebruikt wanneer hij in de stad was. Sinds zijn dood hadden alleen Tharin en de wachters er regelmatig gebivakkeerd. Tharin had een kamer aan een gangetje achteraf, waar de manschappen sliepen. De hal was voor gemeenschappelijk gebruik. Er hing altijd de huiselijke geur van de wierook van het huisaltaar en van sintels in de haard.

Ki liep het gangetje in. Iya's deur lag aan de rechterkant en was dicht. De oude slaapkamer van de hertog, nu bewoond door Tobin en daarom ook door Ki, lag links. Hij bleef even staan en deed toen de deur ernaast open.

De slaapkamer was net zo sober en ordelijk als de man die erin sliep. Zijn kamer in de kazerne bij de burcht had er net zo uitgezien. Ki voelde zich hier meer thuis dan waar ook in Ero. Hij stak een vuurtje aan en ging zitten om te wachten wat het lot hem brengen zou.

Maar zelfs hier kon hij niet stil blijven zitten en spoedig liep hij rondjes op Tharins vloerkleed. De regen sloeg tegen de ruiten en zijn gedachten raasden door zijn hoofd: *Wat moet ik beginnen als Orun me wegstuurt? Terug naar Eikenbergstee om varkens te hoeden?*

Het was ondenkbaar om eerloos naar zijn vader terug te keren. Nee, hij zou zich maar bij Ahra's regiment aansluiten om de kust in de gaten te houden of naar de slagvelden van Mycena gaan en zich als gewoon soldaat te weer stellen.

Die gedachten schonken geen troost. De enige plaats waar hij wilde zijn was hier, bij Tobin.

Hij verborg zijn gezicht in zijn handen. *Het is mijn eigen schuld. Had ik Tobin maar niet alleen moeten laten die dag, toen hij ziek was. Een paar weken aan het hof en ik was alles vergeten wat Tharin me geleerd had!*

Vlak daarachter dook de vraag op die hij zich sinds de nacht dat hij Broer was gevolgd naar Alestun niet had durven stellen. Waarom was Tobin zo halsoverkop teruggegaan? Niet dat hij Tobins verklaring niet geloofde, maar... Hij zuchtte. De waarheid was dat hij het wílde geloven, maar iets klopte er niet. En wat Tobin ook gescheeld had, er was iets veranderd tussen hen.

Of misschien, dacht hij schuldbewust, *waren zijn gevoelens voor mij veranderd.*

De smerige beschuldigingen die Mago en Arius die dag in de stal over Ki hadden uitgestort, met de insinuatie dat hij en Tobin meer deden in bed dan alleen maar slapen, hadden er diep ingehakt. Ki had zich erop betrapt dat hij zich af en toe van Tobin terugtrok. De gekwetste blik in de ogen van zijn vriend wanneer hij zich aan zijn deel van het bed hield, stonden hem nog goed voor ogen. Was Tobin er daarom vandoor gegaan? *Wat een idioot was ik toch dat ik nog naar dat stelletje oelewappers luisterde ook.* Na alle toestanden van de laatste weken was hij het helemaal vergeten, maar was Tobin dat ook?

Hij kreeg maagpijn van alle onzekerheid. 'Nou ja, wat het ook mag zijn, hij zal het me wel vertellen als hij er klaar voor is,' mompelde hij.

De lucht achter hem werd kil en hij kreeg kippenvel van het valse, hese lachje. Ki draaide zich meteen om en greep instinctief het paardenamuletje om zijn hals vast. Daar stond Broer, naast Tharins bed, en hij keek hem met zwarte, van haat doortrokken ogen aan.

Ki's hart bonsde pijnlijk tegen zijn ribben; de geest zag er tastbaarder uit dan hij ooit had gezien, een uitgehongerde parodie van zijn vriend, met die zwart omrande ogen. Ki dacht dat hij gewend was geraakt aan Broer sinds die nacht dat ze samen gereisd hadden, maar niets was minder waar.

'Vraag het Arkoniël,' fluisterde Broer.

'Wat moet ik hem vragen?'

Broer verdween maar zijn sissende lachje bleef nog minutenlang in de lucht hangen waar hij had gestaan. Trillend trok Ki een stoel dichter bij de haard, trok zijn benen op en voelde zich eenzamer dan ooit.

Hij was bijna ingedut toen er geschreeuw tot hem doordrong. Hij gooide de deur open en botste bijna tegen Iya op. Ze renden de hal door en daar stond Tharin met Tobins slappe lichaam in zijn armen.

'Wat is er gebeurd?' vroeg Iya bars.

'Naar zijn kamer, Ki,' beval Tharin, Iya negerend. 'Doe de deur open.'

'In die van jou brandt de haard.' Ki rende vooruit en sloeg Tharins bed open. Tharin legde Tobin er zachtjes in en begon zijn polsen te masseren. Tobin ademde, maar zijn gezicht was verkrampt en zweet parelde op zijn voorhoofd.

'Wat heeft Orun met hem uitgespookt?' gromde Ki. 'Ik sla hem dood. Al verbranden ze me er levend voor!'

'Let op je woorden, Ki.' Tharin wendde zich tot de bedienden en soldaten bij de deuropening. 'Koni, rijd naar het bos voor een drysiaan. Sta daar niet te staren, man, wegwezen! Laris, jij zet wachters bij alle deuren. Niemand wordt binnengelaten, op leden van het koningshuis na. En haal Bisir. Ik heb hem hier nu nodig!'

De oude sergeant salueerde, vuist tegen zijn borst. 'Tot uw orders, kapitein.'

'Uliës, een kom warm water graag,' beval Iya kalm. 'De rest van jullie gaat wat nuttigs doen, maar ga in hemelsnaam uit de weg.'

Tharin liet zich in een stoel ploffen met zijn hoofd in zijn handen.

'Deur dicht, Ki.' Iya boog zich over Tharin en greep zijn schouder vast. 'Wat is er gebeurd?'

Tharin schudde langzaam zijn hoofd. 'Ik heb geen idee. Bisir nam hem mee naar boven, naar Oruns kamer. Een tijdje later verscheen heer Niryn met een boodschap van de koning. Vrij snel was hij weer beneden en ik dacht dat Tobin nu ook wel zou komen. Maar dat gebeurde niet. Toen hoorde ik Bisir een kreet slaken. Toen ik boven kwam, was Orun dood en lag Tobin bewusteloos op de grond. Ik kreeg hem niet wakker, dus droeg ik hem hiernaartoe.'

Iya maakte de koorden van Tobins tuniek los en haar gezicht kreeg een onheilspellende uitdrukking. 'Kijk. Deze plekken zijn vers.'

Ze maakte het linnen hemd eronder los, en liet Tharin en Ki lange rode strepen zien die rond Tobins hals al donkerblauw begonnen te kleuren. Een dunne lijn aan de linkerkant van zijn nek was bepareld met kleine druppeltjes opgedroogd bloed. 'Heb je ook van die plekken bij Orun gezien?'

'Heb ik niet op gelet, hij lag in de haard.'

'We vinden hem wel, degene die dit gedaan heeft,' zei Ki. 'We vinden hem en dan maken we hem af.'

Tharin keek hem met een onpeilbare blik aan en Ki hield zijn mond. Als hij niet zo stom geweest was, had Tobin helemaal niet bij Orun hoeven komen.

Uliës kwam terug met de kom en Tharin nam hem over. 'Laat iemand kanselier Hylus en heer Niryn halen.'

'Dat is niet nodig.' De tovenaar stapte naar binnen en liep met een bezorgde blik naar het bed. 'Er is al een bediende met het nieuws bij me geweest. Hoe is het met de prins? Hij was prima in orde toen ik hem verliet. Allebei, dacht ik.'

Zonder erbij na te denken blokkeerde Ki de weg voor Niryn Tobin kon bereiken. Niryns ogen lieten die van Ki niet los. Ki voelde een griezelige koude trilling door zijn hoofd gaan maar hij bleef resoluut staan.

'Alstublieft, mijn heer. Ik geloof dat het beter is om op de drysianen te wachten voor we hem storen,' zei Iya, die naast Ki stond. Ze sprak zeer beleefd maar Ki voelde dat het een mededeling was, geen verzoek.

'Maar natuurlijk. Heel verstandig.' Niryn ging in de stoel bij de haard zitten. Ki ging bij het voeteneind staan en hield Niryn heimelijk in de gaten. Tobin was altijd bang geweest voor Niryn en dat was genoeg reden voor Ki om hem te wantrouwen. En nu was hij toevallig de laatste die Tobin en Orun gezien had voor ze geveld waren. Dat zei hij tenminste.

Niryn zag dat hij keek en glimlachte. Opnieuw gleed er een glibberig kriebeltje door Ki heen en hij wendde snel zijn ogen af.

Even later kwam Tobin naar lucht happend overeind. Ki klom onhandig het bed op en greep zijn hand. 'Tob, je bent veilig. Ik ben hier, en Tharin en Iya.'

Tobin kneep zo hard in zijn hand dat het pijn deed. 'Hoe...hoe ben ik hier gekomen?' vroeg hij schor fluisterend.

'Ik heb je gedragen.' Tharin ging op de rand van het bed zitten en sloeg een arm om hem heen. 'Het lijkt wel of ik constant met je loop rond te sjouwen de laatste tijd. Maar het komt allemaal goed. Kun je ons vertellen wie je zo'n pijn heeft gedaan?'

Tobins hand vloog naar zijn keel. 'Orun. Hij was zo woedend… Hij greep me vast en…' Hij had Niryn ontdekt en zweeg even. 'Het was Orun.'

De tovenaar stond op en kwam naderbij. 'Hij werd gewelddadig tegenover je?'

Tobin knikte. 'De brief van de koning,' fluisterde hij. 'Hij greep me vast en… en toen moet ik flauwgevallen zijn.'

'Dat verwondert me niets,' zei Iya. 'Het lijkt wel of hij je probeerde te wurgen.'

Tobin knikte.

Een in het bruin geklede drysiaan kwam binnen en stuurde iedereen op Iya en Niryn na de kamer uit. Ki bleef op de drempel dralen en keek ongerust toe terwijl de vrouw Tobin onderzocht. Hij kroop weer op het voeteneind toen ze een kompres voor de rode en blauwe plekken maakte en ze joeg hem niet weg.

Toen ze klaar was sprak ze nog een tijdje met Tharin en Iya. Het leek uren te duren en toen ze weg was, kwam Tharin weer binnen. Hij keek bezorgder dan voorheen.

'Heer Niryn, Bisir staat in de hal en kanselier Hylus is zojuist ook aangekomen.'

Tobin kwam overeind. 'Bisir heeft niets gedaan!'

'We willen ook alleen met hem praten,' verzekerde Tharin hem. 'Ga nou maar liggen en rust wat. Ki zal wel bij je blijven.'

'Heer Niryn?' zei Tobin schor.

De tovenaar bleef in de deuropening staan. 'Ja, mijn prins?'

'Die brief die u van de koning kreeg – ik heb hem niet gelezen. Is Ki nog steeds mijn schildknaap?'

'De koning heeft er geen uitspraak over gedaan. Dus voorlopig blijft alles bij het oude. Wees je taak waardig, Kirothius.'

'Ja, heer.' Ki keek naar de grond en wachtte tot de tovenaars en Tharin de deur dicht hadden gedaan. Hij sloeg een geluksteken. 'Hij is net een slang als hij glimlacht. Maar hij had tenminste goed nieuws.' Hij ging op het bed zitten en wilde Tobin aankijken, maar die wendde steeds het hoofd af. 'Hoe is het nu echt met je?'

'O, goed hoor.' Tobin wreef over het natte verband om zijn hals. 'Dit helpt redelijk.'

Hij was nog schor, maar Ki kon horen dat hij met moeite zijn angst in bedwang hield.

'Dus Orun heeft eindelijk met zijn klauwen aan je gezeten?' Ki schudde verbaasd het hoofd.

Tobin zuchtte sidderend en zijn kin begon te trillen.

Ki ging dichter bij hem zitten en hield zijn hand vast. 'Er is nog iets dat je niet verteld hebt, is het niet?'

Tobin wierp een angstige blik op de dichte deur en bracht toen zijn lippen naar Ki's oor. 'Het was Broer.'

Ki sperde zijn ogen open. 'Maar hij was hier. Hij kwam bij me toen jij weg was.'

Tobin slaakte een kreetje. 'Wat deed hij dan?'

'Niets! Ik zat hier op je te wachten en opeens stond hij daar.'

'En, zei hij iets?'

'Alleen dat ik Arkoniël moest vragen om…' Ki zweeg.

'Om wat?'

Ki aarzelde; hij had al aan Tobins woorden getwijfeld en nu werd het nog erger. 'Dat wou hij niet zeggen. Doet hij dat ook wel eens bij jou?'

'Soms.'

'Maar jij zegt dat hij bij Orun was? Riep je hem op?'

Tobin schudde nadrukkelijk met zijn hoofd. 'Nee! Nee, ik zweer bij de Vier dat ik het niet gedaan heb!'

Geschrokken streelde Ki hem over het gezicht. 'Hé, ik geloof je, Tob. Wat is er dan?'

Tobin slikte en boog zich weer voorover. 'Broer heeft Orun vermoord.'

'Maar… hoe dan?'

'Weet ik niet. Orun schudde me hard door elkaar. Misschien wilde hij me doodmaken. Ik weet het niet. Maar Broer kwam tussen ons in staan en hij… hij raakte hem heel licht aan en Orun viel…' Tobin beefde van angst. De tranen liepen hem over de wangen. 'Ik heb hem niet laten stoppen, Ki! Als ik… als ik hem nou *gezegd* heb dat hij het moest doen?'

Ki omhelsde hem. 'Dat zou je nooit doen. Ik ken je toch.'

'Ik kan het me ook niet herinneren,' snikte Tobin. 'Maar ik was zo bang, en ik haatte Orun en hij zei zulke lelijke dingen over jou en…'

'Heb je Broer geroepen?'

'N… nee!'

'Heb je hem bevolen Orun dood te maken?'

'Nee!'

'Natuurlijk niet. Dus is het niet jouw schuld. Broer wilde je gewoon beschermen.'

Tobin hief zijn betraande gezicht en keek hem aan.

'Denk je?'

'Ja. Het is een etterbak, maar het is wel je broertje en Orun deed je pijn.' Hij raakte een dun, nauwelijks zichtbaar litteken in zijn hals aan. 'Weet je nog dat die bergleeuw je aanviel? Je zei dat Broer tussen jou en dat beest in ging staan voor ik eraan kwam, alsof hij je wilde beschermen.'

'Maar het was Lhel die hem doodmaakte.'

'Ja, maar hij kwam toch maar mooi. En hij kwam ook toen Orun je kwaad wilde doen. Niemand heeft je ooit eerder kwaad gedaan, is het wel?'

Tobin veegde zijn gezicht aan zijn mouw af. 'Niemand, behalve…'

'Wie?'

'Mijn moeder,' fluisterde Tobin. 'Ze probeerde me te vermoorden. Toen was Broer er ook bij.'

Ki was sprakeloos.

'Je mag dit aan niemand vertellen,' zei Tobin en hij veegde zijn neus af. 'Over Orun, bedoel ik. Niemand mag te weten komen dat Broer bestaat.'

'Niryn zelf zou het niet uit me kunnen krijgen. Dat weet je.'

Tobin huiverde weer en zuchtte. Hij legde zijn hoofd op Ki's schouder. 'Als er in die brief had gestaan dat je weg moest, was ik weer weggelopen.'

'En mij weer achter je aan laten hollen, net als die laatste keer?' Ki probeerde er een grapje van te maken, maar hij moest even slikken. 'Als je dat maar uit je hoofd laat. Ik kluister je vast aan je bed.'

'Heb ik toch al gezegd, dat doe ik niet. We zouden samen weglopen.'

'Dan is het goed. En nou moet je rusten.'

In plaats daarvan gooide Tobin de dekens van zich af en liep moeizaam langs Ki naar de deur. 'Ik wil Bisir zien. Hij heeft hier helemaal niets mee te maken.'

Tobin was bijna in de hal aangekomen toen een nieuw idee alle zorgen scheen weg te nemen. Wat had Bisir gezien? Hij vervloekte zijn eigen zwakte – flauwvallen als een of andere jonkvrouw uit een ballade. Was Broer bij hem gebleven nadat hij Orun vermoord had? Als Orun de geest kon zien, dan zou iemand anders dat ook kunnen. Hij vermande zichzelf en beende de hal in.

Bisir stond handenwringend bij de haard, Tharin en de anderen stonden om hem heen. Opperkanselier Hylus was de enige die zat en hij was vast direct uit een rechtszitting weggelopen, want hij had zijn staatsiemantel nog aan en de zwarte platte fluwelen hoed die zijn ambt aanduidde.

'Hier is de prins, en hij ziet er beter uit dan ik verwachtte, de Vier zij dank!' riep hij uit. 'Kom toch bij me zitten, beste jongen. Deze jongeman vertelde ons net over de schandalige behandeling die je hebt ondergaan.'

'Ga door, Bisir. Vertel prins Tobin maar wat je ons net verteld hebt,' zei Iya.

Bisir keek Tobin met smekende blik aan. 'Zoals ik hen vertelde, mijn prins, zag ik u beiden op de grond liggen toen ik binnenkwam.'

'Maar je was aan het afluisteren,' sprak Niryn streng.

'Nee, heer! Dat wil zeggen, er staat een stoeltje bij de deur. Daar zit ik altijd, voor het geval heer Orun me roept.'

Hylus hief een fragiele, met ouderdomsvlekken bezaaide hand op. 'Rustig maar, jongeman. Je wordt van geen enkele misdaad beschuldigd.' Hij gebaarde naar Uliës dat hij de angstige knecht een beker wijn moest brengen.

'Dank u, heer.' Bisir nipte van de wijn en er verscheen wat kleur op de smalle wangen.

'Maar dan moet je toch iets gehoord hebben?' vroeg de oude heer meteen.

'O ja, heer opperkanselier. Ik hoorde mijn meester woedend tegen de prins tekeergaan. Het was niet goed om zo tegen prins Tobin te praten.' Hij stopte en nam nerveus een slok. 'Vergeef me, heren. Ik weet dat ik geen kwaad van mijn meester mag spreken, maar…'

'Dat maakt nu niks meer uit,' zei Iya ongeduldig. 'Dus je hoorde Orun schreeuwen. En toen?'

'Toen kwam die gruwelijke gil! Ik rende naar binnen en vond hen buiten bewustzijn op het vloerkleed. Tenminste, ik dacht… Toen ik mijn meesters gezicht zag…' Zijn blik flitste weer naar Tobin en deze keer was er geen twijfel mogelijk dat Bisir doodsbang was. 'Heer Oruns ogen waren open, maar… Bij de Vier, nooit zal ik kunnen vergeten hoe hij eruitzag, met die uitpuilende ogen en zijn gezicht zo zwart als roet…'

'Zo is het,' viel Tharin in. 'Ik herkende hem haast niet. Het leek wel of hij een beroerte had gehad.'

'Toen stormde heer Tharin binnen en droeg de prins weg voor ik kon zien of hij… Ik was bang dat hij ook dood was!' Hij boog onhandig voor Tobin. 'De Vier zij dank dat u in orde bent.'

'Als u me toestaat, heer?' vroeg Niryn.

Hylus knikte en de tovenaar stapte naar de bevende jongen. 'Geef me je hand, Bisir.'

Niryn leek wel groter te worden en de lucht rondom hem verduisterde. Tobins nekharen gingen ervan overeind staan. Ki kwam dichterbij en zijn hand raakte die van Tobin.

Bisir slaakte een kreet van pijn en zakte op zijn knieën, zijn hand vast in die van Niryn. Toen Niryn hem eindelijk losliet, dook Bisir ineen waar hij zat en drukte zijn hand tegen zijn borst alsof hij hem gebrand had.

Niryn haalde zijn schouders op en ging op de houten bank bij de haard zitten. 'Hij spreekt de waarheid. Het lijkt me toe dat prins Tobin de enige is die kan vertellen wat er werkelijk in die kamer gebeurd is.'

Eén afschuwelijke seconde lang dacht Tobin dat Niryn hem aan dezelfde test wilde onderwerpen, maar Niryn keek hem alleen strak aan met zijn barnsteenkleurige ogen. Tobin voelde geen kille kriebels deze keer, want hij had het trucje toegepast dat Arkoniël hem had geleerd.

'Hij greep me heel stevig vast, bij mijn arm, en beschuldigde me ervan dat ik de koning tegen hem had opgezet...'

'En was dat zo?' vroeg Niryn.

'Wat? Nee! Ik heb nog nooit een letter naar mijn oom geschreven.'

Niryn glimlachte sluw. 'Nooit geprobeerd enige invloed op hem uit te oefenen? Het was geen geheim dat u een hekel had aan Orun. Niet dat ik u dat kwalijk kan nemen, integendeel.'

'Ik... ik heb de koning nooit beïnvloed,' fluisterde Tobin. Werd Niryn nu weer groter of leek het maar zo? Werd de lucht dik en zwart om hem heen?

'Zoiets zou nooit in de prins opkomen,' viel Tharin hem in de rede en Tobin zag dat hij alweer zijn woede probeerde in te tomen. 'Hij is enig kind. Hij weet niets van het hof en hofintriges.'

'Vergeef me, ik dacht er alleen aan hoe ver een nobel hart kan gaan uit liefde voor een waardige vriend.' Niryn keek Ki even aan terwijl hij een buiging maakte voor Tobin. 'Vergeef me, mijn prins. Mijn nederige verontschuldigingen als ik u op wat voor manier dan ook beledigd mocht hebben.'

Zijn blik viel nu op Tharin. 'Misschien hebben anderen het op zich genomen om in naam van de prins te handelen?'

Tharin haalde zijn schouders op. 'Waarom? Rhius heeft Ki als schildknaap voor zijn zoon gekozen. De koning begrijpt wat zo'n band betekent.'

Niryn wendde zich tot Ki. 'En nu jij, schildknaap Kirothius. Waar was jij toen prins Tobin bij zijn voogd was?'

'Hier, heer. De hofmeester kan getuigen.'

'Dat is niet nodig. Ik was alleen maar benieuwd. Wel, het lijkt me dat er geen nieuwe feiten meer boven tafel zullen komen.'

Heer Hylus knikte langzaam. 'Je hebt het ongetwijfeld bij het rechte eind,

Tharin. Een heftige emotie is heel gevaarlijk voor een oude man. Ik denk dat we kunnen stellen dat heer Orun zijn eigen vernietiging bewerkstelligd heeft door een fikse beroerte.'

'Tenzij het zwarte magie is.'

Iedereen staarde naar Niryn.

'Er zijn formules die een dergelijke dood kunnen opwekken. De man had vijanden genoeg en er zijn tovenaars die kunnen worden omgekocht. Is dat niet zo, meesteres Iya?'

Iya stak haar hand uit. 'Als u mij beschuldigt, heer, probeer uw test dan maar op me uit. Ik heb niets van u te vrezen.'

'Ik verzeker u, juffrouw, als u het was geweest, dan zou ik het al weten.'

Tharin schraapte zijn keel. 'Met alle respect, heer, prins Tobin heeft een zware dag achter de rug. Als er toch geen nieuwe feiten boven tafel komen, kunnen we de zaak dan misschien laten rusten?'

Hylus stond op en klopte Tobin op de rug. 'Je bent een dappere jongen, beste prins, maar ik denk dat je vriend gelijk heeft. Rust goed uit en laat deze onverkwikkelijke zaak achter je. Ik zal als je voogd fungeren tot je oom een ander benoemt, mits je geen bezwaar hebt.'

'Dat zou ik fantastisch vinden!'

'Wat moet er met Oruns huishouden gebeuren, heer Hylus?' vroeg Bisir zachtjes, die nog steeds op de biezen geknield zat.

'Sta eens op, jongen. Ga naar huis en zeg de hofmeester dat huis en staf voorlopig in dezelfde staat blijven bestaan tot alles omtrent Oruns bezit geregeld is. Haast je wat, voor iedereen er met het zilver vandoor gaat!'

'Kom, prins Tobin. Laten we uw kamer opzoeken,' zei Iya alsof ze Nari was.

'Kan Bisir niet bij ons komen wonen?' fluisterde hij, terwijl hij tussen Tharin en Iya in naar zijn kamer werd gebracht.

Maar Iya schudde het hoofd. 'Vergeet hem. Steek de haard eens aan, Ki.'

Tobin gaf niet op. 'Hoe kunt u dat zeggen? U zag hoe hij opleefde in de burcht. En hij heeft me echt geprobeerd te helpen vandaag. Vraag Th...'

'Ik weet het. Maar eerste indrukken zijn erg belangrijk hier en daar mankeerde iets aan.' Toen Tobin voet bij stuk hield, gaf ze een beetje toe. 'Ik zal wel een oogje in het zeil houden, als je wilt.'

Tobin bromde iets maar knikte, en zijn oude wantrouwen jegens haar stak de kop weer op. Met Arkoniël had hij nooit zo'n discussie hoeven voeren.

8

Toen ze de volgende morgen naar de Gezellen terugkeerden, stonden Tobin en Ki ongewild in het centrum van de belangstelling. Korin en de anderen hadden het hele verhaal wel drie keer willen horen tijdens de ochtendloop, als meester Porion er niet mee gedreigd had dat ze de rest van de dag de stallen konden uitmesten als ze Tobin niet met rust lieten.

Maar zelfs die dreigementen konden het gefluister en de verbaasde vragen niet stoppen. Terwijl ze hun vingers warm stonden te blazen voor de schietbanen, wilde iedereen weten hoe Orun eruit had gezien toen hij stierf. Welke geluiden had hij gemaakt? Was er veel bloed gevloeid? Tobin vertelde hen wat hij wist en was blij dat Ki uiteindelijk zei dat hij persoonlijk zijn befaamde vuist zou laten neerdalen op de volgende die Tobin nog lastigviel.

Weer ging het verhaal als een lopend vuurtje rond over de Palatijnse Heuvel. De dagen erna staarden zowel hovelingen als bedienden Tobin na, fluisterden achter hun hand naar elkaar als hij langskwam. Hij en Ki bleven zo vaak mogelijk op hun kamer of verstopten zich in Tobins huis.

Zoals met zo veel geroddel was het verhaal over Oruns dood na een week compleet uitgemolken en werd het vervangen door andere schandaaltjes en geruchten. Toen Caliël hem op een avond uitnodigde voor een spelletje bakshi, liep Tobin naar zijn kamer om de stenen te halen.

Hij was bijna bij zijn deur toen Una uit de schaduw verderop in de gang opdook. Hij was verrast, maar schrok toen het gewoonlijk zo verlegen meisje hem bij de hand nam en hem zijn kamer in trok. Molay en Baldus zaten in de keuken te eten. Tobin was alleen met haar.

Ze duwde de deur dicht en keek hem zwijgend aan met haar glanzende bruine ogen.

'Wat is er?' vroeg hij beduusd.

'Is het waar?' vroeg ze.

'Is… is wat waar?'

'Er wordt gezegd dat heer Orun jou voor hij stierf dwong om een andere schildknaap te kiezen en dat… nou ja…' Ze werd vuurrood maar bleef hem aankijken. 'Ze zeggen dat je mij noemde!'

Tobin knipperde zenuwachtig met zijn ogen. Hij had het alleen maar gezegd om Orun te sarren, daarna was hij het helemaal vergeten. Bisir moest het gehoord hebben en het verhaal doorverteld hebben.

Hij wilde wel door de grond zakken toen ze weer zijn hand greep en zijn knokkels tegen het bovenlijfje van haar jurk drukte. 'Is het waar, prins Tobin? Heb je me voorgedragen voor de Gezellen?'

Toen hij erin slaagde even te knikken klemde ze zijn hand nog steviger vast en keek hem diep in de ogen. 'Meende je het?'

'Nou…,' aarzelde Tobin, die niet tegen haar wilde liegen. 'Ik denk dat je een prima schildknaap zou zijn,' bracht hij uit. Dat was maar een halve leugen. Hij wilde dat ze zijn hand losliet. 'Als meisjes schildknapen konden zijn, zou jij een goede zijn.'

'Het is zo oneerlijk!' riep ze uit en haar ogen fonkelden zo fel als hij nog nooit had gezien. 'Vrouwen zijn altijd strijders voor Skala geweest! Ki heeft me alles over zijn zuster verteld. Is Ahra echt een krijger zoals hij zegt?'

'O ja!' Tobin had Ahra maar één keer gezien, maar ze had hem een paar fantastische trucjes geleerd om een lastige tegenstander te overmeesteren. Tijdens een duel met een man zou hij op haar gewed hebben.

'Het is zo ontzettend gemeen!' Ze liet zijn hand los, sloeg haar armen over elkaar en fronste haar voorhoofd. 'Als ik niet van hoge afkomst was, zou ik gewoon het leger zijn ingegaan zoals zij. Mijn grootmoeder was een generaal, weet je. Ze is eervol in de strijd gestorven, toen ze haar koningin verdedigde. En ik zal je nog eens wat vertellen,' vertrouwde ze hem toe, en ze boog zich ver voorover. 'Af en toe verschijnt ze in mijn dromen, op een groot wit strijdros. Ik heb haar zwaard gekregen. Moeder heeft hem mij gegeven. Mijn vader wil me niet met een echte wapenmeester laten trainen. Niet eens een beetje schermen. Als ik het maar zou kunnen leren…' Ze stopte en glimlachte verlegen naar hem. 'Het spijt me. Ik draaf een beetje door.'

'Welnee. Ik heb je wel eens zien boogschieten. Je kunt het net zo goed als wij. En je rijdt als een soldaat. Zelfs meester Porion heeft dat gezegd.'

'Echt waar?' Una straalde. 'Maar het heeft geen zin als je niet ook met een zwaard kunt omgaan. Ik moet het maar doen met boekenkennis en kijken hoe jullie jongens trainen. Ik ben soms zo jaloers. Ik had als jongen geboren moeten worden!'

De woorden grepen Tobin aan, al begreep hij niet waarom, en zonder er verder over na te denken, flapte hij eruit: 'Ik kan het je wel leren.'

'Heus? Je zegt het niet om me in te pakken, of me te plagen zoals de andere jongens?'

Tobin wilde op zijn woorden terugkomen zodra hij ze uitgesproken had, maar dat kon hij niet, niet nu ze zo stralend naar hem keek. 'Nee, ik leer het je wel. Ki ook. Zolang niemand erachter komt natuurlijk.'

Voor hij wist wat hem overkwam had Una hem een zoen op zijn mond gegeven. Het was een onhandige kus, en Tobins lip werd tegen zijn voortanden gedrukt. Ze ging ervandoor voor hij wist wat hij moest zeggen en liet hem blozend achter.

'Bij de ballen van Bilairy!' mompelde Tobin en hij proefde bloed op zijn lip. 'Wat heb ik me nu weer op de hals gehaald?'

En of het nog niet erg genoeg was, kwamen daar net Alben en Quirion aan. Quirion kleefde aan de oudere jongen als hondenpoep aan een laars.

'Wat is er? Heeft ze je gebeten?' zei Alben lijzig.

Tobin liep snel langs hen heen, de bakshistenen vergetend.

'Wat heb je?' riep Quirion hem na. 'Je houdt zeker niet van meidenkusjes!'

Tobin draaide zich spoorslags om het hem betaald te zetten, maar hij struikelde over zijn voeten en viel wankelend tegen een van de oude wandkleden die in de gang hingen. De stok waaraan hij hing raakte los en het hele stoffige geval viel over hem heen als een ingezakte tent. De twee oudere jongens kwamen niet meer bij van het lachen.

'Bloed, mijn bloed. Vlees, mijn…,' fluisterde Tobin maar hij sloeg snel een hand voor zijn mond. Hun gelach stierf weg in de gang, maar Tobin bleef zitten waar hij zat, zo was hij geschrokken van zijn eigen ondoordachte reactie. In het naar schimmel stinkende duister vroeg hij zich nogmaals af of hij Broer echt niet opgeroepen had toen Orun hem aanviel.

Hij vertelde Ki en Tharin alles over zijn ontmoeting met Una toen ze de volgende dag in Tharins kamer zaten. De ontmoeting met Alben liet hij liever achterwege.

'Tob, oliebol!' riep Ki uit. 'Die Una loopt al achter je aan sinds we voet in Ero gezet hebben.'

'Achter mij?'

'Ja, jou. Wil je soms beweren dat je niet hebt gezien hoe ze altijd naar je staart?'

'Zelfs mij is dat opgevallen,' grinnikte Tharin.

'Maar ze is… maar een meisje!'

'Nou, wat is er dan mis met meisjes?' lachte Ki, als een echo van Quirions opmerking.

Tobin keek boos naar beneden. 'Ik vind niemand leuk.'

'Laat hem met rust, Ki,' zei Tharin. 'Tobin is nog jong genoeg, en niet gewend aan het hofleven. Toen ik zo oud was als hij was ik precies hetzelfde. Maar wat dat zwaardvechten betreft…' Hij keek weer ernstig als altijd. 'Ze zei het zelf: haar vader heeft niet veel op met de gebruiken van vroeger, en met hertog Sarvoi kun je beter geen ruzie krijgen. Laat ze het maar gewoon bij boogschieten en paardrijden houden.'

Tobin knikte, al vond hij een boze vader heel wat minder afschrikwekkend dan de bewondering van een meisje. Zijn lip deed nog steeds pijn waar ze hem gekust had.

'En trouwens, over een jaar of twee denkt ze er misschien weer anders over,' zei Tharin. 'Het is een prachtmeid uit een machtige familie. En knap bovendien.'

'Dat zou ik ook zeggen!' zei Ki vol vuur. 'Als ik wist dat ze zich niet te goed voelde voor een eenvoudige schildknaap, zou ik maar wat graag in jouw schoenen staan!'

Tobins maag kromp samen toen hij de warmte in Ki's stem hoorde en zijn glimmende ogen zag; net of hij een hap van iets bitters had binnengekregen. *Wat kan het mij ook schelen, dat Ki zo dol op haar is?* dacht hij, maar het kon hem wel degelijk schelen. 'Nou ja, ik zei het ook alleen maar om aardig te zijn,' gromde hij. 'Ze is het waarschijnlijk alweer vergeten.'

'Zij niet,' zei Ki. 'Ik heb gezien hoe ze naar ons kijkt.'

Tharin knikte. 'Wat ze over haar grootmoeder vertelde is waar. Generaal Elthia was geen spat minder dan welke mannelijke generaal dan ook, en haar strategieën waren beroemd. Je vader achtte haar zeer hoog. Ja, ik kan wel wat van die oude krijger zien in de jonge Una. Dat is de ellende met die nieuwe wetten. Er lopen te veel meisjes met heldenbloed in hun aderen rond die de verhalen in hun hart koesteren, en ze mogen alleen maar in rokken bij het haardvuur zitten.'

'Geen wonder dat ze jaloers is op een gewoon soldaat als Ahra,' zei Ki.

'Ik denk niet dat Erius dat nog veel langer zal toestaan. En waar moeten ze dan allemaal heen?'

'Bedoel je dat er zoveel zijn? Vrouwenstrijders?' vroeg Tobin.

'Ja. Denk maar aan ouwe Kokkie – oftewel sergeant Catilan, zoals ze vroeger heette – die al die jaren in je vaders keuken heeft gestaan. Erius heeft een heel stel oudere vrouwen eruit gewerkt. Ze was te loyaal om er tegenin te gaan, maar haar trots is wel gekwetst. En verspreid over het land zijn er honderden zoals zij. Misschien wel meer.'

Tobin staarde in het vuur, en stelde zich een heel leger van berooide vrouwenstrijders voor, die als geesten naar onbestemde verten reden. De gedachte daaraan deed hem de rillingen over zijn rug lopen.

9

Arkoniël werkte de stijfheid uit zijn schouders en liep naar het raam van zijn werkkamer. Hij vouwde de brieven die hij vanmorgen van Koni had gekregen weer open en las ze opnieuw.

Buiten ging de middag alweer over in de avond. De schaduw van de toren viel over de verse sneeuwdeken die over het weiland lag. Op het spoor van omgewoelde sneeuw na, dat door Koni's paard gemaakt was, lag de weide erbij als een beddenlaken: geen sneeuwforten meer bij de kazerne, geen kleine voetsporen meer naar de rivier of het woud.

En geen echo van gelach buiten de deur, dacht Arkoniël somber. Hij had zich nog nooit zo eenzaam gevoeld. Alleen Nari en Kokkie waren hier; zij drieën rolden hier rond als dobbelstenen in een beker.

Hij zuchtte en richtte zijn ogen weer op de brieven. Zijn aanwezigheid moest geheim blijven, dus waren ze zogenaamd aan Nari gericht. Arkoniël drukte het eerste vel perkament tegen de ruit en wreef zinloos over het verbroken zegel. Beide jongens hadden hem over Oruns dood verteld. Iya had het er al eerder over gehad, maar hij was meer geïnteresseerd in hun versie van het verhaal.

Dat van Tobin was kort en bondig: Orun had een soort toeval gekregen, die veroorzaakt was door slecht nieuws. De versie van Ki was veel nuttiger, al was hij niet bij Tobin geweest toen het gebeurde. Arkoniël lachte toen hij het dubbele vel openvouwde. Ondanks Ki's aanvankelijke weerstand tegen schrijven, en zijn hopeloze hanenpoten, leken de woorden net zo vloeiend op papier te komen als ze van zijn lippen rolden. Zijn brieven waren altijd zeer gedetailleerd. Hij vertelde van de blauwe plekken op Tobins armen en hals en het feit dat hij bewusteloos het huis binnengedragen was. Het vreemdste was wel de afsluitende zin: *Tobin heeft er nog steeds veel moeite mee.* Iya had niets verteld over zijn problemen met het voorval. Arkoniël nam aan dat dit geen cliché slotzin was. Ki kende Tobin beter dan wie ook en ook hij had een hekel gehad aan Tobins voogd. Waarom zou Tobin zich dan zo beroerd voelen omdat de man dood was?

Arkoniël vouwde Tobins brief op en stopte hem in de envelop om hem aan Nari te geven, maar Ki's brief liet hij voorlopig op de stapel op zijn schrijftafel liggen.

Ik had hem bijna vermoord, maar ik deed het niet, dacht hij altijd wanneer hij een nieuwe brief op die stapel legde. Hij wist niet precies waarom hij ze bewaarde, misschien als wapen tegen de nachtmerries die hem nog altijd kwelden, dromen waarin hij niet aarzelde en Ki nooit meer wakker werd.

Arkoniël verdreef de gedachte en keek uit het raam naar de ondergaande zon.

Toen hij hier zijn intrek nam, leek de burcht een graftombe waarin zowel levenden als doden ronddoolden. Hij en Iya hadden de hertog omgepraat om er weer een echt thuis voor zijn kind van te maken en dat was het ook lang geweest. Het was ook Arkoniëls thuis geworden, het eerste dat hij sinds zijn vertrek uit zijn vaders huis gekend had.

Maar sinds het vertrek van de jongens was de burcht weer snel in verval geraakt. De nieuwe wandtapijten en het frisse schilderwerk waren verschoten. Spinnen hadden hun koninkrijk weer ingenomen tussen de balken van de grote hal. Zonder de gezellig knapperende haardvuren in de meeste kamers werd het hele gebouw weer klam, koud en duister. Het was alsof de jongens het leven uit de burcht meegenomen hadden.

Zuchtend ging hij weer aan zijn schrijftafel zitten om zijn dagboek bij te houden. Toen het boek veilig was weggeborgen, ruimde hij de puinhopen van zijn laatste mislukte magische oefeningen op.

Hij was er bijna mee klaar toen er iets zachtjes langs de buitenkant van de deur gleed. Arkoniël hield zijn adem in. Het glazen toverstafje dat hij aan het oppoetsen was glipte uit zijn vingers en viel aan diggelen op de grond.

Het is maar een rat. Het is veel te vroeg. Er scheen nog gouden licht aan de oostelijke hemel. *Ze komt nooit zo vroeg naar beneden.*

Met kippenvel op zijn armen stak hij een kaars aan en liep langzaam naar de deur. Zijn hand beefde en een straaltje hete was liep langzaam over zijn vingers.

Er is niets, er is niets, herhaalde hij als een kind in het donker.

Zolang Tobin en de anderen beneden geweest waren, had hij zijn angst kunnen bedwingen, zelfs toen Bisirs onverwachte verblijf hem hier dagenlang opgesloten had gehouden. Met anderen in het huis vond hij het vage gefluister niet half zo erg.

91

Nu de tweede verdieping verder leeg was, schenen zijn kamers opeens veel te ver van Kokkies warme keuken en veel te dicht bij de torenkamer. De deur ervan was sinds Ariani's dood op slot geweest, maar dat weerhield haar rusteloze geest niet om in en uit te gaan en door het huis te zwerven.

Arkoniël had de wenteltrap maar twee keer beklommen sinds zijn eerste ontmoeting met de boze geest. Gedreven door nieuwsgierigheid en schuldgevoel, was hij naar boven gegaan nadat Tobin voor de eerste keer naar Ero was vertrokken, maar hij had niets gevoeld. Opgelucht maar ook onbevredigd had hij al zijn moed bijeengeraapt om om middernacht terug te gaan – hetzelfde tijdstip waarop hij er de eerste keer met Tobin was geweest – en die keer had hij Ariani horen wenen, zo duidelijk alsof ze achter hem stond. Verscheurd door angst en smart was hij naar de keuken gevlucht en hij was daar in slaap gevallen met de sleutel van de toren als een talisman in zijn hand geklemd. De volgende ochtend had hij hem in de rivier gegooid en zijn slaapkamer verhuisd naar de speelkamer op de eerste verdieping. Het liefst had hij ook zijn werkkamer een verdieping lager ingericht, maar het meubilair was te zwaar en het zou hem de rest van de winter hebben gekost om alle boeken en instrumenten de trap af te sjouwen. Hij had zich er wel aan gewend om alleen bij daglicht te werken.

Maar vandaag was hij blijkbaar toch te lang gebleven. Hij haalde diep adem, greep de klink en deed de deur open. Ariani stond aan het einde van de gang, de tranen stroomden over haar bebloede gezicht, haar lippen bewogen. Als versteend bleef Arkoniël in de deuropening staan. Hij probeerde op te vangen wat ze zei, maar ze maakte geen geluid.

Ze had hem de eerste keer dat ze elkaar na haar dood ontmoetten aangevallen, maar hij wachtte nog altijd, wilde wanhopig graag horen wat ze te zeggen had, om haar te kunnen antwoorden. Maar toen deed ze een stap in zijn richting en haar gezicht vertrok tot een masker van kwaadheid, en de moed zonk hem in de schoenen.

De kaars wierp groteske schaduwen rondom hem toen hij ervandoor ging, toen waaide hij uit. Met zijn ogen knipperend naar de plotselinge duisternis vloog hij met twee treden tegelijk de trappen af, maar voor zijn ogen zich hadden aangepast miste hij een tree. Hij deed een stap in de lucht en zijn been schoot de diepte in, de laatste paar treden struikelde hij af tot hij het welkome lamplicht van de eerste verdieping bereikte. Hij weerhield zich ervan om te kijken en hinkte moeizaam naar de trap die naar de hal leidde.

Een dezer dagen zou hij zichzelf in een geest veranderen.

10

Heer Orun had geen erfgenaam nagelaten. In zo'n geval vervielen al zijn bezittingen aan de Kroon en werden opgenomen in de schatkist waar hij de administratie zo goed van verzorgd had. Naar Niryns mening was dat het enige positieve dat de man kon worden nagedragen. O-runs eerlijkheid op het gebied van zijn officiële taken had de tovenaar altijd verbijsterd.

Het huis en het meubilair werden snel verkocht en de nieuwe kanselier van Financiën werd geïnstalleerd. Alleen voor Oruns bedienden moest nog een oplossing worden gevonden, en op de Palatijnse Heuvel wilden de meesten hen niet in dienst nemen, al hadden ze geld toe gekregen.

Met de beruchte spionnen werd korte metten gemaakt door degenen die ze gecompromitteerd hadden. Orun was dol geweest op chantage. Niet om het geld – hij had zijn schaapjes wel op het droge – maar om het sadistische plezier anderen in zijn macht te hebben. Gezien deze en ook andere, minder aangename praktijken, hoefde het niemand te verbazen dat er maar enkele lieden echt rouwig waren om zijn dood.

En zo werden zijn spionnen vergiftigd of gewurgd in donkere steegjes, de knappere schandknapen stilzwijgend opgenomen in andere huishoudens en de rest de stad uitgestuurd met goede referenties en genoeg goud om ze uit de buurt te houden.

Niryn volgde deze gang van zaken en had tijd vrijgemaakt om ook de lijkverbranding van Orun bij te wonen. En daar viel zijn oog op een jongeman die te midden van de schaarse rouwenden stond.

Zijn gezicht kwam hem bekend voor en na enige tijd herinnerde Niryn zich dat het een jongen van lage adel was die Moriël heette; Orun had gewild dat hij prins Tobins schildknaap werd. Orun had de knaap een kleinigheid nagelaten in zijn testament, ongetwijfeld voor verleende diensten. Hij moest een jaar of veertien, vijftien zijn, en had een bleek, nors gelaat en scherpe, intelligente ogen. Nieuwsgierig drong Niryn de geest van de jongen binnen toen ze bij de brandstapel stonden en hij was tot zijn vreugde niet verrast over wat hij daar aantrof.

De volgende dag stuurde hij de veelbelovende jongeman een uitnodiging om met hem te dineren, als zijn bedroefde staat dat toestond. De boodschapper kwam direct terug met het verwachte antwoord, geschreven in dezelfde paarse inkt die wijlen zijn beschermer het liefst gebruikte: Moriël zou bijzonder graag met de tovenaar van de koning de maaltijd willen gebruiken.

II

Het kwam Iya goed uit dat Orun uit de weg geruimd was en zij was net als Tobin opgelucht dat opperkanselier Hylus voorlopig zijn voogd zou zijn. Ze hoopte dat Erius de oude heer ook officieel aan zou stellen. Hylus was een fatsoenlijke heer, iemand uit de tijd voordat Erius en zijn waanzinnige moeder de kroon bezoedeld hadden. Zolang Erius zijn wijze raad nog op prijs stelde, zouden Niryn en zijn kompanen niet triomferen.

Ze klampte zich aan die hoop vast terwijl ze de gehate Havikenspeld zoals iedere dag in Ero opdeed.

Ze moest het Havikenhoofdkwartier passeren toen ze de Palatijnse Ring verliet. In het wit geklede tovenaars en hun garde in het grijze uniform liepen altijd rond bij de oude stenen herberg. Het deed haar denken aan een wespennest en ze behandelde het ook zo, en liep er aan de overkant van de straat langs. Ze was maar één keer binnen geweest, toen ze haar inschreven in het zwarte grootboek. Ze had genoeg gezien om te veronderstellen dat een tweede bezoek waarschijnlijk fataal zou zijn.

Dus bleef ze er uit de buurt en was uitermate voorzichtig in het zoeken van anderen zoals zij, gewone tovenaars die gedwongen waren het beschamende, genummerde insigne te dragen. Er waren er nog maar weinig in Ero over en de meesten waren te bang of wantrouwig om met haar te spreken. Van alle taveernen die eens door haar vakgenoten werden bezocht was alleen de Gouden Schakel nog open en die zat vol met Haviken. Tovenaars die ze haar hele leven al kende groetten haar schichtig en slechts enkelen waren werkelijk gastvrij. Het was een angstwekkend verschil met de tijd waarin de stad de vrije tovenaars alle eer had betoond.

Op een avond wandelde ze somber over de halfverlaten markt op het Dolfijnenplein toen ze getroffen werd door een gigantische verlammende pijn-scheut. Ze kon niets meer zien, ze kon niets meer horen, en schreeuwen kon ze ook niet.

Ze hebben me te pakken! dacht ze ontroostbaar. *Wat moet er nu van Tobin worden?*

Toen zag ze, als in een visioen, een gezicht in een lijst van wit vuur, maar Tobin was het niet. Gekweld door pijnen die erger waren dan de hare, keek de man haar recht in de ogen terwijl het vlees kromp en verschroeiend siste op zijn schedel. Ze kende dat gezicht. Het was een tovenaar uit het zuiden; hij heette Skorus. Ze had hem jaren geleden een van haar witte verbondssteentjes gegeven en verder nooit meer aan hem gedacht.

Het gefolterde gezicht verdween en ze merkte dat ze met haar gezicht op de vuile kinderkopjes lag, happend naar lucht.

Hij moet de talisman bij zich hebben gehad toen ze hem verbrandden, dacht ze, te zeer overweldigd om te bewegen. Maar wat betekende dat? De kiezel-steentjes waren de kleinste amuletjes, met een ontiegelijk klein beetje magie erin om de loyale tovenaars te vinden en op te roepen wanneer de tijd daar was. Ze had er nooit bij stilgestaan dat ze ook dienst konden doen als een weg terug naar haar. Maar deze had dat gedaan, en via het steentje had ze een frac-tie ervaren van de pijn die hij leed toen hij stierf. Tientallen tovenaars waren verbrand, honderden misschien, maar hij moest de eerste van de uitverkore-nen zijn geweest die gepakt was. Ze verwonderde zich hoe snel de pijn weg-trok. Ze had verwacht dat ook haar huid vol brandblaren zat, maar gelukkig was de amulet alleen een kanaal geweest voor de laatste gevoelens van de ster-vende Skorus, niet van de magie die hem doodde.

'Moedertje, bent u ziek?' vroeg iemand.

'Eerder zo zat als een kanon,' lachte een ander. 'Sta 'ns op, totebel!'

Vriendelijke handen hielpen haar op haar knieën. 'Kiriar!' riep ze uit toen ze de jongeman herkende. 'Ben je nog altijd met Dylias?'

'Ja, meesteres.' De laatste keer dat ze elkaar ontmoetten was hij een leerling geweest. Hij droeg nu een echte baard en had wat lijntjes rond zijn ogen, maar zijn kleren waren zo gerafeld als die van een bedelaar. Alleen het Havikenin-signe bij zijn hals vertelde wat hij was. Zijn nummer was drieënnegentig.

Hij keek ook naar haar speld. 'Tweehonderdtweeëntwintig? Het heeft hun behoorlijk wat tijd gekost tijd om u te vinden, begrijp ik.' En met spijt in zijn stem zei hij: 'Daar letten we tegenwoordig op, hoe droevig het ook is. Gaat het weer een beetje? Wat gebeurde er?'

Iya schudde haar hoofd toen hij haar op de been hielp. Kiriar en zijn meester Dylias waren altijd tovenaars van het juiste soort geweest, maar ze was nog te veel van streek om te beoordelen of dat nu nog zo was. 'De ouderdom komt met gebreken,' zei ze luchtig. 'Ik kan wel een borreltje gebruiken, en een hapje lust ik ook wel.'

'Ik weet een goede kroeg, meesteres. Ik trakteer u op een warme maaltijd, als herinnering aan vroeger. Het is niet ver en er zit altijd goed volk.' Nog wat in de war, maar ook nieuwsgierig, leunde Iya op zijn arm en stond hem toe haar van het Dolfijnenplein weg te leiden.

Ze kreeg het even benauwd toen Kiriar zijn schreden naar de Palatijnse Heuvel richtte. Was hij dan toch een lepe verrader, die haar naar de vesting van de Haviken bracht?

Een paar straten verderop sloeg hij echter af naar een van de markten van de edelsmeden. Het ging hier ook een stuk slechter dan vroeger, zag ze; veel winkeltjes waren verlaten. Ze waren er een stuk of zes van voorbijgelopen, toen het tot haar doordrong dat ze van Aurënfaier vaklieden waren geweest.

'Velen van hen zijn naar huis gegaan,' legde Kiriar uit. 'De 'faiers zijn niet zo dol op de nieuwe gang van zaken, en de Haviken zijn ook niet dol op hen, zoals u zult begrijpen. Zo, als u even wilt wachten…'

Hij verdween in een donkere stal. Even later kwam hij tevoorschijn en nam haar mee naar een straatje erachter. Daaraan lag weer een smal steegje, waarboven uitgezakte balkonnetjes hingen en de vreemde, kruidige geuren van de 'faier kookkunst.

Smalle gangetjes vertakten zich hier en daar tussen de huizenblokken. Bij een van die aftakkingen hield haar gids stil. 'Voor we verdergaan, moet ik u iets vragen. Waarbij zweert u?'

'Op mijn handen, mijn hart en mijn ogen,' antwoordde ze en haar oog viel op een maansikkeltje dat in de muur gekrast was, vlak boven zijn schouder. Er flakkerde een vervloekingsaura omheen terwijl ze sprak. 'En op de ware naam van de Lichtdrager,' voegde ze er voor de zekerheid aan toe.

'Ze mag doorgaan,' fluisterde iemand rechts van hen, alsof dat al niet duidelijk was geweest omdat de aura haar niet vervloekt had. Iya bekeek haar in lompen geklede metgezel met hernieuwde interesse. Hij had deze machtige betovering hier niet aangebracht, noch zijn meester; ze kon op de vingers van één hand tellen wie dat geweest konden zijn.

Kiriar haalde verontschuldigend zijn schouders op. 'We moeten het nu eenmaal vragen. Kom, het is hier beneden.'

Hij leidde haar het smerigste zijgangetje in dat ze ooit gezien had. Er hing een zware lucht van urine en verrotting. Broodmagere katten met gescheurde oren slopen rond in de schaduwen of hurkten achter het afval dat overal langs de muur lag opgetast – zeker op rattenjacht. De gebouwen aan beide zijden raakten elkaar haast, er kwam geen sprankje winterlicht naar binnen.

Drie in capes gehulde gestalten doken op uit de schemering voor hen. Een ander kwam tevoorschijn uit een deurtje toen ze passeerden. Ze bogen alle vier voor haar, en raakten hun hart en hun voorhoofd aan. Het gangetje begon af te lopen naar een ondergronds deel.

Voor een gewoon mens zou de duisternis in het gangetje ondoordringbaar zijn geweest, maar Iya kon de scherpe messen die op diverse hoogten uit de muren van de ondergrondse gang staken zonder probleem onderscheiden. Iemand die hier zonder iets te zien binnenrende, zou behoorlijk gewond kunnen raken.

Helemaal aan het eind openden ze weer een door magie beschermde deur en plotseling stond ze in het gezellige licht van een taverne. Een stuk of twaalf tovenaars keken op wie de nieuwkomer was en tot haar vreugde zat er een aantal oude bekenden tussen. Hier was Kiriars meester, de gebochelde oude Dylias, en naast hem zat een knappe tovenares uit Almak die Elisera heette, en die Arkoniël een zomer geleden het hoofd op hol had gebracht. De anderen kende ze niet, maar een van hen kwam uit Aurënen, en droeg de roodzwarte sen'gai en gezichtstatoeages van de Khatme-clan. Die vervloekingsaura was waarschijnlijk haar werk, dacht Iya.

'Welkom in het Wormgat, vriendin!' riep Dylias uit en hij stapte op haar toe om haar te begroeten. 'Niet het chicste etablissement in Ero, maar zeker het veiligste. Ik hoop dat Kiriar en zijn maten het je niet te moeilijk hebben gemaakt.'

'Welnee!' Iya keek verrukt rond. De wanden die met panelen bedekt waren, weerspiegelden een knusse gouden gloed van de grote vuurpot in het midden van de ruimte. Ze herkende ditjes en datjes van diverse geliefkoosde trefpunten: beeldjes, tapijten, zelfs het gouden brandewijndistilleertoestel en de collectie waterpijpen die de trots van de nu verlaten Zeemeermin uit de Klimopsteeg was geweest. Er hing geen menubord aan de muur, maar ze rook de hongerig makende geur van geroosterd vlees. Iemand stopte een zilveren beker vol voortreffelijke wijn in haar hand.

Ze nam dankbaar een slokje, en trok toen een wenkbrauw naar haar gids op. 'Ik krijg het donkerbruine vermoeden dat je niet toevallig tegen me opliep vandaag.'

'Nee, we hebben u in de gaten gehouden sinds…,' begon Kiriar.

Dylias legde hem met een scherpe blik vanonder zijn wilde witte wenk-brauwen het zwijgen op, en wendde zich tot Iya terwijl hij een vinger langs de zijkant van zijn neus legde. 'Hoe minder je weet, hoe beter het geheim blijft, toch? Laten we zeggen dat de Haviken niet de enigen zijn die de tovenaars in Ero in de gaten houden. Maar het is jaren geleden! Hoe gaat het nu met je, mijn kind?'

'Niet zo best toen ik haar vond,' vertelde Kiriar. 'Wat gebeurde er nu, Iya? Ik dacht dat uw hart het begeven had.'

'O, ik had een beetje te ver gelopen op een lege maag. Ik voelde me even wat slap in de benen,' antwoordde Iya die niet meer durfde te zeggen. 'Het gaat nu weer beter, zeker in dit gezelschap. Is het echt niet gevaarlijk, zo'n soort samenkomst?'

'De huizen boven ons hoofd zijn door de 'faiers gebouwd,' vertelde de Aurënfaier tovenares. 'Zelfs een leger van die miezerige Haviken zou hier niet alle magie kunnen vinden die erin verwerkt is, en het zou ze een tweede leger kosten om erdoorheen te breken.'

'Goed gezegd, Saruel, en we hopen allemaal dat je vertrouwen erin gerecht-vaardigd is,' zei Dylias. 'Maar we blijven op onze hoede, hoor. Want er is een groepje gasten hier die ervan afhankelijk zijn. Kom, dan zal ik ze je laten zien.'

Dylias en Saruel brachten Iya naar een rijtje kleine kelderhokjes waar zich nog meer tovenaars bevonden.

'Voor sommigen van ons is dit bastion ook een gevangenis,' sprak Dylias treurig, en hij wees naar een hologige man die op een strozak lag te slapen. 'Het zou meester Lyman het leven kosten wanneer hij zijn neus in de stad zou laten zien. Als je eenmaal als prooi van de Haviken gebrandmerkt bent, is er geen ontkomen meer aan.'

'Er zijn er achtentwintig op de Verradersheuvel verbrand sinds die waanzin gestart is,' sprak Saruel verbitterd. 'En dan reken ik de priesters die samen met hen vermoord zijn niet eens mee. Gewoonweg gruwelijk hoe ze de dienaren van de Lichtdrager ombrengen.'

'Ja, ik heb het gezien.' En Iya wist sinds vanmorgen beter dan wie ook wat zo'n dood betekende.

'Maar is het zo veel erger dan hier levend begraven te zijn?' mompelde Dy-lias terwijl hij de deur voor de slapende man weer dichtdeed.

Ze keerden weer terug naar de kroeg en Iya ging zitten luisteren naar de verhalen van de anderen. De meesten leefden nog steeds vrij in de stad, omdat ze voorgaven loyaal aan de koning te zijn en hun brood te verdienen met klus-jes die de verordeningen van de koning toestonden. Zo konden ze klein gereedschap toveren of huis-, tuin- en keukenformules uitspreken voor hun dagelijks brood. De belangrijkere magie was gereserveerd voor de Haviken. Een paard onkwetsbaar maken was tegenwoordig een grote misdaad voor gewone tovenaars.

'We zijn niet meer dan een stelletje zigeuners!' riep een oude tovenaar, die Orgeüs heette, vertoornd uit.

'En heeft er ooit iemand tegen geprotesteerd?' vroeg Iya.

'Heb je dan niet van de rellen van Makersdag gehoord?' vroeg de tovenaar Zagur. 'Negen jonge honden sloten zichzelf in in de tempel van Platvisstraat, om te proberen twee anderen te beschermen die op de lijst voor executie waren opgenomen. Ben je daar ooit langsgekomen?'

'Nee.'

'Nou, het hoeft ook niet meer. Dertig Haviken verschenen uit het niets, samen met een stuk of tweehonderd grijsruggen. Ze hebben het nog geen uur uitgehouden.'

'Hebben ze magie tegen de Haviken gebruikt?'

'Er werd wel het een en ander geprobeerd, maar de meesten waren amulettenmakers en weersvoorspellers,' antwoordde Dylias. 'Ze maakten geen schijn van kans tegen die monsters. Hoevelen van ons zouden het tegen hen op kunnen nemen? Dat is niet wat Orëska ons heeft geleerd.'

'Misschien jullie halfbakken Tweede Orëska niet,' zei Saruel minachtend. 'Maar in Aurënen hebben we tovenaars die een heel huis op kunnen tillen als ze willen, of een orkaan oproepen die hun vijanden wegvaagt.'

'Geen enkele tovenaar heeft zo'n macht!' lachte een Skalaanse spottend.

'Denk je dat de Haviken ons ook maar één minuut langer in leven lieten als ze dachten dat het waar was?' zei een ander.

De Aurënfaise antwoordde vinnig in haar eigen taal en anderen bemoeiden zich ermee.

Ontzet dacht Iya aan Skorus, die alleen en onder helse pijnen was gestorven.

Het is tijd, dacht ze. Ze stak haar hand op en vroeg om stilte.

'Er zijn Skalanen die dit soort magie bezitten,' sprak ze. 'En zij kunnen het aan anderen leren, mits die daarvoor het talent bezitten.' Ze stond op, dronk de laatste slok wijn op en zette de lege zilveren beker op de stenen vloer. Ze voelde hoe de anderen vol spanning toekeken toen ze haar handen erboven bewoog. Zacht zingend trok ze haar kracht naar beneden en richtte hem op de beker.

De vloedgolf kwam sneller dan gewoonlijk. Dat was meestal het geval wanneer er anderen aanwezig waren, al werd er geen kracht aan hen onttrokken.

De lucht boven de beker verschoof even en toen begon de rand van zilver te smelten, de beker zakte in als een wassen beeldje op een hete zomerdag. Ze verbrak de betovering voor de beker volledig zou instorten en liet hem afkoelen met één ademtocht. Ze pulkte hem los van de tegels en overhandigde hem aan Dylias.

'Jullie kunnen het leren,' zei ze nogmaals, en ze bekeek de gezichten van de anderen die het voorwerp met grote ogen van hand tot hand doorgaven.

Voor ze het Wormgat die avond verliet, had iedere tovenaar – zelfs de trotse Saruel – een van haar witte steentjes aangenomen.

12

Tobin was er net aan gewend om Iya in zijn buurt te hebben toen ze vertelde dat ze zou vertrekken. Hij en Ki keken nogal sip terwijl ze haar schaarse bezittingen inpakte.

'Maar het Festival van Sakor begint over een paar dagen!' riep Ki uit. 'Daar blijf je toch zeker wel voor?'

'Nee, dat doe ik niet,' mompelde Iya en ze propte nog een omslagdoek in haar tas.

Tobin wist dat haar iets dwarszat. Ze bracht veel tijd in de stad door en was niet erg gerust over de toestand daar. Tobin wist dat het iets met de Haviken te maken had, maar ze wilde niet eens meer dat hij dat woord hardop uitsprak.

'Blijf bij ze uit de buurt,' waarschuwde ze, alsof ze zijn gedachten raadde of zelfs las. 'Denk er niet eens aan. Praat er niet over. Dat geldt ook voor jou, Kirothius. Zelfs de eindeloze kletspraatjes van kleine blagen worden tegenwoordig opgemerkt.'

'Kleine blagen?' protesteerde Ki.

Iya stopte even met pakken en keek hem liefdevol aan. 'Oké, misschien ben je wel een beetje gegroeid sinds ik je meenam. Maar samen zijn jullie nog minder dan een knipoog van een tovenaar.'

'Ga je terug naar de burcht?' vroeg Tobin.

'Nee.'

'Waar ga je dan heen?'

Haar fletse lippen vormden een nauwelijks merkbaar glimlachje en ze legde haar vinger langs de zijkant van haar neus. 'Hoe minder je weet, hoe beter het geheim blijft.'

Meer wilde ze niet kwijt. Ze reden met haar mee tot de zuiderpoort en het laatste wat ze van haar zagen was die dunne grijze vlecht die tegen haar rug sloeg terwijl ze de menigte van de Bedelaarsbrug tegemoet draafde.

Het Sakorfestival werd met veel ophef gevierd, al vond iedereen dat de afwezigheid van de koning en de door teruggekeerde veteranen verspreide geruchten over grote verliezen in de strijd, een domper zette op de gebruikelijke feestvreugde van het driedaagse evenement. Maar voor Tobin, die alleen de boerse spelletjes uit Alestun kende, was dit een feest van ongekende pracht en magie.

Op Rouwnacht stonden de Gezellen met de voornaamste edelen van Ero in de grootste Sakortempel van de stad, net heuvelafwaarts van de Palatijnse poort. Het plein eromheen stond propvol mensen. Iedereen juichte toen Korin, die zijn vaders plaats innam, de Stier van Sakor met één slag doodde. De priesters fronsten hun voorhoofd toen ze de ligging van de ingewanden lazen en zeiden er niets over, maar de massa juichte voor de tweede maal toen de jonge prins zijn zwaard de lucht in stak en namens zijn familie zwoer om Skala tot de laatste snik te verdedigen. De priesters gaven hem de heilige vuurpot aan, de tempelhoorns schalden en het duister begon over de stad te vallen – het leek wel tovenarij. Aan de andere kant van de muren, in de haven en verre hofsteden, was het niet anders. Op deze langste nacht van het jaar werd elk vlammetje in Skala gedoofd om jaarlijks de dood van de oude Sakor te symboliseren.

De Gezellen en Korin hielden een wake die heel die lange, koude nacht duurde en toen het ochtend geworden was, hielpen ze het nieuwe vuur in de stad aan te steken.

De volgende dagen wervelden van wedstrijden, dansfestijnen en middernachtelijke feesten. Iedereen in de stad nodigde Korin als eerste uit op zijn banketten; kanselier Hylus en zijn klerken hadden een lange lijst opgesteld van alle herenhuizen, tempels en gilden waar hij en de Gezellen op moesten draven, vaak alleen maar om een dronk op het nieuwe jaar uit te brengen.

De echte winter viel snel na het festival in. Regen veranderde in natte sneeuw, en de natte sneeuw in dikke witte vlokken. Wolken sloten de hemel van de zee tot de bergen af en het leek Tobin toe dat hij de zon nooit meer te zien zou krijgen.

Meester Porion was ondanks het slechte weer niet van plan te stoppen met de vechtoefeningen te paard en de ochtendlijke tempelloop, maar boogschieten en zwaardvechten werden naar binnen verplaatst. De hal van de Gezellen werd leeggehaald en er werden met krijt lijnen op de stenen vloer gezet, die de schietbaan en de strijdpistes moesten aangeven. Soms was het geluid van staal op staal oorverdovend, en iedereen moest goed opletten dat hij of zij niet tussen de schutters en hun schietschijven in liep, maar verder was het best aangenaam. De jonge dames en heren van adel hingen zoals altijd aan de zijlijn om de Gezellen te zien vechten en af en toe ook wat te oefenen.

Una was vrijwel elke dag aanwezig en Tobin merkte schuldbewust op dat ze hem onophoudelijk met haar ogen volgde. Zijn plichten hadden belet dat hij zich van zijn belofte kon kwijten, dat hield hij zichzelf tenminste voor. Elke keer dat hij naar haar keek, voelde hij haar lippen weer op de zijne.

Ki pestte hem er een beetje mee en vroeg tot vervelens toe of hij zijn woord zou houden.

'Heus wel,' antwoordde Tobin steeds. 'Ik heb er nu alleen even geen tijd voor.'

De winter bracht andere veranderingen met zich mee in het dagelijkse programma. Tijdens de koude maanden kregen de adellijke jongens les van generaal Marnaryl, een bejaarde krijger die gediend had onder koning Erius en de twee koninginnen voor hem. Zijn schorre, krakende stem – ontstaan door een slag met een zwaard tijdens de strijd – had hem de bijnaam ' de Raaf' bezorgd, maar die werd met groot respect uitgesproken.

Hij gaf les aan de hand van beroemde veldslagen, waarin hij meestal zelf gevochten had. Ondanks zijn leeftijd was de Raaf een meesterlijke verteller en hij kruidde zijn verhalen met amusante terzijdes over de gewoonten en eigenaardigheden van de volkeren waartegen en waarmee hij gestreden had.

Hij illustreerde zijn lessen bovendien op een manier die Tobin zeer bewonderde. Wanneer hij een veldslag beschreef, hurkte hij op de vloer en schetste het gebied waarop gevochten werd met een stuk krijt, gebruikte steentjes en stukjes hout die de verschillende eenheden moesten voorstellen en schoof ze naar voren met de ivoren punt van zijn wandelstok.

Er waren jongens die kreunden en gaapten tijdens deze lessen, maar Tobin genoot er altijd van. Ze deden hem denken aan de uren die hij met zijn vader bij de speelgoedstad had doorgebracht. En hij putte ook heimelijk genoegen uit de delen van de vertelling waarin de daden van de vrouwelijke generaals en strijders aan bod kwamen. De oude man maakte geen onderscheid tussen mannen en vrouwen en wierp degenen die hierom giechelden snijdende blikken toe.

Tobins vriend Arengil behoorde tot de adellijke jongeren die de Gezellen vergezelde naar de lessen en zijn vriendschap met Ki en Tobin verdiepte zich al snel. Geestig en alert als hij was, bleek de Aurënfaier een geboren acteur te zijn die iedereen aan het hof perfect kon nadoen. Wanneer ze 's avonds samen met een stel jongere Gezellen op Tobins kamer zaten, duurde het dan ook niet lang voor ze allemaal met buikpijn van het lachen over de grond rolden, als hij zijn arrogante, geaffecteerde imitatie van Alben deed, en vervolgens transformeerde in de logge, slome Zusthra of de bevende, gebochelde Raaf.

Soms sloten ook Korin en Caliël zich bij hen aan, maar bij voorkeur slopen de oudere jongens zonder geleide naar de lagergelegen gedeelten van de stad. Na zo'n uitstapje kwamen ze 's ochtends met bloeddoorlopen ogen naar de tempelloop en vergastten ze de jongere jongens smalend op hun veroveringen als ze dachten dat Porion niet luisterde.

De anderen luisterden met een mengeling van bewondering en jaloezie naar die verhalen, maar Ki werd al snel bezorgd om Lynx. Het was een publiek geheim dat hij hopeloos verliefd was op Orneus, maar zijn heer dacht tegenwoordig aan niets anders dan op gelijke voet te blijven met de prins wat vrouwen en slemppartijen betrof. Helaas was Orneus daar heel wat slechter tegen bestand dan Korin.

'Ik mag een boon wezen als ik begrijp wat die arme Lynx toch in die lapzwans ziet,' mompelde Ki toen hij de schildknaap met droevige ogen de zuur stinkende kots van zijn vriend zag opruimen, of Orneus op zijn rug naar zijn kamer zag dragen als hij te bezopen was om te lopen.

'Zo erg was het niet toen ze hier kwamen,' vertrouwde Ruan hem toe toen ze op een avond brokken harde kaas boven het vuur van Tobins kamer zaten te roosteren. Het sneeuwde en iedereen zat knus bij elkaar zonder oudere jongens in de buurt.

'Dat kun je wel zeggen,' beaamde Lutha met volle mond. 'Mijn vaders landgoed ligt bij dat van hen in de buurt en we zagen elkaar vaak tijdens festivals en feesten voor we bij de Gezellen kwamen. Hij en Lynx waren als broers, maar toen…' Hij haalde zijn schouders op en bloosde. 'Nou ja, jullie weten hoe het met sommigen gaat. Trouwens, Orneus is een beste knul, maar volgens mij is hij alleen maar gekozen omdat zijn vader zoveel invloed aan het hof heeft. Hertog Orneus senior heeft een landgoed dat haast even groot is als het jouwe te Atyion.'

'Als het me ooit nog lukt erheen te gaan, zie ik wel wat je bedoelt,' gromde Tobin. Al was Orun nu geen belemmering meer, het slechte weer had een einde gemaakt aan hun reisplannen en Korin scheen zijn belofte helemaal vergeten te zijn.

'Zo gaat het nu eenmaal,' zei Nikides. 'Hetzelfde geldt voor mij: als ik niet de kleinzoon van de opperkanselier was, zou ik hier echt niet zitten.'

'Maar al ben je dan geen geweldig strijder, je maakt het met je hersens meer dan goed,' reageerde Lutha die altijd snel was met zijn vriend een hart onder de riem te steken. 'Als de rest van ons zich dapper in de pan laat hakken op een ver, modderig slagveld, zit jij hier lekker met je grootvaders fluwelen pannenkoek op je hoofd en bestuur je het land voor Korin.'

'En die arme Lynx staat Orneus in het zadel te hijsen en moet hem vastbinden aan de stijgbeugels omdat hij te zat is om te rijden,' voegde Ki er lachend aan toe.

'Lynx zou de heer moeten zijn,' klonk Barieus' stem vurig. 'Orneus is het niet waard zijn laarzen dicht te binden.' Toen iedereen hem verbaasd aankeek, richtte hij zich overdreven ernstig op zijn vork en kaas. De kleine schildknaap met zijn donkere huid sprak zich zelden over een ander uit en had nog nooit iets negatiefs over een van de Gezellen gezegd.

Ki schudde het hoofd. 'Bij de ballen van Bilairy, ben ik dan de enige hier die van meiden houdt?'

Tobin hield meestal zijn mond tijdens de lessen van de Raaf. Hij snapte niet altijd waar de oude man het over had, maar hij luisterde oplettend en vroeg het na de les wel bij de anderen na. Hij vroeg het vaak eerst aan Korin, maar kreeg al snel door dat Caliël en Nikides er meer verstand van hadden. Caliël was de zoon van een generaal en wist zodoende veel van strategieën. Nikides wist weer alles over geschiedenis en had meer boeken gelezen dan de rest van hen samen. Toen Tobin en Ki een oprechte belangstelling voor de oude verhalen toonden, nam Nikides hen mee naar de koninklijke bibliotheek, die zich in dezelfde vleugel bevond als de verlaten troonzaal.

Eigenlijk nam hij de hele vleugel in beslag, kamer na kamer met uitzicht op de tuinen aan de oostkant. Aanvankelijk voelden Tobin en Ki zich nogal verloren tussen al die eindeloze, huizenhoge rekken en planken vol boekrollen en banden, maar Nikides en de in het zwart geklede bibliothecarissen lieten hen zien hoe de zaken gerangschikt waren en dat er verschoten etiketten op ieder rek en iedere kast zaten waar ze konden vinden wat ze wilden. Spoedig doken ze in verhandelingen over wapens en strijd, maar ook in kleurige boeken vol verhalen en gedichten.

Tobin leerde de weg tussen het materiaal snel kennen en ontdekte een hele kamer die gewijd was aan de geschiedenis van zijn familie. Hij vroeg de bibliothecaris naar een boek over koningin Tamír, maar er bestonden blijkbaar alleen een paar stoffige boekrollen over haar, en droge opsommingen over welke wetten en belastingen ze ingesteld had. Er was geen historisch verslag van haar korte leven en bewind, en de bibliothecaris kende geen andere bronnen.

Tobin dacht terug aan Niryns vreemde reactie, die dag in de koninklijke graftombe, toen Tobin vertelde wat men hem geleerd had over de moord op haar. De tovenaar had het fel ontkend, al hadden zowel zijn vader als Arkoniël hem hetzelfde verteld. Haar broer had haar vermoord en had korte tijd in haar plaats geregeerd voor hij zelf op nare wijze om het leven kwam.

Teleurgesteld wandelde Tobin weg van zijn vrienden naar de verzegelde deuren van de oude troonzaal. Hij legde zijn handpalmen op de met hout-snijwerk versierde panelen, en wachtte in de hoop de geest van de vermoorde koningin door het hout heen te voelen, zoals hij vroeger ook zijn moeders geest door de torenkamerdeur gevoeld had. Het Oude Paleis werd bezocht door allerlei geesten, zo zei iedereen. Volgens Korin spookte hun grootmoe-ders schim hier rond; daarom had zijn vader het Nieuwe Paleis laten bou-wen.

Het leek wel of elk linnenmeisje of wachter een spookverhaal kende, maar Tobin had alleen een glimp opgevangen van Tamír, en dat was dat. Hij nam aan dat hij niet mocht klagen – hij had zo langzamerhand zijn buik vol van geesten – maar soms wenste hij dat Tamír terug zou komen om hem een dui-delijker beeld te geven van wat ze wilde. Met de informatie die hij nu over zichzelf bezat, wist hij zeker dat ze hem iets belangrijks wilde vertellen toen ze hem het zwaard overhandigde. Maar Korin en de anderen hadden hem afge-leid, en voor hij met haar kon spreken, was ze verdwenen.

Zat ze daar soms gevangen en kon ze niet ontsnappen?

Hij liep terug naar de bibliotheek toen hij niet ver van de troonzaal een on-gebruikt kamertje ontdekte. Hij maakte een van de ramen open en stapte op de brede stenen vensterbank die langs de buitenmuur naar de troonzaal leid-de. Sneeuw plakte aan zijn laarzen terwijl hij naar het gebroken raam schuifel-de dat hij kende van de nacht dat Korin spookje gespeeld had.

Toen was het te donker geweest om veel te zien. Tobin glipte het kapotte raam binnen en stond in de hoge, schemerige zaal. Bleek winters licht filterde door kieren in de hoge luiken voor de ramen.

De versleten marmeren vloer liet verkleuringen zien waar banken en fon-teinen hadden gestaan. Tobin verzamelde al zijn moed en liep snel naar het midden van de zaal, waar de massief marmeren troon nog altijd op de verho-ging stond.

De vorige keer was hij te bang geweest om hem goed te bestuderen, maar nu zag hij pas hoe mooi hij was. De armleuningen hadden de vorm van gol-ven met een schuimkop, en in banden van rood, zwart en goud waren de sym-bolen van de Vier verwerkt. Er moeten kussens in gezeten hebben, maar die waren verdwenen en muizen hadden een nest gemaakt in een van de hoeken van de zitting.

De kamer straalde een droefgeestige, verwaarloosde sfeer uit. Hij ging op de troon zitten, legde zijn armen op de golvende armleuningen en keek om zich heen. Hij stelde zich voor dat zijn voorouders hier petities aangehoord hadden en hoogwaardigheidsbekleders uit verre landen ontvingen. Hij kon de last der jaren op hem voelen drukken. De treden van de verhoging waren in het midden een beetje hol en dof geworden, honderden mensen hadden erop geknield.

En op dat moment hoorde hij een zucht, zo dicht bij zijn oor dat hij opschrok en om zich heen keek.

'Hallo?' Hij had bang moeten zijn maar hij was het niet. 'Koningin Tamír?'

Hij meende een streling van koele vingertoppen langs zijn wang te voelen, al had het een briesje kunnen zijn dat door de open ramen naar binnen was gezeild. Hij hoorde opnieuw een zucht, duidelijker nu, aan zijn rechterkant.

Hij volgde het geluid met zijn ogen en merkte een lange, rechthoekige vlek op de vloer naast de verhoging op. Hij was zo'n drie voet lang en niet breder dan zijn hand. De roest in de gaten gaf aan waar ijzeren schroeven hadden gezeten, het gebarsten marmer was lichter van kleur dan de omgeving ervan. Er had ooit iets gestaan.

Iets. Tobins hart sprong op.

Herstel...

De stem klonk zwak maar hij voelde haar ook.

Voel hen... verbeterde hij zichzelf, want andere stemmen vielen in. Vrouwenstemmen. *Herstel... Herstel...* Droef en zwak als het ritselen van de wind door lang geleden gevallen bladeren.

Zelfs nu voelde Tobin geen spoor van angst. Dit voelde niet aan als Broer of moeder. Hij voelde zich welkom hier.

Hij knielde en raakte de plek aan waar de gouden plaquette van het Orakel gestaan had.

Zolang er een dochter uit het geslacht van Thelátimos...

Sinds Ghërilains tijden, gedurende al die jaren en koninginnen, hadden de in de plaquette gegraveerde woorden aan eenieder die deze troon naderde verkondigd dat de vrouw slechts volgens Illiors wil daarop zat.

Herstel.

'Ik zou niet weten hoe,' fluisterde hij. 'Ik weet ook wel dat er wordt verwacht dat ik het doe, maar ik heb geen idee hoe ik eraan moet beginnen! Help me!'

De hand van de geest streelde zijn wang weer, onmiskenbaar en met grote tederheid. 'Ik zal het proberen, ik beloof het. Op de een of andere manier. Ik zweer het op het Zwaard.'

Tobin vertelde niemand iets van zijn belevenis, maar was die winter steeds langer in de bibliotheek te vinden. De geschiedenislessen van zijn vader en Arkoniël kwamen tot leven terwijl hij verslagen uit de eerste hand van gebeurtenissen las, geschreven door koninginnen en strijders die ze hadden meegemaakt. Ki nam zijn enthousiasme over en zo zaten ze elkaar tot laat in de avond bij kaarslicht voor te lezen.

Ook de op de vloer getekende veldslagen van de Raaf kregen meer diepte. Terwijl de oude generaal zijn cavalerie van kiezelsteentjes of zijn boogschutters van houtsplinters heen en weer schoof, begon Tobin de logica van de formaties door te krijgen. Soms kon hij de in scène gezette veldslagen zo duidelijk voor zich zien alsof hij koningin Ghërilains verslag ervan las, of de dagboeken van generaal Mylia.

'Kom op, iemand moet er toch een idee over hebben!' riep de oude heer op een dag korzelig uit, terwijl hij ongeduldig met zijn wandelstok op het diagram in kwestie tikte. Het vertoonde een fors open veld dat aan alle zijden door bossen was begrensd.

Zonder erbij na te denken, stond Tobin op om te antwoorden. Voor hij van gedachten kon veranderen keek iedereen al naar hem op.

'U heeft een strategie bedacht, hoogheid?' vroeg de Raaf en hij trok sceptisch een woeste wenkbrauw op.

'Ik… Ik denk dat ik mijn cavalerie in de bosjes op de oostflank zou verstoppen zodra de nacht gevallen was…'

'Ja? En verder?' Zijn gerimpelde gezicht verried niets.

Tobin ging verder. 'En de helft of meer van mijn boogschutters hier in het bos aan de andere kant.' Hij dacht even aan een strategie waarover hij een paar dagen geleden had gelezen. 'De rest zou hier spietsen kunnen neerzetten, waarachter de krijgslieden hun plaats konden innemen.' Hij kreeg er lol in, hurkte neer en wees naar een nauw gangetje tussen de bosjes in het door de Skalanen bezette deel van het veld. 'Het zou een mager front lijken vanuit de positie van de vijand. De ruiters zouden hun rijdieren zo stil mogelijk moeten houden, zodat de vijand zou denken dat ze alleen met infanterie te maken hadden. Waarschijnlijk zouden ze bij zonsopkomst aanvallen. Zodra hun cavalerie zich zou vertonen zou ik de mijne op hen afsturen om ze de pas af te snijden en dan zouden de verborgen boogschutters op de infanteristen van de vijand schieten zodat die in paniek zouden raken.'

De generaal trok bedachtzaam aan zijn baard en kraste toen: 'Hun troepen splitsen, hè? Is dat je opzet?'

Iemand grinnikte smalend, maar Tobin knikte. 'Ja, generaal Marnaryl, dat was ik van plan.'

'Nou, toevallig is dat ongeveer hetzelfde wat je overgrootmoeder deed bij de Tweede Slag om Isil en die strategie heeft uitstekend gewerkt.'

'Goed werk, Tobin!' riep Caliël.

'Van mijn bloed, hè?' zei Korin trots. 'Ik benoem hem meteen tot generaal wanneer ik koning ben, dat geef ik je op een briefje.'

Tobins plezier verdween op slag en hij ging snel weer zitten. De adem was hem in de keel gestokt. De rest van de dag zou de lof van zijn neef hem door het hoofd blijven spoken.

Wanneer ik koning ben.

Skala kon maar één heerser hebben, en zelfs Tobin kon niet geloven dat zijn neef zomaar opzij zou stappen voor een vreemde koningin. Toen Ki die nacht sliep, stond Tobin op en verbrandde een uilenveertje in het vlammetje van hun nachtlampje, maar hij wist niet welk gebed hij erdoor moest laten meenemen. Terwijl hij een paar woorden stamelde, zag hij alleen Korins lachende gezicht voor zich.

13

Arkoniël werd wakker van een koude luchtstroom die over zijn naakte schouders trok. Rillend tastte hij in het duister rond en trok Lhels berenhuid tot aan zijn kin op. Ze had er sinds midwinter vaker mee ingestemd dat hij bij haar bleef slapen en hij was haar erg dankbaar, zowel voor het gezelschap als voor de kans om enkele nachten de burchtgangen met hun geesten te kunnen ontvluchten.

De met varens volgepropte strozak kraakte terwijl hij zich dieper onder de bontvachten ingroef. Het bed rook lekker naar seks en balsem en doorrookte huiden. Maar hij kreeg het maar niet warm. Hij tastte naar Lhel, maar hij vond slechts een afkoelende warme plek waar ze gelegen had.

'*Amra dukath?*' riep hij zachtjes. Hij pikte haar taal snel op en sprak hem hier altijd, hoe ze hem ook plaagde dat zijn accent vetter was dan gestolde schapenstoofpot. Hij had ook de ware naam van haar volk geleerd. Ze noemden zichzelf de Retha'noi, 'volk der wijsheid'.

Er kwam geen antwoord, alleen het getik van de kale takken tegen de stam was te horen. Hij nam maar aan dat ze even naar buiten was gegaan om een plas te doen en hij kroop er weer onder, verlangend naar haar naakte hitte tegen zijn rug. Maar hij kon de slaap niet meer vatten, en Lhel kwam maar niet terug.

Eerder nieuwsgierig dan bezorgd sloeg hij een bontmantel om zich heen en ging tastend op weg naar de smalle, met een leren lap gesloten uitgang. Hij duwde hem opzij en keek naar buiten. Sinds Sakor, twee weken geleden, was er minder sneeuw gevallen dan er hier gewoonlijk viel; de opgewaaide hopen sneeuw rond de eik waren op de meeste plaatsen maar kniediep.

Maar de hemel was helder. De volle maan hing als een pas geslagen munt tussen de sterren, en scheen zo fel op de schitterende sneeuw dat hij de spiralen op zijn vingertop kon onderscheiden. Lhel zei altijd dat een volle maan de hitte van de dag stal om zo helder te kunnen schijnen, en Arkoniël geloofde het grif. Elke ademtocht was heel even zilverwit en viel dan uiteen in minieme kristallen.

Kleine voetsporen leidden in de richting van de bron. Bevend zocht Arkoniël zijn laarzen en trok ze aan.

Lhel zat gehurkt bij de rand van het water en staarde aandachtig naar de kleine kring van kolkend water in het midden van de bron. Tot de kin ingepakt in de nieuwe mantel die Arkoniël haar cadeau had gedaan, hield ze haar linkerhand boven het water. Haar vingers waren gekromd om de voorspellende kracht van de bron op te roepen en Arkoniël bleef een paar meter van het water staan om haar niet af te leiden. De bezweringsformule nam enige tijd in beslag, afhankelijk van hoe ver ze wilde schouwen. Hij zag alleen cirkelende zilveren golfjes op het zwarte oppervlak, maar Lhels ogen glinsterden als die van een kat terwijl ze hetgeen ze had opgeroepen bekeek. Schaduw vulde de rimpels rond haar ogen en mond, en zo kon je goed zien hoe oud ze was, iets wat bij daglicht nooit lukte. Lhel beweerde dat ze niet wist hoe oud ze was. Ze zei dat haar volk de leeftijd van een vrouw niet in jaren telde, maar in de seizoenen van de baarmoeder: kind, kinddraagster, oudere. Ze bloedde nog steeds bij afnemende maan, maar jong was ze niet meer.

Opeens hief ze haar hoofd en wierp hem een weinig verraste blik toe.

'Wat ben je aan het doen?' vroeg hij.

'Ik had een droom,' antwoordde ze en ze masseerde de stijfheid uit haar onderrug terwijl ze overeind kwam. 'Er komen mensen aan, maar ik herkende er maar één, dus ging ik hiernaartoe.'

'Heb je het in het water gezien?'

Ze knikte, pakte zijn hand en nam hem mee naar de boom. 'Tovenaars.'

'Haviken?'

'Nee, Iya en een ander die ik niet ken. Er hangt een wolk omheen. Maar ze komen voor jou.'

'Moet ik meteen terug naar de burcht?'

Glimlachend streelde ze zijn wang. 'Nee, tijd genoeg, en ik heb het te koud om alleen te slapen.' Ze werd weer jaren jonger terwijl ze haar hand onder zijn mantel stak en met een bevroren hand over zijn buik naar beneden gleed. 'Blijf maar hier en maak me warm.'

Arkoniël ging de volgende ochtend weer terug naar de burcht, en verwachtte zwetende paarden op de binnenplaats te zien staan. Maar Iya kwam die dag niet opdagen, noch de volgende. Bevreemd reed hij het bergpad op om navraag te doen bij Lhel, maar de heks liet zich niet zien.

Bijna de hele week ging voorbij voor haar visioen bewaarheid werd. Hij was een transformatiespreuk aan het opbouwen toen hij het geluid van sledebellen op de weg langs de rivier hoorde. Hij herkende het hoge tinkelende geluidje en ging verder met zijn werk. Het was het molenaarsdochtertje maar, die de maandelijkse lading meel bij Kokkie kwam bezorgen.

Hij was nog verdiept in de complexe spreuk waardoor een kastanje in een briefopener veranderd moest worden toen het gepiep van de deurklink hem deed opschrikken. Hij werd nooit gestoord op dit uur van de dag.

'Je kan maar beter naar beneden komen, Arkoniël,' zei Nari. Haar gewoonlijk uitgestreken gezicht stond bezorgd en haar vuisten waren gebald in de zak van haar schort. 'Juffrouw Iya is er.'

'Wat is er mis?' vroeg hij terwijl hij achter Nari aan de trap af liep. 'Is ze gewond?'

'O nee, met haar is alles goed. Maar dat kan ik niet zeggen van de vrouw die ze bij zich heeft.'

Iya zat op de bank voor de haard in de hal, terwijl een gebogen, in dekens gewikkelde gestalte tegen haar aan leunde. De vreemdelinge was goed ingepakt maar hij kon de rand van een zwarte sluier zien onder de kap die ze nog steeds op had.

'Wie is dit?' vroeg hij.

'Ik denk dat je je onze gast nog wel kunt herinneren,' zei Iya rustig.

De andere vrouw tilde haar sluier op met een gehandschoende hand en Nari slaakte een zwakke kreet.

'Juffrouw Ranai?' Hij moest moeite doen om niet terug te deinzen. 'U bent… U bent ver van huis.'

Hij had de hoogbejaarde tovenares slechts eenmaal ontmoet, maar ze had een gezicht dat je niet snel vergat. De jammerlijk vernietigde helft van haar gelaat was naar hem toe gewend, de restanten van vlees stonden in richeltjes bij elkaar, doorsneden met littekens. Ze draaide zich om om hem met haar resterende oog aan te kijken en glimlachte. De onaangetaste kant van haar gezicht was zacht en vriendelijk als van een grootmoeder.

'Ik ben blij je te zien, al betreur ik de omstandigheid die me naar je toe bracht,' antwoordde ze met een hese, fluisterende stem. Haar knokige handen trilden terwijl ze haar sluier afdeed.

Eeuwen geleden, tijdens de Grote Oorlog, had deze vrouw Iya's meester, Agazhar, bijgestaan. De demon van een zwarte tovenaar had haar gezicht in een binnenstebuiten gekeerd masker veranderd en haar linkerbeen verbrijzeld. Ze was veel brozer dan hij zich herinnerde en hij ontdekte een rode vlek van een recente brandwond op haar rechterwang.

De eerste keer dat zij elkaar zagen had hij haar aanwezigheid gevoeld als een donderwolk, zo vol van bliksemende kracht was ze dat hij er kippenvel van had gekregen. Nu voelde hij vrijwel niets.

'Wat is er met u gebeurd, meesteres?' Hij dacht net op tijd aan zijn manieren en nam haar hand in de zijne om haar met zijn kracht te helpen. Hij voelde iets fladderen in zijn maag terwijl ze zijn geschenk dankbaar aanvaardde.

'Ze hebben me uitgerookt,' zei ze en ze kreeg een hoestbui. 'Mijn eigen buren!'

'Ze kregen lucht van een patrouille Haviken die op weg was naar Ylani en ze kregen het te kwaad,' legde Iya uit. 'Het gerucht deed de ronde dat een stad die een dissidente tovenaar asiel verleent in brand gestoken zou worden.'

'Al twee eeuwen woon ik daar!' Ranai kneep nog harder in Arkoniëls hand. 'Ik heb hun kinderen genezen, hun bronnen zoet gemaakt, hen regen bezorgd. Als Iya niet toevallig bij me was geweest was ik die nacht…' Een tweede hoestbui smoorde haar woorden.

Iya klopte haar zacht op de rug. 'Ik kwam net in Ylani aan toen ik de banier van de Haviken in de haven zag wapperen. Ik had zo'n vermoeden wat dat betekende, maar toch kwam ik bijna te laat. Het huisje stond al in brand en ze lag binnen onder een ingestorte balk.'

'De Haviktovenaars stonden buiten om te zorgen dat de deuren gesloten bleven!' zei Ranai schor. 'Ik moet wel stokoud zijn als zo'n stel kwajongens mij de baas is. Maar o, wat deden hun spreuken een pijn. Alsof ze pinnen in mijn ogen sloegen. Ik werd verblind…' en ze mopperde in zichzelf verder en kromp nog meer ineen terwijl Arkoniël toekeek.

'Het Licht zij dank dat ze het grootste deel van de vlammen nog af kon weren, maar zoals je ziet is de beproeving niet ongemerkt voorbijgegaan. We zijn al bijna twee weken onderweg en werden het laatste stuk gebracht op een molenaarsslee.'

Hij veegde een streep meel van Iya's rok. 'Dat is je aan te zien.'

Nari was intussen van het toneel verdwenen, maar kwam terug met Kokkie die een warme pot thee en wat te eten voor de reizigers bij zich had.

Ranai nam de mok aan en mompelde een bedankje, maar ze was te zwak om hem op te tillen. Iya hielp de oude vrouw hem aan haar lippen te zetten. Ranai kon net een slokje nemen voor ze weer werd overvallen door de volgende gierende hoestbui. Iya hield haar vast toen haar lichaam verkrampte.

'Haal een komfoor,' zei Nari tegen Kokkie. 'Ik zal de kamer van de hertog voor haar in orde brengen.'

Iya hielp de oude vrouw met het volgende slokje thee. 'Ze is de enige niet die verdreven is. Ken je Virishan nog?'

'Die hagenheks die weesjes met toverkracht opneemt?'

'Ja, herinner je je die geestbenevelaar die ze bij zich had?'

'Eyoli?'

'Ja, ik kwam hem een paar maanden geleden tegen en hij vertelde me dat zij en haar kroost de bergen ten noorden van Ilear in zijn gevlucht.'

'Allemaal de schuld van dat monster,' fluisterde Ranai woedend. 'Die slang in het wit!'

'Heer Niryn.'

'Heer?' De bejaarde vrouw verzamelde al haar kracht om een fluim de haard in te spuwen. De vlammen sloegen felblauw uit. 'De zoon van een leerlooier was hij, en op zijn best een matig magiër, voorzover ik weet. Maar die slang weet hoe hij gif in het koninklijk oor moet gieten. Hij heeft het hele land tegen ons opgezet, zijn eigen soort!'

'Is het inmiddels zo erg?' vroeg Arkoniël.

'Ze beginnen in de afgelegen plaatsen met die waanzin en werken zo naar het midden toe,' zei Iya.

'De visioenen…,' begon Ranai.

'Niet hier,' fluisterde Iya. 'Arkoniël, help Nari een handje om haar naar bed te brengen.'

Aangezien Ranai te zwak was om trappen te lopen, droeg Arkoniël haar naar boven. Ze was zo licht en breekbaar als een bundeltje aanmaakhoutjes. Nari en Kokkie hadden de licht schimmelende, lang in onbruik geraakte kamer zo comfortabel mogelijk gemaakt. Twee vuurpotjes stonden naast het bed en iemand had levensademblaadjes op de kooltjes gelegd om Ranais hoest te verlichten. De pittige geur hing in de hele kamer.

Terwijl de vrouwen Ranai uitkleedden tot op haar gerafelde hemd en haar onder de dekens stopten, ving Arkoniël een glimp op van de oude littekens en de nieuwe brandwonden die haar broodmagere armen en schouders bedekten. Hoe erg ze ook waren, hij was bezorgder over die vreemde, weggeëbde kracht.

Toen Ranai eenmaal in bed lag, stuurde Iya de anderen naar beneden en trok een stoel naast het bed. 'Lig je lekker zo?' Ranai fluisterde iets dat Arkoniël niet verstond. Iya fronste haar voorhoofd en knikte toen. 'Goed dan. Arkoniël, haal de tas alsjeblieft.'

'Hij ligt hier naast je stoel.' Iya's reisbagage lag duidelijk zichtbaar op de grond.

'Nee, de tas die ik bij jou heb achtergelaten.'

Arkoniël sperde zijn ogen open, toen hij doorkreeg welke tas ze bedoelde.

'Haal hem, Arkoniël. Ranai heeft me een dag of wat geleden een heel wonderbaarlijk verhaal verteld.' Ze keek naar de doezelende oude vrouw en snauwde: 'Komt er nog wat van?' alsof hij een onhandig leerlingetje van zeven was.

Arkoniël rende de trap met twee treden tegelijk op en trok de bestofte tas onder zijn werktafel vandaan. Daarin, gehuld in formules en mysteriën, zat de kom van klei die hij volgens Iya's opdracht aan niemand mocht laten zien, behalve aan zijn eigen opvolger. Het was Iya's last geweest zolang hij haar kende, een taak die met dure eden van tovenaar op tovenaar werd overgedragen sinds de dagen van de Grote Oorlog.

De oorlog! dacht hij en er ging hem een lichtje op.

Iya zag hoe Ranais ogen zich opensperden toen Arkoniël met de oude leren tas terugkwam.

'Omhul de kamer, Iya,' murmelde ze.

Iya prevelde een spreuk waardoor de kamer ondoordringbaar werd voor nieuwsgierige ogen en oren; toen nam ze de tas van Arkoniël over. Ze maakte de knopen in de leren draagriemen los en tilde het pakket zijden lappen met hun inhoud uit de tas. Ze begon de doeken één voor één af te wikkelen; beschermingsspreuken en formules zoemden en knisperden in het licht van de lamp.

Toen de laatste zijden lap op de grond gleed, hield Iya haar adem in. Het maakte niet uit hoe vaak ze dit eenvoudige, ruwe geval al had vastgehouden, de kwaadaardige uitstraling gaf haar nog steeds een schok. Voor iemand die niet met toverkracht geboren was, was dit niets anders dan een ruwe bedelaarskom, ongeglazuurd en slecht gebakken. Maar haar meester Agazhar was misselijk geworden toen hij hem had aangeraakt. Arkoniël kreeg er barstende hoofdpijn van en koorts en pijn in zijn hele lichaam wanneer hij er bij in de buurt kwam. Iya werd bedwelmd door de kwade dampen als die van een rottend, opengereten karkas.

Ze keek Ranai bezorgd aan want ze vreesde dat het effect de verzwakte vrouw wel eens te veel zou kunnen zijn.

Maar de oude vrouw leek er juist nieuwe kracht uit te putten. Ze hief haar hand en tekende een beschermingsformule in de lucht, en strekte toen haar arm uit alsof ze de kom wilde pakken.

'Ja ja, daar kan niemand zich in vergissen,' zei ze schor, en ze trok haar hand terug.

'Waar kent u hem dan van?' vroeg Arkoniël.

'Ik was zelf een Hoeder, een van de oorspronkelijke zes... Ik weet genoeg, Iya. Stop hem maar weg.' Ze slaakte een diepe zucht en zweeg tot de kom weer veilig in lappen en spreuken gewikkeld was.

'Je begreep de bedoeling van het Orakel maar al te goed, zelfs zonder de verdwenen kennis die je meester meenam toen hij stierf,' zei ze tegen Iya.

'Ik snap het niet,' zei Arkoniël. 'Ik heb nog nooit van andere Hoeders gehoord. Wie waren de zes?'

Ranai sloot haar ogen. 'Ze zijn allemaal dood, op mij na. Ik heb me nooit aan je meesteres bekendgemaakt, maar toen ik merkte dat ze de tas niet langer bij zich droeg, vreesde ik het ergste. Vergeef het een oude, zieke vrouw. Ik had het erover moeten hebben toen je een paar jaar geleden naar Ylani kwam...'

Iya nam het gekromde klauwtje in haar linkerhand. 'Laat nou maar. Ik ken de eed die je afgelegd hebt. Maar nu zijn we hier en je hebt hem gezien. Wat wilde je ons vertellen?'

Ranai keek haar aan. 'Er kan maar één Hoeder voor elk geheim zijn, Iya. Je hebt de last aan deze knaap overgedragen. Wat ik te vertellen heb, is alleen voor zijn oren bestemd.'

'Nee, ze vroeg me alleen hem hier te bewaren. Iya is de echte Hoeder,' zei Arkoniël.

'Nee. Ze gaf hem door.'

'Dan geef ik hem terug!'

'Dat is onmogelijk. De Lichtdrager stuurde haar hand, of ze daar nu van op de hoogte was of niet. Jij bent nu de Hoeder, Arkoniël, en wat ik te zeggen heb, zeg ik alleen tegen jou.'

Iya herinnerde zich de cryptische woorden van het Orakel in Afra: *Dit is een zaadkorrel die met bloed begoten moet worden. Maar u ziet te ver vooruit.* En ze dacht terug aan het visioen dat ze die dag gekregen had, van een machtig wit paleis vol tovenaars, dat ze vanaf een afstandje zag, terwijl Arkoniël naar haar keek vanuit een torenraam.

'Ze heeft gelijk, Arkoniël. Jij blijft hier.' Ze kon geen van beiden aankijken toen ze snel de kamer uitliep.

Buitengesloten door haar eigen magie, hurkte ze neer tegen de muur in de gang en sloeg haar handen voor haar ogen, waarin bittere tranen opwelden.

En toen begonnen ook de cryptische woorden van het demonenkind weer door haar hoofd te spoken.

Jij komt er niet in.

Arkoniël keek Iya ongelovig na en wendde zich toen weer tot het geschonden wezentje in het grote bed. De afkeer die hij had gevoeld toen hij haar ontmoette nam weer bezit van hem.

'Ga eens zitten,' fluisterde Ranai. 'Wat ik je nu vertel is verloren gegaan toen Agazhar stierf. Iya heeft in onwetendheid gehandeld. Dat is niet haar schuld, maar het moet wel rechtgezet worden. Zweer, Arkoniël, zoals alle Hoeders voor jou hebben gezworen, op hun handen, hun hart en hun ogen, bij het Licht van Illior en bij het bloed van Aura dat door je aderen vloeit, dat je de volle verantwoordelijkheid als Hoeder op je neemt en dat je als zodanig alles wat ik je vertel in je hart zult sluiten tot je de last aan je opvolger zult overdragen. Bewaak deze geheimen met je leven en dood iedereen die ze te weten komt. Iedereen, begrijp je me goed? Vriend noch vijand, tovenaar of handelaar, man of vrouw of kind mag weten waar het om gaat. Pak mijn handen beet en zweer het. Ik zal het weten als je liegt.'

'Geheimhouding en dood. Is dat het enige dat de Lichtdrager van me vraagt?'

'Er zal jou nog veel meer gevraagd worden, Arkoniël, maar niets zal heiliger zijn dan dit. Iya zal je zwijgzaamheid respecteren.'

Hij had gezien hoe aangedaan Iya was en wist dat Ranai de waarheid sprak. 'Goed dan.' Hij greep Ranais handen beet en boog zijn hoofd. 'Ik zweer op mijn handen, mijn hart en mijn ogen, bij het Licht van Illior en bij het bloed van Aura in mijn aderen, dat ik de taak die mij als Hoeder geschonken wordt zal volbrengen, en dat ik de geheimen die mij nu onthuld worden aan niemand anders vertel dan aan mijn opvolger.'

Een uitbarsting van samengebalde energie schoot door hun ineengeslagen handen en spoelde over hem heen. Het voelde aan alsof hij door de bliksem getroffen werd. Het was hoogst onwaarschijnlijk dat Ranais vervallen lichaam nog over zo veel kracht beschikte, maar toen het voorbij was, hapten ze allebei naar adem.

Ranai keek hem ernstig aan. 'Jij bent waarlijk de Hoeder, veel duidelijker dan je meesteres, of zelfs haar meester. Je bent de laatste van de zes die hetgeen zal dragen dat verborgen moet blijven. De rest heeft daarin gefaald of heeft de last afgelegd.'

'En u?'

Ze hief haar hand naar de wang die uit littekens bestond en grijnsde. 'Dit was de prijs die ik voor mijn falen betaalde. Maar nu moet ik spreken, want mijn kracht vloeit uit me weg.

De grootste tovenaar van het Tweede Orëska was meester Reynus van Wivernus. Hij was het die de tovenaars van Skala om zich heen schaarde om onder koningin Ghërilains banier te vechten en hij leidde degenen die uiteindelijk de Vatharna overwon. Je weet wat dat woord betekent?'

Arkoniël knikte. 'Het is Plenimaraans voor "de uitverkorene".'

'De uitverkorene.' De oude vrouw had haar ogen gesloten, en Arkoniël moest zich dicht over haar heen buigen om haar stem te horen. 'De Vatharna was een machtig generaal, uitverkoren door de zwarte tovenaars die hem het uiterlijk van Seriamaius gaven.'

Ze had nog steeds zijn rechterhand vast, maar hij sloeg een afweerteken met zijn linker. Zelfs priesters aarzelden de naam van de god der zwarte tovenaars uit te spreken. 'Hoe deden ze dat?'

'Ze smeedden een helm en degene die hem droeg, de Vatharna, zou een aards werktuig voor de god worden. Dat gebeurde niet in één keer, de Vier zij dank, maar geleidelijk aan, al was het eerste stadium van de vermomming gruwelijk genoeg.

De helm was klaar en de generaal zette hem op. Reynus vond hem op het nippertje. Honderden tovenaars en strijders werden in die veldslag gedood, maar de helm werd buitgemaakt. Reynus en zijn allersterkste tovenaars die nog in leven waren ontmantelden het geval op de een of andere manier. Maar voor ze hem konden vernietigen, vielen de Plenimaranen weer aan. Alleen Reynus ontkwam, met slechts zes stukken. Hij heeft nooit onthuld hoeveel stukken er oorspronkelijk waren. Hij betoverde de stukken die hij bezat, wikkelde ze in zijde en bezweringen zoals de jouwe, en legde ze in een verduisterde tent. Toen koos hij zes van ons – tovenaars die geen aandeel hadden gehad in de andere ceremoniën – en liet ons één voor één binnengaan. We moesten het eerste pakje pakken waar we in de duisternis onze hand op legden; vervolgens moesten we ongezien vertrekken. Tot elke prijs moesten de stukken verspreid en verborgen worden. Zelfs Reynus zou niet weten waar ze waren.'

Ze kuchte zwakjes en Arkoniël bracht een kom water aan haar lippen. 'Dus ze konden hem nooit meer in elkaar zetten?'

'Nee. Reynus was erg voorzichtig en vertrouwde zelfs zichzelf niet de hele waarheid toe. Geen van ons had het ritueel van het uiteenvallen aanschouwd en ook de vorm van hetgeen we bij ons droegen kenden we niet. Geen van ons wist welk stuk de anderen hadden of waar ze heen waren gegaan.'

'Dus Agazhar was een van de oorspronkelijke Hoeders?'

'Nee. Hij was niet sterk genoeg om in aanmerking te komen. Hyradin was de eerste van jouw lijn. Later sloten Agazhar en hij vriendschap, maar Agazhar wist niets van de last die zijn vriend droeg. Het toeval wilde dat hij bij Hyradin was toen de Plenimaranen hem vonden. Dodelijk gewond gaf Hyradin Agazhar het pakket en hield de vijand lang genoeg bezig zodat zijn vriend ongezien kon ontsnappen. Jaren later ontmoette ik Agazhar en ik zag wat hij bij zich droeg. Ik begreep dat Hyradin gestorven moest zijn.'

'En zijn alle andere stukken verdwenen?'

'Het mijne wel, plus twee andere voorzover ik weet. Dat van Hyradin heb jij nu onder je hoede. Maar een van ons is teruggekeerd en vertelde dat ze haar opdracht vervuld had. Van het zesde stuk heeft niemand meer iets vernomen. Zover ik weet ben ik de enige die gefaald heeft maar nog leeft. Het duurde jaren voor ik weer beter was en nog langer tot ik begreep wat Hyradins lot was geweest. Agazhar had het recht me te doden en dat zei ik hem ook, maar dat wilde hij niet, want, zei hij, ik was hoe dan ook nog altijd een Hoeder. Voorzover ik weet is dit het enige stuk dat nu nog in Skala aanwezig is. Ik heb Agazhar gezegd het ergens goed te verstoppen, maar hij dacht dat hij het beter kon beschermen door het bij zich te houden.' Ze keek Arkoniël met haar ene oog strak aan. 'Dat had hij mis. Het *moet* ergens verstopt worden om te beletten dat het verloren raakt of gestolen wordt. Dat kan je Iya nog wel vertellen. Sinds de laatste keer dat we elkaar zagen heb ik visioenen gehad van vuur en dood, en over de verborgen prinses.'

Ze glimlachte toen ze zijn ontstelde blik zag. 'Ik weet niet wie het is of waar ze is, alleen maar dat ze geboren is. En ik ben niet de enige, zoals Iya weet. De Haviken die me kwamen doden hadden via anderen van haar gehoord. Als jij ervan weet en ze krijgen je te pakken, dood jezelf dan voor ze het uit je kunnen persen.'

'Maar wat heeft dit geval nu met haar te maken?' vroeg Arkoniël perplex.

'Dat weet ik niet. Ik denk dat Iya het ook niet weet, maar het is wat het Orakel in Afra haar heeft laten zien. Dit kwaad dat jij moet dragen is verbonden met het lot van de toekomstige koningin. Je mag niet falen.'

Ranai nam gretig nog een slok van het aangeboden water. Haar stem stierf weg en ze was lijkbleek geworden. 'Er is nog iets, iets dat alleen ik weet. Hyradin had een droom toen hij Hoeder was, een visioen dat keer op keer bij hem terugkwam. Hij vertelde het aan Agazhar voor hij stierf en die vertelde het weer aan mij door, al had hij geen idee wat het betekende. Misschien was het Illiors wil, want het zou anders verloren zijn gegaan. Pak mijn hand nogmaals vast. De woorden die ik nu zeg zullen je geest nimmer verlaten. Ze moeten worden overgedragen aan al je opvolgers, want jouw lijn is de laatste lijn. Ik geef ze nu aan jou door zoals Agazhar gedaan zou moeten hebben, plus nog een klein geschenk van mezelf.'

Ze greep zijn hand vast en de kamer waarin zij zich bevonden werd pikdonker. Haar stem kwam tot hem door de duisternis, krachtig en duidelijk als die van een jonge vrouw. 'Hoort de Droom van Hyradin. "En zo kwam de Schone, de Verslinder van Dood, om de beenderen van de wereld bloot te leggen. Eerst gekleed in het vlees van de Man, gekroond met de helm van Angst die duisternis verspreidt, en niemand kon het opnemen tegen deze Ene dan de Vier."'

Haar stem veranderde, werd zwaarder, als die van een man. De duisternis werd opgeheven en Arkoniël zag dat hij zich op een open plek in een bos bevond, tegenover een blonde man in gerafelde lompen. De vreemdeling hield de vervloekte schaal in zijn handen en bood hem aan. 'De Eerste zal de Hoeder zijn, een werktuig van licht in het donker,' zei hij tegen Arkoniël. 'Dan het Middenstuk en de Voorhoede, die zullen falen en toch niet falen als de Gids, de Onzichtbare, voor hen uit gaat. En ten slotte zal daar de Hoeder weer zijn, wiens deel bitter is, bitter als gal wanneer ze elkander ontmoeten onder de Hemelse Pilaar.'

De stem en het visioen stierven weg en Arkoniël knipperde even met zijn ogen tot hij weer in de bekende kamer stond. De woorden waren verankerd in zijn brein, zoals Ranai beloofd had. Hij hoefde er maar aan te denken en daar klonk de stem weer in zijn oor. Maar wat betekende dat allemaal?

Ranais oog was gesloten, haar gezicht was vredig. Het duurde even voor het tot hem doordrong dat ze gestorven was. Als ze de betekenis van de droom al wist, had ze die met zich meegenomen naar de poort van Bilairy.

Hij fluisterde het overgangsgebed voor haar, vervolgens stond hij op om Iya te zoeken. Toen hij ging staan schoot er een bliksemstraal door hem heen die zijn kleren in as veranderde. Ook zijn schoenen vielen tot stof op de vloer uiteen dankzij de flitsende krachtgolf van de oude vrouw. Maar zijn lichaam was ongedeerd.

Hij wikkelde zichzelf in een deken, liep naar de deur en vroeg Iya binnen te komen. In een oogwenk had ze door wat er gebeurd was. Ze nam Arkoniëls gezicht tussen haar handen, keek hem diep in de ogen en knikte. 'Ze heeft haar levenskracht aan jou overgedragen.'

'Ze heeft zichzelf laten sterven?'

'Ja. Een opvolger had ze niet. Door haar ziel naar de jouwe te leiden voor ze stierf, probeerde ze je wat kracht van zichzelf te geven.'

'Een klein geschenk,' murmelde Arkoniël en hij ging naast haar zitten. 'Ik dacht dat ze…' Hij kneep zijn lippen samen. Hij had zijn leven lang zonder na te denken met Iya gesproken; hij voelde zich een verrader, nu hij geheimen had.

Ze zat op de rand van het bed en keek treurig naar de dode vrouw. 'Het is al goed. Niemand begrijpt beter dan ik hoe de zaken ervoor staan. Doe wat je moet doen.'

'Ik maak je niet dood, als je dat bedoelt!'

Iya grinnikte. 'Nee, de Lichtdrager heeft nog wat klusjes voor me. Dit bewijst het. Er zijn anderen, vele anderen, die een glimp gezien hebben van wat Tobin ooit zal worden. Illior kiest degenen uit die haar zullen helpen. Ik heb zo lang gedacht dat ik de enige was, maar ik schijn alleen maar de boodschapper te zijn. De anderen moeten bijeengeroepen worden en beschermd voordat de Haviken hen in hun klauwen krijgen.'

'Maar hoe?'

Iya stopte een hand in het buideltje dat aan haar gordel hing en wiep Arkoniël een kiezelsteentje toe; hij hield allang niet meer bij hoeveel van deze talismannetjes ze bij andere tovenaars had achtergelaten. 'Jij woonde hier heel veilig, al die jaren. Ik zal de anderen hier maar naartoe sturen. Hoe voel je je?'

'Niet anders dan anders.' Arkoniël rolde het steentje tussen zijn vingers heen en weer. 'Nou ja, een beetje banger misschien.'

Iya stond op en omhelsde hem. 'Dat ben ik ook.'

14

Tobin ging nog een paar maal naar de troonzaal terug, maar van een ontmoeting met geesten was geen sprake meer. Hij was nog steeds een kind, en zoals dat bij kinderen gaat, was het niet zo moeilijk om zijn angsten opzij te zetten toen het moment voorbij was. De geesten of goden of Iya zouden hem wel laten weten wanneer het tijd was om de grote stap te doen. Voorlopig was hij gewoon Tobin, geliefd neefje van de jonge kroonprins, neef van de koning die hij nooit had ontmoet. De Gezellen werden toegejuicht waar ze ook kwamen en Korin was ieders grote held.

Hoe hard Porion en de Raaf de jongens ook lieten werken, de winter was toch de tijd van bijzondere pleziertjes. De theaters van Ero voerden in die donkere dagen hun meest overdadige stukken op; ware kunstwerken waarin levende dieren, mechanische onderdelen en vuurwerk schitterden. De Gouden Voet spande de kroon met een urenlang durend stuk waarin alleen maar echte centaurs uit het Ashekgebergte optraden, de eerste van dat ras die Tobin en Ki ooit hadden gezien.

De markten geurden naar geroosterde kastanjes en warme cider, en waren extra kleurig vanwege de schitterende wollen stoffen uit de noordelijke gebieden rond Mycena. Straatventers verkochten snoepjes, gemaakt van honing, die als amber glinsterden in het zonlicht.

Kanselier Hylus was een zeer vriendelijke voogd die erop toezag dat Tobin altijd ruimschoots voldoende geld op zak had, veel meer dan Orun hem ooit gegeven had. Omdat hij nog steeds niet gewend was om goud te hebben en niet wist waar hij het aan moest uitgeven, had Tobin zijn munten gewoon laten verstoffen als Korin er niet op had gestaan om bezoekjes te brengen aan de beste kleermakers, favoriete zwaardsmeden en andere handelaars. Aangemoedigd liet Tobin de verkleurde zwartfluwelen draperieën uit zijn slaapkamer halen, en hing gordijnen op in zijn eigen kleuren, blauw met zilver en wit.

Hij bezocht ook de ambachtslieden in Goudsmidstraat en begon weer beeldjes te maken en sieraden te ontwerpen. Op een dag nam hij een broche mee waarop hij nogal trots was en liet hem verlegen zien aan een Aurënfaier juwelier wiens werk hij bijzonder hoog aansloeg. Het was in brons gegoten filigreinwerk en zat zo in elkaar dat het op kale, vervlochten takken leek. Hij had er zelfs een paar minieme blaadjes tegenaan gezet en er talloze kleine kristalletjes overheen gestrooid en erin gezet. Hij had gedacht aan de nachtelijke hemel boven de open plek in het bos waar Lhel woonde, en hoe op winternachten de sterren door de eikentakken pinkelden.

Meester Tyral was een magere, zilverharige man met bleekgrijze ogen en een felblauwe sen'gai. Tobin werd al jaren gefascineerd door dit exotische volk en kon al heel wat clans herkennen aan hun verschillende hoofdtooien en de manier waarop ze de lange lappen wol of zijde rond hun hoofd draaiden. Tyral en zijn gezellen droegen die van hen als een soort platte tulband die laag rond het hoofd zat, met de lange slippen over hun linkerschouder.

Tyral begroette hem net zo warm als altijd en nodigde Tobin uit om zijn werk te tonen op een lapje zwart fluweel. Tobin pakte de bronzen broche uit en legde hem neer.

'Heb jij dit gemaakt?' murmelde Tyral in zijn zachte, zangerige accent. 'En dit vast ook, ja?' vroeg hij wijzend naar het gouden paardje dat Tobin om zijn nek droeg. 'Mag ik het zien?'

Tobin reikte hem het hangertje aan en friemelde zenuwachtig met zijn handen terwijl de man de twee stukken nauwkeurig bekeek. Rondom zag hij overal schitterende halskettingen en ringen uitgestald staan en hij kreeg haast spijt dat hij zo vermetel was geweest iets van zichzelf te laten zien. Hij was gewend aan de lof van zijn vrienden voor zijn werk, maar zij waren geen kunstenaars. Een meestergoudsmid zou dit vast hoogstens als een onhandige poging van een rijkeluiszoontje beschouwen.

'Vertel eens iets over deze broche. Hoe heb je zulke fijne lijntjes weten te vormen?' vroeg Tyral en hij keek hem aan met een uitdrukking die Tobin niet meteen kon thuisbrengen.

Tobin vertelde aarzelend hoe hij elk lijntje van was had gemaakt, dan de verwarmde deeltjes met elkaar had verweven en ze in nat zand gelegd had om het gesmolten metaal op te vangen. Voor hij klaar was grinnikte de 'faier al en stak hem zijn hand toe.

'Jij bent inderdaad de kunstenaar. Ik twijfelde even, omdat ik zelden zo veel vakkundig werk uit handen van Tirfaiers van jouw leeftijd zie.'

'U vindt ze dus goed?'

De 'faier nam het paardenamulet op. 'Dit is heel fraai. Je hebt je beperkt tot simpele lijnen en de details eerder gesuggereerd dan het eronder te bedelven. Je kunt de vitaliteit van het beestje voelen als je die gestrekte nek ziet en de manier waarop je de benen hebt neergezet, alsof hij rent. Mindere vaklui zouden de benen recht laten, als van een koe. Ja, dit is een fraai werkstuk. Maar dit!' Hij pakte de broche op en legde hem in zijn handpalm. 'Dit laat meer dan vakwerk zien. Je was bedroefd toen je dit maakte. Had je heimwee misschien?'

Tobin knikte sprakeloos.

Tyral nam Tobins rechterhand in de zijne en bekeek de handpalm op dezelfde manier waarop hij de broche bestudeerd had. 'Je traint om een strijder te zijn, maar je bent geboren om een kunstenaar te worden, om dingen te creëren. Trainen ze jullie daar ook voor, daar op die heuvel?'

'Nee, ik doe dat gewoon voor mijn plezier. Mijn moeder maakte ook mooie dingen.'

'Dan heeft ze je een groot talent geschonken, prins Tobin. Een talent waaraan je niet de waarde hecht die je eraan zou moeten hechten. De Lichtdrager heeft talent in deze ruwe, jonge handen van je gelegd.' Hij leunde achterover en zuchtte. 'Je familie is befaamd om hun dapperheid in de strijd, maar ik moet je iets vertellen. Met handen zoals deze zul je altijd gelukkiger zijn wanneer je iets schept dan wanneer je iets vernietigt. Ik wil je niet vleien of bij je in de gunst komen als ik je vertel dat als jij een gewone jongen was geweest in plaats van een prins, ik je meteen uitgenodigd zou hebben om bij mij in dienst te komen. Dat heb ik nog nooit tegen een andere Tirfaier gezegd.'

Tobin keek om zich heen naar de werkbanken, met de ruwe stenen, smeltkroezen, en rekjes met gegroefde hamertjes, matrijzen en vijlen.

Tyral glimlachte droef toen hij het verlangen in Tobins ogen zag. 'Wij hebben ons geboortehuis niet voor het kiezen, hè? Het is niet gepast dat een prins van Skala een gewoon ambachtsman zou worden. Maar je zal wel een manier vinden, denk ik zo. Kom me in elk geval opzoeken wanneer je maar zin hebt en ik zal je helpen waarmee je maar wilt.'

De woorden van de edelsmid zouden Tobin nog lang bijblijven. Het klopte dat hij zijn werk niet als een gewoon ambachtsman aan de man kon brengen, maar hij kon blijven doen wat hij altijd gedaan had: geschenken maken. Hij maakte voor zijn vrienden amuletten en mantelspelden, versierd met dierenkoppen en edelstenen. Nikides bestelde een ring met een smaragd voor zijn grootvaders verjaardag en Hylus was er zo blij mee dat hij hem nooit meer af-deed. Het ging als een lopend vuurtje rond en spoedig stroomden de bestellingen van andere edelen binnen, die hem goud en edelstenen brachten waarmee hij mocht doen wat hij wilde. Klaarblijkelijk, bedacht Ki, kon Tobin dingen maken voor mensen van zijn niveau.

Toen Porion hen een zeldzaam dagje vrijaf gaf, nam Korin de jongere Gezellen mee naar zijn favoriete jachtgronden: taveernes waar leuke meisjes met diep gedecolleteerde lijfjes er geen moeite mee hadden bij de oudere jongens op schoot te springen en de jongere te knuffelen en kusjes te geven. Toneelspelers verwelkomden hen achter het podium van de beste theaters en in de betere wijken schenen kooplui altijd een paar speciale koopjes voor hen te hebben achtergehouden.

Zo nu en dan – vooral wanneer Korin gedronken had, merkte Ki op – nam hij de jongere vrienden zelfs mee op zijn nachtelijke strooptochten. Dit betekende dat ze ongezien langs meester Porion moesten komen, maar dat maakte deel uit van de vreugde. Op maanverlichte nachten speelden ze tikkertje in de vrieskou, en via de kronkelige steegjes kwamen ze als vanzelf bij de havenbuurten van het laagste allooi. Zelfs hartje winter stonken de straten naar uitwerpselen en dode honden, en de wijn in de smerige kroegjes was niet te drinken. Toch scheen Korin hier meer op zijn gemak dan waar ook ter wereld, en hij brulde ladderzat mee met de schorre minstrelen of hij baande zich met zijn ellebogen een weg tussen de zeelieden, dokwerkers en ander schoelje om een knokpartij aan te moedigen of honden op te hitsen tegen een beer aan de ketting.

De oudere knapen waren al snel bekend in dit soort plaatsen, en Korin werd knipogend begroet als de jonge 'Heer-Zonder-Naam'. Om de haverklap lieten de oudere jongens de jonkies op een koude, onverlichte straathoek wachten, terwijl zij hun hoertjes tegen de muurtjes van de steegjes namen. Van alle ouderen weigerde alleen Lynx mee te doen aan dit onsmakelijke vermaak. Hij bleef met Tobin en de anderen wachten tot ze verdergingen, en terwijl ze de kreetjes en het gegrom beluisterden die uit het duister verderop opstegen, zag hij vaak grauw van ellende. Barieus bleef in de buurt om hem te troosten, maar Lynx besteedde geen aandacht aan hem.

'Ik snap er de ballen van!' riep Ki vol afkeer uit toen ze een keer eerder dan de anderen waren teruggereden. 'Die armoedige matrozen en hoeren zouden een moord doen voor één nacht in een paleis, maar deze verwende rijkeluisjochies rollen als paardenvijgen zuipholen binnen waar zelfs mijn broertjes nog geen voet zouden zetten. Ze wentelen zich in smerigheid en plat vermaak en Korin is de ergste van allemaal. Sorry hoor, Tobin, maar zo is het toevallig wel en dat weet jij ook. Hij is onze leider en hij geeft de toon aan. Ik wou dat Caliël hem eens aan zijn verstand kon brengen dat hij zich een beetje moet inhouden.' Ze wisten allebei dat dat er voorlopig niet in zat.

Maar er werd niet alleen in achterbuurten rondgedold. Dagelijks ontvingen de Gezellen uitnodigingen voor feesten, vreugdevuren, en jachtpartijen. Crèmekleurige vellen perkament, beschreven met kleurige inkt, hoopten zich op als gevallen bladeren in de eetzaal van de Gezellen. Ze waren sinds jaar en dag gezochte gasten geweest tijdens de afwezigheid van de koning, en dat werd alleen maar erger, nu Korin op huwbare leeftijd kwam.

De prins was geen type dat uitnodigingen afsloeg. Hij was vijftien jaar en zag er met zijn fraaie ringbaardje al uit als een man. Overal waar hij zich vertoonde, oogstte hij bewonderende blikken. Zijn haar dat als een bos glanzende zwarte krulletjes tot op zijn schouders viel, omlijstte een knap gezicht met brede kaken en schitterende donkere ogen. Hij wist precies hoe hij vrouwen van jong tot oud met een glimlach of handkus kon laten smelten, dus overal kwamen de meisjes op hem af als vliegen op de stroop, terwijl hun moeders hen goed in het oog hielden, in de hoop dat hun dochter speciaal in de smaak zou vallen.

De moeders met jongere dochters wierpen meer dan eens een blik in Tobins richting, tot groot vermaak van zijn vrienden, maar tot wanhoop van Tobin. Hij was natuurlijk rijk, en stamde uit een roemrijk Skalaans geslacht. Twaalf was niet te jong om een huwelijk op poten te zetten door een verlovingscontract op te stellen. De verlegen blikken van de meisjes en de onverbloemde waarderende blikken van hun moeders deden Tobin ineenkrimpen. Al was hij geweest wie ze dachten dat hij was, dan nog zou hij waarschijnlijk die roofdierachtige houding niet prettig gevonden hebben. Na de plichtmatige begroeting met hun gastheer of gastvrouw zocht hij altijd snel een hoekje waarin niemand hem zou zoeken.

Ki was op die feesten echter helemaal in zijn element. Zijn knappe uiterlijk en ontspannen, vrolijke manier van doen trokken de aandacht en hij zag er geen been in om aandacht te geven aan ieder aardig meisje. Hij kreeg zelfs plezier in dansen.

De andere Gezellen plaagden Tobin met zijn verlegenheid; het was uiteindelijk Arengil die een manier vond om hem op zijn gemak te stellen.

Caliëls moeder, hertogin Althia, gaf half Dostin een bal ter ere van de zestiende verjaardag van haar zoon in haar villa bij het Oude Paleis. Het was groots aangepakt. De hal werd met honderden waspitten verlicht, tafels kreunden onder hun last van eersteklas gerechten en twee groepen minstrelen speelden om beurten voor de met juwelen behangen gasten.

Caliëls jongere zusje Mina verleidde Tobin tot een dans, en hij bracht zichzelf zoals gewoonlijk in de problemen, door over zijn eigen en haar voeten te struikelen. Zodra het stuk uit was verontschuldigde hij zich en dook onder in een hoek. Ki kwam bij hem zitten om hem gezelschap te houden, maar Tobin zag aan de manier waarop hij de dansers met zijn ogen volgde, met zijn voeten wipte en met zijn handen op zijn benen zat te trommelen dat hij liever mee zou dansen.

'Ga dan toch, het maakt mij niet uit,' gromde Tobin, terwijl een stuk of wat meisjes langs wandelden en hem giechelend brutale blikken toewierpen.

Ki keek hem beschaamd grijnzend aan. 'Welnee, ik zit hier best.'

Opperkanselier Hylus stond verderop met Nikides te praten. Toen ze Tobin in zijn hoek zagen zitten, kwamen ze op hem af.

'Ik heb net een uiterst interessant gesprekje met mijn kleinzoon gevoerd,' meldde Hylus. 'Het schijnt dat we iets belangrijks totaal over het hoofd gezien hebben.'

Tobin keek verbaasd op. Zijn voogd glimlachte en Nikides keek hem voldaan aan. 'Hoe bedoelt u, heer?'

'Er is wapenkundig nog helemaal niets voor je geregeld, mijn prins! Ik had het zelf moeten opmerken, maar Nikides maakte mij erop attent.' Hij wees naar de ingang van de zaal waar de banieren van alle gasten waren opgehangen. De rode van Korin nam de hoogste vlaggenstok in beslag, met de blauwe van Tobin vlak eronder.

'Je kunt natuurlijk je vaders banier nemen,' zei Nikides, alsof Tobin wist waarover hij het had. 'Maar als een prins van koninklijken bloede zou je het wapen van je moeder erin moeten verwerken. Dus in jouw geval kunnen ze mooi gecombineerd worden.'

'Als u mij toestaat, mijn prins, zal ik meteen de Hoge Raad van Adel vragen om je nieuwe wapen in orde te brengen,' bood de oude man aan.

Tobin haalde zijn schouders op. 'Uitstekend.'

Opgetogen liepen de twee verder, terwijl ze de figuren en de dwarsbalken bespraken.

Ki schudde zijn hoofd. 'Die Nik zou ook wel eens vaker een dansje mogen wagen.'

De dans was ten einde en Arengil dook uit de menigte op; hij zag er zeer knap en exotisch uit. Behalve zijn groengele sen'gai droeg hij een lange witte tuniek van Aurënfaier makelij en een brede gouden halsring en armbanden waarin gladde saffieren en kristallen waren gezet. Tobin had dit soort sieraden in de winkels van de Aurënfaier edelsmeden gezien, maar die konden niet tippen aan deze sieraden.

'Je hebt je nog eerder dan anders teruggetrokken,' merkte Arengil op en hij glimlachte toen Tobin zijn pols pakte om de armband nauwkeuriger te bestuderen.

'Dit is schitterend!' riep Tobin uit, en hij wilde dat hij iets had om het ingewikkelde verhoogde patroon op na te tekenen. 'Het is al oud, zeker?'

'Wat kan het je schelen, joh,' lachte Arengil en hij trok zijn hand los. 'Kom op. Ieder meisje in de zaal staat te wachten tot je haar ten dans vraagt!'

Tobin sloeg zijn armen over elkaar. 'Nou, dan kunnen ze wachten tot sintjuttemis. Ik dans als een kalf met drie poten. Heb je niet gezien dat Quirion de slappe lach van mijn danspogingen kreeg? Bij de ballen van Bilairy, ik wou dat Korin me thuisgelaten had!'

Una zweefde naderbij; ze zag er prachtig uit in blauw satijn, met parelsnoeren en lapis lazuli verwerkt in haar donkere haar. Ze flirtte nooit zoals de andere meisjes deden, maar Tobin zag wel dat ze ervan genoot als er bewonderend naar haar werd gekeken. Met een deel van haar gezicht heel volwassen verscholen achter een wapperende, met juwelen bezette waaier, maakte ze een diepe buiging voor Tobin. 'Alweer verstoppertje aan het spelen, mijn prins?'

'Ik probeerde hem net duidelijk te maken dat het zijn plicht is om dit samenzijn wat op te smukken,' merkte Arengil op.

'Opsmuk. Precies hoe ik me voel,' mompelde Tobin. 'Dit is zo slaapverwekkend, al dat kletsen, al dat rondhangen.'

'Maar met die oude hertog scheen je toch net wel een levendig gesprek te voeren,' zei Una.

Tobin haalde zijn schouders op. 'Hij is kunstenaar. Hij uitte zijn bewondering voor een hanger die ik voor zijn kleindochter gemaakt had en nodigde me uit zijn werk eens te komen bekijken.'

'Houd hem in de gaten,' waarschuwde Arengil op zachtere toon. 'Hij nodigde iemand die we allebei kennen ook eens uit om zijn "werk" te bekijken en probeerde hem te kussen in de koets naar zijn huis.'

Una trok een vies gezicht. 'Maar hij is zo *oud*!'

Arengil snoof en wierp de lange, met franje versierde uiteinden van zijn sen'gai over zijn schouder. 'Hoe ouder hoe gekker.' Hij keek snel om zich heen en vertrouwde hen toe: 'Ik heb ook het een en ander over heer Orun gehoord.

Je zal wel blij geweest zijn dat je van hem af was.'

Ki walgde zichtbaar toen hij dat hoorde. 'Ouwe Schijtebroek? Ik had zo mijn mes in hem gezet. Bij de Vier, Tobin, vertel me niet dat hij jou ooit…'

'Nee!' antwoordde Tobin en hij huiverde bij de gedachte. 'Hij was al erg genoeg zonder die fratsen.'

'En hij is er niet meer, laten we het dus vergeten. Kom op, prins Tobin, dans met me!' riep Una vrolijk en ze stak haar hand naar hem uit. 'Het kan me niet schelen dat je op mijn tenen staat.'

Tobin deinsde achteruit. 'Nee, bedankt. Ik ben genoeg uitgelachen voor vanavond.' Hij had het niet zo knorrig bedoeld en hij voelde zich ellendig toen hij de lach in haar ogen zag.

'Het is wel waar,' zei Ki die niets gezien had. 'Hij danst echt als een os op het ijs.'

'Echt?' Arengil bekeek Tobin langzaam van alle kanten. 'Je zou juist een geboren danser moeten zijn, gezien de manier waarop je vecht en rijdt.' Tobin schudde het hoofd, maar de oudere jongen ging gewoon door. 'Je hebt gevoel voor balans en ritme en dat is precies wat je nodig hebt om te kunnen dansen. Kom eens mee, ik wil je wat laten zien.'

Hij negeerde Tobins protest en bracht hem naar een ongebruikte kamer aan het eind van de gang. De muren waren versierd met trofeeën uit diverse veldslagen. Arengil pakte twee zwaarden en wierp er een naar Tobin.

'Kom op, prins, jij bent mijn partner,' zei Arengil, die in een verdedigende houding ging staan, alsof ze een oefenwedstrijdje gingen doen.

'Hier? Al die meubels staan veel te veel in de weg.'

De 'faier trok uitdagend een wenkbrauw op. 'Hé, zijn we bang of zo?'

Een beetje boos nam Tobin zijn plaats tegenover hem in. 'Bedoel je nou dat ik mijn danspartner met een zwaard moet aanvallen? Want dat zou me nog wel lukken, denk ik.'

'Nee, maar het lijkt er wel op. Als ik dit doe…' en Arengil deed een snelle stap naar voren en Tobin deed er een naar achter, klaar om te pareren '…juist, dan doe jij dat. En als jij wilt dat ik naar achteren ga?'

Tobin duwde tegen de kling van de Aurënfaier en maakte een schijnbeweging. Arengil deed een stap terug. 'Blijf duwen. Wat nu?'

Tobin deed een tijdje net of hij aanviel en zo dreef hij Arengil achteruit de kamer door.

'Nu mag ik jou naar achteren duwen.' Langzaam en vastberaden dreef Arengil hem achteruit. Toen hij weer bij de plek was waar ze begonnen waren, liet hij zijn wapen zakken en boog. 'Dank u voor de dans, mijn prins.'

Tobin rolde met zijn ogen. 'Waar héb je het over?'

'Dat is fantastisch!' riep Una uit. 'Meer is dansen niet, Tobin. De dame reageert op de stap die haar partner zet. Precies als tijdens een zwaardgevecht.'

Arengil wierp zijn zwaard naar Ki en nam een danshouding aan. Met de rechterhand in de lucht, de linker in de holte van de rug, keek hij Tobin nogmaals uitdagend aan.

Hij voelde zich onnoemelijk dwaas, maar Tobin nam zijn plaats tegenover Arengil in en legde zijn rechterhandpalm tegen die van Arengil.

'Mooi. Als ik nu zó doe…' Arengil deed een pasje vooruit en drukte zijn hand tegen die van Tobin. 'Wat doe jij dan?'

Ook Tobin deed een pas naar voren, toen nog een en zo cirkelden ze om elkaar heen. Arengil maakte een halve draai op zijn hak en ze wisselden van hand. Tobin volgde hem aarzelend.

'Jij ook!' Una nam Ki's hand. Hij was een veel gretiger leerling die meteen zijn hand om haar taille legde en haar lachend in de rondte liet wervelen.

Even afgeleid, struikelde Tobin over Arengils voet. De oudere jongen legde meteen een arm om Tobins middel om hem overeind te houden en fluisterde: 'Maak je geen zorgen. Ze laat zich heus niet afpakken door Ki.' Hij knipoogde naar Tobin en liet hem achterwaarts in de rondte draaien. 'Ik ben nu in de aanval, ik duw je. Tenzij je ook in de aanval gaat of wilt vallen, moet je me maar laten begaan. Laten we nu dit eens proberen.'

Hij ging tegenover Tobin staan en stak beide handen omhoog. Schoorvoetend legde Tobin zijn handen ertegenaan en stapte achteruit met zijn linkervoet toen Arengil met rechts een stap vooruit deed.

En zo gingen ze verder, terwijl ze de ene na de andere danspas afwerkten als betrof het een dril voor de strijd. Het was hard werken, maar Tobin begon er een patroon in te ontdekken.

Ki en Una vorderden aanmerkelijk sneller. Hij liet haar door de kamer zwieren terwijl hij een volkswijsje floot.

'Maar dit is niet echt dansen; het is veel te simpel,' klaagde Tobin. Hij trok zijn duim in toen de andere twee langs kwamen wervelen. 'Je moet toch al die sprongetjes en draaien tussendoor maken.'

'Dat is allemaal maar versiering,' verzekerde Arengil hem. 'Zolang je de volgorde van de passen en het ritme maar in je hoofd houdt, komt het allemaal neer op sierlijk voor- en achteruitgaan.'

'Nu je het er toch over hebt,' riep Una, en ze ontworstelde zich aan Ki's greep om zichzelf wat koelte toe te wuiven. 'Kun je me leren vechten door te doen alsof we dansen?' Ze zweeg even en Tobin zag haar glimlach weer wegzakken. 'Je bent toch niet vergeten wat je beloofd hebt?'

Blij met elk excuus om te ontsnappen aan de dansles, pakte Tobin de weg-geworpen zwaarden op en gaf er eentje aan haar. Una's wijde rok wervelde om haar heen toen ze meteen haar uitgangspositie innam en groette. Toen Tobin teruggroette, draaide ze enigszins en nam een redelijk correcte verdedigings-positie in.

Arengil trok verbaasd zijn wenkbrauwen op. 'En jíj wilt leren zwaardvech-ten?'

'Ik heb strijdersbloed in mijn aderen, minstens zoveel als jij!' kaatste ze te-rug.

Een stelletje feestvierders liep net de gang door. Toen ze Una met een zwaard in haar handen zagen staan door de openstaande deur, vroeg een van hen grijnzend: 'Wat hebben we daar, een duel?'

'Alleen voor de grap, heer Evin,' zei ze en ze zwaaide onhandig met het zwaard in de rondte.

'Pas op dat je haar niet raakt, jongens,' waarschuwde de man en hij ging zijn vrienden achterna. Una hief haar zwaard nogmaals, maar deze keer lag het vast in haar hand.

'Is dit wel verstandig?' fluisterde Arengil. 'Het is al erg genoeg als bekend wordt dat je hier alleen met drie jongens was. Als hij…'

'O, Evin zal er heus niets van zeggen.'

'Maar iemand anders misschien wel. Het is niet makkelijk om iets geheim te houden op de Palatijnse Heuvel. De bedienden zijn soms net een zwerm kraaien.'

'Dan moeten we ergens heen waar ze ons niet kunnen zien,' zei ze. 'Ik zie jullie morgen op Tobins balkon na jullie training.'

'Het balkon?' zei Ki spottend. 'Ach ja, er zijn maar duizend ramen die uit-kijken over de tuinen en de gebouwen die eraan liggen.'

'Kom nou maar, je ziet het wel,' plaagde Una en ze liep met een laatste uit-dagende blik over haar schouder weg.

'Meiden met zwaarden?' Arengil schudde het hoofd. 'Die brengen alleen maar ongeluk. In Aurënen houden vrouwen zich strikt met vrouwenzaken be-zig.'

'In Skala is oorlog ook een vrouwenzaak,' beet Tobin terug, maar hij voeg-de er haastig aan toe: 'Vroeger tenminste.'

Hoe dan ook, hij vond die onverschrokken houding van Una behoorlijk verontrustend.

De volgende dag stonden Tobin en de anderen op het afgesproken uur op zijn balkon, maar van Una was geen spoor te bekennen.

'Misschien is ze overdag niet zo dapper,' zei Arengil die met een hand boven zijn ogen de besneeuwde tuinen afspeurde.

'Hallo!' riep een stem van boven.

Una keek grijnzend over de dakrand boven het balkon. Ze had een eenvoudige tuniek aan met een nauwsluitende broek en haar haar was strak in een vlecht gevlochten. De koude winterlucht had rozen op haar wangen geschilderd, zoals Nari altijd zei, en haar donkere ogen schitterden ondeugend, iets wat Tobin nooit eerder had gezien.

'Hoe ben je daarboven gekomen?' vroeg Ki.

'Geklommen, natuurlijk. Ik denk dat jullie dat oude latwerk hier wel kunnen gebruiken.' Ze wees naar een beschaduwd stel latten links van de reling van het balkon.

'Dat was jij zeker, die eerste ochtend dat we in Ero op dit balkon stonden!' riep Tobin uit, die zich het mysterieuze meisje herinnerde dat hen even geplaagd had en toen snel verdwenen was.

Una haalde haar schouders op. 'Zou kunnen. Maar ik ben niet de enige die hier wel eens komt. Kom op, of zijn jullie te bang om het te proberen?'

'Had je gedroomd!' riep Ki terug.

Ze liepen naar de reling en zagen een wiebelig houten rek waar bruine rozenstengels vol doorns doorheen slingerden.

'We zullen moeten springen,' zei Tobin, en hij schatte de afstand.

'En hopen dat dat wankele geval het houdt.' Ki keek met gefronst voorhoofd naar beneden. Onder het balkon zat alleen een lange steile muur. Als ze het latwerk misten, zou dat een val van zo'n twintig voet betekenen.

Una liet haar kin in haar gehandschoende hand rusten. 'Zal ik maar een ladder gaan zoeken?'

Dit was een kant van Una die Tobin nooit opgemerkt had. Het was duidelijk dat ze ervan genoot hen vanaf haar hoge zitplaats een beetje te jennen. Tobin trok zijn handschoenen aan, klom op de reling en sprong. Het oude latwerk kraakte vervaarlijk en de rozendoorns drongen meteen door zijn handschoenen, maar het klimrek hield het. Verwensingen sissend klom hij naar boven.

Una greep zijn pols beet toen hij de dakrand vastpakte en hielp hem het dak op. Ki en Arengil klauterden erachteraan en stonden even later vol verbazing om zich heen te kijken.

Het paleis was een gigantisch, grillig gebouw en de met sneeuw bedekte daken strekten zich voor hen uit als het golvende platteland: velden vol dakleien en lage gevelspitsen. De hoge smalle schoorstenen rezen op als bomen waar de bliksem was ingeslagen; het roet lag als bloed aan hun voet. Drakenbeelden, vele met gebroken vleugels of ontbrekende koppen, gaven bergketens aan; daklijsten met bladderend bladgoud leken goedkoop koper in het stervende licht van de namiddag. Achter Una stond een lange rij voetsporen in de sneeuw.

'Ik heb dit wel eens gezien, maar dan van veel hoger,' zei Tobin. Toen de anderen hem niet-begrijpend aankeken, legde hij uit: 'Een tovenaar heeft me de stad eens in een visioen laten zien. We vlogen eroverheen, als adelaars.'

'O, ik ben dol op magie!' riep Una.

'En wat doen we nu?' vroeg Ki die popelde om te beginnen.

'Volg me maar en loop precies in mijn voetspoor. Er zitten nogal wat rotte plekken in het dak.'

Ze koos haar weg zorgvuldig tussen de richels en schoorstenen en bracht hen naar een breed, vlak stuk dat tussen twee hoge rechte gevels lag. Het was ruim vijftig voet in het vierkant en werd bewaakt door drie onbeschadigde dakdraken. Ze konden ver van de rand en spiedende ogen blijven als ze hier zouden vechten.

Er stonden een paar houten kisten onder een soort dak van zeildoek. Una maakte er een open en nam er vier houten zwaarden uit. 'Welkom op mijn oefenterrein, mijne heren.' Grijnzend maakte ze een diepe buiging. 'Is dit naar wens?'

'Je zei net dat je niet de enige bent die hier wel eens komt,' zei Tobin.

'Nee, maar de meesten komen hier alleen op warme zomernachten om… Nou ja, je weet wel.'

Ki stootte hem aan met zijn elleboog. 'Dat moeten we onthouden!'

Una bloosde, maar deed net of ze het niet gehoord had. 'Als je daarheen loopt, kun je jullie oefenterrein zien,' zei ze en ze wees naar het westen waar een hele hoop schuine daken samenkwamen en naar beneden overhelden. 'En ga je naar het noorden, dan kom je uiteindelijk bij de villa van mijn familie, helemaal aan de rand van het paleis – als je niet verdwaalt of door iemands rotte dak valt.'

Arengil pakte een van de houten oefenzwaarden en maakte een paar slagen in de lucht. 'Ik zie nog steeds niet wat jij nu met zwaardlessen moet. Stel dat je leert vechten, dan laat de koning je toch nooit ten strijde trekken.'

'Misschien verandert dat nog wel eens,' zei Una scherp. 'Misschien worden de oude gebruiken weer in ere hersteld.'

'Ze mag het toch leren, als ze dat nou zo graag wil,' zei Tobin en hij mocht haar met de minuut meer. Hij zweeg en voegde er toen droog aan toe: 'Misschien kunnen we hier ook mijn danslessen voortzetten.'

Die winter was zeker geen zachte, zelfs met het zeeklimaat, maar er viel meer regen dan sneeuw. Voor Tobin en de anderen betekende dit dat er regelmatig kans was op een schoon terrein voor hun stiekeme daklessen, al kwamen ze er vaak kletsnat vandaan. Zodra ze konden en het weer het toeliet, zagen ze elkaar op het dak. En hoewel Una hen allemaal gevraagd had hun bijeenkomst geheim te houden, was zij de eerste die daar de hand mee lichtte.

Op een zonnige middag zagen Tobin en Ki tot hun verbazing een ander donkerharig meisje dat met Arengil en Una op hen wachtte. Ze kwam de jongens bekend voor.

'Herinneren jullie je mijn vriendin Kalis?' vroeg Una en ze wierp een dreigende blik naar Ki. 'Zij wil het ook graag leren.'

Ki kreeg een kleur toen hij een buiging maakte en Tobin herkende haar als een van de meisjes met wie Ki gedanst had op Caliëls verjaardagsbal.

'Je vindt het toch niet erg, is het wel?' vroeg Una.

Tobin haalde zijn schouders op en draaide zich om, omdat het hem altijd aan te zien was als hij loog.

Nog twee meisjes sloten zich bij de lessen aan en Tobin bracht Nikides mee, die meer oefening nodig had dan welk meisje dan ook. Natuurlijk kon het ook niet lang voor Lutha verborgen blijven, noch voor hun schildknapen. Ki noemde de groep 'Prins Tobins Zwaardvechtersacademie'.

Tobin genoot er eigenlijk van zijn eigen hofsamenzwering te hebben en was Una dankbaar om nog een andere reden. Het dak was een veilige plek om Broer op te roepen. Ten minste eenmaal per week sloop hij in zijn eentje naar boven om de formule uit te spreken.

Hij deed het eerst niet van harte. Het litteken op Ki's voorhoofd herinnerde aan die ene keer dat hij zeker te ver was gegaan, en Oruns dood spookte Tobin nog steeds door het hoofd. De eerste keren nam hij de pop mee en hield Ki erbuiten, want hij vertrouwde er niet op dat de geest zich netjes zou gedragen.

Maar Broer was de keren dat hij hem opriep heel rustig en toonde geen interesse in Tobin of zijn omgeving. Tobin vroeg zich af of hij weer aan het verdwijnen was, zoals hij voor zijn vader stierf had gedaan. Maar na een paar weken had Broer weer zijn vreemde, haast tastbare uiterlijk terug. Lag het soms aan de nieuwe binding, die Broer de kracht had gegeven om te doden?

Toen hij Ki uiteindelijk meenam, ontdekten ze dat hij Broer niet kon zien tenzij Tobin Broer de opdracht gaf zichzelf zichtbaar te maken.

'Maakt mij niet uit. Ik hoef hem niet zo nodig te zien,' zei Ki.

Tobin eigenlijk ook niet. Ki's litteken mocht dan mooi geheeld zijn, hij kon niet zomaar over de oorzaak ervan heen stappen.

Terwijl de winter aanhield begreep Tobin langzamerhand dat een aantal meisjes meer belangstelling had voor de ontmoetingen met jongens dan in de lessen, en dat de jongens geen bezwaar hadden tegen die situatie. Kalis en Ki verdwenen zo af en toe achter de schoorstenen en kwamen geheimzinnig glimlachend terug. Barieus hield op weg te kwijnen vanwege de onbereikbare Lynx; hij verloor zijn hart aan de roodharige vrouwe Mora nadat ze haar vinger had gebroken tijdens een wedstrijdje en sinds die dag was hij vrolijker dan ze hem ooit hadden gezien.

Una waagde het niet Tobin nogmaals te kussen, maar hij had soms het idee dat ze zich moest inhouden.

Tijdens worstelingen bij de oefengevechten moest hij de opkomende welvingen van haar lichaam wel opmerken. Meisjes werden sneller groot, zei Ki, en haalden zich ook eerder ideeën in hun hoofd. Dat kwam hem zeker wel goed uit, dacht Tobin ongelukkig.

Al had hij gewild dat meisjes hem leuk vonden, dan nog begreep hij er geen jota van wat Una in hem zag. Terwijl ze op het dak aan het sparren waren, of dansten op een of ander bal, voelde hij dat ze op een teken wachtte dat haar gevoelens werden beantwoord. Hij voelde zich er schuldig over, al wist hij pertinent zeker dat hij niets had gedaan om haar te misleiden. Het was al met al heel verwarrend en hij maakte het er alleen maar erger op toen hij haar een gouden hangertje in de vorm van een zwaard cadeau deed. Ze begreep het gebaar verkeerd, en droeg het openlijk als een teken van liefde.

Tijdens de lessen kon hij echter eerlijk tegenover haar zijn. Ze waren precies even groot en vochten meestal tegen elkaar. Ze leerde verbazend snel en verraste hen met haar vorderingen.

Tobin vond een geduchte tegenstander in Arengil. Hoewel de 'faier niet veel ouder leek dan Urmanis had hij veel meer training achter de rug. Hij liet zich er echter niet op voorstaan en leerde hen liever duelleren zoals de 'faiers, die zich meer richtten op vaardig ontwijken dan op een harde worsteling. Het duurde niet lang of Tobin en de anderen hanteerden Arengils techniek bij hun oefengevechten met de andere Gezellen. De opmerkingen waren niet van de lucht, vooral nadat het Ki gelukt was Mago's lip met een elleboogstoot open te klieven. Ki had er twee dagen lol van en schonk Arengil zijn beste dolk toen ze elkaar weer ontmoetten op het dak.

15

Terwijl de laatste stormen van Klesin uitraasden boven zee wachtten de Gezellen gespannen op nieuws of de strijd inmiddels weer was opgelaaid; de koning zou toch niet van plan zijn om Korin nog langer als een meid te behandelen, nu hij volwassen was? Er kwamen berichten over wat schermutselingen langs de grens, maar koning Erius noch de Plenimaraanse opperheerser scheen haast te hebben om zich weer in de strijd te werpen.

Zoals altijd kwam Nikides met het laatste nieuws. 'Grootvader zegt dat er over een wapenstilstand wordt gesproken,' vertelde hij de anderen terneergeslagen bij het ontbijt.

Iedereen kreunde. Vrede betekende dat er geen enkele kans was om jezelf in de strijd te bewijzen. Korin zei niets, maar Tobin wist dat zijn neef erger leed dan de anderen, omdat hij besefte dat hij de reden was waarom ze zo lang thuis werden gehouden.

De wijn vloeide met de dag rijkelijker in de eetzaal, en de jongens gromden en snauwden elkaar af tijdens de training.

Meer nieuws kwam er niet, maar Tobin kreeg binnen een week een nachtmerrie die hij in geen maanden had gehad.

In die droom zat hij gehurkt in een hoek terwijl hij naar zijn moeder keek die door het kleine torenkamertje liep te ijsberen. Ariani liep ruisend van raam naar raam, met de lappenpop als een baby tegen haar borst gedrukt. Broer zat in de hoek tegenover Tobin en staarde hem aan, een veelbetekenende blik in de pikzwarte ogen.

'Hij heeft ons alweer gevonden!' riep Ariani uit, toen greep ze Tobin bij de arm en trok hem de kamer door naar het westelijke raam, het raam dat uitzag over de rivier.

'Hij komt,' beaamde Broer vanuit zijn hoek.

Tobin werd wakker met Broer aan de voet van het hemelbed.

Hij komt. De smalle lippen van de geest bewogen niet terwijl hij zijn woorden uit de droom liet echoën.

Ki bewoog naast hem, murmelde vaag wat in zijn kussen.

'Het is niets, ga maar weer slapen.' Zijn hoofd bonsde van al de wijn die hij die avond aan tafel gedronken had, maar dat was niet de reden dat hij zich een beetje onpasselijk voelde.

'Komt de koning echt terug?' fluisterde hij.

De geest knikte en loste op in het duister.

Tobin was te opgewonden om te slapen en hij kroop uit bed. Hij wikkelde zichzelf in de wollen mantel die Molay altijd op de dichtstbijzijnde stoel voor hem klaarlegde. De draperieën hingen nog voor de ramen van het balkon, maar het eerste ochtendlicht kroop al langs de kieren naar binnen. Buiten, in de tuin, was een stel kraaien aan het ruziën.

'Hebt u me nodig, mijn prins?' vroeg Baldus slaperig vanaf zijn strozak.

'Nee, ga maar weer slapen.'

Tobin stapte het balkon op. Drie kraaien zaten in de eikenboom vol knoppen die vlak onder de reling stond, en zetten hun borstveren op tegen de koude. Over de hele stad steeg de rook van de haarden die voor het ontbijt waren aangestoken recht omhoog in de vrieslucht, als blauwe draden tegen de rozegouden hemel. Buiten de havenmonding schitterde de zee met witte schuimkoppen. Tobin staarde naar de horizon en stelde zich voor dat de koning daar ergens rondreed, of misschien zeilde hij nu al naar huis.

Maar dat zouden we gehoord hebben! De koning zou nooit als een dief in de nacht Ero binnenkomen. Hij was jaren weggeweest; hij zou met muziek en feestelijkheden worden binnengehaald.

Tobin zat op de stenen balustrade en wachtte tot het benauwende gevoel van de droom wat af zou nemen. Maar het werd juist erger en zijn hart begon zo luid te bonzen dat hij zwarte vlekken voor zijn ogen zag.

Hij probeerde Arkoniëls geestreinigende trucje door zich sterk op de glanzende veren van de kraaien te concentreren. Geleidelijk nam de paniek af en hij had nu alleen Broers laatste opmerking maar om over te piekeren.

Steenkoud ging hij naar binnen en krulde zich op in een leunstoel bij de haard. Er liep iemand haastig langs zijn kamer, maar verder was de Gezellenvleugel helemaal in stilte gehuld. Het dagelijkse rumoer waarmee de dag begon was nog niet te horen.

En stel dat hij vandaag al komt? bedacht Tobin opeens, met zijn armen om zijn knieën geslagen. Toen schoot hem iets te binnen. Tharin kende de koning! Die zou weten wat ze moesten doen.

'Wat wil je dan dat hij doet?' siste Broer naar hem vanuit de schaduwen achter zijn stoel.

Voor Tobin een antwoord kon bedenken klonk er een harde slag en een reeks vloeken drong onder luid gelach via de inloopkast zijn kamer binnen. Er was iemand door het geheime gangetje gekomen dat Tobins kamer met die van Korin verbond. Hij stuurde Baldus net weg toen Tanil en Korin binnen kwamen vallen, met hun nachthemden nog aan. Baldus sprong piepend van schrik overeind en Ki mompelde grommerig of het wat stiller kon.

'Vader komt thuis!' riep Korin en hij trok Tobin uit zijn stoel en danste met hem de kamer rond. 'Er is net een koerier geweest. Zijn schip is drie dagen geleden in Cirna aangekomen.'

Hij heeft ons alweer gevonden!

'De koning? Vandaag?' Ki stak onmiddellijk zijn hoofd tussen de bedgordijnen uit en schudde de verwarde bruine krullen uit zijn ogen.

'Vandaag nog niet.' Korin liet Tobin weer los, schoof de bedgordijnen opzij en dook naast Ki op bed. 'De zee is veel te onrustig, dus vervolgt hij zijn tocht over land. Hij vraagt of we hem in Atyion komen begroeten, Tob. Ziet ernaar uit dat je verjaarswens eindelijk in vervulling gaat!'

'Atyion?' Het goede nieuws wilde maar nauwelijks tot hem doordringen.

Tanil plofte aan de andere kant van Ki neer en gebruikte hem als armsteuntje. 'Eindelijk een reden om de stad uit te mogen! En we moeten allemaal in de optocht van de koning meerijden als hij naar Ero rijdt!' Tanil leek al net zo blij als Korin.

'Waarom Atyion?' vroeg Tobin nu.

'Om jou te eren, neem ik aan,' zei Korin. 'Vader heeft je immers niet meer gezien sinds de dag dat je geboren werd.'

Nee, maar ik heb hem wel gezien! dacht Tobin en hij herinnerde zich maar al te goed het geschitter van het zonlicht op de gouden helm.

Korin sprong van het bed en begon als een generaal die een strategie bedenkt heen en weer te lopen. 'De koerier kwam direct naar mij, maar voor je het weet heeft iedereen het erover. De hele stad staat binnen het uur op zijn kop, en natuurlijk wil de halve hofhouding met ons mee.' Hij woelde door Ki's haar en trok de deken van hem af. 'In de benen, schildknaap, aan het werk. Jij en Tobin helpen ons de anderen te wekken. Zeg dat ze alleen het hoognodige moeten pakken; geen bedienden, geen bagage. We kunnen op weg zijn voor iemand doorheeft waar we heen zijn.'

'Nu? Nu meteen?' stamelde Tobin en hij vroeg zich af of hij nog met Tharin zou kunnen spreken voor hij weg moest.

'Waarom niet? Eens kijken. Mijn gardisten en die van jou moeten heer Hylus maar op de hoogte brengen…' Korin liep weer in de richting van de kast. 'Met een beetje geluk komen we morgen rond het avondeten aan.' Hij keek Tobin stralend aan. 'Ik kan niet wachten tot hij jou eindelijk ontmoet!'

Het verwachte tumult begon al toen Tobin en Ki de anderen gingen wekken. Lutha en Nikides waren al op, maar het kostte hen heel wat gebons om Orneus wakker te krijgen.

Ki grijnsde toen hij met zijn oor tegen de deur de litanie van gesmoorde verwensingen hoorde. Even later werd de deur op een kiertje geopend en Lynx keek hen aan. Al was hij zo misselijk als een hond, hij bleef de vriendelijkheid in eigen persoon. 'Wat is er aan de hand?' vroeg hij gapend. 'Orneus is nog, eh… slaapt nog.'

'Slaapt nog?' Ki trok zijn neus op voor de lucht van braaksel die de gang op dreef.

Lynx trok quasi-zielig zijn schouders op, maar vrolijkte op toen hij het nieuws hoorde. 'Geen zorgen, ik heb hem in een wip in de kleren!'

Meester Porion prees Korins plan. 'Rijd de koning als strijders tegemoet, jongens, niet als een suf stelletje hovelingen!' zei hij en hij gaf de prins een dreun op zijn schouders.

Molay en Ki stonden erop alles te regelen.

Baldus werd naar Tharin gestuurd met de opdracht om alle mannen en paarden in paraatheid te brengen. Toen iedereen aan het redderen was, kneep Tobin ertussenuit en ging naar de inloopkast.

Als achterlaten van de pop betekende dat hij Broer een paar dagen niet zou hoeven zien, had hij er geen moeite voor gedaan hem te pakken. Maar nu de geest tegenwoordig tevoorschijn kwam waar en wanneer het hem uitkwam, zou de zaak wel eens uit de hand kunnen lopen. Tobin pakte de pop van de kleerkast af en stopte hem onder in zijn zadeltas. Terwijl hij de riempjes strak aantrok, bedacht hij dat Atyion ook Broers huis had moeten zijn.

Ondanks hun haast stond de colonne pas tegen twaalven naar Korins zin op de grote binnenplaats opgesteld. De Gezellen droegen de kleuren en de wapens van hun eigen huizen, zoals het gebruik het wilde wanneer ze de stad verlieten, en alle heren zowel als de schildknapen droegen de scharlakenrode bandelier waarop het wapen van de kroonprins – een witte draak – was aangebracht. Hun helmen en schilden fonkelden stoutmoedig in de middagzon.

Korins garde zag er luisterrijk uit in rood en wit, en die van Tobin was in het blauw. Tharin droeg zoals altijd bij dergelijke gelegenheden zijn adellijke kledij met een bandelier in Tobins kleuren.

Een menigte hovelingen was toegestroomd om hen uitgeleide te doen; ze juichten en zwaaiden met hoeden en sjaals.

'Kijk Tobin, daar is je vrouwe,' riep Korin. Una stond met Arengil en een stel vriendinnen van de geheime zwaardschool bijeen. De andere Gezellen hoorden dat en lachten. Blozend liep Tobin achter Ki aan om afscheid te nemen.

Arengil maakte een overdreven buiging. 'Aanschouw de glorieuze Strijders van Skala!' Hij aaide Gosi over zijn neus en bewonderde de gouden rozetten die ter versiering op het nieuwe tuig van het paard waren gezet. 'En dat noemen ze een boerenprins! Je ziet eruit alsof je zojuist van een wandkleed bent gestapt.'

'Ja,' zei Una. 'We zullen onze danslessen wel een tijdje moeten uitstellen. Wanneer dacht je terug te zijn?'

'Geen idee,' zei Tobin tegen haar.

'Kom op nou!' riep Korin terwijl hij zijn paard een rondje liet draaien en met zijn zwaard in de lucht zwaaide. 'Mijn vader staat te wachten! Op naar Atyion!'

'Op naar Atyion!' riepen ook de anderen, en ze sprongen in het zadel.

Toen Tobin zich omdraaide om te vertrekken, gaf Una hem nog snel een kus op zijn wang en verdween in het gewoel.

In de opwinding van de voorbereidingen had Tobin zijn angsten een tijdje kunnen vergeten, maar de onvermijdelijke eentonigheid van de lange rit gaf hen de kans weer binnen te sluipen.

Hij zou de koning ontmoeten. Vanwege deze man was zijn moeder nooit koningin geworden. Misschien was ze nooit waanzinnig geworden als ze de kroon had mogen dragen. En misschien zou Broer dan nooit gestorven zijn en hadden ze samen aan het hof kunnen opgroeien, of in Atyion, in plaats van in een gehucht in de bergen.

Als hij er niet geweest was, dacht Tobin met stijgende wrok, *had ik kunnen opgroeien met mijn ware gezicht.*

16

Al een week eerder had Niryn van een geheime koerier het bericht van de terugkeer van de koning ontvangen. Nu zouden zijn zaken in Ilear maar even moeten wachten; het korte bericht van de koning verordonneerde de tovenaar om hem zonder dat iemand het wist in Cirna te ontmoeten.

Dat kwam Niryn bijzonder goed uit. Gehuld in de diepste duisternis verliet hij met een klein cohort grijsruggen de stad en reed naar het noorden.

Op het smalste deel van de landengte lag het fort Cirna, dat op zijn minst in naam aan prins Tobin toebehoorde. Na de vroegtijdige dood van heer Orun had de koning in zijn oneindige wijsheid (met een subtiel vleugje manipulatie) besloten om Niryn als regent van dit gebied te benoemen. Het fort was gebouwd op een rotsachtig, door weer en wind geteisterd stukje grond dat bewoond werd door een paar geitenhoeders en vissers. Aan beide zijden lagen steile kliffen en Cirna was op zijn manier eigenlijk even belangrijk als Atyion. De macht van het fort lag niet besloten in zijn rijkdommen, maar in zijn ligging. De heer van Cirna was meester over de enige landroute naar Skala.

Het enorme, ommuurde fort stond midden op de landengte, midden op de enige weg. Aan beide zijden liepen muren die zo hoog waren als twee mannen op elkaars schouders, en die van de buitenmuren naar de kliffen links en rechts van het fort waren zo breed als een huis. Daarmee had het de aanvallen van Plenimaraanse legers, Zengatese overvallers en zelfs heksen van het heuvelvolk kunnen weerstaan. De tol die aan de poorten door reizigers betaald moest worden, leverde een aardige duit op, en Niryns bijdrage spekte dus alleen zijn eigen schatkist.

Maar goud was niet wat zijn hart sneller deed kloppen toen het onwrikbare fort voor hem opdoemde in de zilte mist. Cirna stond voor de versterking van zijn macht over de koning.

Makkelijk was het niet geweest om de koning op te zetten tegen Rhius. Maar om hem tegen de weerzinwekkende Orun op te stoken was daarentegen een fluitje van een cent geweest. Er bestond meer dan genoeg bewijs dat de man in kwestie niet deugde. Maar hertog Rhius was boven alle blaam verheven, en de banden die tussen de Gezellen gesmeed werden schenen levenslang te blijven bestaan. Misschien had Erius erop aangedrongen dat Rhius met zijn enige zuster zou trouwen, om op die wijze een link te leggen tussen de machtige landgoederen Cirna en Atyion en het koninklijk huis, maar zijn genegenheid voor de man was oprecht geweest. Rhius was een behoorlijke sta-in-de-weg tijdens het begin van Niryns toenemende invloed op de troon. Maar eindelijk was Rhius zo roekeloos geweest zich openlijk uit te spreken tegen het vermoorden van vrouwelijke familieleden van de koning, en diens geduld met de man was geslonken. Toen Rhius eindelijk in de strijd gevallen was, zag alleen Niryn de opluchting achter het uitzonderlijk grote verdriet dat de koning tentoonspreidde.

Zo was er weer een obstakel van Niryns pad verwijderd. Vandaag zou hij afrekenen met een veel grotere bedreiging.

De weg op de landengte bracht Niryn en zijn garde langs de top van de oostelijke kliffen en vanaf hier zag hij, door een lang gordijn van motregen, het koninklijke vlaggenschip in het kleine haventje beneden hen voor anker liggen.

Het was een riskante onderneming geweest om de Binnenzee zo vroeg in de lente over te steken en alle schepen hadden averij opgelopen. Aan boord van het schip van de koning waren zeelieden druk doende met het repareren van de zeilen.

Terwijl ze over het modderige, zigzaggende weggetje naar het dorp reden, ontdekte Niryn een aantal mannen van de koninklijke garde op het kiezelstrand. Ze roeiden hem in een grote sloep naar het schip en generaal Rheynaris stond aan dek om hem te begroeten nadat hij over de reling was geklommen.

'Welkom aan boord, heer Niryn. De koning verwacht u al benedendeks.'

Niryn keek snel om zich heen terwijl hij achter Rheynaris aan liep. Overal stonden groepjes jonge edelen nieuwsgierig naar hem te kijken. Een van hen sloeg een beschermingsteken toen hij dacht dat Niryn niet keek.

'Zeg eens, Rheynaris, wie is die knaap daar?'

'Met dat blonde haar? Dat is de oudste zoon van Solari, Nevus. Hij is een van de jongste adjudanten van de koning.'

Niryn fronste zijn voorhoofd; hier was hij niet van op de hoogte. Heer Solari was een van Rhius' vazallen geweest.

'En hoe gaat het met de koning?' informeerde Niryn toen ze buiten gehoorsafstand van de anderen waren.

'Blij om weer thuis te zijn, zou ik zeggen.' Rheynaris stond even stil toen ze de hut bijna hadden bereikt. 'Hij is nog… grilliger geworden sinds we Mycena achter ons lieten. Het neemt altijd sterk toe als we het slagveld verlaten.'

Niryn dankte hem voor de waarschuwing en de generaal klopte zachtjes op de deur.

'Binnen!' klonk het bars.

Erius zat in de smalle bedstee van de hut te schrijven op een schrijftafel die op zijn knieën rustte. De tovenaar wachtte beleefd tot er aandacht aan hem geschonken zou worden terwijl hij naar het haastige gekras van de ganzenveer luisterde. De hut was onverwarmd; Niryn kon zijn adem wit zien opstijgen, maar Erius had zijn tuniek opengeknoopt als een gewone soldaat. Zijn haar en baard waren grijzer geworden, zag de tovenaar, en ze omlijstten een gezicht dat door zorgen was getekend.

Erius ondertekende het document met een grote krul en leunde achterover. 'Hallo, Niryn. Je hebt er geen gras over laten groeien. Ik had je vóór morgen niet verwacht.'

De magiër boog. 'Welkom thuis, majesteit.'

Erius schoof een stoel in Niryns richting. 'Ga zitten en vertel me het laatste nieuws van het thuisfront.'

Niryn gaf een kort overzicht van het algemene nieuws, en bagatelliseerde een recente epidemie van de pest die verscheidene dorpen in het noorden had gedecimeerd. 'De hogepriester van de tempel van Achis wordt vastgehouden op verdenking van verraad,' ging hij voort met het belangrijkere nieuws. 'Ten minste driemaal heeft men hem horen spreken over een mythische koningin die priesters in hun koortsdromen schijnen te zien.'

Erius fronste zijn wenkbrauwen. 'Je had toch gezegd dat je met die onzin had afgerekend.'

'Het zijn maar dromen, mijn koning, ontstaan uit angst en verlangen. Maar zoals u maar al te goed weet, mijn heer, kan een droom gevaarlijke trekjes krijgen wanneer hij wortel schiet in de geest van onwetenden.'

'Daar had ik jou toch voor aangesteld?' Erius lichtte een vel perkament op van zijn bureau. 'Kanselier Hylus meldt me trouwens meer sterfgevallen wegens de pest, en ook dat de winteroogsten tot in Elio en Gormad ontoereikend zijn. Niet zo vreemd dat het volk denkt dat het vervloekt is en van koninginnen droomt. Ik begin zo langzamerhand te denken dat ik nog maar een klein stuk van mijn rijk kan overdragen als de tijd daar is.' Zijn linkerooghoek trilde. 'Ik heb de plaquette vernietigd, alle stèles in zee gegooid, maar de woorden van het Orakel zijn onuitroeibaar.'

Niryns vingers bewogen nauwelijks terwijl hij een spreuk met kalmerende werking over de koning uitsprak. 'Iedereen speculeert erover of men zich aan die wapenstilstand zal houden. Wat denkt u, majesteit?'

Erius zuchtte en streek met een hand over zijn baard. 'Het is op zijn best een boerenbestand. Zodra die Plenimaranen de oogst binnen hebben en hun graanschuren weer vol zijn, marcheren wij alweer over Mycena's wegen. In de tussentijd kunnen wij het best hun voorbeeld volgen. Deze verdomde droogte is net zo goed onze vijand als de legers van de opperheerser. Hoe dan ook, een tijdje rust zal me goed doen. Ik zie wel uit naar muziek en een smakelijke maaltijd, en slapen zonder steeds met één oor te luisteren of er geen alarm wordt geslagen.' Hij keek de tovenaar quasi-droef glimlachend aan. 'Ik dacht dat ik oorlog nooit beu zou worden, mijn vriend, maar om je de waarheid te zeggen, ben ik maar wat blij met dit bestand. Ik denk dat mijn zoon er anders over denkt, maar ja. Hoe is het met Korin?'

'Uitstekend, majesteit, uitstekend. Maar rusteloos, zoals u opmerkt.'

Erius stiet een honend lachje uit. 'Rusteloos, zeg je? Zo kun je het ook zeggen, het is een fraaie omschrijving van zijn gedrag dat Porion in zijn rapporten geeft: drinken, hoereren en ga maar door. Niet dat ik dat niet deed toen ik zo oud was als hij, maar ik had tenminste gevochten. Wie zal het hem kwalijk nemen dat hij trappelt om het slagveld op te gaan? Je zou de brieven die hij me stuurt eens moeten lezen, waarin hij me smeekt om me in Mycena te mogen vergezellen. Bij de Vlam, hij weet niet hoe het me de keel uithangt om hem zo lang in de watten te leggen.'

'Maar wat kunt u anders, majesteit, met geen andere erfgenaam dan een ziekelijk neefje?' Een oude discussie werd weer opgerakeld.

'Ach ja, Tobin. Maar zo ziekelijk is hij toch niet, naar het schijnt. Orun zeurde altijd over hem, maar van Korin en Porion hoor ik niets dan lof. Wat vind jij van die knaap, nu je hem zelf hebt gezien?'

'In veel opzichten een opmerkelijk ventje. Nogal sloom en stuurs, voorzover ik kan zien, maar hij heeft wat van een kunstenaar in zich. Hij heeft naam gemaakt aan het hof met zijn sieraden en kleine beeldjes.'

Erius knikte warm. 'Dat heeft hij van zijn moeder. Maar dat is lang niet alles, heb ik begrepen. Korin zegt dat hij bijna even handig met het zwaard is als hij.'

'Hij schijnt een bekwaam vechter te zijn, net als dat boerenknechtje van hem.'

Zodra Niryn die woorden had uitgesproken, wist hij dat hij over de schreef was gegaan; de koning kreeg die woeste blik in zijn ogen die een aanval voorspelde.

'*Boerenknéchtje?*'

Niryn schoot van zijn stoel af terwijl Erius met een ruk opstond; zijn schrijftafel viel met een klap op de planken. De la vloog open en lak, perkament en schrijfspullen verspreidden zich over de vloer. De zandstrooier en een pot inkt vielen kapot en een korrelige zwarte plas vloeide uit over de versleten vloer. 'Zo betitel je dus een Gezel van het koninklijk huis?' brulde hij.

'Vergeef me, majesteit!' Deze aanvallen van razernij ontstonden zo plotseling, zo onvoorspelbaar dat zelfs Niryn ze niet kon afwenden. Zover hij wist interesseerde de jongen Erius niets.

'Geef antwoord op mijn vraag, ouwe teringlijdende zak!' Hoe woedender hij werd, hoe harder Erius schreeuwde. 'Spreek je zo over een Gezel, zaadkwak van een wandelend lijk? Geknakte lamlul van een...'

Speeksel vloog in het rond. Niryn viel op zijn knieën en wilde het liefst zijn gezicht afvegen maar bedwong zich. 'Nee, majesteit.'

Erius stond over hem heen en bleef schuimbekkend gore vloeken schreeuwen. Het begon met beledigingen, dan verviel de koning al snel tot onsamenhangend gebrabbel, dan tot verstikt, hees gegrauw. Niryn hield zijn ogen op de vloer gericht, zoals je doet wanneer er plotseling een valse hond voor je neus staat. Vanuit een ooghoek hield hij hem in de gaten, voor het geval de koning een wapen zou grijpen. Dat zou niet de eerste keer zijn.

De uitbarsting was ineens over, zoals altijd het geval was en Niryn tilde langzaam zijn hoofd op. De koning stond te zwaaien op zijn benen, zijn borst bewoog snel op en neer, en zijn vuisten waren gebald. Zijn ogen waren zo leeg als van een pop.

Rheynaris keek om een hoek van de deur.

'Het is voorbij,' fluisterde Niryn en hij wuifde hem weg. Terwijl hij opstond nam hij de koning zacht bij de arm. 'Majesteit, gaat u alstublieft zitten. U bent uitgeput.'

Volgzaam als een doodmoe kind, liet Erius zich weer in de bedstee vallen. Leunend tegen de houten wand sloot hij zijn ogen. Niryn raapte snel het schrijftafeltje op, stopte de inhoud weer in de la en legde een doek over de plas inkt.

Tegen de tijd dat hij klaar was had de koning zijn ogen weer geopend, maar hij vertoefde nog in dat mistige rijk waarin hij altijd rondwaarde na zo'n aanval. Niryn ging naast hem zitten.

'Wat…wat zei ik ook alweer?' zei de koning schor.

'De schildknaap van uw neef, mijn koning. We hadden het erover dat er een aantal mensen aan het hof is die onaardig tegen hem doen vanwege zijn afkomst. Ze noemen hem een "grasridder", geloof ik. Prins Tobin neemt het altijd voor hem op en heeft hem altijd vurig verdedigd.'

'Wat? Vurig, zeg je?' De koning knipperde met zijn ogen en deed zijn best zijn evenwicht weer te vinden. Arme man, hij dacht nog steeds dat zijn aanvallen heel kort duurden en dat niemand ze opmerkte. 'Ja vurig, als zijn arme moeder. Lieve Ariani, ze zeggen dat ze zichzelf gedood heeft…'

Geen wonder dat generaal Rheynaris zo opgelucht geklonken had toen hij kon rapporteren dat de koning het slagveld had verlaten. Het afgelopen jaar hadden zijn geheime missiven volgestaan met scènes als deze. Het bericht van Oruns dood had de koning zo witheet gemaakt dat er een drysiaans drankje aan te pas moest komen om hem te kalmeren. Vreemd, want Orun was de afgelopen jaren duidelijk in zijn achting gedaald. Daar had Niryn voorzichtig zijn steentje aan bijgedragen, zodat hij Erius uiteindelijk kon overtuigen het voogdijschap van hem af te nemen. Oruns invloed op de jongen kon opgevat worden als verraad. Waarom zou de dood van de man hem zo van streek hebben gemaakt?

Erius wreef in zijn ogen. Toen hij opkeek stonden ze weer helder en scherpzinnig als altijd. 'Ik heb de jongens gevraagd om ons in Atyion te ontvangen.' Hij grinnikte. 'Mijn zoon schreef me een tijdje geleden een heel epistel, waarin hij me op mijn kop gaf dat ik zijn neef belette om zijn eigen landgoederen te bezichtigen.'

'Dat deed Orun natuurlijk,' zei Niryn hem. 'Hij verving de hofmeester door een mannetje van hem en begon zijn zakken al te vullen.'

'Die hebzuchtige hufter bespaarde me de moeite hem te laten executeren.' Hij stond op en gaf Niryn een klap op zijn schouder. 'Je hebt misschien toch gelijk gehad. Hij overspeelde zijn hand. Ik had eerder naar je moeten luisteren, ik weet het, maar het was een goede vriend toen mijn moeder in haar moeilijke periode was beland.'

'Uw loyaliteit is legendarisch, majesteit. Zijn dood heeft echter voor wat complicaties gezorgd. Atyion kan niet zonder beschermheer.'

'Natuurlijk niet. Ik heb Solari die post al gegeven.'

'Heer Solari, mijn koning?' Niryn had er een hard hoofd in toen hij zich de knaap op het dek herinnerde.

'Hertog Solari tegenwoordig. Ik heb hem tot beschermheer van Atyion benoemd.'

Niryn balde zijn vuisten in de vouwen van zijn gewaad en deed zijn best zijn teleurstelling niet te laten blijken. Hij had verwacht dat Erius hem om advies zou vragen betreffende de opvolger. Nu was het vetste varkentje zijn neus voorbijgegaan.

'Ja, hij is een betere keus dan Orun. Hij was een van Rhius' generaals, weet je; best loyaal maar bovendien erg ambitieus.' Erius' mond liet een humorloze glimlach zien. 'Het garnizoen van Atyion vertrouwt hem. Tobin doet dat ook. Ik heb Solari vooruitgestuurd om de touwtjes in handen te nemen.'

'Ik erken dat het een wijze keuze is, maar wat zal Tharin daarvan zeggen? Misschien had hij zijn hoop ook in die richting gesteld.'

Erius schudde het hoofd. 'Tharin is een beste man, maar hij heeft geen enkele ambitie. Als Rhius er niet was geweest, was hij nog steeds een derde zoon zonder land geweest en had hij paarden gefokt op Atyion. Ik geloof niet dat we ons bezig moeten houden met wat hij zich in zijn hoofd haalt.'

'Hij staat zeer beschermend tegenover de prins. Hij wijkt niet van zijn zijde.'

'Arme vent. Rhius was zijn leven. Ik neem aan dat hij tot zijn laatste snik rond de jongen blijft draaien en oude herinneringen ophaalt.'

'En staat Solari ook zo loyaal tegenover prins Tobin?'

Daar was de harde glimlach weer. 'Hij is loyaal aan mij. Hij zal de prins beschermen zolang dat mijn goedkeuring wegdraagt. Mocht Solari om de een of andere reden toch uit de gratie raken, dan zullen we wel een mannetje vinden dat klaarstaat te doen wat zijn vorst van hem verlangt. Zeg, wat is dat nou weer voor verhaal over Korin die een kamermeisje met een jong heeft geschopt? Is jou daar iets over bekend?'

'Nou… ja, majesteit, het is waar, maar ik wilde u daar niet mee lastigvallen tot u terug was.' Dit was een van de zeldzame keren dat Niryn overrompeld werd. Hij had het verhaal pas een paar weken geleden gehoord, dankzij een van de alerte spionnen die als bediende in het Oude Paleis werkte. Korin wist van niets; het meisje was slim genoeg geweest om niet op te scheppen over wie de vader van haar baby was. 'Ze is van lage komaf, zoals u wel vermoedt. Kalar heet ze, geloof ik.'

Erius keek hem oplettend aan, en vroeg zich ongetwijfeld af waarom zijn oppertovenaar hem er niets over had verteld.

'Mag ik vrijuit spreken, majesteit?' Niryn dacht vliegensvlug na en draaide het zo dat het hem nog voordelig uitkwam ook.

'Je weet dat ik afga op je raad.'

'Ik ben vader noch strijder, dus vergeef me als ik me vergis omdat mijn kennis tekortschiet, maar ik ben soms een beetje bezorgd om prins Korin. U bent al zolang van huis, u kent de jongeman die hij geworden is vrijwel niet. Die meisjes met wie hij naar bed gaat, en al dat drinken...'

Hij pauzeerde en keek of hij op zijn hoede moest zijn, maar Erius knikte dat hij door moest gaan.

'Want hij is een man geworden, sterk en goedgetraind. Ik heb meester Porion meermalen horen zeggen dat jonge strijders als racehonden zijn: houd je ze van het veld dan worden ze vet en lusteloos, of ze worden vals. Laat hem de strijder zijn die u graag wilde hebben en de rest zal aan de kant geschoven worden. Hij leeft namelijk om u een plezier te doen.

Maar dat is niet alles, mijn koning. De mensen moeten een waardige opvolger in hem zien. Zijn braspartijen gaan overal in de stad al over de tong, maar er zijn geen daden of krijgsverrichtingen die zijn reputatie in balans kunnen houden.' Hij stopte veelbetekenend.

'En nu beginnen de bastaarden ten tonele te verschijnen. U begrijpt zeker wel waartoe dit zal leiden? Zonder wettige erfgenaam zal zelfs zo'n ongelukje aanhangers verwerven. Zeker als dat ongelukje een meisje blijkt te zijn...'

Erius kneep zijn vuisten zo hard dicht dat zijn knokkels wit werden, maar Niryn wist hoe hij hem moest bespelen. 'De gedachte aan uw oude erflijn, besmet met zulk volks bloed...'

'Je hebt helemaal gelijk, zoals altijd. Maak die meid af voor ze werpt.'

'Ik zal er persoonlijk op toezien.' Dat zou hij toch wel gedaan hebben; zijn Nalia zou geen rivalen op haar weg hoeven vinden, zeker geen wicht van een kamermeid met koninklijk bloed in haar aderen.

'Ach Korin, Korin, wat moet ik toch met je beginnen?' Erius schudde het hoofd. 'Hij is alles wat ik heb, Niryn. Ik ben al zijn hele leven doodsbang hem verliezen, net zoals zijn lieve moeder en de andere kinderen. Ik heb bij geen enkele vrouw een ander kind weten te verwekken. Elk kind was of doodgeboren of een gedrochtje dat het niet zou halen. Dit bastaardje, weet je...'

Niryn hoefde de geest van de koning niet af te speuren naar wat hij dacht, maar niet durfde uit te spreken: *Stel dat de kinderen van mijn zoon ook monstertjes worden?* Dat zou het laatste bewijs zijn van Illiors vloek op zijn bloedlijn.

'Hij zal spoedig oud genoeg zijn om te trouwen, majesteit. Geef hem een gezonde vrouw van een nobele familie en hij zal u prachtige, sterke kleinkinderen schenken.'

'Natuurlijk, je hebt alweer gelijk.' De koning slaakte een diepe zucht. 'Wat zou ik toch zonder je moeten beginnen? De Vier zij dank dat tovenaars zo lang leven. Je bent nog jong, Niryn. De wetenschap dat je nog generaties lang naast de troon zal staan is een grote troost voor me.'

Niryn maakte een diepe buiging. 'Een ander levensdoel heb ik niet, majesteit.'

17

Het landschap ten noorden van Ero bestond uit een golvende mengeling van bos en open landbouwgebied dat zich uitstrekte van de kust tot in het gebergte dat in het westen net te zien was. De knoppen van de bomen stonden op het punt om open te gaan, merkte Ki op, en krokussen en blauwe hanenkam fleurden de modderige velden en bermen op. In de dorpen waar ze doorheen trokken waren de tempels en kapelletjes aan de kant van de weg versierd met lange slingers van die bloemen in verband met de Dalnafeesten.

Het was een lange rit naar Atyion, en de Gezellen en de gardisten vermaakten elkaar met liederen en verhalen om de tijd te doden. Het was onbekend terrein voor Tobin, maar Ki kende het gebied van tochten met zijn vader, en later was hij met Iya via deze weg naar de burcht in het zuiden gereisd.

Bij het aanbreken van de tweede dag kwam een grote groep eilanden in zicht, die aan de horizon oprezen als walvissen die naar lucht hapten. Toen ze stilhielden om de paarden wat rust te gunnen, deden Porion, Tharin en Korins kapitein, een donkere, verweerde heer die de naam Melnoth droeg, de tijd sneller voorbijgaan door verhalen uit te wisselen over gevechten met piraten en Plenimaranen in de wateren om de eilanden, en over het heilige eiland Kouros waar de eerste hierofant en zijn volk aan land waren gegaan en zijn hof gesticht had.

'Je kunt de magie door de stenen voelen zinderen, jongens,' vertelde Porion. 'En het is een soort magie die de Vier onbekend is.'

'Dat komt omdat de Ouden hun toverspreuken op alle rotsen krabbelden en met verfstoffen aanbrachten in grotten aan de kust,' zei Melnoth. 'De hierofant bracht het aanbidden van de Vier met zich mee over het water, maar de oude krachten lieten zich niet verdrijven door een nieuwe godsdienst, en ze zijn nog steeds aanwezig. Ze zeggen dat zijn zoon daarom het hof naar Bensjâl heeft verplaatst.'

'Ik droomde daar altijd de gekste dingen,' mijmerde Tharin.

'Maar zijn er niet langs de hele kust van die tekens en spreuken?' vroeg Korin. 'De Ouden leefden toch langs de hele kust van de Binnenzee.'

'De Ouden?' vroeg Tobin.

'Tegenwoordig worden ze de heuvelstammen genoemd,' legde Porion uit. 'Kleine, donkere lieden die een eeuroude vorm van zwarte kunst beoefenen.'

'En ze stelen als raven,' voegde een van Korins gardisten eraan toe. 'Normale mensen joegen op hen alsof het konijnen waren.'

'Ja, dat deden we,' murmelde de oude Laris, maar hij keek er treurig bij.

'Zolang de paar die nog leven de bergen niet uitkomen, hoeven ze nergens bang voor te zijn,' zei Korin, verwaand, alsof hij ze er zelf heen gedreven had.

Iedereen wist er wel iets aan toe te voegen. De heuvelmensen offerden jongemannen en kinderen om hun kwade godin tevreden te stellen. Bij bepaalde maanstanden neukten ze als beesten in het veld en ze aten al hun vlees rauw. Hun heksen konden zich in wilde dieren en demonen veranderen, ze konden doden door op een hol takje te blazen, en de doden oproepen uit het graf.

Tobin begreep dat ze het over Lhels volk hadden. Hij moest zijn lippen op elkaar klemmen om niet tegen een paar soldaten in te gaan die het over betoveringen en vernietigende vervloekingen hadden, en hij wist dat Ki zich ook inhield. Hij was dol op de heks die zijn leven tweemaal had gered. Lhel was gewoon een heleres, een kruidenvrouwtje, en ze was een wijze vriendin geweest.

Maar Tobin kon niet ontkennen dat ze bloed en stukjes bot van Broer had gebruikt in haar magie. Dat deed toch aan zwarte magie denken, nu hij erover nadacht. Heel even flitste er een beeld door zijn gedachten: een blikkerende naald in het licht van het vuur, en Broers tranen van bloed die vanuit de lucht op hem vielen. Het litteken op zijn borst begon te jeuken en Tobin moest er hard over wrijven om het op te laten houden.

'Er zijn heel wat keurige Skalaanse families die bloed van heuvelmensen in hun aderen hebben, als ze daar eens naar zouden informeren bij hun grootmoeders,' sprak Tharin. 'En wat hun magie betreft, ik denk dat ik ook gedaan zou hebben wat ik kon, als er een stel vreemdelingen mijn land binnen kwam denderen om het in te pikken. En dat zouden jullie ook doen.'

Er werd grommerig geknikt en Tobin was hem dankbaar. Lhel had altijd een goed woordje voor Tharin overgehad. Tobin vroeg zich af wat hij van haar zou vinden.

De weg week geleidelijk van de kust af en ze reden door dichtbebost gebied waar het geluid van de golven niet meer te horen was. Toen het middag werd liet Tharin hen stoppen en wees hen op een stel granieten pilaren langs de kant van de weg. Ze waren door weer en wind geteisterd en bemost, maar Tobin kon de eikenboom die erin gehouwen was nog vaag onderscheiden.

'Weet je wat dit zijn?' vroeg Tharin.

Tobin haalde zijn vaders eikenzegel tevoorschijn; het ontwerp leek als twee druppels water op dat van de pilaren. 'Dit is zeker de grens, hè?'

'Rijd maar voorop, dit is jouw land, neefje,' zei Korin grijnzend. 'En leve Tobin, zoon van Rhius, prins van Ero, en rechtmatig telg van Atyion!'

De rest van het gezelschap juichte en trommelde op hun schilden, terwijl Tobin Gosi tussen de pilaren door dreef. Hij geneerde zich een beetje voor al die ophef; achter de grenspalen ging het bos gewoon verder als ervoor.

Maar na een paar mijl eindigde het bos en nu liep de weg weer door een open vlakte naar de zee in de verte. Boven op een heuvel hield Korin zijn paard in en wees naar beneden. 'Daar ligt het, het mooiste grootgrondbezit buiten Ero.'

Tobins mond viel open. 'Is dat... is dat allemaal van mij?'

'Jazeker! Nou ja, wanneer je meerderjarig bent dan.'

In de verte doemde een grote stad op in de bocht van een meanderende rivier die als een slang naar zee stroomde. De landerijen waren bespikkeld met kleine boerderijen en een raster van lage stenen muurtjes strekte zich erover uit. Schapen en grote kudden paarden graasden tussen een deel van hen; andere muurtjes omzoomden akkerbouwgebied of wijngaarden.

Maar Tobin had enkel oog voor de stad en het indrukwekkende kasteel dat op het hele gebied bij de rivier zijn stempel drukte. Hoge muren, verstevigd door ronde bastions met kraagstenen en omringd door oneindig veel stenen en houten gebouwtjes scheidden stad en kasteel van het platteland. Het kasteel zelf was vierkant met twee hoge, opvallende torens van roodbruin gesteente. Het was ongeveer zo groot als het Nieuwe Paleis en had betere vestingwerken, zodat de stad aan de voet ervan maar klein leek.

'Is dat Atyion?' fluisterde Tobin ademloos. Hij had de verhalen over de grote rijkdom en grandeur wel gehoord, maar omdat hij geen vergelijkingsmateriaal had, had hij het zich altijd als een burcht in het groot voorgesteld.

'Ik zei toch dat het groot was,' zei Ki.

Tharin hield een hand boven zijn ogen en tuurde naar de lange banieren die op de torens en de kantelen wapperden. 'Dat zijn jouw kleuren niet.'

'En die van vader zie ik ook niet,' zei Korin. 'Ziet ernaar uit dat we op tijd zijn om hem welkom te heten. Tobin, jij rijdt voorop en laat die luie donders eens weten dat we eraan komen!'

De dragers van de standaard galoppeerden voorop over de modderige weg om aan te kondigen wie eraan kwam. De Gezellen volgden hen in een pittige draf. De boeren en veedrijvers die ze onderweg tegenkwamen juichten en klapten. Toen ze de poorten bereikten had zich al een grote menigte verzameld om hen te begroeten. Tobins vlag was aan de hoge paal bij de stadspoort bevestigd, maar vlak eronder hing een andere, een die alleen Tharin en hij herkenden – Solari's gouden zon op een groen veld. Maar dat was niet alles. De bovenkant van de mast werd niet door de bronzen ring van een heer bekroond, maar door de zilveren maansikkel van een hertog.

'Ik geloof dat vader al een nieuwe beschermheer voor Atyion heeft gekozen,' zei Korin.

'En hem meteen maar gepromoveerd heeft ook,' vulde Tharin aan.

'Was Solari niet een vazal van je vader?' vroeg Korin.

Tobin knikte.

'Nou, dat is dan een hele verbetering in vergelijking met de vorige beschermheer!' zei Tharin. 'Je vader zou in zijn sas geweest zijn.'

Maar Tobin was er niet zo zeker van. De laatste keer dat hij Solari had gezien was toen hij met de rest van het garnizoen de as van zijn vader terug kwam brengen. Solari en heer Nyanis waren de meest getrouwe leenmannen van zijn vader. Maar toen Solari afscheid kwam nemen van Tobin was Broer verschenen die hem fluisterend van verraad beschuldigde.

Hij liet zijn kapitein weten dat hij binnen het jaar zelf heer van Atyion zou zijn…

'Is hij nu heer van Atyion?' vroeg hij.

'Nee, die titel behoort alleen jou toe,' verzekerde Tharin hem. 'Maar Atyion moet een beschermheer hebben tot je meerderjarig bent.'

Door de komst van de standaarddragers had zich een nog grotere menigte op het marktplein verzameld. Honderden mensen verdrongen zich om een glimp van hem op te vangen, lachend en wuivend met doeken of lapjes blauwe stof. Korin en de anderen hielden hun paarden in en lieten Tobin voorop rijden. Al snel werd het gejuich ritmischer: de bevolking scandeerde zijn naam: 'To-bin! To-bin! To-bin!'

Hij keek verbijsterd om zich heen, en stak aarzelend zijn hand in de lucht. Het gejuich werd oorverdovend. Deze mensen hadden hem nooit eerder gezien, maar ze schenen hem meteen te kennen, en van hem te houden.

Zijn hart zwol van trots, iets dat hij nooit eerder had gevoeld. Hij trok zijn zwaard en groette de bevolking. Eerbiedig week men opzij terwijl Tharin de weg wees via nauwe kronkelende straatjes die naar het kasteel leidden.

Kinderen en honden renden opgewonden naast de paarden en vrouwen leunden uit de ramen, met doeken zwaaiend naar de stoet beneden hen. Toen hij over zijn schouder gluurde, zag Tobin dat Ki zo gelukkig keek alsof de stad van hem was.

Hij keek Tobin lachend aan en schreeuwde: 'Ik zei het toch, of niet soms?'

'Eindelijk thuis!' riep Tharin die het opgevangen had.

Tobin had de burcht altijd als zijn thuis beschouwd, maar Tharin was hier geboren, net als zijn eigen vader. Ze hadden samen door de straatjes gereden, op de muren en bij de oever van de rivier gespeeld, en in het kasteel dat nu voor hen opdoemde.

Tobin haalde zijn zegel en ring weer tevoorschijn en klemde ze vast in zijn hand, en stelde zich voor hoe zijn vader zijn bruid hier met eenzelfde soort verwelkoming had binnengeleid. Maar zijn gevoel van thuiskomst werd toch enigszins overschaduwd – dit had ook zijn thuis moeten zijn.

De stad was schoon en welvarend. De marktpleinen die ze passeerden waren vol kraampjes en winkeltjes, en de vakwerkhuizen waren stevig en in goede staat. Overal schenen veekralen te zijn, vol schitterende paarden.

Ze waren vlak bij het kasteel toen Tobin zich opeens realiseerde dat ze helemaal geen bedelaars in de straten hadden gezien, noch pesttekens op de deuren.

Een brede slotgracht scheidde de stad van de kasteelmuren. De ophaalbrug was neergelaten en in draf gingen ze eroverheen. Via de poort kwamen ze op een enorme binnenplaats terecht.

Beschut door de gordijngevel lag een soort dorpje van kazernebarakken en stallen, boerenhuisjes en bedrijfjes zoals een hoefsmederij.

'Bij het Licht!' riep Lutha uit. 'Je kunt hier zowat de hele Palatijnse Heuvel in kwijt!'

Ook hier waren veekralen met paarden en schapen; de varkens werden door kinderen gehoed die wild naar hen wuifden toen ze er stapvoets langsreden.

Soldaten stonden in rijen opgesteld tot aan de ingang van het kasteel; sommigen droegen zijn kleuren, anderen die van Solari. Ze salueerden, schreeuwden zijn naam, en die van Korin, ze riepen naar Tharin en sloegen op hun schilden met het gevest van hun zwaarden of hun bogen terwijl ze passeerden. Tobin probeerde hen te tellen, maar hij gaf het op. Het waren er honderden. Hij was blij een paar bekende gezichten te zien: mannen die zijn vader hadden gediend.

'Het werd zo langzamerhand tijd dat je de prins thuis bracht!' riep een oude veteraan naar Tharin, terwijl hij een enorme wolfshond aan de ketting in bedwang hield. De hond blafte en worstelde; Tobin had het idee dat het beest naar hem keek.

'Ik zei toch dat er een dag zou komen dat ik dat zou doen!' schreeuwde Tharin terug. Dat deed nog meer gejoel en gejuich opstijgen.

Solari en een blonde jonkvrouwe stonden hen op te wachten op het bordes van het kasteel.

Solari's heraut stak zijn trompet de hoogte in en liet een doordringend saluut klinken, en riep toen met luide, formele stem uit: 'Gegroet zij Korin, zoon van Erius, kroonprins van Skala, en prins Tobin, zoon van Rhius en Ariani, heer van Atyion. Hertog Solari, heer van Evermere en Schoonhaven, en Beschermheer van Atyion en zijn edele vrouwe, hertogin Savia, heten u van harte welkom.'

Tobin gleed uit het zadel en liet zijn beschermheer de trap aflopen om naar hem toe te komen. Solari's zwarte, krullende haar en baard vertoonden wat meer grijze haren, maar zijn blozende gezicht had een jeugdige aanblik toen hij een knieval maakte en het gevest van zijn zwaard aan Tobin aanbood.

'Mijn heer, het is mij een uitzonderlijk grote eer om je in je vaders huis welkom te heten, dat nu van jou is. Zijne Majesteit, koning Erius, heeft me als beschermheer van Atyion aangesteld tot je meerderjarig bent. Ik vraag nederig om je zegen.'

Tobin greep het gevest en keek recht in Solari's ogen. Ondanks Broers waarschuwing las hij daarin alleen warmte en respect. Zou Broer het dan toch mis hebben gehad, of gelogen hebben om herrie te schoppen, zoals hij met Ki gedaan had?

Terwijl Solari naar hem glimlachte, hoopte Tobin maar dat Broer het niet bij het rechte eind had gehad. 'Mijn zegen heb je, hertog Solari. Fijn je weer te zien.'

Solari stond op en stelde Tobin voor aan zijn vrouw. 'Mijn echtgenote, hoogheid.'

Savia maakte een diepe kniebuiging en kuste hem op beide wangen. 'Welkom thuis, mijn prins. Ik heb er zo lang naar verlangd je te ontmoeten!'

'Ik neem aan dat het niet gepast zou zijn om je op mijn schouders te nemen zoals ik altijd deed?' zei Solari en zijn donkere ogen fonkelden.

'Dat denk ik niet!' lachte Tobin. 'Graag stel ik je voor aan mijn koninklijke neef, prins Korin. En je herinnert je ridder Kirothius natuurlijk wel, mijn schildknaap.'

Solari greep Ki's vuist. 'Jullie zijn allebei zo ontzettend gegroeid, ik herken jullie nauwelijks. En daar heb je Tharin ook! Hoe is het met jou, mijn vriend? Het is alweer veel te lang geleden dat we elkaar zagen.'

'Dat kun je wel zeggen, ja.'

'Ik voelde me net een indringer toen ik hier door de zalen liep zonder jou en Rhius. Maar nu zijn zoon er eindelijk is, schijnt alles weer op zijn pootjes terecht te komen.'

'Hoe lang woon je hier al?' vroeg Tharin. 'Wij hebben nooit bericht ontvangen dat je was aangesteld.'

'De koning installeerde me voor we uit Mycena wegvoerden en stuurde me vooruit om het huis in gereedheid te brengen voor prins Tobin en zijn eigen aankomst.'

'Hoe is het met heer Nyanis?' vroeg Tobin. Nyanis was altijd Tobins favoriete generaal geweest. Hij had hem het laatst gezien op die droeve dag dat ze zijn vaders as thuisbrachten.

'Zover ik weet goed, prins. Ik heb eigenlijk nooit meer iets van hem vernomen.' Solari liet hen voorgaan, de trap op. 'Ik ben het afgelopen jaar met de koning in het koninklijke kamp geweest. Nyanis zit met generaal Rynar verschanst ten noorden van Nanta tot we zeker weten dat men zich aan het bestand houdt.'

Toen ze onder de ronde poort door liepen viel Tobins oog op het houtsnijwerk van de plaquette boven de deuren; het stelde een gehandschoende hand voor die het met bloemslingers versierde zwaard van Sakor vasthield. Hij raakte zijn hart en gevest aan terwijl hij eronderdoor liep en Korin deed precies hetzelfde. Maar Tharin fronste zijn wenkbrauwen, eerst vanwege de plaquette, toen vanwege een nors kijkende, omvangrijke man die de zilveren keten en de lange tuniek van de hofmeester droeg, en die een diepe buiging maakte toen ze binnenkwamen.

'Waar is Hakone?' vroeg hij Solari.

'Hij is helaas nu echt te zwak geworden om zijn taken naar behoren te vervullen, het arme oudje,' zei Solari. 'Orun had hem door een van zijn mannetjes met van die sluwe ogen laten vervangen, maar die heb ik zo snel mogelijk de laan uitgestuurd. Ik heb de vrijheid genomen om Eponis hier aan te stellen, een betrouwbare knaap, afkomstig uit mijn eigen huishouden.'

'En om bovendien je eigen vlaggen aan de kantelen te laten wapperen,' voegde Tharin er scherp aan toe. 'Prins Tobin dacht even dat hij bij het verkeerde kasteel was aanbeland.'

'Hoogheid, dat was geheel mijn fout,' mompelde Eponis en hij maakte nogmaals een diepe buiging voor Tobin. 'Ik zal erop toezien dat ze meteen vervangen worden.'

'Dank u,' zei Tobin.

Solari en zijn vrouwe leidden hen de ontvangstkamer door waar een zware wierookgeur opsteeg vanaf een huisaltaar zo groot als een toonbank. Er zat een zwarte kat voor het altaar, met de staart netjes om de pootjes geslagen, die hem aankeek met ogen als goudstukken. Er lag een hondje met een grijze snoet naast, maar toen hij Tobin opmerkte kwam hij stijfjes overeind en dribbelde weg. De kat keek hem onbewogen na en begon haar snoet te wassen.

Nadat ze een soort kloostergang met pilaren doorkruist hadden, kwamen ze in de centrale hal. Toen Tobin daar binnenging hield hij overweldigd zijn adem in.

Licht stroomde door de hoge ramen naar binnen, maar zelfs met dit schelle middaglicht waren de toppen van de plafondgewelven niet te onderscheiden omdat de schaduw hen opslokte. Rijen van stenen zuilen droegen het dak en vormden een luchtige barrière voor de zijkamers. De vloer bestond uit gekleurde baksteentjes die in een visgraatpatroon gelegd waren, en aan de muren hingen enorme wandtapijten. Van alle kanten blonken goud en zilver hem tegemoet – borden op hoge planken, schilden en andere oorlogstrofeeën die aan pilaren waren bevestigd, beelden en sierlijke kannen op schappen boven de tientallen zijtafels. Midden in de zaal stond een groep lakeien in blauw livrei op orders te wachten.

Een witte kat lag onder een tafel vlak bij hen, met een nest lichtrode en witte katjes aan de tepels. Aan de andere kant van de hal waren twee katten – de ene zwart-wit, de ander een cyperse – aan het rollebollen en spelen. Een enorme zwarte kater met een witte bef zat zijn achterpoot te likken tussen de zilveren kannen op een zijtafel. Tobin had nog nooit zoveel katten binnenshuis gezien. Atyion stikte waarschijnlijk van de muizen dat ze er zoveel nodig hadden.

Tharin grinnikte zachtjes naast hem en Tobin besefte dat zijn mond nog steeds openhing alsof hij een boerenpummel was. Maar hij was niet de enige.

'Bij de Vlam!' zei Lutha naar lucht happend en verder wist hij niets te zeggen. Zelfs Alben en zijn vrienden waren onder de indruk.

'Ik heb aan elk van de Gezellen een dienaar toegewezen, aangezien niemand van jullie in dit kasteel bekend is,' vertelde Eponis hen. 'Je verdwaalt hier vrij gemakkelijk als je de weg niet kent.'

'Ik geloof je graag!' riep Lutha uit tot grote pret van iedereen.

'Heer Tharin kan mij wegwijs maken,' zei Tobin want hij wilde zijn vriend graag in de buurt houden.

'Zoals u wenst, mijn prins.'

'Al iets van mijn vader gehoord?' vroeg Korin.

'Hij wordt morgen verwacht, mijn prins,' liet Solari weten. 'Alles is klaar om hem te ontvangen.' Hij wendde zich tot Tobin en glimlachte. 'De bedienden kunnen je naar je vertrekken brengen als je even wilt rusten. Of misschien wil je liever iets meer van je kasteel zien.'

Je kasteel. Tobin moest er even om grinniken. 'En of ik dat wil!'

De hele middag gingen ze op verkenning in het kasteel, met Solari en Tharin als gidsen. Het woongedeelte was in de eerste toren gevestigd en in een vleugel met een tuin tussen de eerste en de tweede toren. Die tweede was bedoeld als fort, graanschuur, wapenopslagplaats en schatkamer. Tobin stond perplex toen hij hoorde dat er in tijden van beleg een paar duizend soldaten in konden worden ingekwartierd.

In de tweede vleugel, die parallel lag aan de andere, waren de bedienden ondergebracht en lagen de keukens, wasserijen, brouwerij en andere huishoudelijke afdelingen. Eén kamer stond vol weefgetouwen waar de wevers hun apparaat lieten klakken; in de volgende zaten tientallen vrouwen en meisjes vlas en wol te spinnen als werkmateriaal voor de wevers.

Binnen in de door de torens en vleugels gevormde rechthoek lagen uitgebreide tuinen en boomgroepjes, met een sierlijk tempeltje dat gewijd was aan Illior en Sakor. Een balkon rondom het bovenste deel van de hoofdtoren gaf uitzicht op het hele kasteelterrein.

Tobin en de anderen waren overdonderd en opgelucht dat ze hun pijnlijke voeten in hun vertrekken konden laten bijkomen, waar ze zich konden voorbereiden op het feestelijke banket van die avond.

De Gezellen hadden kamers hoog in de koninklijke vleugel, met een balkon met uitzicht op de tuin. Tobin en Korin kregen elk een eigen kamer; de rest werd verdeeld over twee grote logeerkamers.

Met alleen Ki en Tharin bij zich keek Tobin zijn kamer rond, en zijn hart begon sneller te kloppen. Hij voelde dat deze kamer toebehoord had aan een jongeman uit zijn voorgeslacht. Het bedgordijn was geborduurd met galopperende paarden, en er hingen wapens en schilden aan de muren. Een paar speeltjes lagen netjes boven op een kist: een bootje, een paard op wieltjes en een houten zwaard.

'Dat lijkt precies op het zwaard dat mijn vader me gaf!' Toen sloeg zijn hart een slag over. 'Dit is van hem, nietwaar? Dit was mijn vaders kamer!'

'Ja. We hebben hier geslapen totdat…' Tharin stopte en schraapte zijn keel.

'Het was de bedoeling dat het jouw kamer werd. Dat had het ook moeten zijn.'

Op dat moment verscheen er een vrouw op de drempel. Ze was als hofdame gekleed en haar asblonde vlechten waren opgestoken. Een zware sleutelring hing aan een gouden ketting aan haar gordel. Ze werd begeleid door een rode kater met een stuk uit zijn oor, die meteen aan Tobins laarzen begon te snuffelen.

Het gezicht van de dame was gerimpeld van ouderdom, maar ze stond rechtop als een strijder en haar lichtblauwe ogen glommen van plezier toen ze waardig neerknielde voor Tobin en zijn hand kuste. 'Welkom thuis, prins Tobin.' De kat ging op zijn achterpoten staan en gaf een kopje tegen hun handen.

'Dank u, vrouwe,' antwoordde Tobin en hij vroeg zich af wie ze was. Haar gezicht had iets bekends, al wist hij zeker dat hij haar nooit eerder had ontmoet. Toen Tharin echter naast haar ging staan, zag Tobin dat ze dezelfde lichte ogen en blond haar hadden en dezelfde krachtige, rechte neus.

'Sta me toe je voor te stellen aan mijn tante Lytia,' zei Tharin terwijl hij zichtbaar zijn best deed om niet in lachen uit te barsten om de uitdrukking op Tobins gezicht. 'Volgens mij lopen er hier ook nog een paar neefjes en nichtjes van me rond.'

Lytia knikte. 'Grannia zwaait de scepter over de voorraadkamers en provisiekelders, en Oril is Paardenmeester. Ik was een hofdame van je grootmoeder, mijn prins, en ook van je moeder toen ze hier woonde. Later stelde je vader me aan als sleuteldraagster. Ik hoop dat u van mijn diensten gebruik wilt maken.'

'Natuurlijk,' sprak Tobin die nog steeds van de een naar de ander keek.

'Dank u, mijn prins.' Ze keek naar de kat die kronkelend en spinnend langs Tobins enkels streek. 'En deze boef is Meester Streepstaart, Atyions chef rattenvanger. Hij herkent de meester van het huis, zie ik. Hij is bepaald geen allemansvriend, al mag hij mij en Hakone graag, maar hij is kennelijk meteen voor je gevallen.'

Tobin knielde neer en begon voorzichtig zijn gestreepte rug te strelen in de verwachting dat hij zou gaan grommen zoals honden altijd deden. In plaats daarvan duwde Streepstaart zijn besnorde snoet tegen Tobins kin en begon zijn lange, scherpe klauwen langzaam in en uit te strekken tegen zijn mouw, alsof hij erom vroeg opgetild te worden. Het was een sterk en zwaar dier en het bezat extra nagels aan elke poot.

'Moet je kijken! Zeven tenen. Ik beklaag de rat die het waagt bij hem in de buurt te komen,' riep Tobin verrukt uit. De katten die hij kende uit schuren en stallen waren verwilderde beesten die bliezen als hij ze wilde aanhalen. 'En kijk, hij is een geweldige krijger, dat zie je zo. Al zijn wonden zitten aan de voorkant. Van jouw diensten wil ik ook graag gebruikmaken, Meester Streepstaart.'

'Er is misschien nog een kamer die zijn interesse heeft, Tharin,' mompelde Lytia. 'Ik heb heer Solari gevraagd of wij hem aan Tobin mochten laten zien.'

'Wat is dat voor kamer?'

'De slaapkamer van je ouders, mijn prins. Er is niets aan veranderd sinds de laatste keer dat ze daar sliepen. Ik dacht dat je hem wel wilde zien.'

Tobin kreeg een steek in zijn hart. 'Ja, alstublieft. Jij ook, Ki,' zei hij toen zijn vriend naar achteren stapte.

Met de zware kat nog steeds tegen zijn borst gedrukt, volgde Tobin Tharin en Lytia de gang door naar een deur die met houtsnijwerk van fruitbomen en vogels met lange sierlijke staarten was versierd. Lytia nam een sleutel uit de bos en deed de deur open.

De prettig ingerichte kamer baadde in het late namiddaglicht. De bedgordijnen waren van donkerblauw fluweel waarop vliegende witte zwanen waren geborduurd; de wandkleden die de muren bedekten toonden een variatie op hetzelfde thema. De balkondeuren stonden wijdopen waardoor de tuinen te zien waren. Iemand had hier niet te lang geleden wierook en bijenwas gebrand. Tobin ving nog een vleugje op van de mufheid van een kamer waar al zo lang niemand meer had gewoond, maar het had niets van de schimmelige, vochtige geur die hij van thuis kende. En de kamer leek ook in niets op de droevige, halflege kamers van Ero. Deze kamer was altijd goed bijgehouden, alsof de bewoners elk moment terug konden keren.

Er stond een aantal fraaie doosjes en kistjes op de kaptafel, en het gebruikelijke schrijfgerei lag op het bureau dat voor een van de ramen met verticale raamstijlen stond. Glimmende geëmailleerde drinkbekers stonden op een rij op een zijtafel tegen een muur, en ivoren schaakstukken stonden op een glanzend spelbord bij de haard.

Hij boog zich voorover om Streepstaart op de grond te laten springen en de kat liep met de staart in de hoogte achter hem aan terwijl hij de kamer rondwandelde, de bedgordijnen aanraakte, een schaakstuk oppakte en zijn vinger over een ingelegd deksel van een juwelenkistje liet glijden. Hij snakte ernaar iets te vinden dat hem aan zijn vader herinnerde, maar hij was zich te bewust van de anderen in de kamer.

'Dank u wel dat u me dit hebt laten zien,' zei Tobin ten slotte.

Lytia glimlachte begripvol en ze legde de sleutel in zijn hand, waarna ze zijn vingers eromheen sloot. 'Dit is nu allemaal van jou. Ga er maar heen wanneer je wilt. De kamer zal altijd voor je klaarstaan.'

Ze kneep even in zijn hand en Tobin vermoedde dat ze snapte waarnaar hij zocht, en dat hij het niet had gevonden.

18

Die avond werd een feestelijk banket gehouden in de grote hal, aan drie tafels die in een halve cirkel waren neergezet. Solari en zijn gezin zaten naast Tobin en Korin. Zijn oudste zoon van zijn vorige vrouw was in dienst bij de koning, dus zaten alleen Savia's kinderen, twee jongetjes en een schattig dochtertje dat Roos heette, bij hen. Het meisje zat vrijwel de hele maaltijd bij Korin op schoot. De rest van het gezelschap bestond uit de andere Gezellen, Solari's vrienden en generaals en een stel rijke kooplieden uit de stad. Het was een luidruchtige en drukke aangelegenheid die nog rumoeriger werd door een onophoudelijk komen en gaan van minstrelen en zangers.

Tobin zat op de ereplaats aan de tafel waarboven een baldakijn gespannen was, maar Solari was onmiskenbaar de gastheer. Zijn mannen bedienden aan tafel, en hij gaf opdracht de volgende gang te laten brengen, de wijn bij te schenken en de minstrelen en jongleurs te laten vervangen. Hij vroeg onophoudelijk of Korin en Tobin het wel naar hun zin hadden, liet de lekkerste stukjes van elke schotel bij hen op het bord leggen en stak de loftrompet over de wijnen, het resultaat van de uitstekende wijngaarden van Atyion.

Gang na gang verscheen en elke gang leek wel een banket op zichzelf. Vrouwe Lytia stond bij de entree van de bedienden en inspecteerde hoogstpersoonlijk iedere schotel die voor de hoofdtafel bestemd was. De eerste gang alleen al bestond uit rundvlees met mosterd, geroosterde houtsnip, patrijs, pluvier en kwartel. Dan volgde de visgang: paling in gelei, knorhaan met saus, gebakken witvis, gerookte snoekpastei, en mosselen gevuld met brood en kaas. Als dessert waren er drie verschillende soorten taart, hartige en zoete pasteitjes, en vrolijk versierde koffiebroodjes.

Tientallen kasteelkatten hielden hen gezelschap, sprongen op de tafel op zoek naar lekkere hapjes en liepen de bedienden voor de voeten. Tobin zocht naar zijn nieuwe vriend, maar Streepstaart was nergens te bekennen.

'Uw koks stellen de koninklijke keukens in de schaduw, vrouwe!' riep Korin tegen Savia terwijl hij grijnzend zijn vingers aflikte.

'Alle eer komt vrouwe Lytia toe,' antwoordde de hertogin. 'Zij ziet toe op de menu's en de koks, zelfs op het kopen van de ingrediënten. Ik zou niet weten wat ze zonder haar zouden moeten beginnen.'

'En hier is ze dan met het klapstuk van vanavond!' riep Solari uit.

Lytia ging twee bedienden voor die een enorme pastei op een grote ronde schotel de zaal indroegen. Op haar teken zetten ze hem voor Tobin neer. De gouden korst was versierd met Atyions eikenboom, geflankeerd door twee zwanen, geboetseerd van korstdeeg en met gekleurd glazuur afgewerkt.

'Om u op uw eerste avond bij ons te plezieren, prins Tobin,' zei ze en ze bood hem een lang mes aan dat versierd was met een blauw lint.

'Het is gewoonweg jammer om hem aan te snijden,' zei Tobin. 'Mijn complimenten, vrouwe.'

'Snijden, snijden,' riep kleine Roos, wippend op Korin schoot en klappend in haar handjes.

Terwijl hij zich afvroeg waarmee de pastei gevuld kon zijn, stak Tobin het mes in het midden van de korst. Het hele geval brak in stukken uiteen waardoor een zwerm van kleine blauwgroene vogeltjes kon ontsnappen en boven de tafel bleef rondfladderen. De katten werden dol en maakten hoge sprongen tussen de restjes en schalen op tafel, tot groot vermaak van de gasten.

'Uw hooggeachte tante is een ware kunstenares!' riep Solari over tafel naar Tharin, die de lof met een knikje in ontvangst nam.

Lytia maakte een gebaar naar de keuken en daarop werd een identieke pastei binnengedragen, maar deze was gevuld met in brandewijn geweekte pruimen en custardvla.

'Allemaal van uw landgoederen en uw kelders, mijn prins,' zei ze trots, terwijl ze Tobin de eerste portie gaf.

Een halfwas zwart-wit katje sprong op zijn schoot en begon aan zijn bord te snuffelen.

Tobin aaide zijn zachte vacht. 'Ik heb nog nooit zoveel katten bij elkaar gezien!'

'Er zijn altijd katten op Atyion geweest.' Lytia gaf het katje wat custard op haar uitgestoken wijsvinger. 'Ze zijn Illior welgevallig omdat ze van de maan houden.'

'Mijn oude kindermeid vertelde dat ze daarom de hele dag slapen en 's nachts op jacht gaan,' zei Korin die het katje bij Roos op schoot zette en onder zijn kin kriebelde. 'Jammer toch dat vader een gruwelijke hekel aan ze heeft.'

De zwart-witte sprong weer op Tobins schoot maar toen kwam opeens Streepstaart grommend vanonder de tafel tevoorschijn. Hij zat met één sprong op de armleuning van Tobins stoel, gaf de zwart-witte een tik en nam zijn plaats op schoot in.

'De Lichtdrager draagt je vast een warm hart toe, als die vetzak jou opzoekt,' merkte Solari op die Streepstaart misprijzend aankeek. 'Dat monster laat me niet in zijn buurt komen.' Hij stak zijn hand uit om het dier op zijn kop te krauwen maar Streepstaart legde zijn oren plat tegen zijn kop en blies vervaarlijk. Solari trok snel zijn hand terug. 'Zie je?' Hij schudde zijn hoofd terwijl de kater Tobins kin likte, luid spinnend. 'Een heel warm hart!'

Tobin aaide de rug van de grote kat en dacht nogmaals aan Broers waarschuwing.

Na de pastei kwamen er noten en kaas op tafel, maar Tobin zat vol en kon maar een paar gesuikerde amandelen op. Een nieuwe groep minstrelen kwam met de lekkernijen de zaal binnen en een aantal gasten begon te dobbelen tussen de lege wijnbekers. Niemand scheen aanstalten te maken om naar bed te gaan.

Doodop en duizelig van al de wijn, verontschuldigde Tobin zich zo snel als hij beleefdheidshalve kon.

'Welterusten, lieve neef!' riep Korin en hij stond op om hem wankelend te omhelzen. Zoals gewoonlijk had hij veel meer gedronken dan Tobin.

Iedereen stond op om hem goedenacht te wensen. Tobin vermoedde dat het feest nog tot ver na middernacht voortgezet zou worden, maar ze zouden het zonder hem moeten doen. Tharin en Ki deden hem uitgeleide, met Streepstaart dribbelend in de achterhoede, zijn staart als een banier in de lucht.

Tobin was nog dankbaarder dan anders voor Tharins gezelschap terwijl hij hen door de wirwar van gangen en het doolhof van trappen leidde. Op een onbekende kruising stond Tharin even stil. 'Als je niet echt doodop bent, zou ik je graag met nog iemand willen laten kennismaken.'

'Nog een familielid?'

'Je zou het zo kunnen noemen. Hakone is sinds je overgrootvader in dienst van je familie geweest. Hij heeft je willen ontmoeten sinds de dag dat je geboren werd. Je zou hem een groot plezier doen door hem gedag te zeggen.'

'Goed dan.'

Ze draaiden zich om en verlieten de hoofdtoren, liepen een trap af en de tuin door naar een ingang waardoor ze bij de keukens uitkwamen. De geur van versgebakken brood hing in de gang. Toen ze langs een open deur kwamen, zag Tobin een heel leger van koks aan het werk met deegrollers. Hij ontdekte een lange, grijsharige vrouw aan de andere kant van de keuken, die iets met iemand besprak terwijl ze in een grote ketel roerde.

'Mijn nicht, Grannia, en de chef-kok,' zei Tharin tegen hem. 'Het heeft geen zin ze te begroeten, ze zijn als een stel generaals, nu ze het banket voor de koning aan het voorbereiden zijn.'

Nadat ze andere keukens hadden gepasseerd, liepen ze een smalle trap op. De bedienden die ze onderweg tegenkwamen begroetten Tharin hartelijk en Tobin met ontzag.

'Net of ze je al kennen, hè?' zei Ki.

Halverwege een eenvoudige, met biezen bestrooide gang, stopte Tharin en deed zonder te kloppen een deur open. Binnen zat de oudste man die Tobin ooit gezien had, dommelend in een stoel met een vuurpotje aan zijn voeten. Er zaten een paar witte plukken haar op zijn verder kale schedel, en een dunne, vergeelde baard hing halverwege zijn riem. Een kat die minstens even oud moest zijn lag op zijn schoot. Streepstaart sprong erbij en ze roken even aan elkaars neusje. De kater ging erbij liggen om zijn oren te laten wassen.

De oude man werd wakker en tuurde naar beneden met tranende ogen, en tastte naar Streepstaarts kop met stijve, kromgebogen vingers met rode knokkels. 'O, ben jij het?' Zijn stem kraakte als een roestige deur. 'Kom je je oude moedertje bezoeken, maar een presentje kan er zeker niet af, hè schavuit? Wat zeg je daar nou van, Ariani?'

Geschrokken realiseerde Tobin zich pas na een paar seconden dat de oude man het tegen zijn poes had. Deze Ariani drukte een voet met zeven tenen in Streepstaarts nek zodat ze zijn gezicht kon wassen, haar zoon liet het gewillig toe.

'Hij is niet alleen gekomen, Hakone,' zei Tharin die zijn stem verhief. Hij liep de kamer door, nam de hand van het oudje in de zijne en wenkte Tobin en Ki.

'Theodus, eindelijk teruggekeerd!' riep Hakone uit. En toen hij Tobin en Ki ontwaarde, liet hij een tandeloze grijns zien. 'Ach, en hier zijn mijn kranige jongens. Zeg eens, Rhius, hoeveel fazanten heb je vandaag voor me meegenomen? Of zijn het alweer konijnen? En jij, Tharin, heb je geluk gehad vandaag?'

Tharin boog zich voorover. 'Hakone, ík ben Tharin, weet je nog?'

De oude man kneep zijn ogen bijna toe, en schudde het hoofd. 'Natuurlijk, mijn jongen. Vergeef me. Ik zat te slapen. Maar dan, dan moeten dit…' Hij verslikte zich en tastte naar zijn stok die tegen de stoel stond. 'Mijn prins!' riep hij uit en hij schoof de katten van zijn schoot terwijl hij wankelend opstond.

'Alstublieft, blijft u toch zitten,' zei Tobin snel.

Tranen stroomden over Hakones ingevallen wangen terwijl hij terugviel in zijn stoel. 'Vergeef een oude man zijn zwakheden, mijn prins, maar ik ben zo ongelooflijk gelukkig! Ik begon al te denken dat ik niet lang genoeg zou leven om u te ontmoeten!' Hij stak zijn beide handen naar Tobins gezicht uit. 'Ach, als ik je maar wat beter kon zien! Welkom thuis, mijn jong. Welkom thuis!'

Er kwam een brok in Tobins keel toen hij dacht aan die paar minuten dat de oude man hem met zijn vader had verward. Hij nam Hakones hand in de zijne. 'Dank u, grootvadertje. En bedankt dat u mijn familie zo lang gediend heeft. Ik… Ik hoop dat u alles heeft om van uw oude dag te genieten?'

'Heel vriendelijk van u om dat te vragen, mijn prins. Er moet daar een stoel staan. Tharin, een stoel voor de prins! En zet de lamp wat dichterbij.'

Toen Tobin naast hem zat, tuurde Hakone nogmaals naar zijn gezicht. 'Ja, dat is beter. Kijk nou toch eens! De ogen van je lieve moeder in het gezicht van de hertog. Vind je ook niet, Tharin? Net of Rhius herboren is.'

'En zo is het,' zei Tharin en hij gaf Tobin een knipoog. Tobin was blij dat hij was meegegaan naar de oude man.

'En dit moet die schildknaap zijn over wie je me vertelde,' zei Hakone. 'Kirothius, is het niet? Kom jong, laat me jou eens bekijken.'

Ki knielde bij de stoel en Hakone betastte zijn schouders, armen en handen. 'Een sterke knaap, jazeker!' zei hij goedkeurend. 'Handen als ijzer. Jullie hebben strijdershanden, jullie allebei. Tharin heeft me alleen maar goede dingen over jullie verteld, maar ik stel me voor dat jullie behoorlijk wat kattenkwaad uithalen, net als Rhius en deze deugniet hier.'

Tobin wisselde een scheve grijns met Ki. Tharin een deugniet?

'O, allebei!' kakelde Hakone. 'Vechtpartijen met de dorpskinderen, de boomgaarden plunderen… Tharin, weet je nog dat Rhius eens het beste melkschaap van jouw moeder heeft neergeschoten? Bij het Licht, volgens mij zat ik jullie om de dag met de riem achterna.'

Tharin mompelde wat en Tobin zag tot zijn genoegen dat de kapitein moest blozen.

Hakone grinnikte nogmaals schor en klopte op Tobins hand. 'Vulde de zoutvaten met suiker vlak voor een banket voor de koningin in hoogsteigen persoon – kun je het je voorstellen? Natuurlijk was Rhius degene die het verzonnen had, maar Tharin nam de schuld op zich, en de afstraffing.' De herinnering eraan wekte weer hees gelach op, maar die ging vrij snel over in een fikse hoestbui.

'Een beetje kalm aan, Hakone,' zei Tharin met klem; hij nam een beker wijn van de zijtafel en zette die aan de lippen van de oude man.

Het lukte Hakone om slurpend wat vocht binnen te krijgen, al droop er een straaltje wijn langs zijn baard naar beneden. Hij nieste nog een paar keer, en slaakte toen een diepe zucht. 'Maar dat is allemaal verleden tijd, of niet soms. Jij bent volwassen en Rhius is dood... Zoveel doden...' Zijn stem stierf weg en hij sloot zijn ogen. Tobin dacht dat hij in slaap was gevallen. Maar in een wip zat Hakone weer rechtop en zei streng: 'Tharin, de hertog heeft geen wijn! Ga meteen naar de kelder...' Hij stopte en keek om zich heen. 'Nee, ik ben weer in de war, of niet? Dat is jouw taak nu, Kirothius. Bedien je prins, mijn jong.'

Ki vloog op om te gehoorzamen, maar Tobin hield hem tegen. 'Dat is niet nodig, grootvadertje. We komen net van een banket en we hebben meer wijn op dan goed voor ons is.'

Hakone liet zich weer achterovervallen en de oude poes nestelde zich weer op zijn schoot. Streepstaart ging opgerold aan Tobins voeten liggen.

'Ik schrok toen ik een vreemde met uw ketting zag staan,' zei Tharin en hij pakte Hakones hand weer vast. 'Ik dacht dat Lytia de aangewezen persoon was om je taak over te nemen.'

Hakone snoof. 'Allemaal de schuld van heer Orun. De koning had ons al met een stel nieuwe bedienden opgezadeld nadat de prinses gestorven was – moge Astellus haar zacht wegdragen.' Hij kuste eerbiedig zijn vingertoppen en drukte ze tegen zijn hart. 'En zodra Rhius van ons heenging, stuurde Orun zijn eigen mannetje. Het werd natuurlijk wel tijd om een ander aan te stellen – ik ben zo blind als Bilairy's geit en mijn benen zijn ook wel eens sterker geweest – maar dit was een loensend, vaalbleek huftertje en niemand was er rouwig om dat Solari hem eruit schopte. Maar het had inderdaad je tante moeten wezen, zoals je zegt. Ze is al die laatste jaren hofmeesteres geweest, maar nooit officieel benoemd.'

'Ik zal Solari zeggen dat zij hofmeesteres moet worden,' zei Tobin.

'Dat kun je helaas nog niet doen,' zei Tharin. 'Tot je meerderjarig bent, beslist de beschermheer wie hij op welke post aanstelt.'

'Dan ben ik helemaal geen heer van Atyion, of wel soms? Niet echt.'

Hakone vond Tobins hand en greep hem vast. 'Dat ben je wel, mijn jong, en niemand anders. Ik hoorde al dat gejuich vandaag wel. Dat is het hart van jouw volk dat je buiten ontmoette. Ze hebben net zo lang naar je verlangd als ik. Solari is een beste kerel, die de herinnering aan je vader bij de manschappen levend houdt. Laat hem je landgoed maar beheren, dan kun jij de kroonprins dienen.'

Op dat moment hoorden ze een zacht geschuifel in het gangetje. Ki deed de deur open en stond tegenover een groepje koks en keukenmeiden die zich voor de deur verdrongen.

'Vergeef ons, heer, maar we wilden zo graag de prins even zien,' zei een oude vrouw, die de wens van allen vertolkte. Achter haar knikten de anderen hoopvol en staken hun nek uit om een glimp van Tobin op te vangen.

'Opgehoepeld jullie! Het is veel te laat om zijne hoogheid lastig te vallen,' zei Hakone hees.

'Nee, alstublieft, ik vind het niet erg,' zei Tobin.

Ki deed een stap opzij en de vrouwen schuifelden binnen, maakten een kniebuiging en raakten hun hart aan. Een paar gerimpelde vrouwtjes lieten hun tranen de vrije loop. De vrouw die had gesproken knielde neer en greep Tobins handen.

'Prins Tobin. Welkom thuis, eindelijk!'

Opnieuw ontroerd boog Tobin zich voorover en kuste haar op de wang. 'Dank je, moedertje. Ik ben zo blij dat ik hier eindelijk ben.'

Ze raakte haar wang aan en wendde zich tot de anderen. 'Daar, zagen jullie dat? Ik zei toch dat bloed zich niet verloochent! Al het andere telt niet mee.'

'Let een beetje op je woorden, wil je!' zei Hakone scherp.

'Het is niks,' zei Tobin. 'Ik weet toch wat ze kletsen over mij en mijn moeder. Het is niet eens helemaal onwaar, over de demon en zo. Maar ik beloof jullie dat ik mijn vaders naam waardig zal zijn en een goed heer voor Atyion zal worden.'

'Jullie hoeven je wat hem betreft nergens zorgen over te maken,' gromde Hakone. 'Dit is gewoon een tweede Rhius. Ga dat maar beneden vertellen. En nu wegwezen, aan je werk.'

De vrouwen namen afscheid, op de nicht van Tharin na, die er ook bij was. 'Wat kan ik nog voor u doen?' vroeg Tobin.

'Nou, mijn prins, ik...' Ze stopte en wrong haar gekloofde handen voor haar schort. 'Mag ik het zeggen, Hakone?'

De oude man keek Tharin aan. 'Vragen kan geen kwaad, denk ik.'

'Vraag dan, Grannia.'

'Nou, mijn prins,' zei ze. 'Het gaat erom dat – nou ja, een heel stel vrouwen uit Atyion zat eens in het leger. Catilan, uw kok in de burcht van Alestun? Zij was mijn sergeant. Wij zaten bij de boogschutterij van uw grootvader.'

'Ja, daar heeft ze me over verteld.'

'Nou, weet u, prins Tobin, uw vader heeft ons toestemming gegeven om te blijven trainen, onopvallend natuurlijk, en om onze kennis door te geven aan meiden die zich tot de strijd aangetrokken voelden. Zou het u storen als we daarmee doorgaan?'

En daar had je het weer, diezelfde mengeling van hoop en frustratie die hij zo vaak bij Una had gezien. 'Ik zou nooit iets veranderen wat mijn vader heeft ingesteld,' antwoordde hij.

'Dat de goden u zegenen, mijn prins. Als u ons ooit nodig mocht hebben, dan laat u het maar weten.'

'Ik zal eraan denken,' beloofde Tobin.

Grannia maakte een laatste verlegen kniebuiging en ging er op een holletje vandoor, haar schort tegen haar gezicht gedrukt.

'Goed gedaan, Tobin,' zei Tharin terwijl ze naar Tobins kamer liepen. 'Voor de dag aanbreekt zul je al naam hebben gemaakt bij al het personeel. Je hebt je vader werkelijk eer betoond vanavond.'

Koni en Sefus stonden op wacht, elk aan een kant van de gang voor zijn kamer.

'Wil je vannacht niet hier blijven? Het was toch ooit jouw kamer.'

'Bedankt, Tobin, maar hij is nu van jou, en van Ki. Mijn plaats is nu bij de garde. Goedenacht.'

Er stond een stomende tobbe klaar in hun kamer en Tobin liet zich er met een diepe zucht in zakken terwijl Ki en een page de lampen aanstaken.

Tobin zat tot zijn kin in het hete water dat zachtjes tegen de houten wand aan klotste. Hij dacht weer aan Una, en al die vrouwen aan wie de eer om strijder te zijn ontzegd was. Grannia's gezicht stond hem nog helder voor ogen, zo hoopvol en treurig tegelijk.

Hij huiverde en rimpelingen trokken over het wateroppervlak. Als Lhel en Iya het bij het rechte eind hadden, als hij *werkelijk* op een dag een vrouw zou worden, zouden de generaals dan weer zomaar een vrouw gehoorzamen? Die soldaten hadden vandaag koning Erius' neef toegejuicht. Zou hij alles kwijtraken wanneer hij toonde wat volgens de tovenaars zijn ware gezicht was?

Tobin bekeek zijn lichaam: de sterke, gespierde armen en benen, zijn vlakke borst en platte buik, en het bleke, onbehaarde wormpje tussen zijn benen. Hij had genoeg naakte vrouwen gezien tijdens hun nachtelijke uitjes met Korin naar de haven om te weten dat vrouwen daar niks hadden. Als hij zou veranderen… Hij rilde bij de gedachte, legde zijn handen over zijn genitaliën en voelde het rustgevende sprongetje van zijn penis tegen zijn hand.

Misschien hebben ze het mis! Misschien…

Misschien zou hij wel nooit veranderen. Hij was een prins, zoon van Ariani en Rhius. Dat was goed genoeg voor de soldaten die hem hier toegezwaaid hadden. Misschien was dat uiteindelijk ook goed genoeg voor Illior.

Hij liet zich helemaal onder water glijden en woelde met zijn vingers door zijn haar. Zeker vanavond had hij geen zin meer om aan die dingen te denken. Zijn leven lang was hij een prins genoemd, maar pas vandaag had hij zich ook werkelijk een prins gevoeld. In Ero had hij altijd een kloof gevoeld tussen hem en degenen die aan het hof waren opgegroeid. Hij was gewoontjes en onbekend en verlegen, iemand naar wie geen hoveling zou hebben omgekeken als hij zijn titel niet had gehad. Hij voelde zich daar net zo'n grasridder als Ki, en het kon hem eigenlijk niets schelen ook.

Maar wat hij vandaag had meegemaakt had alles veranderd. Vandaag had hij de verbijsterde gezichten van de andere Gezellen gezien toen ze zijn kasteel bewonderden. Zijn kasteel! Alben en de anderen zouden er nu wel voor waken om minachtend op hem neer te kijken.

En hij had zich gekoesterd in de ovatie van de bevolking. Zijn vaders strijders hadden voor hem op hun schilden getrommeld en hadden zijn naam gescandeerd. Op een dag zou hij, wat er verder ook mocht gebeuren, hun aanvoerder zijn. Hij zag slagvelden voor zich, hij hoorde wapengekletter in zijn geest. En hij zou de aanval leiden, met Tharin en Ki aan zijn zijde.

'Prins van Skala, Heer van Atyion!' murmelde hij.

Ki's geschater deed hem ontwaken uit zijn gemijmer. 'Is zijne Koninklijke Hoogheid van plan om in die tobbe te blijven weken tot het water te koud is voor zijn nederige schildknaap, of mag ik ook nog even poedelen?' vroeg hij grijnzend.

'Ik ben een prins, Ki. Een echte prins!' Ki snoof terwijl hij met een oude lap de modder van een van Tobins laarzen probeerde te poetsen. 'Niemand heeft toch beweerd dat je dat niet was?'

'Nee, maar ik geloofde het zelf niet. Tot vandaag dan.'

'Nou, voor mij ben je nooit wat anders geweest, Tob. Voor iedereen was je gewoon een prins, behalve misschien voor Orun en zie maar eens hoe het met hem afgelopen is… Nou dan…' Hij boog overdreven sierlijk voor Tobin. 'Zal ik je koninklijke kop eens goed onder water duwen of je edele ruggetje schrobben? Wij eenvoudige luitjes gaan graag naar bed voor het ochtend wordt.'

Lachend schrobde Tobin zich met de spons snel schoon en verliet de tobbe ruim voor het water afgekoeld was.

Ki kon nog net welterusten murmelen voor hij in slaap viel. Maar al was Tobin minstens zo moe, slapen kon hij niet. Hij keek naar de paarden van Atyion die elkaar achterna galoppeerden over de groene weiden op de wandkleden en hij probeerde zich voor te stellen hoe een van zijn voorouders, zijn vaders grootmoeder misschien, het patroon geweven had aan haar elegante weefgetouw. Zijn eigen vader had naar diezelfde paarden liggen staren, terwijl Tharin naast hem lag te snurken…

Voor hij in een andere kamer met zijn bruid in het zwanenbed stapte, bedacht Tobin. Zijn ouders hadden daar naast elkaar gelegen, hadden er de liefde bedreven.

'En zijn ouders voor hem, en hun ouders, en…' fluisterde Tobin hardop. Plotseling wilde hij de gezichten van zijn voorouders wel eens zien, en zijn eigen onopvallende gezicht met dat van hen vergelijken, om zich ervan te verzekeren dat hij echt van hen afstamde.

Ergens in dit gebouw moesten toch portretten hangen. Hij zou het morgen aan Tharin en Lytia vragen. Zij zouden wel weten waar hij ze kon vinden.

De slaap wilde nog steeds niet komen en zijn gedachten dreven weer af naar de kamer verderop in de gang. Opeens kreeg hij zin die kistjes te openen, en de kleerkasten, op zoek naar… ja, naar wat eigenlijk?

Hij stapte uit bed en liep naar zijn kledingstandaard. Hij zocht in zijn buideltje naar de sleutel die Lytia hem gegeven had. Hij woog zwaar op zijn vlakke hand.

Waarom ook niet?

Hij sloop langs de slapende page, deed de deur op een kiertje open en gluurde de gang in. Hij kon Tharins diepe, geruststellende stem om de hoek horen, maar er was niemand te zien. Hij pakte een van de nachtlampjes en sloop de gang op.

Ik hoef toch niet als een dief door mijn eigen huis te sluipen! dacht hij. Maar toch haastte hij zich op zijn tenen naar de deur van zijn ouders' kamer en hield zijn adem in tot die weer achter hem in het slot gevallen was.

Hij bewoog de lamp van links naar rechts, vond er nog een die hij aanstak en liep toen langzaam de kamer door, om dingen aan te raken die zijn ouders hadden aangeraakt: een bedstijl, een kist, een beker, de handvatten van een kleerkast. Nu hij hier eindelijk in zijn eentje stond, voelde het niet meer aan als willekeurig welke kamer; het was hún kamer. Tobin stelde zich voor hoe het geweest zou zijn als ze hier allemaal gezellig bij elkaar hadden gewoond. Als alles niet zo vreselijk fout was gelopen.

Bij de kaptafel bleef hij staan om een van de kistjes te openen; er zat een haarborstel in. Er waren wat lange zwarte haren in blijven hangen en Tobin trok ze eruit. Hij wond ze om zijn vinger en stelde zich even voor dat zijn ouders in de feestzaal waren, lachend en drinkend met hun gasten. Ze zouden zo wel boven komen en hem zien staan omdat hij ze nog even goedenacht wilde wensen…

Maar het lukte niet; hij kon zich niet echt een voorstelling maken van hoe dat geweest zou zijn. Hij haalde de ketting onder zijn nachthemd vandaan, maakte de ring van zijn moeder los en deed hem aan zijn vinger. Hij bekeek de twee profieltjes die in de schitterende paarse steen gegraveerd waren – de steen die zijn vader helemaal in Aurënen had gekocht omdat hij zoveel van zijn geliefde hield.

Al probeerde hij nog zo hard het te ontkennen, het trotse, serene stel op de ring waren vreemden voor hem. Ze hadden deze kamer gedeeld, samen in bed gelegen en een leven gekend waar Tobin nooit deel van had uitgemaakt.

Maar zijn nieuwsgierigheid was nog niet over, net zoals zijn eenzaamheid nooit over zou gaan. Met de ring aan zijn vinger deed hij een ander kistje open en trof er een paar sieraden in aan die zijn moeder had achtergelaten: een halsketting van besneden kralen van amber, een gouden ketting die uit geschakelde draakjes bestond en een stel geëmailleerde oorbellen met stenen zo blauw als de zomerhemel. Tobin bewonderde het vakmanschap; waarom had ze deze spullen hier gelaten? Hij legde ze terug en deed een langwerpig doosje van ivoor open. Er lagen een paar zware mantelspelden in en een pennenmes met een hoornen heft. Mannendingen. Zijn vaders dingen.

Vervolgens liep hij naar de kleerkasten. In de eerste hingen alleen een paar ouderwetse tunieken op haken. Hij pakte er eentje en drukte hem tegen zijn gezicht in de vage hoop zijn vaders lucht in te ademen. Hij hield het kledingstuk omhoog en dacht aan de wapenrusting die zijn vader hem geschonken had, met de belofte dat hij met hem ten strijde mocht trekken wanneer de maliënkolder hem paste. Hij had hem een hele tijd niet gepast.

Tobin trok de tuniek over zijn nachthemd aan. Al was hij afgelopen jaar flink gegroeid, de zoom hing ver onder zijn knieën en de mouwen verborgen zijn vingertoppen.

'Nog steeds te klein,' mopperde hij, en hij hing de tuniek weer terug en ging naar de tweede kleerkast. Hij deed de deuren wijdopen en smoorde een kreet van schrik toen een golf van zijn moeders parfum over hem heen spoelde. Maar het was niet haar geest waar de geur vandaan kwam, die kwam van bosjes gedroogde bloemen die in de kast hingen om de jurken en rokken fris te houden.

Tobin knielde neer om ze te bekijken – wat hadden ze ongelooflijk mooie kleuren. Ze was altijd dol geweest op rijke, volle tinten en hier waren ze dan – wijnrood, koningsblauw, saffraangeel, groen als een zomers bos en dat alles van brokaat, zijde, fluweel en batist. Hij betastte de stoffen, eerst aarzelend, vervolgens gretig toen zijn vingers ook nog reliëf-borduurwerk voelden, randjes van bont en honderden kleurige kraaltjes.

Een beschamend verlangen bekroop hem toen hij opstond om een groene jurk, afgezet met winters vossenbont, beter te bekijken. Hij hield zijn adem in, luisterde of hij geen voetstappen in de gang hoorde; toen droeg hij hem naar de hoge passpiegel naast het bed.

Hij hield de jurk voor zich op en merkte dat zij net zo lang als hij moest zijn geweest, want de zoom viel precies op zijn voet.

Hij streek de kreukels glad en hield hem weer onder zijn kin; de wijde rok stond in sierlijke golven wijd uit.

Hoe zou het aanvoelen om…

Gegeneerd om dat onverwachte verlangen, hing Tobin de jurk snel weer tussen de andere in de kast. Terwijl hij dat deed, stootte hij tegen een lange cape van roomkleurig brokaat die daardoor van het hangertje gleed. Hij had een hoge kraag van hermelijn en de schouders waren bestikt met blauwe en zilveren draden als de stralen van de zon.

Tobin wilde hem echt alleen maar terughangen, maar opeens stond hij weer voor de spiegel en hing hem over zijn schouders. De zware stof viel om hem heen als een omhelzing, de donkere satijnen voering voelde koel als water tegen zijn huid. Hij maakte de gouden gesp bovenaan dicht en liet zijn armen langs zijn lichaam hangen.

Het zachte witte bont streelde zijn hals terwijl hij langzaam zijn blik over zijn spiegelbeeld liet glijden. Het kostte hem onvoorstelbaar veel moeite zichzelf in de ogen te kijken.

Mijn haar lijkt op dat van haar, dacht Tobin en hij schudde het over zijn schouders. *En ik heb haar ogen, zoals iedereen altijd beweert. Ik ben wel niet zo mooi als zij, maar ik heb haar ogen.*

De mantel ruiste langs zijn enkels toen hij naar de kaptafel liep en een van de oorbellen oppakte. Hij voelde zich met de minuut dwazer worden, maar hij kon zich niet bedwingen en liep met het sieraad tegen zijn oorlel naar de spiegel. Misschien kwam het door de oorbel, of de manier waarop hij zijn hoofd iets scheef hield, maar Tobin dacht dat hij heel even het meisje zag dat Lhel hem had laten zien. De blauwe steen paste precies bij zijn ogen, net als het borduursel op de cape – ze leken nog blauwer dan anders.

In het flatterende licht van het nachtlampje, zag ze er bijna knap uit.

Tobin raakte het gezicht in de spiegel met bevende vingers aan. Hij zag het meisje, die onbekende die hem vanuit het oppervlak van de bron aangekeken had. Er was toen maar weinig tijd geweest, maar nu keek Tobin met groeiende verwondering en nieuwsgierigheid toe. Zouden jongens naar haar kijken zoals zijn vrienden naar de meisjes aan het hof keken die ze aantrekkelijk vonden? Bij de gedachte aan Ki die met zo'n blik naar hem keek, kroop er een siddering langs zijn ruggengraat en kreeg hij het opeens heel warm. Die gevoelens leken zich samen te ballen tussen zijn heupen, net als de vrouwenpijn, maar pijn had hij niet, integendeel. Hij voelde hoe hij stijf werd onder zijn nacht-hemd. Hij moest ervan blozen, maar hij moest blijven kijken. Omdat hij zich opeens wel erg eenzaam en onzeker voelde, riep hij de enige getuige op die dit mocht zien.

Broer had geen weerspiegeling, dus zette Tobin hem naast de spiegel om de gezichten te kunnen vergelijken.

'Zusje,' murmelde de geest, alsof hij de naamloze pijn die in Tobins hart opkwam begreep.

Maar de breekbare illusie was alweer verdwenen. Toen hij naast zijn twee-lingbroer stond, zag Tobin alleen een jongen in een damesmantel in de spie-gel.

'Zusje,' zei Broer nogmaals.

'Zie je haar dan wanneer je naar me kijkt?' fluisterde Tobin.

Voor Broer antwoord kon geven, schrok Tobin op van stemmen aan de an-dere kant van de gesloten deur. Hij stond stokstijf als een geschrokken haas, en luisterde naar Koni en Laris die een groet uitwisselden. Het was de wisse-ling van de wacht maar, dat wist hij ook wel, maar hij voelde zich nog steeds een inbreker die op het punt stond betrapt te worden. Stel dat iemand zou merken dat hij niet op zijn kamer was en hem hier kwam zoeken?

Stel dat Ki hem hier zou vinden?

'Ga weg, Broer!' siste hij en hij borg vlug de oorbel en de cape op. Hij doof-de de twee lampen, liep op de tast naar de deur en luisterde tot de stemmen wegstierven.

Hij sloop weer naar zijn slaapkamer terug zonder iemand tegen te komen en Ki merkte ook niet dat hij weer onder de dekens kroop. Hij trok het dek over zijn hoofd, sloot zijn ogen en deed zijn best niet te denken aan die zware zijden stof die langs zijn blote benen had gestreken, en hoe hij één verward ogenblik lang zijn ogen vanuit een ander gezicht naar hem had zien staren.

Ik ben een jongen, zei hij zacht tegen zichzelf, en hij kneep zijn ogen dicht. *Ik ben een prins.*

19

De volgende morgen liet Korin iedereen voor dag en dauw wekken om zich gereed te maken voor de ontvangst van de koning. De zon kwam net op en mist steeg in brede golvende banen op van de rivier en de vochtige weilanden.

De Gezellen deden hun maliënkolders en kurassen aan, en hingen hun mooiste mantels om. Toen ze naar beneden liepen, was het in de grote hal al een drukte van belang.

Overal waar Tobin keek, renden hele legers bedienden af en aan. De banieren van de koning waren al opgehangen en al het gouden bestek en vaatwerk stonden al klaar. Buiten kwamen dikke rookpluimen uit de schoorstenen van de keukens en rook steeg ook op van de verschillende spitten bij de moestuin, waaraan everzwijnen en herten op Myceense wijze werden geroosterd, dat wil zeggen boven afgedekte houtskoolvuurtjes. Overal liepen jongleurs, acteurs en muzikanten rond of ze studeerden op de binnenplaats of in een leegstaande kamer een nieuw nummer in.

Wederom toonde Solari zich meester van de situatie. Terwijl hij ontbeet met Tobin en de anderen, gaf hij een samenvatting van de gangen en het vermaak tijdens de feestelijke avond, terwijl de hofmeester en Lytia alles nauwkeurig bijhielden. Steeds onderbrak Solari zijn betoog om te vragen of dit Tobins goedkeuring kon wegdragen.

Tobin, die weinig ervaring had met dit soort situaties, knikte zwijgend bij alles wat op het programma stond.

Toen hij alles had opgesomd, riep Lytia twee dragers die in lappen stof gewikkelde kisten droegen. 'Iets bijzonders voor de hoogste gasten. Een specialiteit van dit huis sinds de tijd van uw overgrootouders, prins Tobin.' Ze schoof de lappen opzij en tilde er een glazen vaas uit die gevuld was met verfijnde glazen rozen. Tobin keek zijn ogen uit: glas dat op zo'n manier geblazen was, was wel tien raspaarden waard. Hij sperde zijn ogen nog wijder open toen Lytia luchtig een van de robijnrode blaadjes afbrak en het in haar mond stopte, en hem er ook een aanbood.

Tobin stak het aarzelend in zijn mond en lachte toen: 'Suiker!'

Solari grinnikte toen hij zichzelf aan een rozenblaadje hielp. 'Vrouwe Lytia is een ware kunstenares.'

'Jouw overgrootmoeder stuurde mijn grootmoeder naar Ero om een tijd in de leer te gaan bij een beroemde suikerbakker,' vertelde Lytia. 'Ze gaf het vak door aan mijn moeder, en zij aan mij. Ik ben blij dat mijn bloemen je bevallen, maar wat denk je hiervan?' Ze stak haar handen in de tweede doos en haalde er een doorschijnende draak van suiker uit. Het holle lichaam was rood als de rozenblaadjes, verder had hij sierlijke, vergulde vleugels, poten en scherpe punten op rug en kop. 'Welke zou je vanavond willen presenteren?'

'Ze zijn allebei verbazingwekkend! Maar misschien is een draak gepaster, voor een koning?'

'Oké, dan heb je deze niet meer nodig!' riep Korin uit en hij stak zijn mes in de vaas van suiker. Hij viel in zoete scherven uiteen en de jongens doken naar de vloer om de grootste stukken te pakken te krijgen.

'Het is gewoon jammer om ze stuk te maken,' zei Tobin terwijl hij op de kruipende Gezellen neerkeek.

Lytia glimlachte terwijl ze de jongens zag knokken om de laatste brokjes. 'Maar daarom maak ik ze toch.'

Zodra Solari Tobin liet gaan, wilde Korin pertinent naar de stadspoort rijden om daar op wacht te gaan staan. Porion stond erop dat hij mee mocht en Tharin kwam ook, maar meer wachters wilde Korin niet hebben.

Tobin herkende die mengeling van opwinding en verlangen in de ogen van zijn neef. Hij herinnerde zich hoe hij altijd uit het raam had gestaard om zijn vader uit de bosrand te zien opduiken, onder aan het weiland voor de burcht. Hij wou dat hij Korins opwinding kon delen, maar hij had maagpijn van de zenuwen. Hij keek bezorgd rond of hij Broer zag, maar die had geen teken van leven gegeven.

Zodra ze hun paarden net voorbij de poort stil lieten staan, ontstond er een oploopje van mensen die de wapens en paarden van de Gezellen bewonderden. Iedereen scheen Tharin te kennen.

Soldaten die wat op het marktplein rondhingen, kwamen een praatje maken en zulke gesprekken gingen Tobin goed af. Hij had zijn leven lang strijders in zijn buurt gehad. Hij vroeg ze honderduit over hun littekens en bewonderde hun bogen en zwaarden. Toen hij ze aanmoedigde, kwamen ze op de proppen met verhalen over zijn vader en grootvader, en een stel tantes die onder het banier van de koningin hadden gevochten, lang, lang geleden. Velen begonnen hun relaas met: 'Dit verhaal ken je natuurlijk…' Maar Tobin kende de meeste niet en vroeg zich af waarom zijn vader eigenlijk zo weinig over zijn eigen geschiedenis had verteld.

Het werd middag. Straathandelaars brachten hen vlees en wijn en ze aten in het zadel als soldaten op patrouille. Tobin riep zijn vrienden bij zich en ze doodden de tijd door de kinderen paardje te laten rijden, heen en weer over de straat; Korin en de oudere jongens bleven bij de poort staan om te flirten met de plaatselijke schonen. De meisjes hadden voor deze gelegenheid snel hun beste kleding aangetrokken en ze deden Tobin denken aan een zwerm felgekleurde, kwetterende vogeltjes, die giechelig en opgedoft om de jongens heen hipten.

De zon stond halverwege de hemel toen er eindelijk een snelle ruiter kwam aan gegaloppeerd, die de komst van de koning meldde.

Korin en de anderen zouden als gekken de weg op zijn gestormd als Porion hen niet met een luide kreet tot de orde had geroepen.

'Opstellen zoals het hoort!' beval hij een stuk zachter uit respect voor de prinsen. 'Dit heb ik jullie wel beter geleerd. Jullie willen toch niet dat de koning denkt dat er een stel struikrovers op hem afkomt?'

Ingetogen stelden ze zich als een nette colonne op, elke edelman met zijn schildknaap naast zich, en Korin en Tobin aan het hoofd. Solari en Savia kwamen er juist op tijd bij om zich bij hen aan te sluiten en ze werden het stralende middelpunt, vol pracht en praal.

'Ze zien eruit alsof ze zelf koning en koningin zijn, vind je niet?' fluisterde Ki.

Tobin knikte. Ze stonden stijf van de juwelen en het tuig en zadeldek waren stukken rijker versierd dan die van Gosi.

Ze legden de noordelijke weg in galop af, de banieren van de prinsen en het vaandel van Solari staken fel af tegen de namiddaglucht voor hen. Na ongeveer een mijl zagen ze de andere kleuren ten antwoord, gedragen door een lange colonne soldaten die hun kant op kwam. Een twintigtal gewapende soldaten en de drager van de koninklijke standaard liepen voorop. Achter hen reed Erius met zijn voornaamste edelen. Tobin kon zijn gezicht nog niet onderscheiden, maar hij herkende hem aan zijn gouden helm. Ze waren in krijgstenue, maar droegen haviken en valken in plaats van schilden. Tientallen kleinere vaandels van de edelen wapperden in de middagwind.

Achter hen aan kwam een onafzienbare rij voetsoldaten, als een rood-zwarte slang met glinsterende ijzeren schubben.

Porion hield ze tijdens de handgalop maar net in formatie, terwijl ze opgetogen naar elkaar schreeuwden toen ze de banieren van hun vaders of families zagen.

In een mum van tijd was de afstand tussen beide groepen overbrugd. Korin hield zijn paard in en steeg af.

'Afstijgen, Tobin,' murmelde hij. 'We begroeten vader te voet.'

Alle anderen waren reeds afgestegen. Tobin vermande zich en nam zich voor om deze onbekende te haten, al was hij familie van hem.

Hij had maar eenmaal eerder een glimp van de koning opgevangen, maar vergissen was onmogelijk. Zelfs al had hij de gouden helm en het met goud beslagen borstkuras niet gedragen, dan zou Tobin Erius hebben herkend aan het zwaard dat aan zijn linkerzijde hing: het befaamde Zwaard van Ghërilain. Tobin kende dat immers van jongs af aan, dankzij de kleine koninginnen en koningen die zijn vader voor hem gemaakt had, en de stenen afbeeldingen in de koninklijke graftombe. Als hij ook maar het minste spoortje twijfel had gehad dat dit het zwaard was dat koningin Tamír hem die spookachtige nacht had aangereikt, dan kon hij nu gerustgesteld zijn. Het was inderdaad hetzelfde.

Tobin had het gezicht van de koning echter nooit aanschouwd, en toen hij naar hem opkeek hield hij verrast zijn adem in: Erius zag er precies zo uit als Korin. Hij had hetzelfde vierkante gezicht en die donkere, vrolijke ogen. Er zaten heel witte lokken in zijn haar, maar, terwijl hij de weg langs de rivier naar de burcht op reed, zat hij met hetzelfde militaire elan op zijn hoge, zwarte ros als Tobins vader.

Korin knielde en salueerde. Tobin en de andere Gezellen volgden zijn voorbeeld.

'Korin, mijn jongen!' riep Erius uit terwijl hij uit het zadel sprong om hem te omhelzen. Zijn stem was diep en vol liefde.

In plaats van angst of haat voelde Tobin alleen een felle hunkering.

Korin liet alle protocol varen en wierp zichzelf in zijn vaders armen. Gejuich steeg op uit de gelederen terwijl het stel elkaar op de rug klopte. De Gezellen verwelkomden de koning door hun zwaardgevesten tegen hun schilden te slaan.

Na enige tijd merkte Korin dat Tobin nog steeds geknield zat en hielp hem op de been. 'Dit is Tobin, vader. Neef, kom en begroet je oom.'

'Bij de Vlam, zie nou toch hoe jij bent opgeschoten!' lachte Erius.

'Majesteit.' Tobin wilde een buiging maken, maar de koning pakte hem vast en omhelsde hem ook. Eén verwarrend ogenblik dacht Tobin dat zijn vader hem in zijn armen nam, toen hij de onvergetelijke lucht van geolied staal, zweet en leer rook.

Erius deed een stap terug en keek hem met zoveel warmte aan dat Tobins knieën begonnen te knikken.

'De laatste keer dat ik je zag was je een zuigeling in je vaders armen.' Erius nam Tobins kin in een harde, vereelte hand en met peinzende blik keek hij Tobin aan.

'Iedereen zegt dat je mijn zusters ogen hebt. Het is bijna of zij me aankijkt,' mompelde hij, niet wetend dat hij daarmee een rilling langs zijn neefjes ruggengraat liet gaan. 'Tobin Erius Akandor, geef je je oom niet eens een kus?'

'Vergeef me, majesteit,' kon Tobin uitbrengen. Al zijn haat en angst waren als sneeuw voor de zon verdwenen bij die eerste warme glimlach. Nu wist hij niet meer hoe hij zich moest voelen. Hij boog zich voorover en liet zijn lippen langs de stoppelige wang van de koning glijden. Terwijl hij dat deed, viel zijn blik op heer Niryn die vlak achter de koning was gaan staan. Waar kwam die nou opeens vandaan? Waarom was hij hier? Tobin deed snel een stap achteruit, en probeerde zijn verrassing te verbergen.

'En hoe oud ben je nou, jongen?' vroeg Erius met de handen op zijn schouders.

'Bijna twaalf en een half, majesteit.'

De koning grinnikte. 'Zo oud al? En nu al een vervaarlijk zwaardvechter, volgens de rapportages! Maar doe toch niet zo formeel. Vanaf vandaag zeg je "oom" tegen me, en niets anders. Kom op, laat me eens horen. Ik heb er lang genoeg op moeten wachten.'

'Zoals u wenst… oom.' Toen hij opkeek zag hij zijn eigen verlegen lachje weerspiegeld in Erius' donkere ogen.

Het was een hele opluchting toen de koning zich eindelijk omdraaide. 'Hertog Solari, ik heb je oudste zoon meegebracht, veilig en wel. Nevus, kom hier en begroet je ouders.'

Hij is je vijand! herinnerde Tobin zichzelf eraan, kijkend naar de koning die lachend met Solari en de jonge edelman praatte. Maar zijn hart hoorde het niet.

Korin en Tobin reden aan weerszijden van de koning terwijl ze naar het kasteel gingen. Solari en zijn gezin reden voorop met de banierdragers.

'Wat vind je van de hertog, je nieuwe voogd en beschermheer?' vroeg Erius.

'O, ik mag hem stukken meer dan heer Orun,' antwoordde Tobin naar waarheid. Nu hij wist dat Broer soms loog, was hij bereid Solari geen kwaad hart toe te dragen. Hij had hem niet anders behandeld dan anders en was altijd vriendelijk geweest.

Erius grinnikte om dit directe antwoord en knipoogde naar Tobin. 'Ben ik helemaal met je eens. Nu, waar is dat lastige schildknaapje van je?'

Nu zullen we het hebben, dacht Tobin, en hij verstarde. De nieuwe voogd, Solari, was hem zonder enige waarschuwing rauw op zijn dak gevallen; had de koning ook al een nieuwe schildknaap tussen het voetvolk verstopt? Hij rechtte zijn rug en wenkte Ki. 'Mag ik u mijn schildknaap voorstellen, oom? Ridder Kirothius, zoon van Larenth van Eikenbergstee.'

Ki maakte een redelijke buiging vanuit het zadel maar de hand die hij tegen zijn hart drukte trilde. 'Majesteit, hierbij bied ik u en de uwen mijn allernederigste diensten aan.'

'Dus jij bent de lastpost van het stel, Kirothius? Ga eens rechtop zitten zodat ik je kan bekijken, jongen.'

Ki deed wat hem bevolen was terwijl hij de teugels met witte knokkels vastklemde. Tobin sloeg hen beiden ingespannen gade toen de koning Ki opnam. Met zijn fraaie nieuwe kleding aan was Ki niets minder dan welke Gezel dan ook; daar had Tobin wel voor gezorgd.

'Eikenbergstee?' zei de koning ten slotte. 'Dan moet je vader vazal van heer Jorvai zijn.'

'Ja, mijn koning.'

'Rhius heeft een vreemde plek gekozen om een schildknaap te vinden. Vind je ook niet, Solari?'

'Dat dacht ik ook toen ik het hoorde,' antwoordde Solari over zijn schouder.

Zou Erius de band hier ten overstaan van iedereen verbreken? Ki's gezicht verried niets, maar Tobin zag zijn vingers nog krampachtiger de teugels vasthouden.

Maar Solari was nog niet uitgesproken. 'Als ik me goed herinner, heeft Rhius Larenth en een paar zonen van hem in Mycena ontmoet, en hij stond versteld van hun vechtlust. Sterke landadel, zei hij, niet verpest door hoofse maniertjes en gekonkel.'

Tobin keek strak naar Gosi's manen om zijn verrassing niet te laten blijken. Natuurlijk had zijn vader moeten liegen, maar het was nooit in hem opgekomen dat hij zoiets aardigs had gezegd om Ki's aanwezigheid te verklaren.

'Een wijze keuze, als ik zo naar deze knaap kijk,' zei Erius. 'Misschien zouden meer van mijn heren Rhius' advies moeten overnemen. Heb je nog broers, Kirothius?'

Ki grijnsde zijn forse voortanden bloot. 'En hele colonne, majesteit, als u het niet erg vindt dat ze zeggen wat hen voor de mond komt, en duidelijk ook!'

Daar moest de koning hartelijk om lachen. 'Het hof kan best meer boerse eerlijkheid gebruiken. Zeg eens, Kirothius, hoe komt die zoon van mij op je over?'

Alleen Tobin merkte Ki's aarzeling op. 'Het is een hele eer prins Korin te mogen dienen, majesteit. Niemand hanteert het zwaard zo goed als hij.'

'En zo hoort het ook!' Erius gaf Ki een dreun op de schouder en knipoogde naar Tobin. 'Je vader heeft een beste keus gedaan, jongen, ik had niet anders verwacht. Ik zal de band die hij gezegend heeft niet verbreken, dus misschien kunnen jullie tweeën nu eens ophouden met zo naar de grond te staren alsof jullie je laatste oortje versnoept hebben.'

'Dank u wel, mijn koning,' bracht Tobin met moeite uit, want zijn opluchting was zo groot dat hij bijna vergat adem te halen. 'Heer Orun was zo tegen hem gekant…'

De mond van de koning krulde aan één kant enigszins op. 'Nu ja, je ziet wat er van hem geworden is. En je zou me oom noemen, weet je nog wel?'

Tobin sloeg met zijn vuist op zijn hart. 'Dank u, oom!'

De koning wendde zich weer tot Korin, en Tobin greep de zadelboog, zo duizelde het hem. Ki's plaats was eindelijk veiliggesteld. En alleen al daarom voelde hij een klein beetje liefde voor zijn oom.

Heel Atyion liep uit om de koning welkom te heten, maar volgens Tobin klonk het gejuich minder uitbundig dan de dag ervoor. En deze maal stonden Solari's troepen op de binnenplaats van het kasteel opgesteld, en niet de zijne.

Het feestmaal maakte het misschien wat magere welkom meer dan goed. Lytia had het er maar druk mee gehad.

De tafels waren met rode kleden gedekt en bestrooid met geurige kruiden, platte waskaarsen dreven in zilveren schalen en honderden toortsen brandden in houders tegen de pilaren die in lange rijen aan de vier zijden van de zaal stonden, zodat zelfs de beschilderde dakkoepels verlicht werden.

Onder leiding van Lytia en de hofmeester werd de ene na de andere gang de zaal in gedragen, exotischer en gevarieerder dan Tobin ooit had meegemaakt. Enorme snoeken in trillende geleihuiden. Eenvoudige patrijzen waren van een bladerdeegjasje voorzien, dat beschilderd was zodat het wel mythologische vogels leken, met schitterende staarten van echte veren. Compagnieën krabben stonden in de houding met kleine zijden baniertjes in hun scharen. Een geroosterde hertenbok werd op een schild naar binnen gedragen, zijn buik gevuld met imitatie-ingewanden van zuidvruchten en noten die aaneengeregen waren en bestreken met honing en nootmuskaat. Als dessert waren er onder andere gestoofde peren gevuld met stijfgeslagen zoete bruine room, appels in bladerdeeg gevuld met gedroogde vruchten en kalfsgehakt, en nog een vogeltjestaart, deze keer gevuld met kleine rode vliegenvangers. Toen ze blij hun gevangenis ontvluchtten, lieten de mannen hun valken los en bulderden van het lachen terwijl de kleine rode veertjes overal naar beneden dwarrelden.

Lytia's suikerdraken werden gepresenteerd op een zilveren schaal zo groot als een oorlogsschild. Elk draakje stond in een andere houding, sommige steigerend, andere klaar voor een sprong, of vechtend met elkaar. Het klapstuk werd de hele tafel rondgedragen zodat iedereen de dieren zag voor ze hun noodlot tegemoet gingen.

De schildknapen bedienden aan de hoofdtafel. Tobin en de rest van de Gezellen zaten aan de rechterkant van de koning en Korin. Niryn, Solari en zijn echtgenote en andere edellieden zaten links van de koning. Tobin zag tot zijn genoegen dat Tharin zich tot 's konings vrienden mocht rekenen.

'Zaten er van dit gezelschap ook heren in uw groep Gezellen, oom?' vroeg hij, terwijl de broodbedienden de eerste ronde van schijven brood uitserveerden en de beste stukken voor de koning en zijn familieleden neerlegden.

'Jullie zwaardmeester was een schildknaap, tot zijn meester in de strijd ten onder ging. Generaal Rheynaris was een van mijn jongens en die hertog naast hem was zijn schildknaap. Tharin was onze wijnschenker. Jouw schildknaap doet me trouwens aan hem denken, toen hij zo oud was. Kijk dan toch, Tharin,' riep Erius over tafel en hij wees op de Gezellen. 'Waren wij net zo'n fantastisch clubje toen wij jong waren?'

'Ik zou zeggen van wel,' riep Tharin, 'maar wij zouden voor meer zwaardvechters van niveau gezorgd hebben.'

'Vooral voor uw zoon, mijn koning, en die twee wilde bergleeuwen,' vulde Porion aan en hij wees op Tobin en Ki. 'Die jongens kunnen elke zwaardvechter aan het hof aan wanneer ze volgroeid zijn.'

'En dat is niet overdreven, vader,' zei Korin, terwijl er een plens wijn over de rand van zijn beker gutste toen hij hem op Tobins gezondheid de lucht instak. 'Tobin en Ki hebben ons allemaal in het stof doen bijten.'

'Ze hebben goede leraren gehad.' De koning hief zijn beker op Tharin en Porion en sloeg Korin op de schouder. 'Ik heb wat geschenken voor jou en je vrienden meegebracht.'

Dat bleken Plenimaraanse slagzwaarden te zijn voor Korin en Tobin, en fraaie dolken voor de rest. Het staal had een donkerblauwe tint die onbekend was in Skala en een dodelijk scherpe snede. Het was met uitzonderlijk goed vakmanschap vervaardigd en de jongens vergeleken opgewonden hun geschenken. Tobins zwaard had een gebogen handbeschermer van brons en zilver, en de twee metalen waren zo door elkaar gevlochten dat ze op takken van doornstruiken of wijnranken leken. Hij draaide hem bewonderend rond in zijn handen en keek naar dat van Korin, wiens handbeschermer er als een stel vleugels uitzag.

'Meesterlijk, is het niet?' zei Erius. 'De smeden uit het oosten houden vast aan de oude stijl. Er zijn wapens in de schatkamers uit het tijdperk van de hierofanten die er net zo uitzien als deze. Ik heb ze zelf gewonnen; ze hoorden toe aan generaals.'

Hij leunde naar achteren en knipoogde naar Korin. 'Ik heb nog een geschenk weg te geven, al ben ik niet degene die het bedacht heeft. Jongens?'

Korin, Caliël en Nikides liepen de hal uit en kwamen terug met een groot in doeken gewikkeld pak en Tobins banierstandaard. De banier was ook in witte lappen verpakt. Korin gaf het pak aan de page van zijn vader en grijnsde naar Tobin. 'Heer Hylus laat je groeten, neefje.'

Erius ging staan en richtte zich tot de aanwezigen. 'Ik ben een tijd weggeweest en heb een hoop zaken te regelen, nu ik weer thuis ben. De eerste taak die ik met plezier vanavond al afhandel betreft mijn neef. Sta op, prins Tobin, en ontvang uit mijn handen je nieuwe familiewapen: de kracht van Atyion verbonden met de glorie van Skala.'

Nikides rolde de banier uit en de koning maakte het pak open waar hij een lang zijden overkleed uithaalde; beide waren bestikt met Tobins wapenschild.

Dat wapen was voorzien van een bloedrode verticale paal die samen met de zilveren draak aan de top zijn koninklijke bloed symboliseerde. De linkerkant droeg de eik van Atyion, wit tegen een zwarte achtergrond met een zilveren rand. De rechterkant van het wapen droeg de rode draak van Illior onder de gouden vlam van Sakor op een azuurblauw veld met witte rand, zijn moeders kleuren.

'Wat schitterend!' riep Tobin uit. Hij was zijn gesprek met Hylus en Nikides tijdens het bal zo goed als vergeten. Hij bedankte Nikides met een warme blik, want het was tenslotte zijn idee geweest.

'Het is een mooi devies,' zei Erius tegen Tobin. 'Je moet je schild opnieuw laten beschilderen en nieuwe tunieken voor je garde regelen!'

Tobin knielde neer en hield het overkleed tegen zijn borst. 'Dank u, oom. Ik voel me vereerd.'

De koning woelde door zijn haar. 'En nu is het tijd om het gelag te betalen.'

'Hoe bedoelt u, oom?'

'Ik heb zo veel mooie verhalen gehoord over jou en die schildknaap van je – dat wil ik nu wel eens met eigen ogen zien. Pik maar een paar anderen als partner. Helm en maliënkolder, da's genoeg. Schildknaap Kirothius, haal je meesters wapenrusting. Wegwezen, minstrelen, want we krijgen krijgsvermaak.'

'Jij met Garol, Ki,' beval Korin. 'Wie waagt zich aan Tobin?'

'Dat doe ik wel, mijn prins,' riep Alben voor iemand anders kon antwoorden.

'Hufter!' mompelde Ki. Alle andere jongens zouden het Tobin niet te moeilijk hebben gemaakt, zodat hij een goede eerste show voor de koning weg kon geven. Maar dat zou die jaloerse, arrogante Alben hem niet gunnen.

'Ja, laat mijn zoon uw neef maar eens testen!' riep een van de edelen aan tafel. *Dat moet de beruchte baron Alcenar zijn,* dacht Tobin. De man was net zo knap en zelfingenomen als zijn zoontje.

Ki en Garol beten het spits af. Ze namen hun plaats in, groetten de koning en begonnen om elkaar heen te draaien. De edelen sloegen op tafel en zetten geld in op de winnaar.

De meesten zetten op Garol in. Hij was ouder dan Ki en een stuk gespierder. Die inzet leek gerechtvaardigd want hij dreef Ki snel naar achteren met een serie krachtige openingsslagen. De twee hadden vaak genoeg geoefend om elkaars trucjes door te hebben; Ki zou het moeten hebben van snelheid en slimheid.

Hij deed hard zijn best Garols slagen te blokkeren en begon hem langzaam naar de hoek te drijven, om zelf niet klemgezet te worden tegen de tafels. Het deed Tobin denken aan de danslessen met Arengil en Una. Ki had zich bezig moeten houden met volgen, maar nu leidde hij de dans en zorgde ervoor dat Garol zijn dekking moest opgeven omdat hij gedwongen was zijn achterwaarts lopende vijand te volgen. Tobin begon te lachen, want hij vermoedde wat Ki van plan was. Garol had één zwakheid: hij was ongeduldig.

Natuurlijk werd de oudere jongen dit spelletje snel zat en hij sprong op Ki af, waarbij hij hem bijna omverduwde. Snel als een slang draaide Ki zich op zijn hak om, dook onder Garols arm door en sloeg hem met het plat van zijn zwaard in zijn nek, waardoor Garol voorover klapte. Iedereen hoorde het geluid van de kling tegen de maliënkap; het zou op het veld een dodelijke slag zijn geweest. Arengil had hen die manoeuvre geleerd.

Het publiek loeide en floot terwijl het goud van hand tot hand ging. Ki hielp Garol overeind en sloeg een arm om zijn schouders ter ondersteuning. Garol wreef spijtig over zijn nek en keek wat duf uit zijn ogen.

Toen was het Tobins beurt. Hij was nu al zenuwachtig en hij had het niet op die valse grijns die Alben met Urmanis uitwisselde toen ze hun positie innamen. Al had hij nog zo'n grote hekel aan Alben, hij onderschatte hem niet; hij was een sterk en behendig strijder en hij zou altijd alles in stelling brengen om maar te winnen. Terwijl hij zijn schouders draaide en zijn armen strekte om de zware maliënkolder beter te laten vallen, ging Tobin rechtop staan voor de groet.

Toen ze de koning een saluut hadden gebracht nam Alben een defensieve houding aan en wachtte af, waarbij hij Tobin dwong uit te vallen of zichzelf voor schut te zetten. Het was een bekende zet en Tobin had bijna een buikslag opgelopen toen Alben zijn eerste schijnbeweging ontweek. Het bracht hem uit zijn evenwicht en Alben maakte daarvan gebruik door hem met een reeks snelle slagen te lijf te gaan. Tobin sprong en dook eronderdoor, maar liep toch een ferme slag op zijn helm op die hem bijna op de knieën kreeg. Hij was net op tijd weer bij zijn positieven om Alben een slag toe te dienen waarbij de punt van zijn kling hem in het gezicht raakte door langs de kap te schampen en hem een snee in zijn wang te bezorgen.

Alben vloekte en begon dubbel zo hard met zijn zwaard heen en weer te zwaaien, maar Tobins bloed had nu ook bijna het kookpunt bereikt. Stel je voor dat hij hier, voor het oog van de koning, in zijn eigen kasteel, te schande werd gezet.

'Voor Atyion!' riep hij en hij hoorde de uitdagende kreet oorverdovend herhaald worden van de lagere tafels. De honden, die aan een kant van de hal aan de ketting lagen, jankten en blaften. De kakofonie leek Tobin vleugels te geven. Zijn zwaard voelde aan als een droge tak in zijn handen.

Daarna kon Tobin zich niets anders meer herinneren dan het slaan van staal op staal, en de hijgende ademhaling van zijn tegenstander terwijl zij op elkaar in hakten, zich in het zweet werkten als boeren die de oogst moeten binnenhalen, zodat ze brandende ogen kregen en hun tunieken doorweekt raakten.

Tobin deed een stap achteruit om Alben op die manier te dwingen te ver te reiken, maar er lag iets op de grond waar hij zijn hak op zette en hij viel plat achterover. Alben zat meteen boven op hem. Tobin had zijn zwaard nog vast maar Alben had zijn voet op zijn pols gezet en hief zijn arm al voor de genade-slag. Klemgezet zag Tobin dat Albens kling niet gedraaid was; als hij sloeg zou hij hem met de scherpe zijde raken, wat hem de botten zou breken, als hij het al overleefde.

Op dat moment schoten er twee blazende, sissende flitsen vanonder de dichtstbijzijnde tafel vandaan die tussen Albens benen doorschoten. Van schrik wankelde hij even zodat Tobin zijn arm onder de voet vandaan kon trekken en zijn zwaard naar boven kon brengen zodat het op gelijke hoogte met het gezicht van zijn vijand zat, met de punt voor diens linkeroog. Alben zwaaide met zijn armen om te beletten dat hij voorover viel en Tobin lichtte hem beentje met één voet. De ander viel achterover en Tobin krabbelde over-eind en ging schrijlings op hem zitten. Hij trok Albens maliënkap af en legde de rand van zijn kling op diens keel.

Alben keek hem vuil aan, zijn ogen brandden van pure kwaadaardigheid.

Waarom haat je me toch zo? vroeg Tobin zich af. Toen trokken Ki en de an-deren hem overeind en sloegen hem vrolijk op zijn schouders. Urmanis en Mago probeerden Alben op de been te helpen maar hij schudde hen van zich af. Met spottende blik groette hij Tobin en beende terug naar tafel.

Toen Tobin speurend rondkeek zag hij Streepstaart en een zwart-witte ka-ter onschuldig hun snuiten wassen onder tafel.

'Goed gedaan!' riep de koning. 'Bij de Vlam, jullie zijn zeker zo goed als Porion beweert!' Hij maakte de gouden speld van de hals van zijn tuniek los en wierp hem Ki toe. De jongen stond perplex, drukte het sieraad toen tegen zijn hart en liet zich op één knie vallen. Erius wierp Tobin zijn dolk met gou-den heft toe.

'Nu, dan wil ook de rest van jullie wel eens zien. Korin en Caliël, jullie eerst, en laat maar eens zien wat ik je geleerd heb!'

Natuurlijk won Korin de wedstrijd. Tobin was er zeker van dat Caliël min-stens twee keer zijn verdediging liet zakken om Korin een punt te laten ma-ken. De andere Gezellen deden ook hun uiterste best en Lutha kreeg veel lof toegezwaaid omdat hij al na één slag Quirions pink gebroken had. Tobin vocht met Nikides en zorgde ervoor dat zijn vriend in elk geval een paar ferme slagen uit kon delen voor Tobin hem versloeg.

Erius groette hen met geheven beker toen de strijd gestreden was. 'Goed gedaan, jullie allemaal! De Plenimaranen laten ons nu even met rust, maar struikrovers en piraten rusten nooit!' Hij knipoogde naar zijn zoon.

Korin sprong op en kuste zijn vaders hand. 'Wij staan tot uw beschikking!'

'Nou, nou, ik beloof niks. We zullen wel zien.'

De laatste gang van verse kaas en rijk versierde notenhapjes op beschilderde porseleinen borden werd binnengebracht, terwijl de minstrelen oude balladen zongen terwijl zij aten.

'En nu een nieuw ideetje van de pottenbakkers uit Ylani,' sprak Solari toen alle lekkernijen op waren. Hij draaide zijn bord om en toonde de koning een versje dat aan de onderzijde geschreven was. 'Elk bord heeft een raadsel dan wel een rijmpje, en de eigenaar moet het voordragen terwijl hij op zijn stoel staat. Staat u me toe het voor te doen.'

Terwijl er vrolijk gelach opsteeg en op de tafel werd geslagen, ging Solari op zijn stoel staan en declameerde op zeer sentimentele wijze een dwaas parodietje.

Verrukt ging daarna Erius op zijn stoel staan, en declameerde een uitermate scabreus rijmpje met de overdreven tedere stem van een bleke hofdichter.

Het spel was een groot succes en duurde minstens een uur. De meeste versjes waren behoorlijk schuin en een paar waren eigenlijk te smerig om voor te lezen. Tobin moest blozen toen Tharin boven op de tafel met uitgestreken gezicht het gedicht voordroeg van een jonge vrouw die haar minnaar in een perenboom bevredigt terwijl haar oude, halfblinde echtgenoot haar toeroept toch vooral de rijpste en dikste vruchten te plukken.

Tot Tobins opluchting had hij alleen een raadseltje. 'Welk fort weerstaat brand, bliksem en beleg, maar kan overwonnen worden door één enkel lief woord?'

'Het hart van een verliefd man!' riep Korin uit en een goedkeurend fluitconcert werd zijn deel.

'Laat Tobin het grote zwaard zien, vader,' vroeg Korin nadrukkelijk toen het bordenspel was afgelopen.

De bandelier van de koning bood het de koning geknield aan. Nadat hij de lange kling bevrijd had uit de met knoppen beslagen schede, hield Erius het zwaard omhoog zodat Tobin het kon bewonderen. Geel toortslicht werd gevangen op het gepolijste staal, en gleed zacht over de versleten gouden draken die in reliëf op de gebogen handbeschermers waren aangebracht.

Erius bood Tobin het gevest aan en hij moest zijn spieren spannen om het te heffen; het was veel en veel zwaarder en langer dan zijn eigen zwaard. Desondanks lag het gevest van met gouddraad omwonden ivoor goed in de hand. Hij liet de punt naar de grond wijzen en bestudeerde de grote robijn in de gouden zwaardknop waarin het zegel van Skala gegraveerd was. Dit was een patroon dat hij vaak in spiegelbeeld had gezien, een afdruk in de was waarmee de brieven van zijn oom verzegeld waren: Illiors draak die Sakors

Vlam in een maansikkel op zijn rug droeg.

'Het enige, echte zwaard dat koning Thelátimos aan Ghërilain schonk,' zei Korin die het vastpakte en het slaggedeelte zo hield dat het het licht weerkaatste. 'En zo veel jaar later is het weer in de hand van een koning teruggekeerd.'

'En op een dag zal het ook jou toebehoren, mijn zoon,' zei de koning trots.

Tobin staarde naar het zwaard, en probeerde zich zijn tengere, onvoorspelbare moeder als een strijder met het zwaard te zien zwaaien. Het was onmogelijk.

Plotseling werd hij voor de tweede keer die dag gewaar dat Niryn hem strak aankeek. Trots had angst vervangen. Hij dacht alleen nog aan het gevoel van het zwaard in zijn hand en keek de tovenaar recht in de ogen. Deze keer was hij het niet die het eerst de ogen neersloeg.

20

Pas ver na middernacht brachten Solari en de Gezellen Erius en de zijnen naar hun slaapvertrekken. Tobin bleef dicht bij Tharin en zo ver mogelijk uit de buurt van Niryn, terwijl ze rumoerig de trappen op gingen.

Onwillekeurig bleef hij zijdelingse blikken op de koning werpen om deze joviale, lachende man te rijmen met het beeld van de koning uit de verhalen waarmee hij was opgegroeid. Maar hij had net zo goed zijn lichaamslengte kunnen vergelijken met zijn lange schaduw op de traptreden: ze vertoonden eenvoudigweg geen enkele overeenstemming. Verward gaf hij het op. Zijn wankelmoedige hart verlangde sterk naar een nieuwe vader, maar de herinnering aan zijn moeder spookte hem nog te zeer door het hoofd om de voorzichtigheid te laten varen.

Uit al Iya's en Lhels verhalen, en uit wat hij hier gezien had, viel één ding op waaraan hij niet hoefde te twijfelen: of het hem nu goed of kwaad zou doen, de koning hield de touwtjes van Tobins leven in zijn vierkante strijdershanden. Erius had hem Orun als voogd gegeven, en nu had hij Solari heer van Atyion gemaakt. Ondanks de ogenschijnlijke vrijheid die hij bij de Gezellen genoot, was zijn leven in Ero net zo ingeperkt door anderen als het op de burcht geweest was, en deze keer bovendien door mensen die hij niet helemaal durfde te vertrouwen. Het was het beste om voorlopig te veinzen dat hij hield van de man die hij 'oom' moest noemen. En voorlopig leek die liefde wederzijds te zijn.

De kamer van de koning lag naast de kamer die eens aan Tobins ouders had toebehoord. Bij zijn deur greep Erius Tharins vuist en nam hij Tobins kin in de andere hand, om hem recht in de ogen te kijken. 'Bij het Licht, het is verdomd net of je moeder voor me staat. Zo blauw! Blauw als de zomerse avondhemel.' Hij zuchtte. 'Vraag me om een gunst, kind. Ter nagedachtenis aan mijn zuster.'

'Een gunst, oom? Ik… ik zou het niet weten. U bent al veel te royaal geweest.'

'Onzin, er moet iets zijn dat ik je kan geven.'

Iedereen keek Tobin afwachtend aan. Tharin schudde het hoofd zachtjes alsof hij hem waarschuwde. Ki, die bij de andere schildknapen stond, grijnsde en haalde heel even zijn schouders op.

Misschien kwam het door de wijn, misschien door Mago's smalende lach dat Tobin een wat vrijpostig antwoord durfde geven. 'Voor mezelf heb ik geen wensen, oom, maar er is wel iets anders dat ik prettig zou vinden.' Hij durfde Ki niet aan te kijken terwijl hij het hoge woord eruit gooide. 'Zou u alstublieft de vader van mijn schildknaap in de adelstand willen verheffen?'

'Een heel behoorlijke gunst,' merkte Korin met dikke tong op. 'Ki is niets minder dan wij. 't Is niet zijn schuld dat hij maar een grasridder is.'

Erius trok een wenkbrauw op en grinnikte. 'Is dat alles?'

'Ja,' sprak Tobin die moed had gevat. 'Ik ben nog niet oud genoeg om hem een titel te verlenen, dus vraag ik Uwe Majesteit nederig om het uit mijn naam te doen. Ik zou heer Larenth hertog van…' Hij probeerde zich alle landgoederen te herinneren waar hij wel eens van had gehoord, maar die hij nog nooit had gezien. '…Cirna willen maken.'

Zodra hij de naam genoemd had, wist hij dat hij een grote fout had gemaakt. Tharin verbleekte, en heer Niryn begon te kuchen. Anderen leken de adem in te houden.

De glimlach van de koning was op slag verdwenen. 'Cirna?' Hij liet Tobin los en deed een stap naar achteren. 'Een heel vreemde keuze voor een geschenk. Heeft je schildknaap je daarom verzocht?'

De schrik sloeg Tobin om het hart toen hij de kwade blik van de koning opving. 'Nee, oom! Het was gewoon de eerste plaats die in me opkwam. Het maakt niet uit welk landgoed hij krijgt, als hij er maar hertog van wordt.'

Maar Erius liet zijn ogen nog steeds van Tobin naar Ki glijden, en er was iets heel duisters in zijn blik geslopen. Tobin wist dat hij een ernstige misser gemaakt had, maar hij had geen flauw idee waar dat aan lag.

Tot Tobins verbazing schoot heer Niryn hem te hulp. 'De prins heeft de nobele ziel van zijn moeder, mijn koning, buitengewoon genereus. Hij kent zijn landerijen nog niet, en wist zodoende niet wat hij aanbood.' Iets in de blik waarmee hij de koning aankeek maakte Tobin nog meer van streek, al was het duidelijk dat de tovenaar het voor hem opnam.

'Misschien niet,' zei Erius langzaam.

'Ik dacht dat prins Tobin eigenaar is van een heel passend gebied ten noorden van Colath,' vervolgde Niryn. 'Er ligt daar een fort, bij Rilmar.'

Erius klaarde meteen op. 'Rilmar? Ja, een uitstekende keus. Heer Larenth kan er Maarschalk van het Wegverkeer worden. Wat denk je ervan, schildknaap Kirothius? Zou je vader akkoord gaan?'

Het kwam haast nooit voor dat Ki zijn tong verloor, maar nu kon er alleen een kort knikje af voor hij verbijsterd op een knie viel. Erius trok zijn zwaard en legde het op Ki's rechterschouder. 'Uit naam van de vader en al zijn erfgenamen, zweer je trouw aan de troon van Skala en aan prins Tobin als je leenheer?'

'Ik zweer het, mijn koning,' fluisterde Ki.

Erius hield het zwaard voor Ki's gezicht en Ki kuste de punt ervan.

'Sta op dan, Kirothius, zoon van Larenth, Maarschalk van Rilmar. Geef de kus van trouw aan je weldoener voor het oog van deze getuigen.'

Iedereen applaudisseerde maar Tobin kon Ki's vingers voelen trillen terwijl hij zijn hand pakte om hem te kussen. Net als die van Tobin trouwens.

Toen ze de koning goedenacht hadden gewenst, liep Tharin achter Ki en Tobin aan naar hun kamer. Hij stuurde de page weg om heet water te halen, viel neer in een stoel en greep zijn hoofd met beide handen vast. Ki schopte zijn laarzen uit en ging in kleermakerszit op bed zitten. Tobin knielde neer op het kleed voor de haard en pookte de as wat op. Hij wachtte.

'Nou, dat was een onverwachte ontwikkeling,' zei Tharin toen hij eindelijk van de schok hersteld was. 'En toen je Cirna probeerde weg te geven... Bij het Licht, wist je eigenlijk wel wat je deed?'

'Nee. Ik zei toch dat het de eerste plaats was die me te binnen schoot. Het is toch maar een klein landgoed?'

Tharin schudde het hoofd. 'Wanneer je het opmeet misschien, maar degene die Cirna beheert, beheert het bolwerk van Skala, om nog maar te zwijgen van de tolgelden die in jouw naam worden opgehaald maar waar de Beschermheer zijn deel van krijgt. En toevallig is dat momenteel heer Niryn.'

'Niryn?' riep Ki uit. 'Wat doet die Ouwe Vossenbaard nu met zo'n aanstelling? Hij is niet eens een strijder!'

'Drijf nooit de spot met hem, Ki, zelfs niet in je eigen kamer. En wat de reden ook moge zijn, het is iets tussen hem en de koning.' Hij zweeg en voelde aan zijn baard; hij dacht na. 'Ik denk dat het ook iets tussen jou en Niryn is, Tobin. Cirna is ten slotte van jou.'

'Is Niryn dan mijn leenman?' Tobin rilde bij de gedachte.

'Nee, net zomin als Solari. De koning is hun leenheer. Maar maak je geen zorgen. Je zult ze vrijwel nooit zien, en je staat onder bescherming van de koning. Hij heeft het meest te zeggen over je.'

'Dat is mooi,' zei Ki. 'Korin aanbidt Tobin zowat, en nu mag de koning hem ook al graag, ja toch?'

Tharin stond op en woelde door Tobins haar. 'Daar ziet het wel naar uit.'

'Maar ik heb iets verkeerds gezegd, of niet soms? Ik zag het aan Erius' gezicht.'

'Als je een paar jaar ouder geweest was...' Tharin schudde het hoofd om een sombere gedachte te verjagen. 'Nee, hij zag dat je hart onschuldig was. Niets om je druk over te maken. En nu, naar bed jullie, allebei. Het is een vermoeiende dag geweest.'

'Je mag hier wel slapen vannacht,' bood Tobin aan. Tharin wist meer over de reactie van de koning dan hij losliet, dus was hij nog steeds niet gerustgesteld.

'Ik heb Lytia beloofd dat ik haar op zou zoeken vannacht,' zei Tharin. 'Maar ik kijk wel even of alles in orde is als ik terugkom. Welterusten.'

Met de deur stevig achter zich gesloten, liet Tharin zich tegen de muur vallen, en hoopte dat de wachters verderop in de gang zouden denken dat de wijn de oorzaak was dat hij zo slap op zijn benen stond. Hij kende die blik in Erius' ogen – achterdocht. Als Tobin zestien geweest was in plaats van twaalf, zou zijn verzoek het doodvonnis voor hem en Ki hebben betekend. Maar hij was nog maar een kind, en behoorlijk wereldvreemd bovendien. Erius' geest was nog niet zo beneveld dat hij dat niet had gezien.

Desalniettemin bleef Tharin nog lang staan kletsen met de schildwachten, terwijl hij de deur van de koning en van Niryn nauwlettend in het oog hield.

'Dat had je niet hoeven doen, weet je. Een gunst van de koning aan mij verspillen,' zei Ki tegen Tobin toen Tharin de deur uit was. Tobin zat nog steeds op het kleed, met zijn armen om zijn knieën geslagen, zoals hij deed wanneer hem iets dwarszat. 'Kom onder de deken. Het vuur is uit.'

Maar Tobin bleef zitten waar hij zat. 'Zal je vader niet kwaad worden?'

'Hij zou wel gek zijn! Maar hoe kwam je daar nou bij, Tob? Je kan veel van mijn ouwe zeggen, maar van adel is hij bepaald niet. Ik zie het nu al voor me, hij en mijn broers die met zijn aanstelling in de hand alle paarden uit de streek jatten.'

Tobin keek hem aan. 'Maar je zei altijd dat hij geen paardendief was!'

Ki haalde zijn schouders op. 'Ik heb onderhand lang genoeg tussen fatsoenlijke mensen geleefd om te weten wat hij was, niet dan?'

'Zo erg kunnen ze toch niet zijn, Ki. Jij bent geen cent minder dan wij.

Maar in elk geval kan niemand je nu meer een grasridder noemen.'

Maar er zijn er nog genoeg die dat wel zullen doen, dacht Ki.

'Ik heb een belofte gedaan toen we de burcht verlieten,' zei Tobin ernstig.

'Daar weet ik niks van.'

'Ik heb het ook niet hardop gezegd. Weet je nog hoe neerbuigend Orun zich tegen jou en Tharin gedroeg? Ik heb Sakor gezworen dat ik van jou en Tharin rijke edellieden zou maken zodat Orun voor jullie in het stof zou kruipen.' Hij sloeg zich voor het hoofd. 'Tharin! Ik had ook iets voor hem moeten vragen, maar ik was zo verrast dat ik helemaal in de war was. Denk je dat ik hem heb gekwetst?'

'Volgens mij is hij blij toe dat je het niet gedaan hebt.'

'Blij? Hoezo?'

'Denk nou eens na, Tob. Je hebt mijn vader fort Rilmar gegeven, en daar zal hij vandaag of morgen wel heen gaan, maar voor mij verandert er niks. Maar als je Tharin heer van een of ander groot leengoed had gemaakt, had hij moeten vertrekken om zijn taken als heer waar te nemen. Dat betekent dat hij ons – jou, bedoel ik, alleen had moeten laten en dat zou hij echt niet leuk gevonden hebben.'

'Ons,' verbeterde Tobin Ki, en hij ging naast hem op bed liggen. 'Daar had ik nog niet eens aan gedacht. Dan zou ik hem heel erg missen, ja. En toch...' Hij trok zijn laarzen uit en ging weer tegen de kussens aan zitten. Zijn mond had die koppige trek die Ki maar al te goed kende. 'Bij de ballen van Bilairy, Ki! Tharin verdient heel wat beters dan kapitein van mijn garde te zijn! Waarom heeft mijn vader hem nooit promotie gegeven?'

'Misschien omdat Tharin dat niet wilde,' zei Ki en hij wou dat hij zijn mond had gehouden.

'Waarom niet?'

Nou heb je de poppen aan het dansen, dacht Ki. *Mijn schuld.* Maar het was te laat om zijn woorden terug te nemen.

'Waarom zou Tharin dat niet willen?' vroeg Tobin nogmaals en hij keek Ki onderzoekend aan.

Je kon nooit iets voor Tobin verborgen houden, dat was een ding dat zeker was. Dus moest hij het zeggen of liegen, en hij zou nooit liegen tegen Tobin. *En het kan Tharin geen bal schelen wie het weet. Heeft hij zelf gezegd.*

Ki drukte zichzelf op tegen het hoofdeind en wist niet goed hoe hij moest beginnen. 'Nou, het punt is... Ik bedoel, ze waren nog heel jong dus, bij de Gezellen, ze... je vader en Tharin, die eh, die hielden dus van elkaar en...'

'Ja, natuurlijk. Jij en ik...'

'Nee!' Ki hield zijn hand op. 'Nee, Tobin, niet zoals wij. Dat wil zeggen, niet *helemaal* zoals wij.'

Tobin sperde zijn ogen open toen hij inzag waar Ki heen wilde. 'Zoals Orneus en Lynx, bedoel je?'

'Tharin heeft het me zelf verteld. Alleen toen ze jong waren. Toen trouwde je vader met je moeder en zo. Maar Tharin? Ik denk dat er voor hem nooit een ander is geweest.'

Tobin staarde hem aan en Ki vroeg zich af of ze er ruzie over zouden krijgen, net zoals Ki altijd met jongens gevochten had die zeiden dat zijn vader een paardendief was.

Maar Tobin was alleen maar in gedachten. 'Wat ellendig voor Tharin.'

Ki herinnerde zich Tharins uitdrukking toen hij er op die regenachtige avond over gesproken had. 'Ja, heel erg, maar ze zijn altijd vrienden gebleven. Ik denk dat hij het niet aan had gekund als hij van je vader gescheiden was, net zomin als ik, als Orun me weg had gestuurd. Niet dat ik... Nou ja, je weet wel. Niet op die manier,' haastte Ki zich te zeggen.

Tobin wendde zijn hoofd af. 'Nee! Stel je voor, zeg.'

Er viel een stilte die zo lang aanhield dat Ki opgelucht ademhaalde toen de page met een grote kan warm water binnen stommelde.

Nadat de jongen het vuur weer opgerakeld had en de deur uit was gegaan, kon Ki Tobin weer aankijken. 'Nou, wat vond je ervan, de ontmoeting met je oom?'

'Vreemd. Wat vind je van hem?'

'Niet wat ik gedacht had. Ik bedoel, Korin heeft zo'n hoge pet van hem op, maar het is zijn vader natuurlijk.' Ki stopte en liet zijn stem zakken voor de zekerheid. 'Mijn vader had nooit een goed woord voor de koning over omdat hij de vrouwen uit het leger heeft verstoten. En dan al dat gedoe met die vrouwelijke erfgenamen en die Haviken en zo. Zag je dat wij niet de eersten waren die hem welkom heetten? Ouwe Vossenbaard reed al in zijn schaduw mee. Hoe heeft hij zo snel bij de koning kunnen komen, nog voor wij er waren?'

'Hij is een tovenaar.' Tobin had die ingetogen, bedachtzame blik die hij altijd scheen te krijgen wanneer Niryn in de buurt was.

Ki kroop dichter naar hem toe. Hij raakte hem niet aan, maar hij zat zo dichtbij dat Tobin moest voelen dat hij niet alleen was in zijn angst voor de man. 'Ik denk dat als ik de koning in een herberg was tegengekomen, en niet geweten had wie hij was, ik hem een toffe peer zou hebben gevonden,' besloot Ki zijn verhaal.

'Ik ook. Maar toch…' Zijn stem verflauwde en Ki zag opeens dat Tobin zat te beven. Toen Tobin de draad weer oppakte kon hij alleen maar fluisteren. 'Mijn moeder was doods- en doodsbenauwd voor hem!'

Tobin sprak haast nooit over zijn moeder.

'Broer heeft ook een pesthekel aan hem,' fluisterde hij. 'Maar na wat ik vandaag heb gezien? Ik weet eigenlijk niet wat ik voel behalve… Misschien zijn de verhalen niet waar? Ik bedoel, mijn moeder was waanzinnig en Broer liegt… Ik weet het gewoon niet!'

'Hij mag je graag, Tob. Ik kan het weten. En waarom ook niet?' Ki kwam naderbij, ze lagen nu schouder aan schouder. 'Maar wat die verhalen betreft, daar weet ik ook het fijne niet van… Ik ben wel verdomd blij dat je niet als meisje geboren bent.'

Tobin keek opeens alsof hij hem een stomp verkocht had en Ki kon zich wel voor het hoofd slaan. 'O tering! Het spijt me, Tob. Mijn tong ging weer met me op de loop.' Hij pakte de hand van zijn vriend vast. Ondanks het vuur in de haard was die ijskoud. 'Misschien zijn die verhalen uit de duim gezogen.'

'Het is oké. Ik weet wat je bedoelde.'

Ze bleven even zo zitten en de rust deed weldadig aan. De kamer werd warmer en het bed was zacht. Hangend tegen de stevige peluws sloot Ki zijn ogen en begon zachtjes te grinniken. 'Ik ken iemand die echt last van de koning zal krijgen, en gauw ook. Zag je de furieuze blikken die Erius de wijnschenker aan het eind van het feest zond, toen Korin totaal laveloos was?'

Tobin lachte spijtig. 'Hij had er beslist een paar te veel op, hè? Ik helaas ook. Hoe konden we ook weten dat Atyion zoveel soorten wijn bezat?'

Ki gaapte. 'Let op mijn woorden. Nu de koning terug is, krijgt Porion zijn zin en wordt er geen druppel meer gedronken in de Gezellenzaal. Door niemand.' Weer gaapte hij. 'En dat komt me dan goed uit, want dat betekent dat ik niet meer hoef aan te zien hoe Korin en de anderen zich om de avond een stuk in hun kraag drinken.'

Tobin gromde slaperig dat hij het met hem eens was.

Ki voelde zich duizelig worden. 'De kamer draait, Tobin.'

'Mmm. Zo te horen heeft niet alleen Korin te diep in het glaasje gekeken. Niet op je rug gaan liggen, Ki.'

Ze giechelden.

'Zei je nou dat Broer de koning ook haat?' mompelde Ki, die langzaam in slaap viel. 'Dan is het maar goed dat hij zich niet liet zien op het feest, waar of niet?'

Ki's slaperige gemompel verdreef Tobins slaap. Misschien kon Broer het hart van de koning lezen, kon hij zien of het goed of slecht was. Dieper dan dat lag de eenzame wetenschap dat, hoewel hij een leugenaar en een demon was, Broer de enige was op wie hij zich volledig kon verlaten.

Toen Ki snurkte, blies Tobin de nachtlampjes uit en haalde de pop uit zijn tas. Op de tast ging hij naar de haard en knielde neer; zijn bloed bonsde in zijn oren. Durfde hij Broer wel op te roepen? De dag dat de koning naar de brug gekomen was, was Broer helemaal gek geworden, als een wervelwind was hij tekeergegaan. Wat zou hij nu doen, met Erius aan de overkant van de gang?

Tobin drukte de pop tegen zich aan, alsof hij Broer zo in bedwang kon houden. 'Bloed, mijn bloed. Vlees, mijn vlees. Bot, mijn bot,' fluisterde hij en hij bereidde zich voor op chaos. Maar Broer kwam gewoon tevoorschijn, knielde voor hem neer als een weerspiegeling. Het enige teken van zijn woede was de ijzige kou die hij verspreidde.

'De koning is hier,' fluisterde Tobin, klaar om Broer weg te vagen als hij bewoog.

Ja.

'Ben je niet kwaad op hem?'

De kou werd ondraaglijk toen Broer vooroverboog. Hun neuzen raakten elkaar haast; als hij een levend wezen geweest was zou Tobin zijn adem geroken hebben toen Broer siste: 'Vermoord hem.'

Een hevige pijnscheut schoot door Tobins borst, alsof Broer de verborgen naad opengerukt had.

Hij viel op zijn handen en dwong zichzelf niet flauw te vallen. De pijn trok langzaam weg. Toen hij zijn ogen opendeed, was Broer verdwenen. Hij luisterde schichtig of er niet ergens een schrille kreet weerklonk, maar alles bleef stil. Hij fluisterde de formule nogmaals om er zeker van te zijn dat Broer echt weg was, en dook weer snel zijn bed in.

'En, kwam hij?' vroeg Ki zachtjes, die blijkbaar toch nog wakker was.

Tobin was blij dat hij de lampen had uitgeblazen. 'Heb je ons niet gehoord?'

'Nee, niets. Ik dacht dat je van gedachten was veranderd.'

'Hij is geweest,' zei Tobin, opgelucht dat Ki de gevaarlijke woorden niet had opgevangen. Hij ging verliggen en raakte Ki's voet aan.

'Jemig, Tobin, je lijkt wel bevroren! Onder de dekens, jij.'

Ze wurmden zich uit hun kleren en trokken de dekens en spreien over zich heen, maar Tobin scheen maar niet warm te kunnen worden. Hij klappertandde zo erg dat Ki het hoorde en dichterbij schoof om hem op te warmen.

'Bij de ballen van Bilairy, dit is niet normaal.' Hij wreef snel over Tobins armen en voelde zijn voorhoofd. 'Ben je ziek of zo?'

'Nee.' Het was moeilijk praten met die klapperende tanden.

Even was het stil. Toen: 'Wat heeft Broer gezegd?'

'Hij... Hij is nog steeds niet dol op de koning.'

'Nou, dat is oud nieuws dus.' Ki wreef Tobins armen weer warm en ging dicht tegen hem aan liggen, gapend en wel. 'Nou, zoals ik zei, gelukkig dat je geen meisje bent.'

Tobin kneep zijn ogen dicht, en was opnieuw blij dat de duisternis hem verborg.

Die nacht kwam de vrouwenpijn weer terug. Soms voelde hij een doffe pijn tussen zijn heupen wanneer het volle maan was, maar dit was dezelfde stekende pijn die hij gevoeld had voor hij weggelopen was. Hij had vergeten het zakje met kruiden mee te nemen dat Lhel hem gegeven had. Angstig en ellendig rolde hij zichzelf op tot een bal, dankbaar voor Ki's warmte tegen zijn rug.

Niryn wilde zijn kamerdienaar net opdragen hem uit te kleden, toen hij het weer voelde, die vreemde energiestroom in de lucht. Zoals gewoonlijk was het weg voor hij kon zeggen wat het was, maar dit was de eerste keer dat hij het buiten Ero had waargenomen. Hij gebaarde dat de man kon vertrekken en deed de knopen van zijn gewaad weer dicht om op zoek te gaan naar de raadselachtige magie.

Hij dacht er een vleugje van op te vangen bij prins Tobins deur, maar toen hij een zichtspreuk uitsprak en naar binnen keek, zag hij de twee jongens diep in slaap, opgekruld als jonge hondjes.

Of minnaars.

Niryns lip krulde smalend op terwijl hij die snippertjes informatie opborg. Je kon nooit weten of en wanneer het van pas kon komen. Prins Tobin was veel te jong om als bedreiging gezien te worden, maar de koning liet nu al doorschemeren wie zijn favorieten waren. En dan dat vernederende moment waarop dat stomme joch Cirna van hem had willen afpakken! Dat moment zou Niryn voorlopig niet vergeten.

21

De koning had geen haast naar Ero terug te keren. De volgende dag maakte hij bekend dat hij en zijn gevolg zijn neef wilden eren door de komende veertien dagen in Atyion door te brengen. Binnen een week arriveerden opperkanselier Hylus en de andere ministers en de kasteelzaal werd een Palatijns paleis in het klein, waarin de koning tussen jachtpartijen en feesten door zijn zaken afhandelde. Hij wilde slechts de dringendste zaken doornemen en Hylus schiftte behoedzaam elke petitie en elk rechtsgeding, en hij stuurde menigeen weg die met een zaak kwam die wel kon wachten. Desondanks was de hal van 's ochtends tot 's avonds gevuld.

Nu de wapenstilstand van kracht was werden conflicten veelal binnen de Skalaanse grenzen behandeld. Terwijl hij lanterfantte met de andere jongens, ving Tobin wel eens wat op over nieuwe pestgolven, overvallen van rovers en bandieten, onterechte belastingaanslagen en mislukte oogsten.

Hij was zich zeer bewust van zijn status te midden van de andere edellieden. Zijn banier mocht dan op die van de koning en Korin na het hoogst in de zaal hangen, geen volwassene die ook maar enige aandacht aan hem besteedde, behalve tijdens de banketten.

Zodoende kon Tobin met de anderen vrijelijk in de stad en langs de kust rondom het kasteel op avontuur, en ze waren overal even welkom.

De stad was welvarend en smerige straten en sluimerende ziekten waren hier onbekend. Op een groot plein stonden, in plaats van een schrijn, tempels die gewijd waren aan de Vier; het waren prachtige houten gebouwen, kleurrijk beschilderd en versierd met houtsnijwerk. De tempel van Illior was de grootste en Tobin bekeek vol ontzag de beschilderde plafonds en het zwartstenen altaar. Priesters met zilveren maskers op bogen voor hem wanneer hij daar zijn uilenveertjes brandde.

De bevolking van Atyion leed geen honger en was vriendelijk, en iedere handelaar stond te popelen om de telg van Atyion en zijn vrienden van dienst te zijn. Ze werden toegejuicht, er werd op hen gedronken en men zegende hen waar ze ook gingen of duwde hen geschenken in de hand.

De taveernes verschilden niet veel van die in Ero. Barden uit het verre Mycena en het noorden van Aurënen beoefenden hier hun zangkunst en wisten hoe ze de Gezellen konden plezieren met verhalen over hun stoutmoedige voorouders.

Tobin was gewend in Korins schaduw te staan, maar hier stond hij in het centrum van de aandacht. Korin werd geëerd en geprezen, uiteraard, maar het was duidelijk dat Tobin hier op handen gedragen werd. Al liet Korin het niet merken, Tobin zag toch wel dat hij jaloers was. Dat kwam opvallend naar voren wanneer Korin gedronken had. Opeens waren de gemeenste grappen, die meestal voor Quirion of Orneus bewaard werden, voor hem bedoeld. Korin begon te vitten op de kroegen, het theater, de hoeren en zelfs op Lytia's uitnemende partijen. Hij en de oudere knapen gingen al snel weer hun oude gangetje, door 's nachts de stad in te gaan en Tobin achter te laten.

Ki was daar woedend over, maar Tobin haalde zijn schouders erover op. Het stak wel, maar Tobin wist hoe het voelde om nummer twee te zijn. Hij nam aan dat alles weer ten goede zou keren als ze weer in Ero waren. Hij bracht zijn tijd met zijn eigen vrienden door en amuseerde zich zo goed mogelijk.

Ze zaten in het zonnetje voor het raam van herberg De Veedrijver, en luisterden naar een ballade over een van Tobins voorouders, toen Tobins oog op een bekend gezicht aan de andere kant van het vertrek viel.

'Is dat Bisir niet?' vroeg hij en hij gaf Ki een por met zijn elleboog om hem te laten kijken.

'Bisir? Wat moet hij hier in hemelsnaam?'

'Al sla je me dood. Kom op.'

Ze lieten Nikides en Lutha achter en waren net op tijd buiten om te zien hoe een tengere, donkerharige man in de ruige tuniek en klompen van een boer de hoek om sloeg en de straat overstak. Sinds Oruns dood hadden ze de jonge bediende niet meer gesproken, maar ondanks de vreemde kledij wist Tobin zeker dat hij het was.

Hij begon te rennen. Tobin haalde de man in en zag dat hij gelijk had.

'Je bent het echt!' zei hij en hij greep hem bij de mouw. 'Waarom rende je nou weg?'

'Hallo, prins Tobin.' Bisir was nog steeds een knappe jongen met een beschaafde stem, en hij keek nog steeds zo verschrikt als een haas, maar hij was afgevallen en net zo vuil als een boerenknecht. 'Vergeef me. Ik zag u daar naar binnen gaan en ik wilde u graag nog even zien. Het is zo lang geleden. Ik had niet gedacht dat u me nog zou herkennen.'

'Na die hele winter op de burcht? Natuurlijk wel!' Ki lachte. 'Koni vraagt nog wel eens naar je.'

Bisir bloosde en wreef zenuwachtig in zijn handen, zoals hij altijd gedaan had. Ze waren bruin en vereelt, en hij had vuile nagels. Toen hij dat zag snapte Tobin dat de vroegere hoveling zich schaamde om zich zo aan hen te vertonen.

'Wat doe je hier eigenlijk?' vroeg hij.

'Meesteres Iya heeft me hiernaartoe gebracht – na de problemen in Ero. Ze zei dat u had gezegd dat ze een beetje op me moest letten, maar dat ik u niet lastig mocht vallen. Dat het u in diskrediet kon brengen als u met iemand uit dat huishouden gezien werd.' Hij haalde met zelfverachting zijn schouders op. 'Ze had natuurlijk wel gelijk. Ze heeft werk voor me gevonden bij een melkboer, net buiten de stad. En ik ben hier veel gelukkiger.'

'Nee, dat ben je niet. Je ziet er belabberd uit,' zei Tobin en hij nam hem van top tot teen op. Iya had hem waarschijnlijk bij de eerste de beste achtergelaten.

'Nou ja, het was wel even aanpassen,' gaf Bisir toe en hij staarde naar zijn bemodderde klompen.

'Kom met me mee naar het kasteel. Ik zal met de huismeesteres spreken.'

Maar Bisir schudde het hoofd. 'Nee, juffrouw Iya zei dat ik er nooit naartoe mocht gaan. Ze was heel streng en ik moest het zweren, mijn prins.'

Tobin slaakte een diepe zucht. 'Goed dan, wat kan ik dan voor je doen?'

Bisir aarzelde en keek hem verlegen aan. 'Ik zou graag strijder worden.'

'Jij?' riep Ki uit.

'Ik weet niet…' Tobin kon zich moeilijk iemand voorstellen die slechter in een wapenrusting zou passen dan Bisir. 'Je bent een beetje oud om nu nog in training te gaan,' voegde hij eraan toe om Bisir niet te kwetsen.

'Misschien kan ik u helpen, mijn prins,' zei een oude vrouw in een lange grijze mantel. Ze deed hem aan Iya denken en hij dacht dat ze tovenares moest zijn, tot ze hem de ingewikkelde drakencirkels in haar handpalmen liet zien. Ze was een hogepriesteres van Illior. Hij had er nog nooit een zonder het zilveren masker gezien.

Ze glimlachte alsof ze zijn gedachten had gelezen. Ze drukte haar handen tegen haar hart en boog voor Tobin. 'Ik ben Kaliya, dochter van Lusiyan, op-perpriesteres van de tempel hier in Atyion. Je herkent me natuurlijk niet, maar ik heb je al vele malen gezien, daar en buiten de stad. Als je een oude vrouw haar bemoeizucht kan vergeven, denk ik dat ik je jonge vriend een pas-sender aanstelling kan bezorgen.' Ze nam Bisirs hand in de hare en sloot haar ogen. 'Aha,' zei ze meteen. 'Je schildert.'

Bisir bloosde alweer. 'O, nee... Nou ja, een beetje maar, toen ik jong was, maar het stelt niets voor.'

Kaliya deed haar ogen open en keek hem droevig aan. 'Je moet alles verge-ten wat je vroegere meester je heeft verteld, mijn vriend. Hij was een zelfzuch-tig man en gebruikte jou naar het hem uitkwam. Je hebt wel degelijk een gave en die zal veel beter tot uiting komen met een pen dan met het zwaard. Ik heb een vriendin die manuscripten verlucht. Ze heeft een winkeltje op het Tem-pelplein en ik herinner me dat ze een leerling zocht. Ik weet zeker dat je leef-tijd voor haar geen enkel bezwaar zal zijn.'

Bisir keek even naar zijn vuile handen alsof hij ze niet herkende. 'Zag u dat werkelijk in me? Maar juffrouw Iya dan?' Hoop en vertwijfeling vochten in Bisirs ogen toen hij Tobin smekend aankeek.

Die haalde zijn schouders op. 'Ik weet zeker dat het haar niets uitmaakt, zo-lang je het kasteel maar niet betreedt.'

Maar Bisir aarzelde nog. 'Het is zo plotseling allemaal. Zo onverwacht. Ik weet niet wat baas Vorten ervan zal denken. Het veevoer voor de winter moet binnengehaald worden en de mest moet het land op. En ik ben ook bezig met de nieuwe stallen, en...' Zijn lip begon te trillen.

'O, maak je toch niet zo dik, jij!' zei Ki die probeerde hem op te vrolijken. 'Je meester kan Tobin toch moeilijk iets weigeren, of wel soms?'

'Nee, dat denk ik niet.'

'En hij zal mij ook niets weigeren,' zei de priesteres en ze nam Bisir bij de arm. 'Laten we de prins hier maar niet verder mee lastigvallen. We gaan me-teen naar baas Vorten en naar mijn vriendin, meesteres Haria. Ze zal je wel aan het werk zetten, maar mest verspreiden is er voorlopig niet meer bij.'

'Dank u, vrouwe. En dank u, mijn prins!' riep Bisir uit en hij kuste hun handen. 'Wie had dat gedacht, toen ik besloot u te volgen?'

'Hup, naar huis nu,' zei Kaliya tegen hem. 'Ik kom er zo aan.'

Bisir klepperde ervandoor op zijn klompen. Kaliya lachte toen ze hem zag lopen en wendde zich toen tot Tobin en Ki. 'Wie had dat nou gedacht?' zei ze, Bisirs woorden herhalend. 'Wie had nou gedacht dat een prins van Skala de straat zou over rennen om het knechtje van een melkboer te helpen?'

'Ik kende hem in Ero,' legde Tobin uit. 'Hij was aardig voor me en heeft geprobeerd me te helpen.'

'Ach, zit het zo,' zei ze met een raadselachtige glimlach. 'Wel, mocht de Beschermer van Atyion ooit hulp nodig hebben, dan hoop ik dat u aan me zult denken. Moge de zegen van de Lichtdrager op u beiden rusten.'

Daarmee boog ze en vervolgde haar weg.

Ki schudde het hoofd toen ze in de menigte verdween die op marktdag het plein bevolkte. 'Dat was wel een heel vreemde ontmoeting!'

'Gewoon geluk gehad, zou ik zeggen,' zei Tobin. 'Ik ben blij dat we Bisir tegenkwamen. Een melkboer! Het is toch niet te geloven?'

Ki lachte. 'Of een strijder! Het is maar goed dat die priesteres net voorbijkwam...'

Ondanks Tobins status bij de stadsbevolking, bleef hertog Solari de taak van gastheer vervullen en regelde hij alle kwesties die het landgoed betroffen.

'Gastheer zijn van het hof is een kostbare zaak,' zei hij op een avond tegen Tobin. 'Maar geen nood, we verhalen het verlies wel door belasting te heffen op herbergen en taveernes.'

Er waren ook tolwegen en havenbelastingen, en elke edelman moest betalen voor het verblijf van zijn gevolg en soldaten.

Omdat hij nog steeds niet zeker wist of hij de vroegere vazal van zijn vader nu kon vertrouwen, vroeg Tobin Tharin om raad, die hem op zijn beurt naar Lytia en Hakone stuurde.

'O ja, zo is het altijd gegaan,' verzekerde Hakone hem toen ze op een avond rond de haard bij de oude hofmeester zaten. 'De heer van het landgoed – dat ben jij in dit geval – verwerft aanzien door de koning te fêteren en onderdak te bieden, maar hij zit ook met de rekening en die verhaalt hij weer op de stedelingen. Je hoeft je geen zorgen te maken, hoor. Al haalde de hertog geen koperstuk binnen uit de tol en belasting, dan zouden de schatten van Atyion nog heel wat koninklijke bezoekjes kunnen fourneren.' Hij keek Lytia aan. 'Hij heeft het nog niet gezien, hè?'

'Is er dan zoveel goud?' vroeg Tobin.

'Bergen goud, heb ik altijd gehoord,' riep Ki.

'Zo ongeveer,' grinnikte Lytia. 'Ik zou het je wel willen laten zien, maar de sleutel daarvan is de enige die ik niet aan mijn bos heb.' Ze liet de zware sleutelbos aan haar gordel rinkelen. 'Je zult het dus aan je oom of de hertog moeten vragen. Tharin, ga maar met hem mee om het te vragen. Het gaat niet alleen om munten, Tobin. Er is oorlogsbuit aanwezig van ver voor de Grote

Oorlog en geschenken van tientallen koninginnen.'

'Vraag of hij het aan je laat zien, Tob,' drong Ki met schitterende ogen aan. 'En vergeet niet mij mee te nemen!'

De dag daarop had Tharin een gesprek met Solari en Tobin nodigde alle Gezellen uit om met hem de schatkamer te bezichtigen.

Die lag diep onder de westertoren, en tientallen gewapende schildwachten en drie dubbele ijzeren deuren moesten indringers buiten houden.

'We hebben de zaak goed voor u bewaakt, mijn prins,' meldde de wachtmeester trots. 'We hebben gewacht tot u thuis zou komen en aanspraak zou maken op de schat.'

'Zodra hij meerderjarig is,' mompelde Solari toen ze de steile trappen afdaalden. Hij glimlachte toen hij het zei, maar Tobin had de opmerking toch gehoord.

Op dat moment verscheen Streepstaart uit het niets en kronkelde zich om Solari's voeten. Solari struikelde en verkocht de kat een schop. Streepstaart begon te blazen en sloeg zijn nagels uit naar de voet en verdween weer in het duister.

'Dat tyfusbeest!' riep Solari uit. 'Dat is al de derde keer vandaag dat hij me aanvalt. Ik brak mijn nek haast toen ik vanmorgen de trap naar de hal afliep. En hij pist in mijn slaapkamer, al is het me een raadsel hoe hij daar binnenkomt. De hofmeester moet hem maar verdrinken voordat dat monster iemand vermoordt.'

'Nee, heer,' zei Tobin. 'Vrouwe Lytia heeft me verteld dat de katten heilig zijn. Er mag ze geen haar gekrenkt worden.'

'Zoals je wenst, mijn prins, maar ik moet zeggen dat er meer dan genoeg rondlopen, ze komen me mijn neus uit.'

Lytia's beschrijving was onvoldoende geweest om Tobin voor te bereiden op het schouwspel dat zich ontvouwde toen de laatste deur openzwaaide. De schatkamer bestond niet uit één groot vertrek, maar uit een compleet doolhof. Goud was er in overvloed, en zilver ook, als balen meel in leren zakken opgestapeld. Maar wat Tobin werkelijk versteld deed staan waren de ontelbare kamers die tot de nok toe gevuld waren met wapenrustingen, zwaarden, gescheurde banieren, met edelstenen versierde harnassen en zadels. Eén kamer bevatte alleen maar gouden bekers en borden, schappenvol schitterden in het licht van de toortsen. In het midden van de kamer stond een enorme beker met twee handvatten op een met fluweel bekleed onderstel. Hij was groot genoeg om er een zuigeling in te baden en onder de rand stond iets in een sierlijk handschrift gegraveerd, maar Tobin kon het niet lezen.

'Het is de oude taal, de taal die gesproken werd aan het hof van de eerste hierofanten!' riep Nikides uit en hij drong zich naar voren tussen Tanil en Zusthra in, en tuurde ernaar met half dichtgeknepen ogen.

'Je kunt het zeker nog lezen ook,' sneerde Alben.

Nikides negeerde hem. 'Het is denk ik wat ze een eindeloze inscriptie noemden. Een die grote magische krachten of zegen oproept wanneer het opgelezen wordt door een priester.' Hij moest om de beker heen lopen om de hele tekst te kunnen lezen. 'Ik geloof dat het hier begint – "De tranen van Astellus op de borsten van Dalna doen de eik van Sakor ontkiemen die zijn armen uitstrekt naar Illiors maan, en die wekt de tranen van Astellus op de…" Nou ja, je begrijpt de bedoeling wel. Hij werd waarschijnlijk gebruikt om regenwater voor ceremonies op te vangen in de tempel van de Vier.'

Tobin grijnsde, blij dat zijn vriend ook eens alle aandacht van de anderen op zich gevestigd had. Nikides mocht dan maar een zeer matig zwaardvechter zijn, wat kennis betreft spande hij de kroon. Zelfs Solari wierp een ernstige blik op de beker. Een tel lang zag Tobin het gezicht van zijn beschermheer weerspiegeld in het gekromde gouden oppervlak, verwrongen tot een hebzuchtig geel masker. Hij keek tersluiks naar de man en voelde zich net zo verkillen als die keer dat Broer zijn beschuldiging geuit had. Maar Solari zag er weer doodnormaal uit en het leek hem een genoegen te doen om Tobin zijn erfschatten te laten zien.

Ondanks zijn drukke werkzaamheden wist Erius tijd vrij te maken voor de jacht, met pijl en boog of met valken, en om de jongens mee te nemen naar de stoeterijen. Bovendien zaten ze altijd bij hem aan tafel. Tobin kwam er maar niet uit: hoe meer hij van zijn oom zag, hoe minder hij op een monster leek. Hij zat vol grappen en zong met hen mee, en was na de jacht vrijgevig met geschenken en beloningen.

Elke avond was er een banket, en Tobin kon zich maar niet voorstellen waar zo veel eten en drinken vandaan kwam. Lange rijen wagens vol lekkernijen ratelden over de keitjes van de wegen en Solari moest zelfs werkploegen het land in sturen om de wegen in goede conditie te houden. Hij nam de jongens mee om de vorderingen gade te slaan. De wegen waren nog modderig van de voorjaarsbuien, dus legden de soldaten balken kruiselings op de weg, zetten ze vast met houten pennen en vulden de mallen met keitjes waarmee karren af en aan reden.

Elke dag had wel weer een andere vorm van vermaak of verstrooiing op het programma en langzamerhand wende Tobin eraan dat dit enorme kasteel, de rijkdommen en de landerijen van hem waren. Of hem ten minste op een dag zouden toebehoren. Het leven en de zaken van het hof waren interessant, maar Tobin voelde zich toch het meeste thuis in de kamer van de oude Hakone of bij de soldaten in de gigantische kazerne. Daar werd hij altijd hartelijk ontvangen.

Irissen en schapenzuring schoten hoog op in de berm en veulens en lammetjes sprongen rond in de weilanden, toen de koning met hofhouding en legeronderdelen koers zette naar Ero. Hun veertiendaags verblijf was ten einde gekomen.

Korin en de Gezellen reden een eind met de koning mee, terwijl ze de valkenjacht bespraken en de beste jachtpartijen die ze hadden meegemaakt. Maar Erius was met zijn hoofd al in de hoofdstad en al spoedig begon hij te paard regeringszaken te behandelen, terwijl hij naar petities luisterde die hem door meerijdende klerken werden voorgelezen. Dat verveelde de jongens en ze lieten hem verder met rust.

Ergens in de achterhoede was iemand een ballade aan het zingen en in een mum van tijd viel de hele colonne in. Het was een oude bekende, uit de tijd van de Grote Oorlog, en het lied verhaalde van een generaal die stierf nadat hij de Plenimaraanse zwarte tovenaars had verslagen. Toen het lied uit was, begon men te discussiëren over zwarte magie. Weliswaar wist geen van de jongens het fijne van dit onderwerp, maar enge verhalen kenden ze genoeg en die werden dan ook gretig verteld.

'Mijn vader kende een verhaal dat door al mijn voorvaderen van vader op zoon is doorgegeven,' begon Alben. 'Een van onze voorouders leidde een aanval op het kasteel van een zwarte tovenaar op een eilandje in de buurt van Kouros. Het was omheind door een hekwerk van de skeletten van Skalaanse strijders die op vogelverschrikkers waren bevestigd. In het kasteel waren alle boeken in mensenhuid gebonden. Ook de schoenen en de riemen van de bedienden waren daarvan gemaakt, en er werd uit schedels gedronken. In onze schatkamer wordt er nog een bewaard. Vader zegt dat we elke zwarte tovenaar die we tegenkomen meteen zouden moeten vernietigen.'

Ze hadden Niryn de hele morgen al niet gezien, maar plotseling was hij in hun midden, naast Korin nog wel. 'Je vader sprak daar een wijs woord, heer Alben. Zwarte magie is diepgeworteld in de Plenimaraanse cultuur en neemt zelfs in macht toe. Hun duistere god eist onschuldig bloed en vlees in hun tempels. De priesters maken er een feestmaal van en hun tovenaars gebruiken de restanten zoals anderen veekarkassen gebruiken. Hun walgelijke praktijken hebben onze kusten bereikt en sommigen die de gewaden van de Vier dragen, brengen in het geheim zwarte magie in praktijk. Verraders, allemaal. Wees waakzaam, mijn jongens, hun invloed woekert voort in het hart van Skala en alleen de dood kan ons van hen verlossen. Jaag ze op, want vernietigd moeten ze, stuk voor stuk!'

'Zoals u en de Haviken zo fantastisch doen, heer,' zei Alben.

'Slijmerd,' mompelde Lutha en hij boog zich meteen over zijn teugels om ze bij te stellen toen de scherpe, geelbruine ogen heel even op hem werden gericht.

'De Haviken dienen de koning, net als jullie jongens doen,' sprak de tovenaar en hij raakte zijn voorhoofd en hart aan. 'De tovenaars van Skala moeten de troon tegen deze smerige verraders verdedigen.'

Hij spoorde zijn paard aan en reed naar de voorste gelederen; Zusthra en Alben begonnen meteen opgewonden te vertellen over executies die kennissen van hen hadden gezien. 'Ze worden levend verbrand,' zei Zusthra.

'Nou, de priesters worden opgehangen,' corrigeerde Alben hem. 'Voor de tovenaars gebruiken ze speciale magie.'

'Hoe doen ze dat dan?' vroeg Urmanis. 'Ze vangen zeker alleen de zwakke broeders. De sterke kunnen hun magie toch gebruiken om te vluchten.'

'De Haviken hebben daar zo hun trucs voor,' zei Korin voldaan. 'Vader zegt dat Niryn zijn magie tijdens een visioen van Illior heeft ontvangen, en dat hem werd opgedragen zijn soort voor Skala's welzijn te zuiveren.'

Het ging als een lopend vuurtje dat de koning eraan kwam, en elk dorpje was versierd om hem welkom te heten. Vreugdevuren brandden op de toppen van de heuvels en aan beide kanten van de weg stonden de mensen te juichen en te zwaaien toen ze voorbijkwamen. Dat was ook het geval toen ze tegen de avond van de tweede dag Ero binnenreden. De hele stad was helverlicht en langs de noordelijke weg stond een lange, dikke haag mensen, die blij waren hun koning weer te zien.

Erius nam al dat huldebetoon met een glimlach in ontvangst; hij zwaaide terug en wierp handenvol gouden sestertiën in de menigte. Bij de poort bracht hij een saluut aan de emblemen van de goden, vervolgens trok hij zijn zwaard en stak het omhoog zodat eenieder het kon zien. 'In naam van Ghëri-lain en Thelátimos, mijn voorouders, en in naam van Sakor en Illior, onze beschermers, betreed ik mijn hoofdstad.'

Dit maakte de toejuichingen alleen nog maar luider. Het geluid rolde als een donderende golf over de stad. Toen de echo was weggestorven, kon Tobin de verre welkomstroep op de Palatijnse Heuvel horen.

Achter de muren waren de straten versierd met banieren, vlaggen en toortsen en men had de straten met stro en geurige kruiden bestrooid om het pad van de koning te veraangenamen. Wolken wierook stegen op vanuit de schrijnen op de hoeken van de straat en vanuit elke tempel die ze passeerden. Mensen stroomden uit hun huizen en winkels, hingen uit de ramen, riepen naar de koning en wuifden met wat ze maar voorhanden hadden: hoeden, halsdoeken, stofdoeken, mantels.

'Is de oorlog voorbij?' riepen ze. 'Blijft u voorgoed bij ons?'

Op de Palatijnse Heuvel was het niet anders. Edelen in hun fijnste kleren verdrongen zich langs de koninklijke weg, strooiden bloemen en wapperden met roodzijden banieren.

Toen hij bij het Nieuwe Paleis was aangekomen, steeg Erius in de tuin af en baande zich een weg door de blije menigte hovelingen, greep handen en kuste wangen. De Gezellen en wachtmeesters van de garde volgden hem op de voet en werden net zozeer toegejuicht.

Ten slotte bereikten ze de trappen van het paleis, en de hovelingen daar weken uiteen toen de koning naar de audiëntiezaal schreed.

Tobin was daar maar eenmaal eerder geweest, vlak nadat hij in Ero was aangekomen. In die dagen was hij nog maar een plattelandsjochie en overdonderd door de huizenhoge zaal met al zijn pilaren, schitterende fonteinen, glas-in-loodramen in allerlei tinten en enorme altaren. Vandaag kon hij er maar nauwelijks een glimp van opvangen, want de zaal wemelde van de mensen, tot in de gangen toe. Falanxen van de koninklijke gardisten vormden een cordon tussen de drakenzuilen, zodat een loodrecht pad naar de verhoging en de troon werd gevormd. De Haviken stonden in twee lange rijen op de trappen, een witte lijn tegen de rode tenues van de gardisten. Opperkanselier Hylus stond in vol ornaat aan de voet van de trap te wachten. Hij maakte een diepe buiging toen Erius hem naderde en heette hem welkom alsof hij hem niet twee dagen geleden nog in Atyion gezien had.

Niryn, de Gezellen en de rest van de hofhouding namen hun plaats in op de voorste rijen van de verhoging, maar Korin en Tobin volgden de koning.

'Doe maar net als ik, maar dan in spiegelbeeld,' had Korin hem die ochtend nog geïnstrueerd.

Met een blik op zijn neef nam Tobin zijn plaats achter de troon in en ging in de houding staan, met de linkerhand op het gevest, de rechtervuist op zijn hart.

De staatsiemantel hing nog over de troon, zoals hij gedurende al die jaren van 's konings afwezigheid gehangen had, en de hoge, met edelstenen bezette kroon stond op de zitting. De kroon was niet rond maar vierkant, als een kasteel met een torentje op elke hoek. Toen Erius de troon bereikte, tilden de adjudanten eerbiedig de kroon op, om hem op een dik fluwelen kussen te plaatsen. Anderen hingen de mantel over de koninklijke schouders, en zetten hem vast met mantelspelden vol juwelen. Tobin merkte fronsend op dat een van de adjudanten niemand minder was dan Moriël de Pad. Ernstig, in zijn wijde rode wapenkleed, sloot Moriël de speld en nam zijn plaats weer in aan de voet van de verhoging. De andere Gezellen stonden daar al en Ki keek Tobin verbaasd aan. Moriël had niet te kennen gegeven dat hij een van hen herkend had.

Erius keek neer op de menigte en hief wederom het zwaard. 'Bij het bloed van mijn voorouders en het zwaard van Ghërilain, ik eis mijn troon weer op!'

Iedereen behalve Korin en Tobin zonk op één knie neer, met een vuist op het hart. Van Tobins plaats leek het net of er een stevige bries over een haverveld waaide die alle aren deed buigen. Er schoot een steek door zijn hart: wat Arkoniël en Lhel ook gezegd mochten hebben, Erius was een echte koning, een strijder.

Erius nam plaats op de troon en legde het zwaard op zijn knieën.

'Het Zwaard van Ghërilain is teruggekeerd in de stad,' verkondigde Hylus met een opmerkelijk luide stem voor zo'n fragiele oude heer.

Het gejuich daverde door de zaal en weergalmde in Tobins borst. Hij voelde dezelfde vreugde als op de dag dat hij Atyion betreden had. *Zo is het dus om koning te zijn*, dacht hij.

Of koningin.

22

De terugkeer van de koning betekende het eind van het plezierige leventje van de Gezellen. Erius wilde dat Korin hem haast iedere dag naar het hof vergezelde en de Gezellen gingen waar hij ging.

Voor de helft tenminste. Ze waren door leeftijd al verdeeld geweest, nu werden ook hun bloed en titel bij de scheiding betrokken. Tobin was langzamerhand achter het subtiele verschil tussen schildknaap en edelman gekomen, hoewel de meeste schildknapen ook zonen van edelen waren. Maar dat contrast werd nu nog sterker, want wanneer Korin en de anderen naar het hof gingen, bleven de schildknapen achter bij hun lessen in het Oude Paleis.

Tobin vond die nieuwe regeling maar niks, want hij was nu vrijwel elke dag gescheiden van Ki.

Tobin liep op een middag door de vleugel van de Gezellen op zoek naar Ki, toen hij ergens dichtbij een vrouw hoorde huilen. Hij keek om de hoek en zag een kamermeisje de gang uithollen met haar schort tegen haar gezicht gedrukt.

Bevreemd liep hij verder en hoorde alleen maar meer gesnik in de buurt van zijn eigen kamerdeur. Binnen zat zijn page Baldus snikkend in een van de leunstoelen. Ki stond naast hem en klopte hem op de schouder.

'Wat is er aan de hand?' riep Tobin en hij snelde naar hen toe. 'Is hij gewond?'

'Ik kom net binnen. Ik kon alleen maar uit hem krijgen dat er iemand gestorven is.'

Tobin knielde neer en trok zacht de handen van Baldus' gezicht weg. 'Wie is het? Iemand van je familie?"

Baldus schudde zijn hoofd. 'Kalar!'

Die naam zei Tobin niets. 'Hier, neem mijn zakdoek en veeg je neus af. Wie was dat dan?'

Baldus haalde schokkend adem. 'Ze bracht de was rond en verving de biezen in de gangen…' Hij barstte weer in tranen uit.

'O ja,' zei Ki. 'Dat leuke blondje met die blauwe ogen dat altijd liep te zingen.'

Tobin wist nu wie hij bedoelde. Hij vond haar liedjes leuk en ze had naar hem geglimlacht. Hij had er nooit aan gedacht te vragen hoe ze heette.

Baldus liet verder niets los. Ki schonk wat wijn voor hem in en stopte hem in de bedstee voor in het alkoofje zodat hij zichzelf in slaap kon huilen. Molay kwam binnen en begon aan zijn werk, maar hij deed dat opvallend stil en terneergeslagen.

'Kende jij Kalar ook?' vroeg Tobin.

Molay zuchtte terwijl hij een tuniek binnenstebuiten keerde en in de kast hing. 'Ja, mijn prins. Iedereen kende haar.'

'Wat is er dan gebeurd?'

De bediende trok een stel kousen onder Tobins werkbankje vandaan en schudde er stukjes was en metaalvijlsel af. 'Ze is gestorven, heer.'

'Dat weten we al!' zei Ki. 'Maar wat is er dan gebeurd? Het was toch niet de pest?'

'Nee, het Licht zij dank. Ze schijnt zwanger geweest te zijn en ze heeft gisteravond een miskraam gehad. We hebben zojuist vernomen dat ze het niet heeft overleefd.' Molay kon zijn gebruikelijke afstandelijkheid niet lang volhouden en hij veegde zijn ogen droog. 'Ze was zelf nog maar een kind!' riep hij uit met een lage, klaaglijke stem.

'Zo ongewoon is het niet, dat je een miskraam krijgt als je zo jong bent, zeker niet als het de eerste is,' mijmerde Ki toen Molay was vertrokken. 'Maar de meesten gaan er niet aan dood.'

Het duurde een paar dagen voor de geruchten uit het bediendencircuit de eetzaal van de Gezellen bereikten. Het kind zou van Korin zijn geweest.

Korin nam het nieuws rustig op; het was per slot van rekening toch maar een bastaard geweest, en van een meid bovendien. De roodharige vrouwe Aliya, die de laatste tijd al zijn aandacht kreeg, was de enige die blij scheen te zijn met het nieuws.

Het meisje was snel vergeten toen de jongens lucht kregen van een andere onverkwikkelijke affaire, een die dichter bij huis lag. Niet alleen was Moriël op de een of andere manier naar voren geschoven als adjudant van de koning, hij was ook nog eens een van diens favorieten geworden.

Korin was net zomin als Tobin blij met dit nieuwe lid van zijn vaders hofhouding. De promotie had op het eerste gezicht geen invloed gehad op de manieren van de Pad, maar de koning was gek op hem. De lange, bleke, hooghartige knaap van vijftien was altijd in de buurt van de koning te vinden, altijd bij de hand, altijd overgedienstig.

Zijn nieuwe taken eisten van hem dat hij regelmatig naar het Oude Paleis moest, al hadden ze daar eigenlijk nooit eerder adjudanten van de koning gezien. Er was altijd wel een boodschap die bezorgd moest worden, of een voorwerp dat de koning nodig had en dat in een van de oude vleugels moest liggen. Tobin kreeg het idee dat iedere keer dat hij zich omdraaide, de Pad achter een muurtje of hoek verdween, of met Mago bij de schildknapen rondhing. Wat dat betreft was zijn oude wens dan eindelijk vervuld, al was het maar zijdelings.

Er was niemand aan wie Korin een grotere hekel had. 'Hij loopt vaker in vaders kamers rond dan ik!' mokte hij. 'Elke keer dat ik erheen ga, zie ik hem weer met dat zelfingenomen smoelwerk van hem. En gisteren, toen vader buiten gehoorsafstand was, waagde hij het me bij mijn voornaam te noemen!'

De bom barstte twee weken later. Tobin en Korin waren op weg naar de koninklijke zitkamer om Erius uit te nodigen voor de jacht, maar Moriël versperde hen de weg. In plaats van hen met een buiging binnen te laten, stapte hij de gang op en sloot de deur achter zich.

'Zeg mijn vader dat we hem willen spreken,' zei Korin wiens nekharen alweer overeind gingen staan.

'De koning wenst hedenmorgen niet gestoord te worden, hoogheid,' antwoordde Moriël, op een toon die grensde aan het onbetamelijke.

Tobin zag hoe zijn neef de ander van top tot teen opnam. Hij had Korin nog nooit echt kwaad gezien, maar daar kwam hij nu eindelijk achter.

'Jij gaat nu *onmiddellijk* zeggen dat ik hem wil spreken,' zei hij op zo'n dreigende toon dat je wel heel stom moest zijn om die te negeren.

Tot Tobins verbazing schudde Moriël van nee. 'Ik heb mijn orders.'

Korin wachtte één tel en gaf Moriël toen met de rug van zijn hand zo'n enorme lel dat hij met armen en benen wijd uitgespreid achterover vloog en een paar voet over de geboende marmeren vloer gleed. Bloed drupte uit zijn neus en gespleten bovenlip.

Korin boog zich over hem heen, trillend van woede. 'Als je ooit nog eens zo'n toon tegen me durft aan te slaan, als je ooit nog eens mijn bevelen negeert of mij weigert correct aan te spreken, dan zal ik je hoogstpersoonlijk op De Verradersheuvel op een spiets laten rijgen!'

Met die woorden gooide hij zijn vaders deur open en beende naar binnen, Moriël bevend achterlatend. Tobin zou medelijden met hem hebben gehad als hij de giftige blik niet had opgemerkt die Moriël de kroonprins achterna zond.

Uit de antichambre hoorde hij Korin tegen zijn vader tekeergaan, en het geamuseerde gemompel van de koning. Toen hij ook naar binnen ging, zag hij Niryn, die vlak achter de stoel van de koning stond. Hij zei niets, maar Tobin wist zeker dat hij een glimp van Moriëls zelfgenoegzame lachje in de ogen van de tovenaar zag glinsteren.

Deze verstoringen daargelaten, begon de zomer goed op gang te komen. Het was de heetste zomer sinds mensenheugenis en het platteland ging er zwaar onder gebukt. Het hof zuchtte onder de vele petities van droogte en bosbranden, veepest en opgedroogde waterputten.

Tobin, die elke dag achter de troon stond, hoorde dit alles met interesse aan, maar het deed hem verder weinig, aangezien hij druk genoeg was met zijn overige nieuwe taken.

De Gezellen bedienden tegenwoordig vaak aan de tafel van de koning, net als de schildknapen hen bedienden. Vanwege zijn rang was Tobin de brood-meester, die de verschillende broden bij iedere gang aansneed. Korin was een uitnemend voorsnijder, en zijn zes voorsnijmessen flitsten snel en behendig rond terwijl hij de diverse vleesbouten aansneed en serveerde. De andere jongens werden ingedeeld naar geboorte en leeftijd, zodat de onbeholpen Zusthra de taak van wijnmenger kreeg en de nog onhandiger Orneus met aanwijzingen van Lynx de bekers moest volschenken. Desondanks kreeg hij het voor elkaar twee keer op de mouw van de koning te morsen, waarop hij tot het nederige baantje van aalmoezenier werd gedegradeerd en Nikides de beker van de koning in de gaten mocht houden.

De middagtraining en hun lessen met de oude Raaf werden ondanks de hitte gewoon voortgezet, maar de ochtenden werden in de audiëntiezaal doorgebracht. Korin en Tobin zaten nu naast de koning. Hylus en de anderen stonden achter hen, soms urenlang. Erius begon Korins mening te vragen over kleinere kwesties, en liet hem het lot bepalen van een molenaar die te weinig meel in de zakken deed, of een bierverkoopster die zuur bier verkocht voor de prijs van zoet. De koning liet hem zelfs een paar gauwdieven veroordelen en het verbaasde Tobin hoe makkelijk zijn neef met gulle hand zweepslagen en brandmerken uitdeelde.

Behalve Nikides vonden de andere jongens het de saaiste en vermoeiendste taak die ze kenden. Al had de zaal een hoog dak en ruisten de fonteinen dag en nacht, rond het middaguur was de troonzaal een ware oven. Maar Tobin vond het fascinerend. Hij was altijd goed geweest in het doorgronden van mensen en hier had hij een eindeloze hoeveelheid om mee te oefenen. Weldra kon hij de gedachten van de indieners van een petitie bijna lezen, terwijl ze stroopsmeerden, hun beklag deden of in de gunst probeerden te komen. De toon, een stembuiging, hun houding, of hoe hun blikken ronddwaalden terwijl ze praatten – dit had voor Tobin net zoveel betekenis als woorden op een pagina. Leugenaars wriemelden en zaten niet stil. Eerlijke lieden spraken kalm. Schurken huilden en verdedigden zich luider en aanhoudender dan de benadeelde partij.

Het liefst bestudeerde hij niet de Skalanen, maar de buitenlandse gezanten. Tobin verwonderde zich erover hoe complex de diplomatie wel niet in elkaar zat, maar hij genoot ook van de exotische kledij en het accent van de bezoekers. Myceniërs kwamen heel geregeld; het was een oprecht, nuchter volk dat zich bezighield met zaken als oogst, tolgelden en de verdediging van hun grenzen. De Aurënfaiers waren het kleurrijkst; er waren tientallen verschillende clans, elk met hun eigen hoofdbedekking en manier van doen.

Op een dag ontving de koning vijf mannen met een donkere huidskleur en kroezend, zwart haar. Ze droegen lange, blauwzwart gestreepte gewaden die Tobin nooit eerder had gezien. Hij was verrast toen hij te horen kreeg dat dit leden van een Zengatese stam waren.

Arengil en de Aurënfaier handwerkslieden bij wie Tobin vaak op bezoek ging, spraken altijd neerbuigend en met haat over de Zengati's. Maar zoals Hylus later uitlegde, de Zengati's bestonden net als de 'faiers uit stammen en clans, en sommige clans waren betrouwbaarder dan andere.

De hitte veroorzaakte die zomer meer dan droogte. Vanaf hun geheime oefenterrein op het dak zagen Tobin, Una en de anderen grote bruine zwaden die de korenvelden in de verte ontsierden; het waren plekken waar een plantenziekte de oogst verwoest had.

Ook de zomerhemel werd bedorven. De Rood-Zwarte Dood was uitgebroken in de havenbuurt buiten de muren. Hele wijken werden platgebrand en grote rookkolommen hingen boven het water. Meer naar het westen steeg vanaf de begraafplaatsen een kleinere rookpluim omhoog vanwege een triestere oorzaak. Zelfs doden zonder een spoor van de pest werden zo snel mogelijk vernietigd.

Uit steden in het binnenland kwamen berichten binnen over dode paarden en ossen, en andere besmettelijke ziekten. Erius gaf de rijke edelen het bevel in de getroffen gebieden vee en graan te vergoeden. Niryns Haviken hingen iedereen op die fluisterde dat er een vloek over het land lag, maar niettemin nam het gerucht hand over hand toe. Bij de tempels van Illior hadden de amulettenmakers het zo druk dat ze de vraag niet konden bijbenen.

Veilig boven op de Palatijnse Heuvel dachten de Gezellen dat zij niet geraakt zouden worden door dit soort gebeurtenissen, tot Porion hen verbood niet verder de stad in te gaan dan Vogelvangerstraat. Korin deed dagenlang zijn beklag omdat zijn vrouwenjacht in de havenkroegjes stilgelegd was.

Maar van één ding hadden ze ondanks het afkeurende gemopper van de koning meer dan genoeg in huis. Er vloeide meer wijn dan ooit en zelfs de gewoonlijk zo verstandige Caliël kwam regelmatig met rode ogen en een pesthumeur op de zwaardtrainingen.

Tobins groepje volgde zijn voorbeeld en lengden de wijn met water aan. Dat was de reden waarom zij meestal als eersten op waren en ook de eersten die opmerkten dat Korins schildknaap ergens anders sliep dan normaal.

'Wat doe jij hier nou weer?' vroeg Ruan toen ze Tanil op een ochtend opgerold in een deken bij de haard van hun eetzaal aantroffen. Hij gaf de oudere schildknaap een speels zetje met zijn laars. Gewoonlijk beantwoordde Tanil dit soort geintjes door hem op zijn rug te leggen en hem te kietelen tot Ruan om vergiffenis smeekte. Maar nu beende hij zonder een woord te zeggen weg.

'Wie heeft er in zijn soep gepist?' mompelde Ki.

De anderen grinnikten, behalve de beteuterde Ruan die helemaal idolaat was van Tanil.

'Ik zou ook niet zo vrolijk opstaan als ik de hele nacht op de vloer geslapen had,' zei Lutha. 'Misschien is hij dat gesnurk van Korin zat.'

'Korin heeft de laatste tijd niet veel tijd gehad om te snurken,' vertrouwde Ki de anderen toe. Omdat Korins kamer aan die van de prins grensde, hadden hij en Tobin genoeg nachtelijk gebonk, gefluister en gegiechel gehoord om te begrijpen dat Korin meestal niet alleen in bed dook.

'Nou, ik neem aan dat Tanil niet de gelukkige was,' zei Ruan.

'Nooit geweest ook!' zei Lutha. 'Nee, Korin zit vast weer een of ander kamermeisje achterna.'

'Dat betwijfel ik,' merkte Nikides op toen ze naar de poort gingen voor de ochtendloop. Hij was een beetje gegroeid deze zomer en was zijn jongensvet kwijtgeraakt, maar hij was nog steeds de laatste die binnenkwam.

'Hoe bedoel je?' vroeg Ki, als altijd in voor een goede roddel.

Nikides keek om zich heen of geen van de oudere jongens binnen gehoorsafstand was. 'Ik mag het eigenlijk niet zeggen...'

'Maar je bent nu al begonnen, kletskous. Vertel op!' drong Lutha aan

'Nou, toen ik laatst bij grootvader aan tafel zat hoorde ik hem iets over de prins zeggen tegen mijn neef die over de schatkist gaat en...' Hij keek weer steels om zich heen of Korin hem echt niet zou kunnen horen. 'Nou ja, dat hij... zich 's nachts amuseerde met vrouwe Aliya.'

Zelfs Ki schrok hiervan. Kamermeisjes waren één ding, andere jongens ook als het nodig was, maar meisjes van adel waren verboden terrein.

En wat erger was, niemand mocht Aliya. Ze was best aardig om te zien, maar ze greep elke gelegenheid aan om je te sarren of te treiteren. Zelfs Caliël meed haar wanneer hij maar kon. Alleen Korin had ze tot nu toe gespaard.

'Hebben jullie dan niets gemerkt?' zei Nikides. 'Ze zit altijd met hem te flikflooien, en aangezien je de kamermeisjes de laatste tijd alleen maar hoort mokken en zeuren, kan het heel goed zijn dat ze stuk voor stuk iedereen zijn bed uitgewerkt heeft.'

'Zelfs Tanil,' voegde Ruan daaraan toe.

Lutha floot zachtjes tussen zijn tanden. 'Denk je dat hij verliefd op haar is?'

Barieus lachte. 'Korin verliefd? Op zijn paarden en valken misschien, maar op háár? Bij de ballen van Bilairy, ik mag hopen van niet. Zie je het voor je: Aliya als koningin?'

Nikides haalde zijn schouders op. 'Je hoeft niet van ze te houden om ze te neuken.'

Lutha deed alsof hij hevig gechoqueerd was. 'Is dat taal voor de kleinzoon van de Opperkanselier? Foei toch!' Hij gaf zijn vriend een speelse stomp op zijn oor.

Nikides jankte als een hondje en sprong op Lutha af, die al rennend behendig zijn koers wijzigde zonder vaart te verminderen.

'Jullie zessen, verdubbel het tempo!' bulderde Porion en hij keek hen aan. 'Of willen jullie liever de hele loop twee keer doen om je conditie op te bouwen?'

'Nee, meester Porion!' riep Tobin en hij schoot vooruit door zijn passen langer te maken. Nikides moest het zelf maar even uitzoeken.

'Nikides heeft gelijk, weet je,' zei Ki, die vooraan liep, en zijn donkere ogen schitterden toen hij iets grappigs vertelde aan Zusthra en Caliël. 'Hij is te onstuimig om zijn hart te verliezen. Maar hoe dan ook, als Aliya hem eenmaal heeft ingepakt, berg je dan maar!'

23

De zomer liep ten einde en de hitte werd ondraaglijk. Veel Palatijnse edelen vluchtten naar hun landgoed en zij die bleven legden zwembaden aan. In de lagergelegen gebieden van de stad stierven de zwakke en oude mensen bij bosjes.

De koning en Porion lieten het de jongens wat kalmer aan doen. Ze kregen ontheffing van hun taak aan het hof en reden door de beboste heuvels naar zee om te zwemmen. De gardisten die met de prinsen meereden waren al net zo dankbaar voor het tropenrooster als de Gezellen. Bij de baaien en beschutte inhammen van de rotsachtige kust kleedden ze zich allemaal uit en sprongen de golven in. Al spoedig waren ze zo bruin als boeren en Ki was het bruinst van allemaal. Zijn lichaam begon op dat van de oudere jongens te lijken, merkte Tobin op. Maar hijzelf veranderde geen spat.

Toen ze op een dag halverwege Lenthin door de stad terugreden naar huis na een van hun uitstapjes, werd Tobin getroffen door de doodse stilte. De straten waren altijd rustig tijdens de bloedhete dagen. De meeste mensen bleven binnen om aan de hitte en stank te ontsnappen. Maar toch waren er altijd wel mensen die 'hoera' riepen zodra ze de prinselijke banieren ontwaarden als de Gezellen langskwamen. Dat was die ochtend ook zo geweest, maar nu leek het wel of het volk op straat het hoofd afwendde of ze alleen maar grimmig aanstaarde. Eén man spuwde zelfs op de grond toen Korin hem passeerde.

'Is er iets gebeurd?' riep Korin tegen een harnasmaker die op een kratje buiten zijn winkel zat en zich koelte toewuifde. De man schudde het hoofd en verdween naar binnen.

'Hoe durft hij!' riep Zusthra uit. 'Ik zal hem laten afranselen!'

Tot Tobins opluchting schudde Korin het hoofd en gaf zijn paard de sporen.

In de buurt van de Palatijnse Poort gooide iemand een kool uit het hoogste raam van een huis. Korin werd op een haar na geraakt, maar het projectiel kwam hard op Tanils schouder terecht, zodat de schildknaap van zijn paard viel.

Korin hield woedend de teugels in terwijl de Gezellen zich rondom hem in een kring opstelden. 'Doorzoek dat huis. Haal de man die het waagt de zoon van de koning aan te vallen!'

Zijn kapitein, Melnoth, trapte de deur in en stormde met twaalf man naar binnen. De rest bleef om de Gezellen heen staan, met de wapens ontbloot. Vanbinnen weerklonken al snel gegil en het geluid van brekend aardewerk.

Mensen kwamen nieuwsgierig aanlopen terwijl Korin Tanil weer in het zadel hielp.

'Niks aan de hand,' mopperde Tanil en hij wreef over zijn elleboog.

'Je boft dat hij niet gebroken is,' zei Ki. 'Waarom worden we opeens met kolen bekogeld?'

De soldaten sleurden drie mensen het huis uit: een oud echtpaar en een jongeman in het blauwwitte gewaad van een acoliet van de Illioraanse tempel.

'Wie van jullie heeft me aangevallen?' vroeg Korin streng.

'Ik heb de kool gegooid!' riep de priester en hij keek Korin hoogmoedig aan.

De prins was duidelijk van zijn stuk gebracht door de schaamteloze felheid in zijn ogen. Even leek hij meer op een kind dat een standje had gehad dan op een boze edelman. 'Maar waarom?'

De man spuwde op de grond. 'Vraag dat maar aan uw vader.'

'Wat heeft hij ermee te maken?'

In plaats van te antwoorden spuwde de priester opnieuw en begon te schreeuwen. 'Het is schandalig, schandalig! Moordenaars! Jullie laten dit land verrotten…'

Kapitein Melnoth sloeg hem met het heft van zijn zwaard op zijn hoofd en de man viel bewusteloos op de grond.

'Familie van jullie?' beet Korin de bevende oudjes toe.

De tandeloze man kon alleen zachtjes jammeren. Zijn vrouw sloeg haar armen om hem heen en keek Korin smekend aan. 'Onze neef, mijn prins, hij komt van het platteland en dient nu bij de tempel van Hondenstraat. Wie had verwacht dat hij zoiets zou doen! Vergiffenis, heer, ik bid u. Hij is nog zo jong…'

'Vergiffenis?' Korin lachte smalend. 'Nee, moedertje, zoiets kan ik niet vergeven. Kapitein, neem hem mee naar de Haviken en laat hem onder handen nemen.'

Het geweeklaag van de vrouw klonk hen nog lang in de oren toen ze hun weg vervolgden.

Erius nam de zaak niet al te hoog op toen de jongens hem over het voorval vertelden bij het banket dat op de beschaduwde binnenplaats werd gehouden. De schildknapen bedienden aan tafel, geholpen door een paar jonge bedienden van de koning. Moriël was daar ook bij en Tobin lachte stilletjes toen hij zag hoe hij Korin zo veel mogelijk uit de weg bleef.

Niryn, Hylus en een handvol andere heren zaten ook aan de tafel van de koning. Iedereen wist nu van het incident met de jonge Illioraanse priester, maar ze wilden het allemaal nog eens uit Korins eigen mond horen.

Toen hij het verteld had, leunde Erius naar achteren en knikte. 'Zo zie je maar, Korin. Het is niet allemaal rozengeur en maneschijn wanneer je heerser over een groot koninkrijk bent. Verraders zijn er altijd en overal.'

'Hij noemde ons moordenaars, vader,' zei Korin. Die beschuldiging had hem de hele dag al dwarsgezeten.

'Wat wil je nou anders van een Illioraan?' sneerde Niryn. 'Ik vraag me wel eens af waarom u de tempels niet sluit, Majesteit. Priesters zijn altijd de ergste verraders. Ze brengen de eenvoudigen van geest het hoofd op hol met hun oudewijvenpraatjes.'

'Maar wat bedoelde hij, met dat ik u er maar naar moest vragen?' drong Korin aan.

'Mag ik het vertellen, mijn koning?' zei Hylus met een ernstige blik. 'De opmerkingen stonden vrijwel zeker in verband met de executies die vandaag werden aangekondigd.'

'Executies?' Korin keek naar zijn vader voor een verklaring.

'Ja, en daarom heb ik jullie hier vanavond ook uitgenodigd, voor die kolengeschiedenis ter tafel kwam,' antwoordde zijn vader. 'Ik heb iets bijzonders georganiseerd, jongens. Morgenavond is er een openbare executie met een verbranding!'

Tobin kreeg het ijskoud ondanks de hitte die nog tussen de gebouwen hing.

'Een tovenaarsverbranding?' riep Korin enthousiast uit. 'We willen er al zo lang eentje meemaken!'

Lynx boog zich met de kan over Tobins schouder om zijn beker bij te vullen. 'Maar sommigen ook niet,' mompelde hij zacht.

'Uw vader weet dat u niet langer als een kind behandeld mag worden, mijn prins,' antwoordde Niryn met een kruiperig glimlachje. 'Het wordt tijd dat u en uw Gezellen de macht van de Skalaanse gerechtigheid in volle glorie mee-maken. Dankzij uw snelle reactie vanmiddag hebben we nog een lus aan de groepsgalg nodig.'

'En jullie hoeven er niet ver voor te reizen ook,' zei de koning terwijl hij op wat noten knabbelde. 'De Oostmarkt wordt vanavond al ontruimd en in ge-reedheid gebracht.'

'Dus u laat uw plannen toch doorgaan, mijn koning?' vroeg Hylus nederig. 'U wilt er niet nog eens over denken?'

Doodse stilte daalde neer over de tafel.

Erius wendde zich langzaam tot zijn kanselier en Tobin herkende de plotse-linge ommekeer in het joviale gedrag van de koning. Hij kreeg dezelfde blik in de ogen toen Tobin zo dwaas was geweest te vragen of Cirna niet aan Ki's va-der geschonken kon worden. Deze keer kwam Niryn er niet tussen.

'Ik dacht dat ik duidelijk was geweest, vanmorgen. Had je er nog iets aan toe te voegen misschien?' antwoordde de koning op dreigende toon.

Hylus keek langzaam de tafel rond, maar iedereen sloeg de ogen neer. 'Ik wilde alleen maar wijzen op het feit dat deze zaken normaliter buiten de stads-muren worden afgehandeld. En in het licht van het incident van vanmiddag, dacht ik dat Uwe Majesteit misschien…'

Erius stond met een ruk op en hield zijn vuist met beker opgeheven, klaar om hem naar de oude man te slingeren als die het waagde nog één woord te zeggen. Zijn gezicht was paars van woede en het zweet parelde op zijn voor-hoofd. Ruan, die net achter de stoel van de opperkanselier stond, klemde de lege aalmoezenschaal angstig tegen zijn borst. Hylus liet het hoofd hangen en drukte een hand tegen zijn hart, maar vertrok geen spier.

Even leek de tijd stil te staan. Toen stond Niryn op en fluisterde iets in het oor van de koning.

Erius liet de beker langzaam zakken en plofte weer in zijn stoel. Hij keek de tafel rond en vroeg: 'Andere aanmerkingen op de executie van de verraders?'

Niemand durfde een woord te zeggen.

'Goed dan,' zei Erius moeilijk verstaanbaar. 'De executies worden uitge-voerd zoals ik het heb bevolen. En *op de plek* die ik heb bevolen. Als jullie me nu willen excuseren, ik heb nog veel te doen.'

Korin stond op om zijn vader te volgen, maar Niryn schudde het hoofd en begeleidde de koning naar zijn vertrekken. Ook Moriël liep achter hen aan. Korin staarde hen trillend van woede na.

Het was Hylus die de stilte verbrak. 'Ach, mijn prins, dit zijn harde tijden. Ik had niet mogen aandringen bij uw goede vader. Ik smeek u, wilt u mijn verontschuldigingen aanvaarden en ze bij hem overbrengen.'

'Natuurlijk, heer,' zei Korin die nog steeds een beetje ontdaan was.

Iedereen stond op om te vertrekken, maar Tobin bleef nog even zitten, met bonzend hart. Hij was veel te zelfvoldaan geweest, omdat hij de laatste tijd weer in de gunst had gestaan van zijn oom. Vanavond was er weer een tipje van de sluier opgelicht van de ware gedaante van de man voor wie zijn moeder zo bang geweest was, de man die in koelen bloede het bevel kon geven kinderen te vermoorden.

24

'Verraders of niet, het zit me niet lekker,' mompelde Ki toen ze de volgende avond klaar waren om te vertrekken. 'Het blijft een slechte zaak, priesters doodmaken. Mijn pa zei altijd dat dat de oorzaak is van de hongersnood en ziekte die sinds de koning...' Ki klemde zijn kaken op elkaar en keek naar Tobin om te zien of die zich beledigd voelde; de koning was ten slotte zijn oom. Hij raakte daar maar niet aan gewend.

Maar Tobin staarde voor zich uit met die afwezige blik die hij sinds zijn ziekte had gehad. Ki wist niet eens zeker of hij hem wel had gehoord.

Tobin trok aan zijn nieuwe overjas en zuchtte zorgelijk. 'Ik weet niet wat ik ervan moet denken, Ki. We hebben gezworen alle verraders van Skala te laten verdwijnen, en dat zal ik ook doen! Maar zoals de koning naar Hylus keek...' Hij schudde het hoofd. 'Ik ben opgegroeid met een waanzinnige moeder. Ik weet hoe zij keek, en ik zweer je, zo keek de koning ook toen hij tegen die oude heer tekeerging. En niemand die er wat van zei! Ze deden of er niets aan de hand was. Zelfs Korin.'

'Als hij gek is, wie zou er dan wat van durven zeggen? Hij is en blijft de koning,' bracht Ki hem in herinnering. 'En wat denk je van Niryn? Hij lachte in zijn vuistje, als je het mij vraagt.'

Er werd zacht op de deur geklopt en Nikides en Ruan glipten naar binnen. Ki zag tot zijn schrik dat Nikides op het punt stond in tranen uit te barsten.

'Wat is er?' zei Tobin en hij schoof snel een stoel bij.

Nikides was te ontdaan om te antwoorden.

'Hebben jullie de geruchten dan niet gehoord?' zei Ruan.

'Nee,' antwoordde Ki. 'Welke geruchten?'

Nikides had zijn stem weer terug. 'Grootvader is gearresteerd. Voor verraad! Omdat hij een vraag heeft gesteld!' Nikides hapte trillend van woede naar adem. 'Grootvader heeft alleen maar een vraag gesteld. Jullie hebben het zelf gehoord. De koning weet net zo goed dat er nooit of te nimmer een executie binnen de stadmuren heeft plaatsgevonden, behalve... Nou ja, je weet wel.'

'Behalve tijdens koningin Agnalains regering,' maakt Ruan de zin voor hem af. 'Het spijt me, prins Tobin, maar je grootmoeder heeft heel wat duistere zaken op haar geweten.'

'Je hoeft je tegenover mij niet te verontschuldigen. Ze was waanzinnig, net als mijn moeder.'

'Zeg dat nou niet, Tob,' zei Ki smekend. De herinnering aan haar speelde net iets te vaak door Tobins geest dan hem lief was. 'Ze heeft nooit iets gedaan dat ook maar lijkt op wat Agnalain de Waanzinnige deed.' *Of de koning,* voegde hij er in stilte aan toe.

'Het is vast niet waar,' zei hij tegen Nikides. 'Opperkanselier Hylus is de wijste, loyaalste man van heel Skala en dat weet toch iedereen. Gewoon opgeklopte verzinsels.'

'Maar als ze nu wél waar zijn?' Nikides verbeet zijn tranen. 'Als hij nu eens ter dood wordt gebracht met de anderen vanavond? En...' Hij keek smekend naar Tobin. 'Hoe moet ik dat dan aanzien?'

'Kom op. Korin zal wel weten hoe het zit,' zei Tobin.

Tanil deed open toen ze hadden aangeklopt. 'Is het al tijd?' Hij had zijn duurste wapenrusting aan, maar hij had zijn laarzen nog niet dichtgeregen.

'Nee, we willen wat aan Korin vragen,' antwoordde Tobin.

Korin stond voor zijn lange passpiegel met zijn kuras nog maar half dichtgegespt. Het Sakorpaardje dat Tobin hem had gegeven bungelde voor het vergulde leer terwijl Tanil met de gespen in de weer was. Twee kamerdienaren legden intussen de ceremoniële mantels uit en poetsten de goudgerande helm van Korin nog eens extra op.

Ki voelde zich behoorlijk schuldig toen hij dit alles zag. Tobin kleedde zich nog altijd zelf aan, en Ki mocht hem alleen helpen met bandjes of sluitingen waar hij zelf niet bij kon. Hoezeer hij Tobins eenvoud ook waardeerde, hij zou toch liever zien dat hij zich met wat meer decorum zou omringen.

Tobin legde hem voor waar Nikides zich zorgen over maakte, maar Korin haalde alleen zijn schouders op. 'Heb ik niks over gehoord, Nik. Let maar niet op vader. Je weet hoe wisselvallig zijn humeur kan zijn, zeker als hij moe wordt. Komt vast door die hittegolf!' Hij keek weer in de spiegel om te zien hoe Tanil de kastanjebruine met goud omrande cape over zijn schouders legde. 'Maar Hylus had ook beter moeten weten dan vaders beslissing in twijfel te trekken!'

Elke zoon zou zijn vader verdedigen; Ki kende dat, want hij had het vaak genoeg zelf gedaan. Maar toch hoorde hij een hooghartige ondertoon in Korins woorden, die hem de laatste tijd vaker was opgevallen. Het gaf hem een ongemakkelijk gevoel en aan Nikides te zien was hij niet de enige.

'Ik dacht dat het de taak van de opperkanselier was om de koning van advies te dienen,' zei Tobin rustig.

Korin draaide zich om en woelde door het haar van zijn neef. 'Ook een adviseur moet zijn plaats weten, neefje.'

Tobin wilde nog iets zeggen, maar Ki ving zijn blik op en schudde even het hoofd. Nikides' nerveuze gewriemel liet hen weten dat hij daar goed aan gedaan had, en maakte hem bovendien weer eens duidelijk hoezeer het leven aan het hof was veranderd sinds de terugkeer van de koning.

De Gezellen verzamelden zich voor de inspectie van meester Porion in de eetzaal voor ze naar het Nieuwe Paleis vertrokken. Tobin bleef dicht bij Nikides terwijl de anderen ordeloos door elkaar liepen.

Ki stond vlak bij hen maar hij hield vooral Korin in de gaten. De prins was bijzonder opgewekt en kletste vrolijk met de oudere jongens alsof ze naar de ene of andere festiviteit op weg waren.

Sommigen van hen hadden al eens iemand opgehangen zien worden, maar vandaag zouden er mensen levend verbrand worden!

'Ik heb gehoord dat ze helemaal zwart worden en ineenschrompelen als een spin waar je een brandende houtspaander bij houdt,' zei Alben en hij genoot klaarblijkelijk bij voorbaat.

'Ik dacht dat ze explodeerden met felgekleurde rookwolken,' wierp Orneus tegen.

'We zullen ze laten zien hoe we met verraders omgaan!' verklaarde Zusthra en hij trok zijn zwaard. 'Of het niet erg genoeg is dat we vijanden overzee hebben. Maar dat addergebroed binnen onze grenzen nemen we net zo goed te grazen!'

Deze kreet werd met gejuich beloond.

'Tovenaars zijn de allergevaarlijkste verraders, met hun magie en losgeslagen manieren,' verklaarde Orneus en Ki vermoedde dat hij weer eens een uitspraak van zijn vader had opgevangen.

'Er zijn loslopende priesters die zeker zo erg zijn, zoals die vuilak die Korin aanviel,' deed Urmanis een duit in het zakje. 'En wat te denken van die verdomde Illioranen die zeggen dat alleen een vrouw aan het hoofd van Skala kan staan? Ze hebben gewoon schijt aan alle overwinningen die koning Erius op zijn naam heeft gezet.'

'Mijn vader zegt dat alle Illioranen daar in het geheim in geloven,' zei Alben. 'Ondankbare honden! Koning Erius heeft dit land gered!'

Ki merkte op dat Lynx nog geen woord had gezegd. Dat was niet ongewoon, maar Ki had hem eens horen vertellen dat hij een oom had die tovenaar was, dus misschien zat hij meer in de rats dan hij liet merken. Misschien was hij net als Nikides bang om een bekend gezicht aan te treffen tussen degenen die terechtgesteld werden.

'Tovenaars, priesters… Ze hebben allemaal een klap van de molen gehad,' vond Zusthra. 'Het is Sakor die ons de kracht geeft iedereen te verslaan.'

Op dat moment kwam Porion de zaal binnenlopen, met een gezicht als een donderwolk. Met één sprong stond hij op tafel en vroeg bulderend om aandacht.

Dit was de eerste keer dat Ki de wapenmeester in volle wapenrusting zag. Zijn metalen kuras was blinkend gepoetst maar getuigde van menige veldslag, net als de schede die aan zijn zijde hing en de stalen helm die hij onder de arm droeg.

'Op de plaats, rust!' blafte hij en hij keek dreigend om zich heen. 'En luisteren, mannen. Het is geen amusementsvoorstelling waar we vanavond worden verwacht, dus wil ik geen oudewijvenpraatjes meer horen. De bedienden kunnen jullie aan het andere eind van de gang nog verstaan.'

Hij zette zijn helm op tafel en sloeg de armen over elkaar. 'Verraders of niet, de mannen en vrouwen die vanavond gaan sterven zijn Skalanen en sommigen van hen zullen vrienden, familie en dergelijke onder het publiek hebben. Zoals jullie weten is dit de eerste keer sinds jaren dat er een executie binnen de muren wordt gehouden in plaats van op Verradersheuvel. Het is niet aan mij om te zeggen of dit een wijze beslissing is of niet, maar ik kan je wel vertellen dat er groeperingen in Ero zijn die deze zaak niet met gejuich zullen begroeten. Dus koppen dicht, ogen open en zwaard in de aanslag. De Gezellen komen met een opdracht vanavond. En die is?'

'Prins Korin beschermen!' antwoordde Caliël.

'Precies. Jullie hebben hier allemaal voor getraind en vanavond worden jullie opgeroepen om je eed gestand te doen. We zullen voor de koning uit naar de markt rijden en weer terug, met aan weerszijden de gardisten van de koning. Bij het eerste teken van onraad gaan we om Korin heen staan en brengen hem hier zo snel we kunnen terug. De mannen van de koning helpen ons misschien, maar de taak en de eer komen alleen jullie toe.'

'Maar vader dan?' vroeg Korin. 'Ik wil niet als een pakketje worden afgeleverd als hij in gevaar is!'

'De koning zal eveneens goed beschermd worden. Het is jouw taak, mijn prins, om in leven te blijven om na hem te regeren. Dus ga niet de held uithangen vanavond, begrepen?' Hij keek Korin in de ogen tot de jongen knikte en keek de anderen nogmaals dreigend aan. 'En het is uit met dat gekwek alsof jullie een stelletje meiden op een picknick zijn. Dit is een ernstige zaak.' Hij liet een stilte vallen terwijl hij over zijn weerbarstige baard streek. 'En niet ongevaarlijk ook, als je het mij vraagt. Er zal bloed vloeien in de hoofdstad, straks, priesterbloed. Wat ze ook op hun geweten hebben, het is een kwalijke vertoning vanavond, dus wees alert en bereid je zowel de heen- als terugweg voor op onrust, en rust pas als we weer veilig thuis zijn.'

Hij sprong van de tafel en schetste met een stuk kalksteen zijn strategie op de vloer. 'Ik maak me de meeste zorgen over het marktplein zelf; daar staan de mensen het dichtst opeengepakt. Wij staan hier, voor de verhoging in het midden. Korin, jij en de edelen staan aan de rechterkant van de koning. Schildknapen, jullie zitten te paard achter jullie meesters en jullie houden een oogje op de menigte terwijl die naar de executie kijkt. Als er rellen losbarsten, blijft iedereen bij Korin en we vechten ons een weg naar de poort. Begrepen?'

'Ja, meester Porion!' riepen ze als uit één mond.

Weer liet hij een stilte vallen en keek om zich heen. 'Mooi. En vanavond geldt oorlogsrecht; wie in paniek de prins in de steek laat, wordt persoonlijk door mij in mootjes gehakt.'

'Ja, meester Porion!' riep Ki in koor met de anderen, want hij wist dat dit geen loos dreigement was.

Terwijl ze naar buiten marcheerden kneep hij Tobin in de pols. 'Ben je er klaar voor?'

Tobin keek hem rustig aan. 'Natuurlijk. Jij?'

Ki knikte met een grijns. Hij was nergens bang voor, maar zwoer in het geheim dat als er problemen zouden komen, zijn eerste zorg niet Korin zou gelden.

Er hing een gele volle maan boven de stad, die een rimpelend gouden pad over het oppervlak van de haven eronder wierp. De lucht was doodstil alsof de hele stad zijn adem inhield. Geen briesje van overzee mengde zich met de zomerse stank van de stad. Ki's toorts flakkerde nauwelijks terwijl ze langzaam door de straten reden. De hoge stenen gebouwen echoden het klipkloppen van de paardenhoeven en het sombere geluid van de trommels.

Tobin reed naast Korin en Porion, en Ki reed achter hem met Caliël, Mylirin en Tanil. Alle schildknapen hielden toortsen vast. Aan weerszijden reed de koninklijke garde en sloot de stoet af. Ki was blij met de rij rode tunieken aan beide kanten. Vanavond voelde hij de volle verantwoordelijkheid die ten grondslag lag aan al hun training, feesten en schijngevechten.

Als hij achter zich keek, kon hij net de koning onderscheiden, uittorenend boven de hoofden van de andere Gezellen. Het licht van de fakkels veranderde Erius' kroon in een lauwerkrans van vuur boven zijn voorhoofd en het weerkaatste in zijn geheven zwaard.

'Hij lijkt Sakor zelf wel, vind je niet?' fluisterde Mylirin bewonderend toen hij Ki's blik volgde.

Ki knikte, afgeleid door een zilver met witte flits naast de koning. Heer Niryn reed als een generaal links van Erius.

De menigte buiten de Palatijnse Heuvel was kleiner dan ze verwacht hadden, en ook minder rumoerig. Toen ze door een wijk reden die voornamelijk door Aurënfaier edelen en rijke kooplieden bewoond werd, tuurde Ki zenuwachtig om zich heen. Het was niet laat, maar er brandde bijna nergens licht.

Voor aan de colonne reed een heraut, die uitriep: 'De gerechtigheid van de koning zal zegevieren. Lang leve koning Erius!'

Enige omstanders beantwoordden de kreet, maar anderen trokken zich terug in beschaduwde deuropeningen en keken in stilte naar de langstrekkende stoet. Ki keek omhoog en zag hen vanuit de ramen omlaag turen. Hij bereidde zich voor op nog meer groene kolen, of erger.

'Priestermoordenaar!' klonk een eenzame stem uit de duisternis. Ki zag dat een paar wachters hun ogen speurend over de toeschouwers aan de kant lieten gaan, op zoek naar de rebelse geest en hij kreeg het gevoel dat hij in een andere wereld terecht was gekomen. Deze straten, waarin hij zo dikwijls vrolijk gereden had, leken nu wel vijandelijk gebied.

Tobin en Korin zaten in de houding in het zadel, stijf als een stel kachelpoken, maar Tobin liet zijn ogen waakzaam alle kanten opgaan. Ki wou dat hij het gezicht van zijn vriend kon zien, dat hij in de blauwe ogen kon lezen wat hij van deze hele vertoning vond, want opeens was hij zich meer dan ooit bewust van de kloof die tussen hen gaapte – niet van rijkdom, maar van bloed en geschiedenis en positie.

De menigte werd steeds drukker naarmate ze bij de Oostmarkt kwamen. Velen hielden fakkels op om de weg van de koning bij te lichten en Ki bekeek hun gezichten: sommigen keken bedroefd, anderen glimlachten en wuifden. Hier en daar zag hij mensen huilen.

Gespannen tuurde Ki uit over de mensenmassa of hij het geglinster van een mes of een boog zag. Hij rilde met een mengeling van opluchting en angst toen de poort eindelijk in zicht kwam. Hij hoorde vanaf hier al het geroeze-moes van een enorme menigte.

De Oostmarkt had het grootste plein van de stad. Het was gelegen halver-wege de haven en de Palatijnse Heuvel, en aan drie zijden door hoge gebou-wen omgeven, waaronder een theater dat de Gezellen vaak bezocht hadden. Het plaveisel liep af naar het oosten en was aan die kant begrensd door een laag stenen muurtje van waaraf je een klein park en de haven kon zien.

Maar vanavond was het plein onherkenbaar, vond Ki. Alle kraampjes wa-ren weggehaald en de mensen stonden hutje bij mutje, op een pad voor de processie na, dat werd vrijgehouden door de grijsruggen van Niryn. Zelfs het altaar van de Vier was verwijderd. Dat gaf hem nog meer een vreemd, wanho-pig gevoel in zijn maag dan de aanblik van al die Havikwachters.

Midden op het plein was een breed, met banieren versierd platform ge-bouwd dat als een eiland uit de zee van gezichten oprees. Het werd aan alle kanten beschermd door met bijlen en zwaarden bewapende grijsruggen. Acht in het wit geklede tovenaars stonden de koning op te wachten. Toortsen op al-le vier de hoeken deden het zilveren borduursel van hun witte gewaden schit-teren en verlichtten de twee grote houten raamwerken achter hen.

Ze zien eruit als een bed-ombouw op zijn kop, of deurposten zonder muren eromheen, dacht Ki, die al wist waarvoor ze dienden vanwege de verhalen die hij erover had gehoord. Vlak erachter doemde een bekender silhouet op: dat van een meervoudige galg. Ladders stonden al klaar tegen de smalle loopplank en Ki telde van links naar rechts vijftien stroppen die gereed hingen.

Een lange rij kanseliers en edelen zat te paard voor de lange zijde van het platform en Ki was blij toen hij heer Hylus ertussen zag zitten. Ook Nikides moest een zucht van verlichting hebben geslaakt, al zag de oude heer eruit als-of hij sinds gisteravond tien jaar ouder was geworden.

Het hele plein viel stil toen de koning naderde. Aleen de trommels en het geluid van de hoeven op de kinderkopjes waren te horen.

Korin en de Gezellen stelden zich rechts van de koning op, zoals gepland. Ki leidde Draak recht achter Gosi en legde zijn hand op zijn gevest.

Niryn stapte af en volgde de heraut het platform op. De trommelaars stop-ten met roffelen en heel even hoorde Ki het ruisen van de zee. De Haviktove-naars maakten een diepe buiging voor hun koning en gingen in een halve cir-kel rond hun meester staan.

'U allen die hier aanwezig zijt, zult getuige zijn van het recht dat dankzij de koning zegeviert!' riep de heraut uit. 'Op bevel van koning Erius, erfgenaam van Ghërilain, Drager van het Zwaard en Beschermheer van Skala, zullen deze vijanden van Skala ter dood gebracht worden ten overstaan van dit gezelschap en de Vier. Merk op dat zij verraders zijn van de troon en van allen die gerechtigheid een warm hart toedragen.'

Hier en daar juichte iemand na deze proclamatie, maar de meeste mensen murmelden wat in zichzelf. In de verte klonken kwade stemmen op, maar die verstomden opvallend snel.

De heraut rolde een perkamentrol uit die zwaar was van lakzegels en hij las de namen op van de veroordeelden en de tenlastelegging. De vierde was de jonge priester die de kool naar Korin geworpen had. Zijn naam was Thelanor en hij werd schuldig bevonden aan verraad, ordeverstoring en een aanslag op de Kroonprins. Hij had het brandmerk V al op zijn mond staan, het teken van een ketterse priester. Wachters aan het andere eind van het platform duwden de gebonden gevangenen in de wachtende armen van de beulen die boven aan de galgen op een dwarsbalk stonden.

De veroordeelden droegen lange mouwloze tunieken van ruw, ongebleekt linnen. Er waren een paar vrouwen bij, maar het waren vooral mannen en jongens. Slechts twee anderen, een oude man en vrouw met grijs haar en magere, gerimpelde gezichten droegen net als Thelanor de gebrandmerkte V op hun lippen. Ze hielden hun hoofd opgeheven toen de wachters hen de ladder opjoegen.

Ki was met zijn familie vaak naar Colath geweest waar dieven en struikrovers opgeknoopt werden. De menigte brulde om bloed en had de veroordeelden besmeurd met wat er maar voorhanden was. Ki en zijn broers en zusjes hadden zich altijd kostelijk vermaakt en zochten naarstig naar stenen en rotte appels om mee te gooien. Zijn vader gaf een tweestuiverstuk voor elk voorwerp dat zijn doel raakte; dat konden ze later bij het snoepkraampje uitgeven.

Ki keek met groeiende ongerustheid om zich heen. Slechts een paar mensen gooiden met vuil en kinderen zag hij al helemaal weinig, behalve degenen die naar de galg moesten. Een van de jongens leek zo erg op zijn broertje Amin dat Ki hem haast in paniek geroepen had, totdat hij de naam van de vreemde jongen hoorde opnoemen.

De trommelaars begonnen een snelle roffel. Soldaten zetten de ladders stevig tegen de dwarsbalk en één voor één werden de gevangenen de ladder op gestuurd. Uit de gelederen van de Gezellen steeg gejuich op toen de eerste man met de strop om de hals de balk werd afgeduwd en bungelend bleef hangen.

Korin stak zijn zwaard de lucht in en riep: 'Dood aan de vijanden van Skala! Lang leve de koning!'

De anderen stemden hier zo snel mogelijk mee in, maar sneller dan Orneus was niemand. Ki wist zeker dat hij de jongen zag kijken of Korin hem wel had opgemerkt en Ki verachtte hem meer dan ooit.

Tobin had net als de rest zijn zwaard de lucht in gestoken, maar had het niet heen en weer gezwaaid noch gejuicht. Ook Ki kon maar weinig enthousiasme voor het schouwspel opbrengen.

Het tweede slachtoffer stribbelde tegen en huilde en moest losgemaakt worden van de ladder die hij stevig omklemd hield. Andere gevangenen raakten hierdoor in paniek en even zag het ernaar uit dat de beulen hen allemaal met grof geweld naar boven moesten jagen.

De toeschouwers waren nu een beetje opgewarmd en een regen van rotte groente daalde neer op de gevangenen en hun bewakers.

De volgende was een vrouw, en toen was het Thelanors beurt. Hij probeerde iets door zijn mondprop te schreeuwen maar al was het verstaanbaar geweest, dan nog had niemand hem kunnen horen vanwege het gejoel van het publiek. Uiteindelijk ging hij zijn dood als een man tegemoet en sprong van de balk voor de beulen hem konden duwen.

Enkele resterende gevangenen moesten gedwongen worden, maar de meesten waren toch dapperder en schaamden zich vanwege het voorbeeld van de priester. Eén man salueerde zo goed en zo kwaad als het ging en sprong als een krijger de diepte in. Het gejouw van de massa stopte even maar werd verdubbeld bij de volgende man die zich vastklampte aan de sporten en die in zijn broek pissend en tegenstribbelend naar boven werd gejaagd toen de wachters hem op zijn hoofd begonnen te slaan. De jongens en vrouwen gingen hun dood rustiger tegemoet.

De oude priester en priesteres waren als laatsten aan de beurt. Ze aarzelden niet en drukten hun gebonden handen tegen hun hart en voorhoofd voor ze de ladder beklommen. Dit maakte zelfs op het grauw grote indruk en niemand wierp dan ook iets naar hen. Beiden lieten zich zonder protest met de strop om naar beneden vallen.

Nu was de stilte haast tastbaar geworden. Ki meende gehuil te horen. De oude mensen waren snel gestorven, hun fragiele nekken waren als stokjes gebroken. Maar de vrouwen en kinderen waren licht en de strijders hadden stierennekken; de meesten moesten lang worstelen voordat Bilairy hen tot zich liet komen. Ki dwong zichzelf te kijken, omdat hij niet wilde dat Tobin zich voor hem moest schamen. Gewoonlijk gaven de beulen hun slachtoffers een goede ruk om ze uit hun lijden te verlossen, maar vanavond werd dat niet toegestaan.

Toen het eindelijk voorbij was, werd een sombere, nog snellere roffel ingezet. Een grote kar met hoge zijkanten werd het plein opgereden, die getrokken werd door een stel zwarte ossen en omringd door grijsruggen met schilden en geheven zwaarden. Zes Haviktovenaars stonden achter op de kar met de armen in elkaar gehaakt en hielden wat zich in de kar bevond scherp in het oog.

Niemand durfde iets naar hen te gooien, maar een laag gegrom veranderde snel in kreten van woede en razernij. Ki huiverde, want de plotselinge golf van haat maakte hem misselijk. Maar het viel niet uit te maken of men nu de Haviktovenaars of de onzichtbare gevangenen uitjouwde.

Tobin had nog nooit een terechtstelling meegemaakt en hij had al zijn wilskracht nodig gehad om Gosi niet de sporen te geven en er in galop vandoor te gaan. Het beetje eten dat hij naar binnen had weten te krijgen kwam steeds weer naar boven en hij moest blijven slikken om te zorgen dat hij niet over zijn nek ging. Hij bad dat Korin en Porion niet zouden zien hoe zwaar hij het had. De anderen leken geen moeite te hebben met het schouwspel; Korin deed of het de beste vertoning was die hij in jaren had gezien en wedde met andere Gezellen welke gehangene het 't langst uit zou houden.

Toen de kar de verhoging bereikte werd Tobin opeens door een irrationele angst gegrepen. Als ze Arkoniël er nu eens uit tevoorschijn haalden? Of Iya? Hij kneep zo hard in de teugels dat zijn vingers er pijn van deden en zag de twee naakte gevangenen die uit de kar werden gesleurd.

Ze zijn het niet! dacht hij en het duizelde hem van opluchting. Het waren twee mannen en geen van beiden was zo behaard als Arkoniël. Er was geen enkele reden om te denken dat hij een van hen zou zijn, dat wist hij ook wel, maar het had toch even een mogelijkheid geleken.

Beide mannen hadden ingewikkelde rode tekeningen op hun borst en droegen ijzeren maskers. Die waren glad en kaal, er zaten alleen spleten in waarachter ogen en neus zich moesten bevinden; ze gaven de gevangenen een duivels, onmenselijk aanzien. Metalen boeien zaten om hun polsen.

De wachters dwongen hen te knielen en Niryn ging achter hen staan met zijn handen boven hun hoofden. Tobin had hem altijd een typische boekenwurm gevonden, maar nu hij dreigend over hen heen hing, leek hij langer en breder te worden.

'Aanschouw de vijanden van Skala!' schreeuwde hij met een stem die de verste uithoeken van het plein bereikte. Hij wachtte tot het hernieuwd opgelaaide rumoer weggestorven was en ging verder. 'Aanschouw deze zogenaamde tovenaars, die de rechtmatige heerser van Skala ten val wilden brengen!

Heksenmeesters! Zij veroorzaakten veepest en misoogsten, stookten op tot insubordinatie, riepen onweer op waardoor onschuldige dorpsbewoners door bliksem en vuur getroffen werden! Zij bezoedelen de heilige naam van Illior met perverse magie en vormen een bedreiging voor de veiligheid van ons land!'

Tobin huiverde; dit waren de ergste beschuldigingen die hij kende. Maar toen hij naar de verdoemde tovenaars keek, viel het hem op hoe hulpeloos en gewoontjes ze eruitzagen. Het was onvoorstelbaar dat ze een vlieg kwaad zouden doen.

Niryn drukte beide handen tegen voorhoofd en hart en boog diep voor de koning. 'Koning Erius, vertel ons uw wil.'

Erius klom van zijn paard en betrad de verhoging. Ten overstaan van de mensenzee voor hem, trok hij Ghërilains zwaard en zette de punt tussen zijn voeten, met de handen gevouwen over het gevest. 'Reinigt mijn land, getrouwe tovenaars van Skala,' riep hij. 'Bescherm mijn volk!'

Er stapte geen soldaat naar voren. Maar de Haviktovenaars sleepten de veroordeelden naar de rechtopstaande raamwerken. Drie tovenaars stonden enigszins terzijde en zij zongen onophoudelijk voort terwijl de gevangenen van hun boeien bevrijd werden en snel met gespreide armen en benen met zilveren kettingen aan de latten werden vastgebonden.

Een van hen scheen verdoofd of ziek te zijn. Zijn benen konden hem niet dragen en hij moest omhooggehouden worden toen zijn handen werden gebonden. De ander was niet zo passief. Toen de tovenaars zijn handen wilden vastketenen, rukte hij zich los en liep wankelend naar voren. Hij tilde de handen naar zijn gezicht, stiet een gesmoorde kreet uit en het ijzeren masker loste in een rookwolk en duizenden vonken op. Bloed spatte op de witte gewaden van de dichtstbijzijnde tovenaars. Tobin zag het vervuld van afschuw aan, maar hij kon zijn ogen er ook niet vanaf houden. Het bloederige gezicht van de man leek wel opengescheurd en was vertrokken van pijn. Zijn uitdagende grijns liet verbrijzelde tanden zien terwijl hij met zijn gebalde vuisten naar de toeschouwers zwaaide en riep: 'Idioten! Verblinde schapen!'

De tovenaars staken hun handen naar hem uit, maar de man sloeg ze wild van zich af. 'Jij krijgt de rekening hier nog wel van!' schreeuwde hij en hij wees op de koning. 'De komst van de Ware Koningin is nabij! Ze is reeds onder ons...'

Hij rukte zich los toen een van de tovenaars hem bij zijn arm greep en plotseling keek hij Tobin recht in de ogen.

Tobin dacht dat hij een vonk van herkenning in die verwilderde blik zag.

Een vreemd, prikkelend gevoel doortrok hem toen zij elkaar aanstaarden, oog in oog, en dat leek uren te duren.

Hij ziet me! Hij ziet mijn ware gezicht! dacht Tobin versuft toen de bebloede ogen van de man van vreugde begonnen te stralen. Toen werd hij door tovenaars besprongen en weggesleurd.

Verlost van die blik keek Tobin verschrikt om zich heen en vroeg zich af of de stadsbevolking hem zou laten vluchten als Niryn hem openlijk zou aanklagen. Uit zijn ooghoek zag hij de koning en de tovenaar opzij van het handgemeen staan, maar hij durfde niet rechtstreeks naar hen te kijken. Staarden ze nu naar hem? Hadden ze het door? Toen hij het eindelijk waagde te kijken, bleken ze zich bezig te houden met de voortgang van de executie.

De Haviken sleepten de tovenaar bij zijn armen naar het raamwerk en duwden zijn hoofd naar beneden zodat hem de mond gesnoerd kon worden. 'Lichtdrager laat niet met zich spotten!' kon hij nog net uitbrengen voor de zilveren ketting tussen zijn tanden getrokken werd. Zelfs toen bleef hij nog worstelen. Als verlamd keek Tobin toe en hij zag dan ook pas dat de koning zich naar voren bewoog toen die het Zwaard van Ghërilain recht in de buik van de man stak.

'Nee!' fluisterde Tobin toen die eerbiedwaardige kling bedekt werd met het bloed van een weerloze man. De gevangene ging met een ruk naar achter en viel toen slap voorover terwijl Erius het zwaard uit hem trok.

De tovenaars hielden de man omhoog terwijl Niryn zijn hand tegen het voorhoofd van de gewonde drukte. Nog steeds niet dood, spuwde de man Niryn in zijn gezicht, en maakte een grote rode vlek op het witte gewaad. Niryn negeerde deze belediging en begon zacht en eentonig te zingen.

De ogen van de gevangene tolden rond in hun kassen en zijn benen hielden hem niet meer. Toen was het een peulenschil om hem verder aan het raamwerk vast te ketenen.

'Ga verder,' beval Erius en hij veegde rustig de kling schoon.

Nu de orde weer hersteld was vormden de tovenaars een kring om de raamwerken en zetten een nieuw gezang in. Luider en luider klonk het tot er witte vlammen oprezen, met feller licht dan Tobin ooit had gezien. Ze likten aan en verdeelden zich over de lichamen van de veroordeelden. Er was geen rook, en ook geen stank zoals die soms over de stad dreef van de brandstapels buiten de stad. De gedoemde tovenaars bewogen zich nog heel even, en vergingen toen zo snel en totaal als een mot bij een kaarsvlammetje. Binnen enkele seconden was er niets meer van hen over dan de zilveren ketenen aan de hoeken van het geblakerde houten raamwerk.

Het verzengende licht liet donkere plekken voor Tobins ogen dansen. Hij probeerde ze zonder succes door knipperen weg te krijgen toen hij naar het linker raamwerk staarde, en dacht aan de blik van herkenning die hij in het van pijn vertrokken gelaat van de man had gezien. Toen begon de wereld als een dolle om hem heen te tollen. Het plein, de jouwende menigte, de treurige brandplekken op de raamwerken, alles werd verzwolgen en Tobin zag alleen nog een blinkende gouden stad die hoog op een klif boven de zee lag.

Alleen Ki was dicht genoeg in de buurt om Tobins zwakke kreet te horen terwijl hij over Gosi's nek heen viel, en hij snapte het ene woord niet dat Tobin nog had kunnen uitbrengen, het woord dat Tobin zich ook voorlopig niet zou kunnen herinneren.

'Rhíminee!'

Niemand, zelfs Niryn niet, merkte het kleine kiezelsteentje op dat aan de voet van de verbrande raamwerken lag.

Twintig mijl verderop, onder dezelfde gele maan, legde Iya haar hoofd op een tafel in een taveerne, en snakte naar adem toen wit vuur haar geest vervulde zoals het die dag in Ero had gedaan. Daarin herkende ze een ander gedoemd gelaat, vertrokken van pijn. Het was Kiriar. Kiriar van Medevoort. Ze had hem die nacht in het Wormgat een talisman gegeven.

De pijn verdween snel, maar ze bleef nog lang natrillen. 'O Illior, waarom hij!' kreunde ze. Hadden ze hem gemarteld, en wisten ze van het tovenaarsverbond?

Langzaam drong het gedruis in de taveerne weer tot haar door.

'Je hebt jezelf pijn gedaan.' Het was een drysiaan. Iya had haar al eerder opgemerkt, toen ze wondjes van dorpskinderen bij het altaar genas. 'Laat me voor je zorgen, moedertje.'

Iya keek omlaag. De wijnbeker van aardewerk waaruit ze gedronken had lag gebroken in haar hand. De scherven hadden haar handpalm verwond, recht over het verbleekte litteken dat Broer haar had bezorgd die nacht dat ze Ki naar de burcht had gebracht. Een scherfje stak nog uit de muis van haar hand net onder haar duim. Te zwak om te antwoorden liet ze de drysiaan de wond verzorgen.

Toen ze klaar was, legde de vrouw haar hand op Iya's hoofd en zond daarmee een koele stoot energie door haar heen. Iya rook verse groene loten en jonge blaadjes. De zoete smaak van bronwater vulde haar mond.

'Als je onder mijn dak wilt slapen, ben je welkom, moedertje.'

'Dank je, juffrouw.' Het was beter vannacht bij Dalna's haard te rusten dan hier, waar te veel nieuwsgierige lapzwansen naar haar keken, om te zien wat dat malle oude wijf nu weer zou doen. Het was ook beter om bij een heleres te zijn, mocht die gruwelijke pijn haar weer in zijn greep krijgen. Joost mocht weten hoeveel tovenaars Niryn vanavond nog zou verbranden.

De drysiaan hielp haar de stoffige straat uit naar een klein huisje aan de rand van het dorp en bood haar een zacht bed naast het vuur aan. Namen werden niet gevraagd noch gegeven.

Toen ze eenmaal lag, was Iya blij met de brede banden met beschermings-symbolen die in de balken gekrast waren, en met de zakken met talismans die eraan hingen. Sakor mocht dan in strijd verwikkeld zijn met de Lichtdrager, maar de Schepper waakte over iedereen in Skala.

Desondanks kreeg Iya maar weinig rust die nacht. Elke keer dat ze door slaap overmand werd, droomde ze van de profetes in Afra. Het meisje keek haar met glanzende witte oogbollen aan en sprak met de stem van de Licht-drager.

Dit moet ophouden.

In het visioen viel Iya snikkend aan haar voeten.

25

Arkoniël had sinds Iya's bezoek hoopvol de weg naar Alestun in de gaten gehouden. De lente was zonder bezoekers voorbijgegaan. De zomer had de weide voor de burcht geelbruin verkleurd en niemand, op zo nu en dan een marskramer, boerenkar of boodschapper van Tobin na, wierp een stofwolk boven de bomen op.

Het was alweer een snikhete zomer geweest, en zelfs de vallei rond Alestun, die de droogte van de afgelopen jaren gelukkig had overleefd, was getroffen. Het graan verschrompelde op de velden en kalfjes en lammeren vielen dood neer in de droge wei. De rivier was gekrompen tot een miezerig stroompje dat tussen de stinkende plakken modder en dode waterplanten zijn weg zocht. Arkoniël droeg zijn linnen kilt en de vrouwen liepen in een dun hemd.

Op een late namiddag in Lenthin, toen hij in de moestuin aan het werk was en Kokkie hielp de laatste vergeelde preien uit de harde grond te werken, hoorde hij Nari van boven schreeuwen dat er een man en een jongen de weg op kwamen.

Arkoniël rechtte zijn rug en sloeg het vuil van zijn handen. 'Zijn het bekenden?'

'Nee, het zijn vreemdelingen. Ik ga wel.'

Toen ze door de poort kwamen herkende Arkoniël wel degelijk de stevige, grijsbebaarde man die naast Nari liep, maar niet dat kleine knulletje dat op hun paard tussen de bagage gepropt zat.

'Kaulin van Getni!' riep Arkoniël en hij beende de brug over om hem te begroeten. Het was zeker tien jaar geleden dat hij had gezien hoe Iya hem een van haar kiezelsteentjes gaf. Toen was Kaulin nog alleen geweest; zijn kleine metgezel kon niet ouder dan een jaar of acht, negen zijn.

'Iya zei dat ik je hier kon vinden,' zei Kaulin en hij greep zijn hand. Hij keek afkeurend naar de vuile kilt en bruinverbrande borst van de jonge tovenaar. 'Boer geworden, zie ik?'

'Zo nu en dan,' lachte Arkoniël. 'Jij ziet eruit alsof je een hele reis achter de rug hebt.'

Kaulin had er altijd al wat slonzig bijgelopen, maar het jongetje baarde Arkoniël zorgen. Hij zag er gezond uit en hij was bruin als een beer, maar hij staarde naar de stoffige manen van het paard toen Arkoniël naar hem toe kwam. Arkoniël zag eerder angst dan verlegenheid in zijn grote groene ogen.

'En wie hebben we daar?' vroeg Nari en ze glimlachte naar het kind.

Het jochie keek niet op of om en gaf geen antwoord.

'Tong verloren of gestolen door een kraai?' plaagde ze. 'Ik heb lekkere koude appelcider in de keuken. Lust je dat wel?'

'Doe niet zo onbeleefd, Wythnir,' zei zijn meester boos toen het kind zijn gezicht afdraaide. Kaulin pakte de jongen bij zijn gerafelde tuniek en tilde hem van het paard alsof het een zak appels was. Wythnir kroop meteen weg achter de benen van de man en stak een duim in zijn mond.

Kaulin keek hem dreigend aan en zei: 'Goed volk, jong. Ga maar mee met de vrouw.' Toen Wythnir geen aanstalten maakte mee te gaan, sleepte hij hem naar voren en gaf hem een ruwe zet in Nari's richting. 'En nou doen wat ik zeg!'

'Kun je wel?' zei Nari fronsend en ze nam het kind bij de hand. Toen zei ze zachter tegen de jongen: 'Kom maar met me mee, Wythnir. Kokkie is taartjes aan het bakken en jij mag de grootste, met room en bessen. Het is zo lang geleden dat we een jongetje hadden dat we konden verwennen.'

'Waar ben je Iya tegengekomen?' vroeg Arkoniël die met Kaulin achter Nari aan liep. 'Ik heb in geen maanden wat van haar gehoord.'

'Ze vond ons een paar weken geleden in het noorden.' Kaulin haalde een beursje tevoorschijn en schudde er een klein gespikkeld steentje uit. 'Zei dat ze me hiermee had opgespoord en dat ik naar jou moest gaan.' Hij bekeek de moestuin en zijn uitdrukking werd wat vriendelijker. 'Zei dat we hier veilig zouden zijn.'

'We doen ons best,' zei Arkoniël en hij vroeg zich af wat Iya van hem verwachtte als Niryn en zijn Haviken de volgende bezoekers zouden zijn.

Kaulin had, zoals iedereen die Iya later naar hem toe zou sturen, visioenen van chaos en een toekomstige koningin gezien. Ook had hij medetovenaars op zien lossen in het vuur van de Haviken.

'Je meesteres wilde niet vertellen wat de bedoeling is, maar als zij een opstand tegen die verdomde witjurken wil starten, sta ik helemaal achter haar,' verklaarde Kaulin toen hij en Arkoniël na het avondeten in de koele hal zaten. Het was zelfs te heet om een kaars aan te steken en dus deden ze het met een lichtkogel die Arkoniël in de haard had gelegd.

Kokkie had boven voor Wythnir een bed opgemaakt maar de jongen weigerde van zijn meester gescheiden te worden. Arkoniël had hem sinds de begroeting geen woord horen spreken.

Kaulin keek treurig naar het jongetje dat opgekruld op de biezen was gaan slapen. 'Arm joch. Heeft alle reden om voorlopig geen vreemde meer te vertrouwen.'

'Wat is er dan gebeurd?'

'We waren in Dimmerton, eind Nythin, denk ik. We stopten bij een herberg, in de hoop een maaltijd te verdienen. Een jonge kerel was bijzonder in mijn trucjes geïnteresseerd en gaf een kan beste wijn.' Hij balde zijn vuist kwaad tegen zijn knie. 'Beste wijn ja, maar wel koppig, misschien zat er nog iets extra's in, en binnen een mum van tijd hoor ik mezelf kletsen over het Orakel van Afra en dat ik dacht dat de koning de pest op zijn geweten had maar er niks tegen deed. Die kerel stond positief tegenover mijn ideeën en we gingen als vrienden uit elkaar, maar die nacht wekte de meid me en zei dat er een bende boeren met hooivorken op ons af kwam en dat we er beter vandoor konden gaan.

Ik was nog niet zo zat dat ik een stel tovenaarrammers niet de baas zou kunnen, maar wie was de leider deze keer? Mijn drinkmaatje, alleen had hij nu een wit gewaad aan. Het was er maar één, het Licht zij dank, maar hij gaf me dit merkteken voor we ons van hem konden bevrijden.' Hij rolde zijn mouw op en liet Arkoniël een blauwgrijs, rimpelig litteken zien, zo lang als zijn onderarm.

Dit ontmoedigde Arkoniël wel. 'Heb je hem ook van je visioenen verteld?'

'Nee, dat heb ik goed weggeborgen. Alleen jij en Iya hebben me horen spreken over…' Kaulin aarzelde en keek schichtig rond. 'Over *haar*.' Kaulin trok zijn mouw weer omlaag en zuchtte. 'En nou, wat doen we hier? We zijn niet zo ver van Ero dat de Haviken me niet op kunnen sporen.'

'Ik weet het eigenlijk niet,' gaf Arkoniël toe. 'Wachten en goed op elkaar letten, denk ik.'

Kaulin antwoordde daar niets op maar Arkoniël zag dat dit nogal vage strijdplan hem niet erg geruststelde.

Later die avond zat Arkoniël bij zijn raam en keek naar het maanlicht dat een flauwe weerschijn op het water gaf. Kaulin was al halverwege de heuvel geweest voor iemand hem had opgemerkt. Toen Oruns mannen de weg kwamen opstormen om Tobin op te halen, was de enige waarschuwing die stofwolk achter de bomen geweest, en ze hadden maar nauwelijks genoeg tijd gehad om zich te verstoppen. Zonder Tobin hier was hij lui geworden.

Nu was er zelfs nog meer reden voor waakzaamheid. Een schuilplaats bieden aan tovenaars die op de vlucht waren voor de Haviken was een veel riskantere onderneming dan een kind beschermen dat nog door niemand gezocht werd.

26

In de weken die volgden op de terechtstelling durfde geen van de Gezellen zijn mond open te doen over de afschrikwekkende uitbarsting van de koning of het feit dat hij een geboeide man met zijn zwaard gedood had. Maar dat Tobin was flauwgevallen was een ander verhaal.

De koning was woedend geweest dat een familielid de avond zo'n smet had toegebracht door een dergelijk vertoon van zwakheid. Ki legde heel snel uit dat Tobin niet werkelijk van zijn paard gevallen was, al had het weinig gescheeld. Toen Ki hem wilde opvangen had Tobin zichzelf alweer in de hand gehad, maar omstanders hadden wel gezien wat er was voorgevallen. De dag erop was dat hét gesprek van de Palatijnse Heuvel, al werd er meestal onopvallend over gefluisterd.

De positiefste roddelaars weten het aan Tobins jeugd en beschermde opvoeding; anderen waren niet zo vriendelijk. Al durfde geen van de Gezellen Tobin er recht in zijn gezicht mee te pesten, of het er met Korin over te hebben, Ki betrapte Alben en zijn vrienden er meerdere malen op dat ze achter Tobins rug een in katzwijm vallend meisje nadeden.

Dat Tobin er niet met hem over wilde praten zat Ki behoorlijk dwars. Hij schaamde zich er natuurlijk voor, zelfs voor zijn vrienden, en Ki durfde er niet over te beginnen. De verbranding was al erg genoeg geweest en ook hij had moeite gehad zijn avondeten binnen te houden.

We kunnen het voorlopig maar beter vergeten, zei hij in zichzelf.

Een paar weken na de executie waren hij en Tobin op weg naar de eetzaal toen ze een deel van een gesprek opvingen waarvan Ki een knoop in zijn maag kreeg.

'En tussen haakjes, hoe vond je zijn reactie op heer Oruns dood?' Alben zei het en het was zo klaar als een klontje over wie hij het had.

Tobin bleef vlak bij de deur staan en leunde tegen de muur om te luisteren. Ki wilde hem weghalen zodat hij het niet zou horen, maar het was al te laat: Tobin verbleekte zienderogen. Vanwaar hij stond kon Ki de halve zaal overzien en het stel jongens dat daar rondhing. Alben leunde op zijn gemak tegen de lange tafel, hij was in gesprek met Urmanis en Zusthra. Korin en Caliël waren vast nog niet in de buurt, anders had Alben nooit zo over Tobin durven praten.

'Ach, wie kan dat nou nog wat schelen,' gromde Zusthra en Ki leefde op. Zusthra kon behoorlijk bot zijn maar hij was wel eerlijk. Wat hij daarna zei boorde echter elke hoop de grond weer in. 'Maar als hij al flauwvalt als hij een stel verraders hun verdiende loon ziet krijgen, hoe moet dat dan later wel niet zijn, op het slagveld?'

Nu werd het hem te gortig. Ki beende naar binnen, met gebalde vuisten. 'En nou koppen dicht,' snauwde hij, en hij dacht er even niet aan dat zij heren waren en hij maar een eenvoudige schildknaap. Hij vond het wel een paar zweepslagen waard om te beletten dat Tobin nog meer van dit geklets op kon vangen. Toen hij achteromkeek zag hij echter dat Tobin verdwenen was.

Zusthra keek beteuterd, maar de anderen grinnikten toen Ki weer net zo hard naar buiten beende.

Het incident raakte langzaam ondergesneeuwd onder andere roddels en dringender zaken.

Ondanks zijn hoopvolle woorden in Atyion, weigerde Erius nog steeds hen ten strijde te sturen. Het leek wel of er elke dag een ander rapport kwam over zwervende bandieten die de dorpjes in een bepaalde streek terroriseerden, of piraten die vanaf de eilanden voor de kust invallen deden. Maar de zomer ging voorbij en de koning gaf niet toe aan de smeekbeden van zijn zoon om bloed te laten vloeien.

Het zal er wel mee te maken hebben gehad dat de oudere jongens steeds vaker de pleziertjes van de laagste delen van de stad opzochten, met als altijd Korin voorop.

De terugkeer van de koning had niets veranderd aan het drinkgedrag van zijn zoon en diens andere vormen van vertier. Volgens Nikides had Erius geknipoogd naar Porion toen die over Korins gedrag vertelde en gezegd: 'Laat hem zijn wilde haver maar zaaien, nu het nog kan!'

En gezien het aantal keren dat ze Tanil op de vloer van de eetzaal of het alkoofje in Tobins kamer aantroffen, had Korin zakkenvol wilde haver en hier en daar kwam het nog op ook. Wederom raakte een aantal kamermeisjes zwanger en ze werden snel van het hof verbannen. Hoeveel bastaarden er van Korin in het havenkwartier rondkropen was niet bekend, tenminste niet bij de Gezellen.

Zelfs in de nadagen van het voorval bij de executie verflauwde Korins achting voor Tobin niet, maar het was duidelijk dat de oudere jongens de jongere vrijwel nooit meer mee wilden hebben op hun nachtelijke strooptochten.

Als Tobin al doorhad dat er een toenemende kloof binnen de groep was ontstaan, liet hij het niet blijken, evenmin als Ki. Terwijl de zomer overging in de koelere herfst, bleven Tobin en zijn vrienden gewoon zwaardtrainingen geven aan Una's strijdersvrouwen.

Meestal waren ze met zijn twaalven, al was Ki er zeker van dat sommigen het alleen leuk vonden om zich als jongens te verkleden en lol te trappen. Una, Kalis en een meisje genaamd Sylani waren de enigen die echt talent toonden.

Ze kwamen een paar dagen na Tobins verjaardag weer bij elkaar. Toen Tobin en Ki bovenkwamen, stonden de meiden vreselijk te giechelen. Una bloosde fel toen een van hen bekende dat ze het erover hadden gehad of Tobin nu volgens de koninklijke wetten oud genoeg was om te trouwen.

'Oud genoeg voor de strijd en dat is het enige waar het mij om gaat,' antwoordde Tobin stoer met een blos op zijn wangen. Hij haatte het wanneer ze met hem flirtten.

'En jij dan?' zei Kalis en ze keek Ki overdreven met haar ogen knipperend aan. 'Jij bent vijftien. In mijn dorp is dat oud genoeg om te trouwen...'

'Als je een kind als echtgenoot wilt wel,' spotte Arengil en hij sloeg zijn arm om Ki. 'En ik dan? Ik ben oud genoeg om je opa te zijn!'

'Mm, je ziet er niet uit als mijn opa,' zei ze en ze liet haar hand over de gladde wang van de Aurënfaier gaan.

Jaloers begon Ki haar terug te winnen met een fraaie tweehandige slag die hij van Korin had geleerd. 'Als je ooit wilt voelen hoe een baard kriebelt, heb je aan hem niet veel.' Nikides week uit toen Ki's kling rakelings langs zijn schouder vloog.

'Laat eens zien of je die prachtslag ook in de praktijk gebruiken kunt, schildknaap Kirothius,' zei Una uitdagend en ze lachte naar hem. Ze wist dat hij wel op Kalis viel.

Tobin stond versteld van de voortgang die Una boekte. Het was nog geen jaar geleden dat ze met de training begonnen waren en ze was Nikides al de baas. En wanneer ze met de andere jongens sparde, liet ze hen ook nooit makkelijk winnen. Ze had al een paar open knokkels gehad en blauwe plekken waar ze een smoes voor moest verzinnen, maar ze was er wát trots op.

Nu hij haar zo met Ki bekeek, dacht hij weer aan Grannia in Atyion en de meiden die zij daar in het geheim trainde, in de hoop dat er weer eens een koningin zou opstaan die hen onder de wapenen zou roepen. Hoeveel zouden er in heel Skala wel niet rondlopen? En hoeveel vrouwen als Ahra, die het geluk hadden dat ze openlijk aan de strijd konden deelnemen?

Zo stond hij te mijmeren toen zijn oog op Nikides viel die met grote schrikogen over het daklandschap staarde.

Tobin draaide zich net op tijd om om te zien dat de koning op hen af liep, op twintig voet afstand. Porion en Korin liepen naast hem en hun oude vijand Moriël liep natuurlijk voorop om hen de weg te wijzen. Het gezicht van de koning voorspelde niet veel goeds. Korin zag hem en schudde het hoofd. Porion keek Tobin aan en schoot een vernietigende blik op hem af.

Eén voor één kregen de anderen door welk publiek ze hadden gekregen. Een paar meiden slaakte een gilletje van schrik. Ki liet zijn zwaard vallen en viel op één knie. Arengil, Lutha, Nikides en hun schildknapen volgden dat voorbeeld zo snel ze konden. Tobin stond als versteend.

Erius schreed naar voren en keek de aanwezigen om beurten aan, als om de gezichten te onthouden van degenen die een pittige straf te wachten stond. Ten slotte kwam hij bij Tobin terecht.

'Wat moet dit voorstellen, neef?' vroeg hij streng.

Tobin besefte dat hij de enige was die nog stond, maar zijn benen weigerden dienst. Hij keek de koning strak aan om te voorspellen uit welke hoek de wind waaide. De koning was kwaad, zonder twijfel, maar ook zag hij dat spoortje kwikzilver dat waanzin verried.

'Nou…?' baste Porion.

'We… we deden een spelletje,' kon Tobin uiteindelijk uitbrengen. Hij hoorde zelf ook hoe belachelijk dat klonk.

'Een spelletje?'

'Ja, Majesteit,' klonk toen een trillend stemmetje. Het was Una. Ze legde het zwaard voor zich op de grond, alsof het een offergave was. 'We spelen gewoon dat we… dat we strijders zijn.'

De koning wendde zich tot haar. 'En wiens idee is dat?'

'Van mij, Majesteit,' zei ze meteen. 'Ik heb To… prins Tobin gevraagd of hij ons kon laten zien hoe we een zwaard moesten vasthouden.'

De koning trok een wenkbrauw op en keek Tobin aan. 'Klopt dat? Jullie komen helemaal hierheen om een spelletje te spelen?'

Moriël verkneukelde zich openlijk in de situatie. Hoelang heeft hij ons al bespied, vroeg Tobin zich af en hij haatte hem meer dan ooit. En hoeveel had hij de koning verteld?

'Una vroeg me het haar te leren en dat deed ik,' antwoordde hij. 'We doen het hier omdat haar vader het er niet mee eens is en zo zouden de oudere jongens ons niet uitlachen, dat we met meiden vechten.'

'Ook jij, Nikides?' vroeg Erius. 'Jij doet mee met die flauwekul en je hebt het nooit tegen je grootvader verteld?'

Nikides boog het hoofd. 'Nee, Majesteit. Het is mijn schuld. Ik had het…'

'Dat had je zeker!' bulderde Erius met donderende stem. 'En jij had ook beter moeten weten, juffertje!' beet hij Una toe. Toen wendde hij zich weer tot Tobin en zijn trekken weerspiegelden zijn groeiende razernij. 'En jij, mijn eigen bloed, leert hen burgerlijke ongehoorzaamheid! Als dit nieuws mijn vijanden ter ore zou komen…'

Tobins knieën werkten eindelijk mee en hij knielde neer voor de koning; hij wist zeker dat de man hem door elkaar zou rammelen. En op dat moment zag hij een beweging uit zijn ooghoek en de adem stokte hem in de keel, want er stond iets rampzaligs te gebeuren.

Broer stond op de rand waar de koning had gestaan, met de hemel als achtergrond. Zelfs van zo'n afstand zag Tobin de moorddadige blik in de ogen van zijn tweelingbroer. Broer zweefde naar voren en bleef constant achter de koning die Tobin de huid vol schold.

In Oruns huis was Tobin te zeer verrast geweest om te reageren. Deze keer bracht hij zijn handen naar zijn mond en fluisterde de woorden zo luid als hij durfde achter zijn vingers.

Broer stond stil en keek Tobin aan, zijn mond vertrokken tot een kille streep van razernij. Hij stond maar een paar passen van de koning af, bijna op armlengte. De hongerige woede van de geest golfde als een deken van mist over de daken maar Tobin bleef hem aankijken, en bewoog zijn lippen in een geluidloos bevel. *Ga weg. Ga weg. Ga weg.*

Voor hij kon zien of Broer hem gehoorzaamd had, deed Erius een stap naar voren en blokkeerde zo het zicht.

'Wat zit je te mompelen, brutale aap?' vroeg hij ziedend.

Doodsbang wachtte Tobin tot de koning voor het oog van iedereen dood neer zou vallen.

'Niet alleen stom, maar ook nog doof?' brieste de koning.

'Nee, oom!' fluisterde Tobin. Hij ging iets verzitten zodat hij langs de koning heen kon kijken.

Broer was verdwenen.

'Vergeef me, oom,' zei hij en de opluchting maakte hem duizelig en stoutmoedig. 'Ik kon er geen kwaad in ontdekken.'

'Geen *kwaad*? Als je weet dat ik *verboden* heb…'

'We gaven ze ook niet echt les, Majesteit,' viel Ki hem in de rede. 'We dachten dat als we ze een beetje hun zin gaven, en ze hier voor onszelf konden hebben, dat ze met ons wilden… zoenen. Ze… konden er trouwens niks van.'

Tobin kromp inwendig ineen. Una zou toch wel begrijpen dat dit een klinkklare leugen was, die alleen diende om de woede van de koning van hem af te wenden? Tobin durfde niet in haar richting te kijken.

'Hij liegt!' riep Moriël. 'Ik heb ze gezien. Ze gaven ze echt les.'

'Alsof jij het verschil kunt zien, bleekzuchtig schoothondje!' snauwde Ki terug.

'Zo is het welletjes!' blafte Porion.

Maar op de een of andere manier had Ki precies gezegd wat hij moest zeggen. Erius keek hem nadenkend aan en wendde zich toen weer tot Tobin met een mond waar zich een glimlach om begon te vormen. 'Is dit waar, neef?'

Tobin liet zijn hoofd zo hangen dat de meiden zijn gezicht niet konden zien. 'Ja, oom, het was maar een spelletje. Om ze voor onszelf te krijgen.'

'En ze te kussen, hè?'

Tobin knikte.

'Dat is een goeie!' lachte Korin.

Zijn vader barstte in lachen uit. 'Nou ja, ik kan je daar moeilijk voor straffen, neef. Maar jullie meiden moesten toch beter weten. Foei! Ga maar snel terug naar je moeder, daar horen jullie thuis en denk maar niet dat ze hier niet van zullen horen!'

Una keek naar Tobin toen ze weg wilde gaan. De koning had hem vreselijk kunnen kwetsen, of laten afranselen, maar niets had hem zo'n pijn kunnen doen als de vertwijfelde blik in Una's ogen.

'En wat de rest van jullie betreft…' Erius liet even een stilte vallen en Tobins maag trok zich weer samen. 'Jullie brengen de nacht door bij het altaar van Sakor, om eens goed na te denken over deze dwaze streek. Opgehoepeld! Blijf daar maar tot de Gezellen jullie morgen komen ophalen.'

Die nacht dacht Tobin vooral na over de koning en alles wat hij over hem wist wat hij in het verste hoekje van zijn geheugen had weggeborgen. Ondanks de flitsen van waanzin die hij had meegemaakt, had hij zich steeds weer laten inpakken door Erius' vaderlijke manier van doen en zijn vrijgevigheid.

De verschijning van Broer was een doorbraak in die manier van denken. Het vormde het bewijs dat de koning hem kwaad had willen doen, net als O-run had gedaan.

Maar het was niet dat, of de straf, waardoor de tranen in hem opwelden in dat donkerste uur van de nacht. Terwijl hij daar knielde, kapot, uitgeput, af en toe indommelde ondanks zijn zere knieën, veranderde de wind van richting en de eigenaardig ruikende rook van Illiors altaar nam hem in zich op en hij herinnerde zich… herinnerde zich hoe zijn moeder hem naar dat raam had gesleept, en had geprobeerd hem met zich mee te nemen, de dood tegemoet. Hij herinnerde zich hoe de rivier eruit had gezien, zwart kolkend tussen de met sneeuw bedekte oevers. IJs had zich tegen de stenen aan de rand vastgezet en hij had zich afgevraagd of het zou breken als hij daarop terechtkwam. Zijn moeder wilde hem laten vallen. Hij *was* even gevallen, maar iemand had hem op het allerlaatste moment teruggetrokken en hem van het raam weggesleept, weg van de doodskreet van zijn moeder.

Dat was Broer geweest. Maar waarom had hij dan ook hun moeder niet gered? Had hij haar juist het raam uit geduwd?

Hij wilde het uitsnikken en hij had al zijn wilskracht nodig om de tranen in te slikken. Net toen hij dacht dat hij het niet meer kon inhouden en zichzelf maar voor de zoveelste keer te schande moest maken, voelde hij Ki's hand op de zijne die hem een kneepje gaf. Het verdriet en de angst trokken zich langzaam terug, als de golven bij eb. Hij had zichzelf niet onteerd en groette de ochtendzon duf maar vredig. Broer had hem die dag gered, en nogmaals bij Orun. En had het vandaag waarschijnlijk weer gedaan, misschien als de koning zijn zelfbeheersing verloren zou hebben.

Hij heeft je nodig, en jij hem, had Lhel gezegd. Broer wist dat waarschijnlijk ook.

Toen hij die ochtend met de anderen naar het paleis terugkeerde, hoorde hij van Baldus dat Una die nacht spoorloos verdwenen was.

DEEL 2

*Als we vanaf het begin hadden geweten waar het visioen ons heen zou lei-
den, dan hadden we waarschijnlijk niet de moed op kunnen brengen om het
te volgen. Het Orakel was op haar manier heel vriendelijk geweest...*

Fragment, gevonden in de
oostelijke toren van het Orëskahuis

27

Die eerste winter met Kaulin en Wythnir ging zonder problemen voorbij. Er kwam geregeld post van Tobin en Ki, en van Iya, die haar tijd nu verdeelde tussen reizen en bezoekjes aan de stad. Een paar indirecte opmerkingen gaven te kennen dat ze bondgenoten in de stad had gevonden, tovenaars die van meer nut waren op de plek waar ze verbleven dan op de burcht.

De jongens schreven over het hofleven en in de brieven van Tobin ontdekte Arkoniël een ondertoon van zorgelijkheid en ontevredenheid. Korin was altijd de hort op, de koning had een sterk wisselend humeur en de oudere jongens behandelden Tobin en zijn jonge vrienden als kinderen.

Ki schreef juist erg enthousiast over de feesten en diverse meisjes die wel een oogje op hem hadden. Arkoniël vermoedde dat Tobin daar niet zo blij mee was; hij sprak totaal niet over meisjes, behalve over dat ene meisje met wie hij bevriend geweest was tot ze onder mysterieuze omstandigheden verdwenen was. Hij zei het niet met zo veel woorden, maar Arkoniël kreeg de indruk dat Tobin dacht dat ze wel eens vermoord zou kunnen zijn.

Toen de winter goed doorzette, verdeelde Arkoniël zijn aandacht tussen de gasten en zijn werkkamer. Kaulin had weinig interesse in Arkoniëls 'binnenmagie' zoals hij het noemde, en liep veel liever door bos en veld, ongeacht de weersomstandigheden. Toen hij zich eenmaal thuis voelde, was hij een mopperkont van het zuiverste water gebleken en Arkoniël liet de man zonder enige moeite met rust.

Arkoniël stond er nogal van te kijken dat Kaulin Wythnir zo negeerde. Hij was niet onvriendelijk tegen het kind, maar ging er regelmatig op uit zonder hem mee te nemen, en liet hem bij Nari achter alsof het een gewoon kind was dat een kindermeid nodig had.

Arkoniël maakte daar een opmerking over toen Nari zijn kamer eens aan het afstoffen was.

'Maakt me niet uit,' zei ze. 'Ik ben allang blij dat er weer een kind onder dit dak woont. En de Schepper weet dat het arme joch best een beetje vertroeteld mag worden. Hij is de luiers maar net ontgroeid, of hij nu als tovenaar geboren is of niet, en hij heeft niemand die voor hem zorgt.'

De scherpe ondertoon kon Arkoniël niet ontgaan. Hij legde zijn dagboek waarin hij bezig was opzij, draaide zijn stoel om en strengelde zijn vingers ineen over een opgetrokken knie. 'Kaulin verwaarloost hem inderdaad een beetje. Maar het kind zag er toch gezond uit toen ze aankwamen.'

'Hij was niet uitgehongerd, daarin heb je gelijk, maar je weet zelf hoe Kaulin het kind behandelt. Een vriendelijk woordje kan er niet vanaf, als hij al wat tegen hem zegt. Maar hoe kan het ook anders? Kaulin nam het joch alleen op sleeptouw om een schuld af te betalen.'

'Hoe weet je dat?'

'Nou, dat heeft Wythnir me verteld,' zei Nari en Arkoniël ving haar zelfgenoegzame glimlachje op terwijl ze de vensterbank begon schoon te maken. 'En een dag of wat geleden vertelde Kaulin me nog wat. Het arme schaap werd bijkans mishandeld door zijn eerste meester, een zuiplap of nog erger, kon ik eruit opmaken. Ik denk dat Kaulin zelfs een hele verbetering was, maar het kind interesseert hem gewoon niet. Geen wonder dat Wythnir er soms als een geest uitziet.' Ze sloeg het stof van een kandelaar. 'Niet dat ik het erg vind dat hij me voor de voeten loopt. Het is een makkelijk jong. Maar toch, hij heeft magie in zich, en wat dat betreft trekt hij toch naar jou – zou jij niet eens wat meer belangstelling voor hem kunnen tonen?'

'Trekt naar mij? Hij heeft nog geen woord tegen me gezegd sinds ze hier zijn!'

Ze schudde het hoofd. 'Zie je dan niet hoe hij achter je aan dribbelt en hier bij de werkkamer rondhangt?'

'Nee. Ik dacht zelfs dat hij me niet mocht.'

Arkoniëls zelfvertrouwen wat stille kinderen betreft was er niet op vooruitgegaan na zijn ervaring met de jonge Tobin. 'Als ik eens wat tegen hem zeg doet hij zijn duim in zijn mond en staart hij naar zijn voeten.'

Nari gaf hem een tik met de stofdoek en giechelde. 'Ach, hij moet gewoon een beetje aan je wennen. Je bent nou eenmaal een beetje korzelig en vreemd geworden sinds de jongens weg zijn.'

'Hoe kom je erbij!'

'O, maar het is waar. Kokkie en mij kan het niks schelen, maar dit is een jochie en ik heb daar nou eenmaal meer verstand van dan jij. Lach eens tegen hem! Laat hem een paar trucjes zien en ik durf er een sestertium om te verwedden dat hij niet meer bij je weg te slaan is!'

Tot Arkoniëls verbazing won Nari die weddenschap nog ook. Al bleef het kind verlegen en stil, hij leefde meteen op toen Arkoniël de tijd nam om hem een truc te laten zien of hem liet helpen met kleine betoveringen. Hij bleef zo mager als een lat, maar Kokkies gezonde maaltijden hadden hem wat kleur op zijn fletse wangen gegeven en zijn ragebol van bruin haar begon te glanzen. Een gesprek zat er nog niet in: Wythnir sprak nauwelijks, op een gemompeld antwoord op een directe vraag na.

In de werkkamer daarentegen lette hij scherp op iedere handeling van Arkoniël. Op een dag, en waarom wist hij zelf waarschijnlijk niet, bood hij Arkoniël aan om hem te laten zien hoe je een gelukstalisman maakte van gedroogde tijm en paardenhaar. Dat was niet iets wat andere achtjarigen, zelfs niet als ze geboren tovenaars waren, konden. Het weven en vlechten van de formules ging nog wat onhandig, maar de betovering hield het uit. Arkoniël prees hem uitbundig en werd daarvoor beloond met de eerste glimlach die hij op het gezichtje van de jongen had gezien.

Na dit kleine succes kroop Wythnir pas goed uit zijn schulp. Hij was dol op zijn lessen en na een paar keer werd het Arkoniël duidelijk dat Kaulin toch meer tijd in de jongen had gestoken dan hij had aangenomen. Wythnir was nog maar krap een jaar bij de man, maar kende vrijwel alle basistoverspreuken en vuurbezweringen, naast een verrassend uitgebreide kennis over de eigenschappen van kruiden. Arkoniël begon te vermoeden dat het geen desinteresse of teleurstelling was geweest waarom Kaulin zich weinig met de jongen bemoeide, maar misschien wel jaloezie op zijn overduidelijke capaciteiten.

Toen hij doorkreeg hoe snel Wythnir dingen oppikte, werd Arkoniël ook wat voorzichtiger met het tonen van wat hij van Lhel had geleerd. Die oude hekserij was nog altijd verboden kennis onder vrije tovenaars. Ze werkten elke ochtend samen, maar 's middags hield Arkoniël zich bezig met het werk dat hij in alle eenzaamheid moest verrichten.

Sinds Ranai haar magische vermogen aan hem had geschonken, merkte Arkoniël dat bepaalde betoveringen – met name het oproepen en transmuteren – makkelijker gingen dan vroeger. Hij begreep de formules veel beter en merkte dat hij ruim een uur door het magische oog kon kijken zonder moe te worden. Misschien kwam het door haar, en natuurlijk door Lhel, dat hij eindelijk zijn eerste succes boekte met wat hij zijn 'deurbezwering' had gedoopt.

Hij had het tientallen keren opgegeven sinds hij de betovering verzonnen had, maar steeds weer pakte hij de zoutdoos om te proberen een boon of een steentje aan de binnenkant van de doos te materialiseren.

Op een regenachtige ochtend in Klesin veegde Wythnir de werkkamer aan terwijl Arkoniël een zoveelste poging waagde met de boon en de doos. Hij liep naar Arkoniël toe om te zien waarom die zo zat te prevelen.

'Wat ben je aan het doen?' Zelfs nu nog sprak hij op de fluistertoon van een tempelnoviet. Het enige dat dat kon veranderen was een paar dagen optrekken met Ki, had Arkoniël vaak gedacht.

Arkoniël hield het ongehoorzame boontje op. 'Ik wil dat hij de doos in gaat, maar zonder het deksel open te maken.'

Wythnir dacht er even over na. 'Waarom maak je dan geen gat in de doos?'

'Nou, dat is nou juist níét de bedoeling. Dan kan ik net zo goed het dek...' Arkoniël hield zijn mond, staarde de jongen aan en keek weer naar de doos. 'Dank je wel, Wythnir. Zou je me even alleen kunnen laten?'

Arkoniël bracht de rest van de dag en de nacht mediterend in kleermakerszit op de vloer door. Bij zonsopkomst opende hij zijn ogen en lachte. Het magisch patroon stond hem eindelijk helder voor de geest, zo simpel werkte het dat hij niet snapte waarom het niet eerder tot hem was doorgedrongen. Geen wonder dat er een kind aan te pas had moeten komen om het hem duidelijk te maken.

Hij liep weer naar de tafel, pakte een boon en zijn kristallen toverstafje. Hij neuriede de krachttonen die hem 's nachts waren aangereikt en weefde de lichtlijnen met de punt van zijn staf: *draaikolk, deuropening, reiziger, rust*. Hij durfde het nauwelijks te geloven, maar het patroon hield stand en de bekende koude energiestroom liep van zijn voorhoofd naar zijn handen. Het patroon lichtte helder op en implodeerde in een kleine donkere vlek. Glimmend en stevig als opgewreven git hing het in de lucht voor zijn neus. Hij stelde zijn geest erop in en ontdekte dat het vliegensvlug om zijn as draaide. Hij was zo verbijsterd dat hij zijn concentratie verloor en het duistere gat verdween met het geluid van een kurk die uit een fles getrokken wordt.

'Bij het Licht!' Hij haalde diep adem en weefde het patroon opnieuw. Toen het vast in de lucht hing testte hij het nauwkeuriger en het gat bleek vervormd te kunnen worden als klei op een pottenbakkersschijf. Met één gedachte kon hij het laten groeien tot het formaat van een vaatje, of het laten krimpen tot het oog van een kolibrie.

Helemaal stabiel was de spreuk nog niet, maar hij kon hem tenminste makkelijk en snel weven en experimenteerde met een hele serie gaten. Hij kon een gat op wilskracht van plaats laten veranderen en liet hem de hele kamer doorgaan. Ook kon hij het gat laten kantelen van verticaal naar horizontaal.

En ten slotte visualiseerde hij tintelend van verwachting de zoutdoos zonder ernaar te kijken en liet de boon in de kleine draaikolk verdwijnen. De boon verdween als een steentje in een diepe plas en viel er aan de andere kant niet uit. Het gat implodeerde met de doffe plop zoals altijd. En de boon zat in de doos.

Arkoniël staarde naar de lege lucht waar hij geweest was, gooide zijn hoofd achterover en joelde zo enthousiast dat Lhel in haar kamp zijn vreugde kon voelen.

Wythnir, die kennelijk de hele ochtend voor de deur had gezeten, stormde naar binnen. 'Meester Arkoniël? Wat is er? Bent u gewond?'

Arkoniël tilde de jongen op en danste met hem de kamer rond. 'Jij brengt geluk, wist je dat? Illior zegene je, je hebt me de sleutel gegeven!'

Wythnirs stomverbaasde glimlach deed Arkoniël nogmaals in lachen uitbarsten.

De weken daarop wapende Arkoniël zichzelf met een handvol bonen en onderwierp zijn nieuwe truc aan diverse tests. Hij zond de boon met succes de doos in, van de ene kant van de kamer naar de andere, dan vanaf de gang, en uiteindelijk, trillend van spanning, door een dichte deur.

Hij deed ook een cruciale ontdekking. Als hij het te gehaast of onzorgvuldig deed, of als hij zijn bestemming niet nauwkeurig visualiseerde en zich slecht concentreerde op het doel, dan verdween de ongelukkige boon in het niets. Hij onderzocht dit een aantal malen maar kon de verdwenen bonen niet terughalen of zelfs maar ontdekken waar ze gebleven waren.

Ongetwijfeld zitten ze vast in een ruimte tussen de toverspreuk en hun bestemming, noteerde hij die avond in zijn dagboek. Het was bijna middernacht maar hij was veel te opgewonden om zich druk te maken over geesten. Wythnir was allang naar bed gebracht, maar Arkoniël liet zijn lampen branden, want hij had nog geen zin te stoppen, nu alles eindelijk zo goed liep. Hij was echter vermoeider dan hij zichzelf wilde toegeven.

Hij besloot een zwaarder voorwerp naar de doos te sturen. Een loden gewichtje dat Ki of Tobin had laten slingeren was net wat hij nodig had. In zijn opwinding raakte hij het loden schijfje aan en hij voelde een ruk aan zijn hand toen het gat in de lucht zich sloot. Even kon hij alleen maar stomverbaasd kijken naar het fel bloedende stompje dat er van zijn pink over was. Zijn pink was verdwenen, alsof een zwaard hem had afgehakt, vlak onder de tweede knokkel. Het klopte pijnlijk maar hij bleef verbijsterd staan, en keek ongelovig naar het stromende bloed.

De pijn bracht hem weer bij zinnen. Hij wikkelde de stomp in een stuk van zijn tuniek, rende naar de tafel en maakte de zoutdoos open. Daar was het gewichtje, geheel intact, maar de binnenkant van de doos was een bloederige bende. Het vlees van zijn vinger was van het bot gerukt en vermalen tot vlezige flinters. De botjes waren nog heel, en ook de nagel was niet versplinterd; hij lag als een klein schelpje onder het gewichtje.

Pas toen drong het tot hem door wat hij gedaan had. Hij plofte ademloos op een stoel neer, en bracht zijn linkerhand naar zijn hoofd. Hij wist dat hij om hulp moest roepen voor hij flauw zou vallen en zijn bloed over de vloer zou blijven gutsen, maar het duurde even voor hij zich weer in de hand had.

Lhel heeft me gewaarschuwd nooit ofte nimmer de raambezweringen aan te raken, dacht hij, voor een golf van misselijkheid hem voorover deed zakken. Geen wonder dat ze zo afhoudend was geweest om hem dit soort magie toe te vertrouwen.

Omdat de pink er finaal was afgerukt, duurde het een tijdje voor het ophield met bloeden. Kokkie naaide het gat dicht, smeerde hem in met honing en verbond zijn hand met een reep schoon linnen.

Hij maakte zelf de doos schoon en vertelde niets over het ongeluk aan Wythnir of Kaulin, maar hij was voorzichtiger dan ooit en liet niemand in de buurt komen wanneer hij met zijn spreuk aan de gang was.

Na dit incident nam zijn ijver eerder toe dan af. Dagen achtereen oefende hij met verschillende objecten, een stuk perkament, een appel, een mantelspeld en een dode muis uit een val in de keuken. Alleen de metalen speld overleefde de verplaatsing. Het perkament kwam er compleet verscheurd uit, de appel en het muizenlijkje kwamen in ongeveer dezelfde staat uit de doos tevoorschijn als zijn pink: het vlees en de fijne botjes waren fijngehakt, maar het schedeltje was nog heel.

Nu hij wist dat alleen zeer stevige en sterke voorwerpen getransporteerd konden worden, ging hij verder met zijn onderzoek naar gewicht en hij noteerde dat een stenen boekensteun net zo makkelijk door de kamer de doos in vloog als een boon. Tevreden werkte hij verder met bonen en begon proefjes met afstand te ondernemen.

Nari en de anderen keken hem bevreemd aan als hij af en toe de burcht uit stormde. Wythnir kreeg de taak bij de doos te posten en te gillen als de kleine reiziger aangekomen was.

Hoe ver Arkoniël ook bij de doos uit de buurt ging, hoeveel deuren of muren er ook tussen hem en de doos lagen, hij hoefde zich alleen maar een gat in de zijkant van de doos voor te stellen, zich goed te concentreren en de boon zou zijn weg wel vinden.

Vervolgens probeerde hij bonen naar andere bestemmingen te laten reizen. De eerste maakte een succesvol tripje van de tafel in zijn werkkamer naar de offerplank van het huisaltaar. Van daaruit stuurde hij hem naar Kokkies meelvat – het werd een bende maar het lukte. Toen stuurde hij de boon naar buiten.

Kaulin was er niet van onder de indruk. 'Wat heb je daar nou aan?' snoof hij toen hij zag hoe Arkoniël een boon uit een holle wilg probeerde te vissen.

Arkoniël liet hem maar praten, en verzon al een lijst met plekken van andere plaatsen die hij zich helder genoeg voor de geest kon halen om er iets heen te sturen.

'Het is wel een nadeel dat je geen brieven op perkament kunt sturen,' mompelde hij hardop. 'Toch moet er een oplossing voor te vinden zijn.'

'Je zou ze op stukken hout of boomschors kunnen schrijven,' stelde Wythnir voor.

'Dat zou een mogelijkheid kunnen zijn,' mijmerde Arkoniël. 'Dat is een heel goed idee, Wythnir.'

Kaulin keek hem laatdunkend aan en vertrok om zich met zijn eigen zaken bezig te houden.

28

Zelfs in de bergen waren de lente en de vroege zomer heter dan die van vorig jaar. Handelaars verhoogden de prijzen, want het vee stierf bij bosjes en de velden stonden vol aangetaste of verdorde planten. In de bergen kleurden de berkenblaadjes in de zomer al geel. Zelfs Lhel scheen er last van te hebben, al had Arkoniël haar nooit over hitte of kou horen klagen.

'De vloek over dit land neemt in omvang toe,' waarschuwde ze, terwijl ze tekens kraste in het stof rond haar wooneik.

'Maar Tobin is nog maar zo jong…'

'Ja, te jong. Skala moet het nog een tijdje verdragen.'

Eind Gorathin was het eindelijk gedaan met de hittegolf dankzij een opeenvolging van enorme onweersbuien.

Arkoniël had zich aangewend om op het heetst van de dag te slapen. De eerste donderklap daalde als een lawine over de burcht neer en hij zat van schrik meteen rechtop in zijn bezwete bed. Zijn eerste gedachte was dat hij het grootste deel van de dag verslapen moest hebben, want het was bijna pikdonker in zijn kamer. Buiten trokken wolken met de kleur van een blauwe plek laag over de bomen voorbij. Toen spleet de hemel weer open door een witblauwe flits en een tweede donderklap deed de burcht op zijn grondvesten trillen. Een vlaag vochtige wind streek langs Arkoniëls wang en toen begon het te regenen; dichte, zilveren gordijnen stortten neer en al het uitzicht verdween. Dikke druppels spetterden met zo'n kracht neer op zijn vensterbank dat ze de vloer op een meter afstand vochtig maakten. Hij liep naar het raam, blij om de afkoeling, al was zelfs de regen warm.

De bliksem daalde als woedende drietanden neer, en elke flits liet een spoor van oorverdovend kabaal na. Het onweer maakte zo'n herrie dat Arkoniël niet merkte dat Wythnir was binnengekomen tot het kind zijn hand op zijn arm legde.

Het kind was doodsbang. 'Zal de bliksem het huis raken?' vroeg hij met bibberend stemmetje.

Arkoniël sloeg een arm om hem heen. 'Wees maar niet bang. Deze burcht staat er nu al eeuwen, in weer en wind.'

Als om zijn woorden te logenstraffen sloeg de bliksem in een dode eik aan de rand van het weiland in, en de boom spleet open tot aan de voet, waarna hij vlam vatte.

'Vuur van Sakor!' riep Arkoniël uit en hij rende de werkkamer uit. 'Waar heb je die vuurpotjes gelaten die je vorige week hebt schoongemaakt?'

'Op de plank bij de deur. Maar… je gaat toch niet naar buiten?'

'Even maar.' Hij had geen tijd om het uit te leggen. Arkoniël kende minstens zes elixers die alleen gestookt konden worden met dit soort vuur, als hij het binnen kon halen voor de regen het doofde.

De potjes stonden op de plank klaar, de koperen deksels met de gaatjes glommen. Wythnir had zijn werk keurig gedaan, zoals altijd. Hun ronde ijzeren buikjes waren gevuld met droog dennenschors en vettige wol. Hij greep de grootste en rende de trap af. Kaulin riep hem nog wat na toen hij de hal doorkruiste, maar Arkoniël had geen tijd te verliezen.

De regen sloeg zijn haar plat tegen zijn schedel en plakte zijn kilt tegen zijn dijen terwijl hij blootsvoets over de brug sprintte en door de distels en het ruwe voedergras voortstrompelde dat heuphoog opgeschoten was, met de pot tegen zijn borst gedrukt om ervoor te zorgen dat de brandstof niet nat werd.

Net op tijd kwam hij bij de eik aan. Vlammen sloegen sissend uit het droge hout en knetterden in de spleten van de getroffen stam; het lukte hem om een paar brandende spaanders met zijn mes in de pot te krijgen voor de laatste uitdoofde. Hij deed net het deksel op de pot toen Kaulin en de jongen hijgend kwamen aanrennen. Wythnir kromp ineen toen de bliksem weer ergens bij de rivier in sloeg.

'Ik heb maar één pot meegenomen,' zei Arkoniël tegen Kaulin, en hij stond niet te trappelen om de buit te delen. Hoe minder vuur, hoe minder kracht.

'Maakt niet uit,' mompelde Kaulin. De regen stroomde van zijn brede rug toen hij op het geblakerde gras aan de voet van de boom neerhurkte en er met een zilveren mes in begon te porren. Wythnir deed hetzelfde aan de andere kant en stond plotseling met een triomfkreet op. 'Kijk, meester Kaulin, hier ligt een grote!' riep hij en hij wierp iets wat op een hete aardappel leek van de ene hand in de andere. Het was een ruw, met aarde besmeurd klompje steen, zo lang als een duim. Ook Kaulin had er een paar gevonden.

'Een heel mooie!' riep Kaulin uit die hem aannam en hem liet afkoelen in de regen.

'Wat is dat?' vroeg Arkoniël. De man was net zo blij met de oogst van het onweer als hij met zijn vuur.

'Hemelsteen,' zei Kaulin en hij wierp hem er een toe. 'Heeft de kracht van die bliksemflits in zich opgeslagen.'

Het ding was nog steeds heet, maar Arkoniël voelde wel meer, een subtiele vibratie die een siddering door zijn arm liet gaan. 'Ja, ik voel het. Wat doe je daarmee?'

Kaulin stak zijn hand uit en Arkoniël gaf hem met tegenzin terug. 'O, van alles,' antwoordde hij en hij rolde hem van de ene hand in de andere om hem te laten afkoelen. 'Deze betekent een paar maanden eten en drinken, als ik iemand vind die hem wil kopen. Een ouwe vent die hem niet meer omhoog kan krijgen kan er veel aan hebben.'

'Impotentie, bedoel je dat? Ik heb nog nooit van zo'n behandeling gehoord. Hoe werkt het dan?'

Kaulin liet de stenen in een leren buideltje glijden. 'Je bindt zo'n steen met een roodzijden koord tegen je lul en laat hem zitten tot er onweer komt. Zodra hij drie flitsen gezien heeft, is hij weer fit als een jonge vent. Voor een tijdje dan.'

Arkoniël onderdrukte een ongelovig geluid. Deze 'geneeswijzen' waren zelden meer dan een idee dat de mensen werd aangepraat, het was magie die meer te maken had met de wanhoop van een onnozele hals dan een innerlijke kracht van de zogenaamde remedie. Door dit soort praktijken kreeg de vrije tovenaar een slechte naam. Maar toch had hij iets in de steen gevoeld. Tevreden liepen de twee met hun vondst naar huis. Regen kletterde op het deksel van het vuurpotje terwijl hij achter hen aan ploeterde.

Wythnir vertraagde zijn pas tot hij naast Arkoniël was. Zonder iets te zeggen duwde hij Arkoniël iets in zijn hand en haastte zich terug naar Kaulin. Hij voelde meteen dat het een van de hete stenen was. Met een grijns stopte hij hem in zijn zak om hem later te kunnen bestuderen.

De regen werd iets minder hevig. Halverwege de wei ving Arkoniël het verre getinkel van tuigage op; een kar reed op de Alestunweg. Ook Kaulin had het gehoord.

Arkoniël reikte hem de vuurpot aan. 'Zet dit in mijn werkkamer en blijf daar, allebei. Maak geen geluid tot ik jullie roep.' Ze renden naar de brug, Kaulin en de jongen verdwenen door de hoofdingang, terwijl Arkoniël naar de lege kazerne vluchtte. Binnen rende hij naar een raam dat uitzag op de weg en tuurde door een spleet tussen twee luiken. De regen was weer toegenomen en hij kon niets zien dat buiten de brug lag, maar hij waagde het niet naar buiten te gaan.

Na enige tijd hoorde hij gesnuif en het kraken van het gareel. Een bruinwitte os dook op uit de regen, met een kar met hoge zijkanten achter zich aan. Twee mensen zaten op de bok, in mantels gewikkeld tegen het onweer. De persoon naast de koetsier sloeg haar kap terug en Arkoniëls hart maakte een sprongetje: het was Iya die haar hoofd ontblootte om te laten zien wie ze was aan iedereen die vanuit de burcht toekeek. Ook de koetsier maakte zich bekend, een blonde jongeman met vage Aurënfaier trekken. Het was Eyoli van Kes, de jonge geestbenevelaar uit Virishans weeshuis. Iya had er tenminste één in veiligheid weten te brengen. Aangezien ze met een kar waren gekomen moesten het er haast wel meer zijn.

Hoewel ze geen groot tovenares was, had Virishan Iya's respect verworven door verwaarloosde, van magische gaven voorziene weesjes uit de armste wijken op te vangen, en ze zodoende een leven te besparen in smerige havens en achterlijke grensgehuchten waar ze door allerhande gespuis mishandeld, misbruikt en gedood zouden worden. Aangezien ze zelf verstoten was, gaf Iya Virishan alle steun die ze kon gebruiken.

'Arkoniël, daar ben je! Wat een weertje, hè?' riep Iya toen hij naar buiten holde om hen te begroeten. Eyoli trok de teugels aan en stak hem de hand toe. Arkoniël klom op de spaken van het linkerwiel en tuurde over de rand van het schot. Naast de bagage lagen maar vijf kinderen tegen elkaar aangedrukt, en hun beschermster was er niet bij.

'Waar is je meesteres?' vroeg Arkoniël terwijl ze de binnenplaats opreden.

'Afgelopen winter aan de koorts overleden,' vertelde Eyoli. 'Twaalf kinderen zijn er ook aan onderdoor gegaan. Ik heb de rest sindsdien verzorgd, maar het is moeilijk om de kost te verdienen met de gebrekkige magie die wij bezitten. Je meesteres vond ons in Koningshaven en bood ons een schuilplaats aan.'

Arkoniël bekeek de rillende kinderen. De oudste drie waren allemaal meisjes. De jongens waren niet ouder dan Wythnir.

'Welkom, allemaal. We zullen jullie eerst maar eens warm en droog zien te krijgen, en er is genoeg eten voor allemaal.'

'Dank, meester Arkoniël. Ik ben blij u weer te zien,' zei een van de meisjes, en ze deed haar doorweekte kap naar achteren. Ze was een stevige meid, al bijna vrouw en erg knap, met grote blauwe ogen en een lichtblonde vlecht. Hij staarde haar zo aan dat haar glimlach verdween. 'Ik ben Ethni, weet u nog?'

'Het kleine vogelmeisje?' De laatste keer dat hij haar zag had ze de hele tijd op zijn knie gezeten.

Ethni grijnsde en tilde een kooitje van wilgentenen op met twee bruine duiven erin. 'Jij hebt me daarmee geholpen, dus nu heb ik een paar nieuwe kunstjes geleerd die ik aan jou wil laten zien,' zei ze trots.

Daar ben ik zeer benieuwd naar! dacht Arkoniël en hij merkte dat hij er helemaal geen bezwaar tegen zou hebben als ze die ook op zijn schoot zou willen uitvoeren. Beschaamd onderdrukte hij de gedachte. Maar het was nu eenmaal een feit dat dit het eerste knappe jonge ding was dat hij ontmoette sinds hij met Lhel zijn celibataire leven vaarwel had gezegd. Toen hij dat besefte en de reactie van zijn lichaam bemerkte, verontrustte hem dat enigszins.

'En ons! Weet je nog wie wij zijn?' piepten de twee andere meisjes, en ze staken hun identieke gezichtjes naar hem op. Zelfs hun stemmetjes waren gelijk.

'Rala en Ylina!' hielp een van hen.

'Je maakte geluksknopen voor ons en zong van die droevige balladen,' viel haar zusje in.

Arkoniël glimlachte naar hen, maar voelde hoe Ethni haar ogen niet van hem af kon houden. 'En wie zijn deze twee knapen?'

'Dit is Danil,' zei een van de tweeling en ze knuffelde het jochie met de donkere ogen.

'En dit is Totmus,' stelde haar zus het bleke, verlegen jongetje voor.

'Zijn er nog meer gekomen?' vroeg Iya.

'Ja, Kaulin en een kleine jongen.'

Ze trok haar natte kap dichter om zich heen, en vroeg fronsend: 'Is dat alles, na al die tijd?'

'Hoeveel heb je er dan opgeroepen?'

'Maar een stuk of twaalf sinds ik je gesproken heb. Het zou te veel opvallen als er een hele stoet de Alestunweg afsjokt naar de burcht. Maar ik had er toch wel meer verwacht.' Een van de jongens begon te jammeren. 'Kom maar Totmus, we zijn er.'

Vanaf het keukenplaatsje namen Nari en Kokkie de kinderen snel mee naar binnen om ze in droge dekens voor de haard in de keuken te zetten. Later, toen de kinderen allemaal op strozakken in de hal een slaapplaats hadden gekregen, gingen Arkoniël en Iya met een beker wijn naar zijn slaapkamer. Het onweer was voorbij maar er was een stevige storm opgestoken. Toen de nacht was ingevallen verkilde de wind en de burcht werd met hagel zo groot als hazelnoten gebombardeerd. De tovenaars nipten in stilte van hun wijn en luisterden naar het gekletter tegen de luiken.

'Onze tovenaars zijn nog niet veel soeps, hè?' zei Arkoniël ten slotte. 'Een ouwe kwakzalver, een halfwas geestbenevelaar en een handjevol kinderen.'

'Er komen er meer,' verzekerde Iya hem. 'En vergis je niet in Eyoli. Hij mag beperkt zijn, maar hij is uitstekend in wat hij doet. Ik denk dat hij best een oogje op Tobin kan houden in de stad. Het is riskant, maar hij valt veel minder op dan ik of jij.'

Arkoniël liet zijn kin op een hand leunen en zuchtte. 'Ik mis Ero. En ik mis het reizen met jou.'

'Dat weet ik wel, maar wat we hier doen is belangrijk. En Lhel zorgt er toch wel voor dat je niet al te eenzaam bent?' voegde ze er met een knipoog aan toe.

Hij bloosde en durfde geen antwoord te geven.

Ze grinnikte en wees op zijn rechterhand. 'Wat is daarmee gebeurd?'

'Een succesvol ongelukje, eigenlijk.' Hij stak zijn hand met de verdwenen pink trots in de lucht; dankzij Kokkie was het netjes geheeld. De nieuwe huid was nog wat roze en gevoelig, maar hij merkte er eigenlijk niets meer van. 'Ik heb schitterend nieuws maar het is beter om het je te laten zien dan het uit te leggen.'

Hij woelde in zijn zak en vond zijn toverstaf en een munt. Hij weefde zijn spreuk en maakte een zwart gat zo groot als zijn vuist, het oppervlak parallel aan de vloer. Iya zat er met haar neus bovenop en keek belangstellend toe toen hij de munt als een goochelaar in het gat gooide. De munt verdween, het gat klapte dicht en verdween eveneens. Hij grijnsde. 'Kijk eens in je zak.'

Iya haalde de munt eruit. Met een verbaasd gezicht fluisterde ze: 'Bij het Licht. Bij het Licht, Arkoniël! Zoiets heb ik nog nooit gezien! Heeft Lhel je dit geleerd?'

'Nee, het is een formule waar ik al heel lang aan werkte, weet je nog? Maar een van haar spreuken is wel de basis.' Hij weefde de tekens voor de raambezwering in de lucht en liet Iya via het luchtraam een blik werpen op Nari en Kokkie in de keuken. 'Dat was het begin, maar ik heb er wat aan toegevoegd en ik visualiseer het anders.'

'Maar je pink?'

Arkoniël ging naar zijn bureau en nam een kaarsje uit de doos. Hij weefde de spreuk nogmaals en stak de kaars er voor de helft in. Hij liet hem haar zien en Iya haalde het ontbrekende deel uit haar zak.

Hij stak zijn vinger op. 'De eerste en laatste keer dat ik wat slordig was. Tot nu toe, dan.'

'Bij de Vier, zie je wel hoe gevaarlijk dit is? Hoe groot kan je die… die… hoe-noem-je-die-dingen maken?'

'Deuropeningen. Ik heb ze soms groot genoeg gemaakt om er een hond door te kunnen laten lopen, maar dat werkt niet. Ik heb het met ratten geprobeerd, maar die komen er ook als gehakt uit. Kleine, vaste voorwerpen gaan het beste. Stel je eens voor dat je iets in een oogwenk van hier naar Ero kan sturen! Zoiets ambitieus heb ik nog niet geprobeerd, maar in theorie moet het werken.'

Iya keek naar de kaarsstomp en de munt. 'Je hebt het Kaulin en de jongen nog niet geleerd, hè?'

'Nee. Ze hebben het gezien, maar ze weten niet hoe je het oproept.'

'Mooi zo. Weet je wel hoe gevaarlijk dit is als het in verkeerde handen valt?'

'Ik snap het wel. Het is ook nog niet helemaal perfect.'

Ze nam zijn gekwetste hand in de hare. 'Misschien was dit een geluk bij een ongeluk. Deze hand is een waarschuwing die je de rest van je leven bij je zult dragen. Ik ben natuurlijk wel heel trots op je. De meesten van ons doen hun hele leven niets anders dan het herhalen van de magie die door anderen verzonnen is, zonder ooit iets nieuws te creëren.'

Hij ging zitten en dronk zijn wijn. 'Maar ik heb het wel aan Lhel te danken. Ik zou het nooit uitgevogeld hebben zonder de dingen die ze mij had geleerd. Ze heeft me ook heel wat over bloedmagie geleerd. Prachtige dingen, Iya, die niets te maken hebben met zwarte kunst. Misschien moesten we maar eens stoppen met op die manier over het heuvelvolk te denken en hun kennis proberen over te nemen voor ze allemaal uitgestorven zijn.'

'Misschien, maar zou jij zomaar iemand vertrouwen die net als zij macht over de doden heeft?'

'Daar gaat het niet om.'

'Dat weet ik wel, maar je weet net zo goed als ik dat er redenen waren waarom ze verdreven werden. Omdat je nu op één heks gesteld bent, hoef je nog niet te vergeten wat anderen gedaan hebben. Lhel zal haar redenen hebben om jou niet in te wijden in de donkere kanten van haar macht, maar die bestaan wel, geloof me maar. Ik heb hem gevoeld.

Hoe dan ook, wat je hier tot stand gebracht hebt is geweldig.' Iya raakte zijn wang aan en haar stem kreeg een droevige klank. 'En je zult nog meer doen. Zoveel meer. Zo, en vertel me nu maar over Wythnir. Je schijnt op hem gesteld te zijn.'

'Er valt niet veel te vertellen. Uit wat Nari en ik te weten zijn gekomen, was zijn eerdere leven zoals dat van de kinderen beneden. Maar het is soms niet te geloven hoe snel hij de dingen oppikt die ik hem laat zien.'

Ze glimlachte. 'En hoe vind je het nu, om zelf een leerling te hebben?'

'Leerling? Nee, hij kwam met Kaulin mee. Hij is van hem.'

'Nee, hij is van jou. Ik zag dat zodra ik hem naar jou zag kijken, in de hal beneden.'

'Maar ik heb hem niet gekozen, hij is gewoon…'

Ze lachte en klopte hem op zijn knie. 'Misschien is dit dan de eerste keer dat een leerling zijn meester uitzoekt, maar hij is van jou, of jij en Kaulin dat nu onderling overlegd hebben of niet. Laat hem niet gaan, jongen. Er schuilt een groot tovenaar in hem.'

Arkoniël knikte langzaam. Hij had nooit op die manier over Wythnir nagedacht, maar nu ze het gezegd had, wist hij dat ze gelijk had. 'Ik zal er met Kaulin over praten. Als hij ermee instemt, wil jij dan onze getuige zijn?'

'Natuurlijk, mijn jongen. Maar dan moet je het wel morgenochtend regelen.'

De moed zonk Arkoniël in de schoenen. 'Ga je dan alweer meteen weg?'

Ze knikte. 'Er is nog zo ontzettend veel te doen.'

Daar viel niets tegenin te brengen. Ze dronken de rest van hun wijn in stilte op.

Tot Arkoniëls opluchting had Kaulin er geen bezwaar tegen zijn band met Wythnir te verbreken, zeker niet nadat Arkoniël met een aardige som ter compensatie kwam aanzetten. Wythnir zei niets, maar straalde toen Iya zijn hand met die van Arkoniël met een zijden koord verbond en de zegen uitsprak.

'Zweer je bij de tovenaarseed dat je je nieuwe meester trouw zult dienen, kind?' vroeg ze hem.

'Graag, als u me vertelt hoe die gaat,' antwoordde Wythnir met vragende ogen.

'Daar waren we nog niet aan toe gekomen,' mompelde Kaulin.

Iya keek hem laatdunkend aan en wendde zich vriendelijk tot Wythnir. 'Eerst zweer je op Illior Lichtdrager. En dan zweer je bij je handen en je hart en je ogen dat je altijd je meester zult gehoorzamen en zult proberen hem zo goed mogelijk te dienen.'

'Ik zweer het,' antwoordde Wythnir blij, en hij raakte zijn voorhoofd en hart aan zoals ze hem liet zien, 'bij… bij Illior, en bij mijn handen en hart en…'

'Ogen,' zei Arkoniël zachtjes voor.

'Ogen,' eindigde Wythnir trots. 'Dank u, meester Arkoniël.'

Arkoniël werd tot zijn verrassing een beetje emotioneel van de ceremonie. Het was ook de eerste keer dat het kind hem bij de naam genoemd had. 'En ik zweer, bij Illior, en bij mijn handen, hart en ogen, dat ik jou alles zal leren wat ik weet en je zal beschermen tot je groot genoeg bent om je met je eigen krachten te beschermen.' Hij keek de jongen glimlachend aan en dacht terug aan die keer dat Iya diezelfde woorden tegen hem had uitgesproken. Ze had woord gehouden en dat zou hij ook doen.

Arkoniël vond het zoals altijd vervelend om Iya later die dag te zien wegrijden, maar de burcht leek wel een ander huis, met zoveel mensen onder één dak. De geboren tovenaartjes waren ook kinderen en renden door de gangen en de wei als boerenkinderen. Kaulin mopperde over al dat lawaai, maar Arkoniël en de vrouwen waren blij met al die levenslust die ze in het oude huis verspreidden.

De aanwezigheid van de weesjes bracht wel een probleem met zich mee, ontdekten ze snel. Ze waren moeilijker te verstoppen dan de rustige Wythnir. Op dagen dat er handelaars kwamen, namen Eyoli en Kaulin hen mee voor een lange boswandeling.

Op andere dagen kregen ze net als Wythnir les en Arkoniël vond het grappig dat hij opeens een hele school onder zijn hoede had. Gelukkig was Wythnirs verlegenheid met de anderen in de klas snel verdwenen en Arkoniël zag tevreden toe hoe hij 's middags met hem meespeelde als een gewoon kind.

Ethni was een welkome aanvulling in het huishouden, maar ze werkte ook wel storend. Elke keer dat ze hem tegenkwam flirtte ze met Arkoniël, en hij vond dat wel leuk, maar het maakte hem ook bedroefd. Hoewel ze tweemaal zo oud was als Wythnir, was ze bepaald geen ster in het tovenaarsvak. Maar hij moedigde haar desondanks aan en prees haar met al haar kleine succesjes. De glimlachjes die ze hem dan gaf deden zijn hart sneller kloppen.

Lhel doorzag de ware aard van zijn gevoelens voor het meisje voor hij het zelf wist en zei hem dat ook de eerste keer dat hij bij haar kwam na de aankomst van de anderen.

Ze grinnikte terwijl ze elkaar uitkleedden in haar eikenhuis. 'Ik zie een paar mooie blauwe ogen in je hart.'

'Ze is nog maar een kind!' beet Arkoniël terug en hij vroeg zich af hoe een heks haar jaloezie zou uiten.

'Je weet net zo goed als ik dat dat niet waar is.'

'Je hebt ons zitten beloeren!'

Ze lachte. 'Hoe kan ik je anders beschermen?'

Hun paring die dag was net zo gepassioneerd als anders, maar toen het voorbij was merkte hij dat hij Lhels bruine hals met de witte van Ethni vergeleek en trok hij zijn vinger over de lijnen rond haar ogen. Wanneer waren het er zoveel geworden, en zo diep? Bedroefd en vol schaamte trok hij haar tegen zich aan en begroef zijn gezicht in haar haar, en probeerde er niet op te letten hoe grijs het al werd.

'Je bent niet met me getrouwd,' murmelde Lhel en ze streelde zijn rug. 'En ik niet met jou. We zijn allebei vrij.'

Hij probeerde in haar ogen te lezen wat ze voelde maar ze duwde zijn gezicht tussen haar borsten en streelde hem tot hij in slaap viel. Terwijl hij wegdoezelde, viel het hem in dat ze het tijdens al die passie en begeerte die ze in dit huis gedeeld hadden, nooit over liefde hadden gehad. Ze had hem niet eens het woord voor dat gevoel in haar taal geleerd.

29

Tobin vierde zijn veertiende verjaardag in Atyion en hertog Solari zag erop toe dat het een groots festijn werd. Veel grootser eigenlijk dan Tobin voor ogen had gehad; hij had het leuker gevonden met een klein jachtfeest op de burcht, met alleen de Gezellen en een paar vrienden, maar Iya had hem gewaarschuwd: hij kon daar nu absoluut niet heen. Ze wilde niet zeggen waarom en Tobins oude wrevel tegen de tovenares had de kop weer opgestoken. Maar uiteindelijk had ook Tharin het voor haar opgenomen en Tobin had mokkend toegegeven.

Natuurlijk was hij wel blij om weer in Atyion te zijn. De stadsbevolking liep uit om hem te begroeten en Tobin was blij dat hij nog zo veel gezichten in de menigte herkende.

Zelfs de kasteelkatten waren blij hem terug te zien. Waar hij ook ging zitten, het wemelde er meteen van de katten, kopjes gevend tegen zijn enkels en vaak met meerdere op zijn schoot. Lytia's rode kater, Streepstaart, sliep 's nachts languit tussen Tobin en Ki in en volgde Tobin waar hij maar ging. Maar Broer kon hij niet uitstaan en wanneer Tobin de geest opriep, vloog de kat onder een kast, grommend en blazend tot Broer weer weg was.

Tot Tobins grote opluchting kwam de koning niet op zijn verjaardagsfeest. Het was een teleurstelling voor Solari maar hij had voldoende gasten die de grote feestzaal vulden. De tafels op de verhoging zaten vol heren die Tobin nauwelijks kende – voornamelijk Solari's officieren en vazallen – maar verderop droegen de soldaten de kleuren van Atyion en ze joelden en dronken op Tobins gezondheid. Uitkijkend over die zee van gezichten wist hij maar al te goed wie hij miste. Van Una was niets vernomen sinds haar verdwijning en ook Arengil was weg, na het debacle op het dak naar huis gestuurd.

Er waren ontzagwekkend veel geschenken dit jaar, en een hele berg van de mensen uit de stad. De meeste kwamen van kooplieden en die gaven aan waarin de afzender handelde: een mooi paar handschoenen van de handschoenmaker, vaatjes donker bier van de brouwer enzovoort. Tobin bekeek alles vluchtig tot Ki een lange rol uit de stapel trok en hem met een grijns aan Tobin overhandigde. Toen Tobin hem uitrolde vond hij een fraai verluchte ballade over zijn vader, met boven en in de marges prachtig getekende strijdscènes. Er viel een kleiner stuk perkament uit en daarop stond een kort maar dankbaar briefje van Bisir, die heel gelukkig was in zijn nieuwe beroep.

Tobin en de Gezellen bleven twee weken op het kasteel. Zodra ze er even tussenuit konden glippen, gingen Ki en hij naar Tharins tante Lytia en Hakone. De oude hofmeester was achteruitgegaan tijdens de zomer en zijn geest werd ook steeds warriger. Deze keer was het hem niet meer aan zijn verstand te brengen dat Tobin en Ki de jonge Rhius en Tharin niet waren. Het deed een beetje ongemakkelijk aan.

Tobin werd ook uitbundig onthaald door de stedelijke gildenmeesters. Deze banketten waren meestal stierlijk vervelend. Zijn gastheren waren zonder uitzondering zeer vriendelijk en vrijgevig, maar Tobin had het idee dat ze voornamelijk uitgenodigd werden om een wit voetje bij hem te halen.

Hij ging liever langs bij de manschappen in de kazerne. Hij had zijn vader nooit bij echte troepen gezien, maar hij was altijd vriendelijk tegen de mannen van zijn garde geweest, dus het kwam niet bij Tobin op om daar verandering in te brengen. Spoedig kende hij alle officiers en sergeanten bij de naam en hij liet schijngevechten opvoeren tussen zijn garde en hun favoriete zwaardvechters, en vocht zelf ook een paar rondes mee.

Hij was teleurgesteld dat ze hem lieten winnen, maar Tharin verzekerde hem later dat het uit liefde en respect gedaan werd, niet uit angst.

'Je bent hun heer, en je doet je best om hun namen te leren,' zei hij tegen Tobin. 'Je kunt je niet voorstellen wat dat voor de mannen van het regiment betekent.'

Ook bezocht Tobin nog een paar maal de kamer van zijn ouders, om nogmaals te proberen een soort echo waar te nemen van wie ze eens geweest waren, maar hij deed zijn moeders klerenkast niet meer open. Hij bloosde bij de herinnering aan zijn spiegelbeeld.

Wel nam hij Ki vaak mee en als iedereen sliep speelden ze daar een spelletje bakshi aan het wijntafeltje. Hij riep Broer ook op en liet hem in de schaduwen rondsluipen terwijl zij speelden. De geest had geen poging meer gedaan Ki aan te vallen; Tobin had hem bijna vergeven.

De veertien dagen vlogen voorbij en Tobin ging met tegenzin weer naar Ero. Op Atyion voelde hij zich bijna net zo thuis als op de burcht. Misschien kwam het door de manier waarop iedereen hem op straat groette – altijd met een glimlach, altijd vriendelijk. In Ero was hij de neef van de koning, en Korins neef, die vreemde tweede erfgenaam, een soort plaatsvervanger eigenlijk. In Atyion was hij de zoon van een groot edelman en de toekomstige hoop van de bevolking.

Toen het tijd was om te vertrekken escorteerde Streepstaart hem naar de grote binnenplaats en zat klaaglijk mauwend op de trap toen hij de poort uitreed. Toen hij tussen de juichende, met banieren zwaaiende mensenmassa stapte die zich aan beide zijden van de straat had opgesteld, vond Tobin het haast jammer dat hij bij de Gezellen hoorde.

30

Ze waren net een paar dagen terug in Ero toen Korin hen verraste met nieuws dat hun leven een andere wending zou geven.

Het was een frisse, naar houtvuur geurende herfstmorgen en Ki had zin in de ochtendloop. De oudere jongens waren later dan gewoonlijk en Porion begon al te briesen van woede. Korin en zijn clubje waren de nacht tevoren stiekem naar de rosse buurt geweest en waren stomdronken thuisgekomen. Zijn dronkemansgelal had Ki gewekt dus veel medelijden had hij niet met hen toen ze naar buiten strompelden.

Alben en Quirion en hun schildknapen waren de eersten die tevoorschijn kwamen. Ze hadden een kater, maar één blik van Porion genas hen daar wel van. De anderen volgden alleen of paarsgewijs, en zagen er net zo geradbraakt uit, behalve Lynx, zoals gewoonlijk.

'Waar blijft Korin nou weer?' vroeg Ki toen Lynx naast hem ging staan.

De andere schildknaap rolde met zijn ogen. 'Weet ik het. Orneus stortte bij de derde taveerne al in. Ik moest een paard huren om hem thuis te krijgen.'

Tanil rende op hen af, worstelend met zijn riem. 'De prins komt eraan en biedt zijn verontschuldigingen aan, meester Porion.'

'O ja? Goh, dát doet me deugd zeg...,' zei de wapenmeester sarcastisch en zijn stem zakte tot dreigende diepte. Hij gaf ze allemaal een vernietigende blik. 'Is dit een feestdag, jongens? Ben ik in de war met de datum? Een goede dag om uit te slapen, zeker? Jullie kunnen me... Ach, hoogheid. Het doet ons een groot genoegen dat u ons met uw gezelschap wilt verblijden, mijn prins. En dat geldt ook voor u, heer Caliël. Ik hoop dat u de avond van uw leven heeft gehad, gisteravond?'

'Dank u, meester Porion, dat is zeer juist uitgedrukt,' antwoordde Korin met een grijns.

Ki's maag kromp ineen; zelfs Korin gaf Porion gewoonlijk geen weerwoord. Hij bereidde zich voor op het onvermijdelijke, maar in plaats daarvan verdubbelde Porion alleen de normale loop.

Toen ze vertrokken zag Ki dat Korin nog steeds grijnsde.

'Wat zou er met hem aan de hand zijn?' mompelde Tobin.

Zusthra jogde hen voorbij om in de buurt van de prins te komen. 'Hij heeft een geheimpje dat hij zo wel zal verklappen,' zei hij zelfgenoegzaam.

Korin wachtte daarmee tot ze aan de ontbijttafel zaten. 'Ik heb geweldig nieuws!' schreeuwde hij en hij sloeg een arm om Tobins schouders. 'En jullie zijn de eersten die het horen.' Hij liet een stilte vallen om te genieten van het moment en kondigde toen aan: 'Vrouwe Aliya draagt mijn kind. Ik krijg een erfgenaam, jongens!'

Ki en Tobin keken elkaar met grote ogen aan en begonnen mee te juichen met de anderen.

'Ik zei toch dat het hem zou lukken!' joelde Zusthra en hij sloeg Caliël op zijn rug. 'We zijn vrij! Ze kunnen ons niet meer buiten de strijd houden, nu hij een erfgenaam heeft!'

Zusthra had alle reden om te jubelen. Hij was nu eenmaal met zijn dikke rode baard de oudste van hen allemaal. Hij zou al jaren geleden met zijn vader de oorlog zijn ingereden als hij niet bij de Gezellen had gezeten.

Oorlogskreten en gefluit vulden de zaal. Porion hoorde het een paar minuten aan en sloeg toen op tafel om aandacht te vragen.

'Weet je vader het al, prins Korin?'

'Nee, en ik wil het hem zelf vanavond vertellen, dus jullie houden allemaal jullie snater.'

'Zoals je wenst, mijn prins.' Porion keek de anderen nors aan die elkaar aan het feliciteren waren. 'Ik zou mijn wapenrusting nog maar even in de kist laten. Er is nog steeds wapenstilstand, heren.'

Zodra Porion hen 's middags rond het lunchuur liet gaan, renden Tobin en Ki de hele weg naar huis om het Tharin te vertellen. Hij was op het achtererf, en onderzocht met Koni een paard.

'Ertussenuit geknepen? Niet zo best,' zei hij met een frons.

'Een minuutje maar,' beloofde Tobin en hij vertelde hem hijgend het nieuws.

Tharin floot zachtjes en schudde het hoofd. 'Dus Korin heeft eindelijk zijn zin?'

'Die wapenstilstand duurt toch niet eeuwig!' kraaide Ki. 'Dat gebeurt nooit. Zijn Tobin en ik oud genoeg om mee te gaan?'

Tharin krabde zich in zijn baard. 'Als Korin gaat, dan gaan jullie allemaal mee.'

'Ik vind het idee van Aliya als gemalin helemaal zo slecht nog niet,' zei Ki lachend. 'Dat zou eigenlijk het mooiste zijn wat ons kon overkomen. Ik wed dat hij, nu ze de afgelopen maanden zo vaak in hetzelfde hemelbed geslapen hebben, blij is dat hij naar het slagveld kan, al is het maar om aan die scherpe tong van haar te ontkomen!'

Geen van hen zag dat Moriël om een hoek van de deur loerde en niemand zag hoe hij zich haastte om weg te komen.

Niryns vertrekken lagen vlak bij de koninklijke vleugel van het Nieuwe Paleis. Niemand vond het vreemd dat een adjudant van de koning daar zo vaak belet vroeg.

Niryn zat net aan zijn ontbijt toen Moriël werd binnengeleid.

'Heer Niryn, ik liep toevallig langs de eetzaal van de Gezellen en ik ving iets op dat u misschien interesseert.'

'Nou, voor de draad ermee.'

'Prins Korin vertelde zojuist dat vrouwe Aliya zwanger is van zijn kind! Niemand mag het weten tot de prins het zijn vader heeft verteld.'

'En wanneer dacht hij dat te doen?'

'Vanavond, zei hij.'

'Ik mag aannemen dat de prins en zijn vrienden daar content mee zijn?'

Een mengeling van wrok en afgunst trok een mondhoek van de jongeman naar beneden. 'O zeker, ze zijn door het dolle heen omdat ze denken dat ze nu aan de oorlog mee mogen doen.'

'Ik ben erg blij met deze mededeling, Moriël. Je kunt van mijn waardering op aan.' Niryn glimlachte betekenisvol naar de jongen die een buiging maakte. Moriël verwachtte geen ordinaire beloning in goud. Het geschenk zou later en subtieler worden uitgereikt. Een anonieme weldoener zou zijn rekeningen bij de kleermaker of wijnhandelaar vereffenen. En hij zou natuurlijk in de gunst blijven bij de koning. Moriël had die regeling vanaf het begin uitstekend begrepen en had zichzelf sindsdien overtroffen. De tovenaar was buitengewoon tevreden. Jaloezie en kwaadaardigheid vormden een ideale legering in jongens als Moriël; ze verhardden een slappe, laffe natuur tot een nuttig karakter, als tin met brons.

'Hoe denkt u dat Zijne Majesteit het nieuws zal opvatten?' vroeg Moriël.

'We zullen zien. Ga maar terug en vertel de koning dat ik een kwestie van groot belang met hem wil bespreken. Ik ben binnen een uur bij hem. En Moriël? Mondje dicht hierover.'

Moriël keek beledigd. 'Wat denkt u wel niet van me, heer!'

Jaloezie, kwaadaardigheid en eigendunk, verbeterde Niryn zichzelf terwijl hij zich weer op zijn ontbijt richtte. En het hart van een verrader. Hoe lang zou deze spion zich nog laten bewerken voor hij zijn hand zou overspelen?

Doet er niet toe, dacht hij en hij zoog de roompudding uit een hoorntje van bladerdeeg. *Van dat slag lopen er duizenden op aarde rond.*

Feitelijk had Niryn het nieuws over de zwangerschap al een paar dagen geleden gehoord, zoals hij ook alles van de bastaarden van de kamermeisjes had geweten. Prins Korin had Niryns spionnen het afgelopen jaar aardig beziggehouden, want hij zaaide bastaarden in de stad als een boer zaad over zijn akker. Maar deze keer betrof het niet het zoveelste keukenhulpje of havenhoertje, meisjes die je kon uitroeien als ongedierte. Nee, deze was hem haast ontgaan. Zijn spion, een onlangs overleden Dalnische priester, had hem te laat ingelicht over een aantal voorspellingen die het meisje betroffen, in het bijzonder een voorspelling die het koninklijk keurmerk op het vaderschap van haar kind moest waarborgen. Aliya's moeder, een dame met net zoveel ambitie als macht, was al eerder ingelicht en zag vol verlangen uit naar de aankondiging die haar bloedlijn met die van de troon zou samensmelten.

In de besloten omgeving van Erius' studeervertrek keek Niryn de koning strak aan terwijl hij het nieuws in voorzichtige bewoordingen uiteenzette. Erius hoorde het allemaal bijzonder rustig aan.

'Vrouwe Aliya, zeg je? Wie is dat ook alweer?'

'De oudste dochter van gravin Virysia.'

Het gezicht van de koning, dat meestal als een boek te lezen was, verried niets. 'Ach ja, dat roodharige lekkertje dat altijd op zijn knie zit.'

'Ja, mijn koning. Ze is een van de verschillende minnaressen die uw zoon de afgelopen maanden gelukkig heeft gemaakt. Zoals u weet is hij druk doende geweest, heeft hij het land druk beploegd, zoals de dichters zeggen, om een erfgenaam te produceren zodat u hem aan de strijd zal laten deelnemen.'

Erius schaterde het uit. 'Bij de Vlam, die jongen is al net zo koppig als ik! Weet je zeker dat het kind van hem is?'

'Ik heb de zaak serieus onderzocht, Majesteit. Het kind is van hem, al is het een bastaard. Maar zelfs al wijst u haar af als huwelijkspartner, dan nog is het kwaad al geschied, aangezien de kroonprins het kind heeft erkend. Het kind kan aanspraak maken op de troon op basis van die uitspraak.'

Niryn keek hoopvol op om een hint van woede te zien opflakkeren, maar Erius sloeg zich op de dijen van het lachen. 'Die twee zullen wel knappe kindjes weten te fokken en de familie is van hoge adel. Hoe ver is ze nu?'

'Ik dacht dat het kind in de maand Shemin geboren moet worden, mijn koning.'

'Als…,' begon Erius en hij legde snel een vinger tegen zijn lippen om het ongeluk af te wenden. 'Nou, het is een stevige, knappe meid… We zullen er maar het beste van hopen. Shemin, zeg je?' Hij telde op zijn vingers en grinnikte. 'Als ze zo snel mogelijk in het huwelijk treden, kunnen we nog zeggen dat het een vroeggeboorte was. Dan is het toch een echt kind.'

'Er is nog een kleinigheid, mijn koning.'

'Ja?'

'Wel, het betreft de moeder van het meisje. Ze staat bekend als een aanhangster van Illior.'

Erius veegde de kwestie van tafel. 'Ik neem aan dat ze voortaan bij een ander altaar zal bidden, nu ze de grootmoeder van de toekomstige koning of koningin wordt, denk je ook niet?'

'U hebt ongetwijfeld gelijk, mijn koning,' antwoordde Niryn met een geforceerd glimlachje, want daar zag het inderdaad naar uit. 'Een laatste belemmering. Uw zoon, mijn koning, heeft nog geen bloed laten vloeien. Zover ik weet zijn er geen heersers over Skala getrouwd voor zij zich in de strijd bewezen hebben.'

'Bij de Vier, daar kun je wel eens gelijk in hebben! Nou, wat dat betreft heeft hij een slecht tijdstip gekozen. Ik ben echt niet van plan Bensjâl aan te gaan vallen om zijnentwil.'

'Een aantal koninginnen uit het verleden stond voor hetzelfde dilemma. Maar er waren altijd wel bandieten of piraten tegen wie opgetreden diende te worden. Ik weet wel zeker dat de Gezellen zo'n vijand niet zullen afslaan. Jong als ze zijn, is dat een eervol begin.'

'Mijn grootmoeder deed ook zoiets om te kunnen trouwen.' Erius zuchtte en liet zijn hand over zijn zilvergrijze baard gaan. 'Maar het kuiken is nog niet uit het ei…En als Korin nu gedood zou worden, en het kind…' Weer zweeg hij en maakte een gebaar dat onheil moest afwenden.

'Of het u nu aanstaat of niet, Majesteit, eens moet u de jongen toch zijn plaats als strijder laten innemen, of het leger zal hem niet accepteren, Sakor verhoedde, wanneer de tijd aanbreekt dat hij de kroon zal opeisen. U hoeft het maar te vragen, mijn koning, en ik doe alles wat in mijn macht ligt om uw zoon te beschermen.'

Tot zijn verbazing reageerde Erius niet gepikeerd op die opmerking. 'Wat voor soort magie had je dan in gedachten?'

'O, niets oneervols, dat verzeker ik u. Zijn wapenrusting is in orde. Een simpel amulet lijkt me voldoende, zoals koningin Klië volgens de balladen altijd droeg.'

'Uitstekend. Ik zal generaal Rheynaris vragen passende jachtgrond voor mijn zoon te vinden.' Erius glimlachte en keek of er een last van zijn schouders was gevallen. 'Dank, mijn vriend, voor je goede raad. Maar spreek er met niemand over. Ik wil het Korin zelf vertellen. Denk je eens in hoe hij zal opkijken…' Bij het vooruitzicht alleen al kreeg de koning weer een jongensachtige uitdrukking. Hij stond op en gaf de tovenaar een klap op de schouders. 'Als ik maar één kanselier aan het hof zou mogen houden, zou ik jou kiezen. Je bent gewoon onmisbaar.'

Niryn drukte zijn hand op zijn hart. 'Dat ik uw vertrouwen altijd waardig moge blijven, mijn koning.'

Terwijl hij naar zijn vertrekken terugwandelde bedankte hij Illior in stilte, maar dat was uit routine. Want eigenlijk kon het hem al sinds lange tijd geen barst schelen wat de goden dachten.

31

Voordat Korin zijn vader het nieuws kon vertellen, werden hij en meester Porion zonder opgaaf van redenen gesommeerd naar het Nieuwe Paleis te komen. Toen Korin was opgestapt viel met de andere Gezellen niets te beginnen. De Raaf probeerde tevergeefs om hen bezig te houden met een uiteenzetting over de drieëntwintigste slag om Kouros, maar de jongens draaiden als windvaantjes bij elk geluidje dat ze in de gang hoorden. Ten slotte gaf de Raaf het maar op en stuurde hen zijn vertrek uit.

Ze hingen de rest van de middag in de eetzaal rond, want ze wilden niet het risico lopen opgeroepen te worden. Er hing een gespannen sfeer, want als de koning opgetogen was en blij zou zijn met deze ontwikkeling, waarom moesten ze dan zo lang wachten?

Ki deed een halfslachtige poging een potje te bikkelen met Barieus en Lynx, maar ze waren er niet echt bij met hun hoofd.

'Nou heeft hij het goed verknald,' zei Tanil nagelbijtend, terwijl hij ijsbeerde over de biezen op de vloer. 'Ik zei nog zó, kijk nou uit, maar luisteren, ho maar.'

'Hij wilde niet uitkijken, en zij nog minder,' gromde Caliël. Die lag languit op een bank bij de haard en staarde humeurig naar het plafond.

'Geeft de koning Porion soms de schuld?' vroeg Lutha.

'Of ons?' zei Quirion. 'Misschien vindt hij wel dat de Gezellen hem beter in het oog hadden moeten houden. Wat denk jij ervan, Tobin?'

'Hoe moet ik dat nu weten?' zei Tobin en hij haalde zijn schouders op terwijl hij splinters van een stukje aanmaakhout sneed.

Ki wierp een bezorgde blik op zijn vriend. Sinds het voorval bij de executie had de koning een andere houding jegens Tobin aangenomen.

'Ik blijf erbij dat het goed nieuws voor ons betekent, wat er ook gebeurt,' sprak Zusthra. 'Korin zal een erfgenaam krijgen…'

'Dat zal zijn vader wel uitmaken,' onderbrak Nikides hem. 'Het is maar een bastaard, weet je nog?'

'Ik kan minstens twee koninginnen bedenken die ook als onecht kind ter wereld zijn gekomen,' reageerde Caliël.

'Ja, maar dat waren altijd kinderen van koninginnen,' herinnerde Nikides hem eraan.

'Nou en?' zei Urmanis vinnig. 'Bij de ballen van Bilairy, moet je dan altijd de professor uithangen?'

Nikides kreeg een kleur en hield zijn mond.

'Nee, Nik heeft gelijk,' zei Caliël. 'Toe maar, leg het maar uit, als hij niet snapt waar het om gaat.'

'Een vrouw weet altijd dat het kind van haar is, dus een koningin kan niet bedrogen worden,' legde Nikides Urmanis uit. 'Al weet ze niet welke minnaar de vader is, zoals het geval was bij Klië. Maar Korin moet Aliya op haar woord geloven, en dat van de drysianen, dat het kind van hem is. Je weet maar nooit. Daarom zou het slimmer zijn het kind niet te erkennen en eerst maar eens netjes te trouwen.'

'Alsof er met een boterbriefje geen overspel mogelijk is,' wierp Ki tegen.

Voor ze zich over dat punt konden buigen, keken ze met gespitste oren op toen ze het geluid van naderende voetstappen hoorden.

Maar noch Korin, noch Porion verscheen in de deuropening, het was Moriël. Sinds zijn verraad van Tobin en de meisjes hadden ze de Pad nauwelijks meer gezien. Misschien had hij er lucht van gekregen dat Tobins vrienden hem zijn laffe streek eens goed betaald wilden zetten.

Hij voelde zich dan ook niet op zijn gemak in de zaal vol vijanden. 'De koning heeft de wens te kennen gegeven u allen te spreken en uw aanwezigheid bij het diner in het paleis wordt daarbij op prijs gesteld. Het is de bedoeling dat ik u nu meteen naar het paleis begeleidt.'

'Wat is er toch met Korin?' vroeg Caliël.

Moriël maakte een kleine buiging. 'Ik ben slechts de boodschapper, heer.'

Ki maakte uit de zure uitdrukking op Moriëls gezicht op dat hij er meer van wist. 'Volgens mij is het goed nieuws!' fluisterde hij terwijl hij Tobin een por in zijn zij gaf. 'Als de koning kwaad geweest was dat we Korin de bloemetjes buiten lieten zetten, zou Padje geen gezicht trekken alsof hij aan de schijterij was.'

Honderden gangen en overdekte steegjes verbonden de hoven van het Nieuwe Paleis met elkaar en maakte het een labyrint voor iedereen die hier niet woonde. De meeste Gezellen waren ook nooit verder gekomen dan het openbare gedeelte, wat op zichzelf al uit een doolhof van grote zalen en ministeriële vertrekken, wapenkamers, boekhouding en openbare parken, tempels en binnenplaatsen met schitterende fonteinen bestond.

Moriël kende de weg op zijn duimpje en bracht hen naar een kleine eetzaal in de koninklijke vleugel. Hoge ramen met randen van glas-in-lood keken uit over een tuin met gouden fonteinen en hoge, met wijnranken begroeide muren. Vuurpotjes brandden langs de lange eettafel, waar een koud buffet was klaargezet. Met een buiging trok Moriël zich terug.

De jongens bleven weifelend staan en durfden het eten niet aan te raken zonder dat de koning het startsein gegeven had. Na enige tijd kwam Erius de zaal binnen, vergezeld door Korin, Porion en de Raaf. Ze keken ernstig voor zich uit.

'Ik neem aan dat jullie alles gehoord hebben over mijn zoon en vrouwe Aliya?' gromde de koning en hij keek hen stuk voor stuk recht in de ogen.

'Ja, Majesteit,' zeiden ze allemaal en ze sprongen in de houding.

Hij liet ze nog een ogenblik in het ongewisse, maar toen verscheen er een brede glimlach op zijn gelaat. 'Nou, waar blijven jullie dan: een plengoffer en een heildronk op Korin en zijn vrouwe, en op mijn toekomstige kleinkind!'

Tobin kuste zijn oom plichtmatig op beide wangen en nam plaats aan zijn linkerzijde. De schildknapen haastten zich om iedereen van eten en drinken te voorzien, want andere bedienden waren er niet.

Toen Lynx de wijn had uitgeschonken, lieten ze de eerste druppels op de stenen vloer vallen en dronken toen op geluk en gezondheid van het paar.

'Het is alweer veel te lang geleden dat we een eenvoudig maal onder ons hadden,' zei Erius toen de eerste gang op tafel stond.

Hij hield de conversatie luchtig en algemeen – de jacht, hun vooruitgang bij de training. Porion en de Raaf waren ongewoon uitbundig toen ze de jongens in alle toonaarden prezen.

Toen Ki en Barieus de laatste zoetigheden serveerden ging Erius staan en keek hen allemaal glimlachend aan. 'Wel, jongens, zijn er hier strijders die hun vaardigheden eens in praktijk willen brengen bij een echt gevecht?'

Iedereen staarde hem even verbaasd aan, of ze niet zeker wisten of ze het wel goed verstaan hadden. Toen barstten ze in gejuich uit en hieven hun bekers en brachten een dronk uit op de koning. Ki gooide zijn dienblad in de lucht en wurgde Tobin haast met zijn omhelzing terwijl het kweeperentaartjes om hen heen regende.

'Er is echter één "maar" aan verbonden,' ging Erius verder en hij gaf Korin een knipoog. 'Het zou niet correct zijn om Korin te laten trouwen voor hij bloed heeft laten vloeien, maar zijn vrouwe heeft ons onvoldoende tijd gegeven om de oorlog op gang te brengen, dus moeten we het maar doen met wat Skala zelf aan gevechten in huis heeft.'

Iedereen lachte. Tobin wierp een dankbare blik in Porions richting, omdat hij zeker wist dat de oude strijder eindelijk een reden gevonden had om hun hartenwens in vervulling te doen gaan.

Toen de tafel was afgeruimd rolde Korin een kaart uit. Toen Tobin zich eroverheen boog herkende hij een deel van de noordelijke kustlijn.

'Hier gaan we naartoe,' vertelde Korin en hij wees op een bergachtige plek in het binnenland. 'Aan de voet van de bergen ten noorden van Colath zou zich een enorme roversbende schuilhouden. Vader wil dat er voor de winter korte metten met hen gemaakt wordt.'

'Hoeveel?' vroeg Lutha gretig.

'Een man of vijftig, volgens de rapporten,' kraste de Raaf. 'En iedereen zegt dat het een ongeorganiseerde bende is. Tot nu toe zijn ze van schuilplaats naar schuilplaats getrokken waar ze 's nachts de dorpen aanvallen en leegroven. Ze zijn bezig een winterkamp op te slaan in de heuvels, dus ze zijn eenvoudig genoeg op te sporen.'

'We trekken eerst naar een fort dat er niet ver vandaan ligt, bij Rilmar.'

'Rilmar?' riep Ki uit.

Erius grinnikte. 'Ik vond het wel eens tijd worden om je vader de kans te geven zijn jonge weldoener te bedanken. En ik neem aan dat je het niet erg vindt je familie weer eens te zien. Ik heb begrepen dat het lang geleden is sinds je van huis weg bent, is het niet?'

'Ja, Majesteit. Dank u wel, Majesteit.' Maar hij klonk niet echt enthousiast. De anderen waren veel te opgewonden om het op te merken, maar Tobin keek zijn vriend bezorgd aan. Hij had altijd met het grootste plezier over zijn familie verteld. Het moest een vrolijk stelletje heethoofden zijn, en Tobin had ze altijd al graag eens willen ontmoeten. Maar Ki had het de laatste tijd niet meer zo vaak over hen, behalve over Ahra dan.

'Dus dan wordt het wij tegen vijftig rovers?' wilde Lutha nu zeker weten.

'Nou ja, Tobin en ik nemen onze gardisten mee, dat is dus veertig, en jullie allemaal dan,' legde Korin uit. 'Misschien dat heer Larenth er ook nog een stuk of tien mee kan sturen, maar het wordt ónze strijd, zeker weten.

En wees maar niet bang,' voegde hij eraan toe terwijl hij flink door Tobins haar woelde en de jongere jongens aankeek: 'We gaan allemaal mee!'

'Bij zonsopgang zijn we er klaar voor!' zei Caliël.

Erius grinnikte. 'Zo snel gaat het allemaal niet. De schepen moeten in gereedheid worden gebracht, en de voorraden en wapens moeten worden ingescheept. Jullie moeten de bevoorrading maar in de gaten houden, dat hoort ook bij jullie opvoeding. Twee dagen moet voldoende zijn.' Erius greep Korin bij de schouders en schudde hem eens flink door elkaar. 'Zodra je met bloed op je kaken terugkomt, maken we je huwelijk bekend!'

32

De driedaagse reis naar het noorden werd gemaakt met twee zware gal-
joenen met rode zeilen, groot genoeg om ook hun paarden mee te
nemen.

Even flakkerde er wat angst op toen Tobin voelde hoe het schip onder zijn
voeten heen en weer schommelde, maar tegen de tijd dat ze de haven uit waren bleek hij toch over zeebenen te beschikken. Achter zijn rug schitterde de
stad in de ochtendzon, wat hem voor de zoveelste keer herinnerde aan zijn
speelgoedstad boven de geschilderde haven. Pas op dat moment, toen het te
laat was, drong het tot hem door dat hij in alle opwinding niet aan Broer had
gedacht. De oude lappenpop lag nog steeds boven op de kast in zijn kamer.

'Maak je niet druk,' zei Ki toen Tobin het hem nerveus vertelde. 'Niemand
zal daar stof afnemen. En ik vraag me af of hij je van zo veel nut zou zijn tijdens de strijd.'

Porion was nu hun sergeant, en Tharin en Melnoth hun kapiteins. Korin
bracht uren met de officiers door, vroeg honderduit en luisterde naar de verhalen over de veldslagen van weleer. De andere jongens sloten zich al spoedig
bij deze lessen aan en tegen de tijd dat ze rond de kaap van Grijskop voeren,
hadden ze in hun geest de strijd al tien keer met groot succes gestreden.

'Het zijn geen getrainde soldaten tegen wie je vecht,' liet Porion niet na hen
keer op keer onder de neus te wrijven. 'Je moet niet denken dat zij zich houden aan de militaire regels zoals wij die geleerd hebben!'

'Er is ook kans op dat de helft van jullie tegenstanders voor jullie onzichtbaar blijft,' voegde Tharin eraan toe. 'Ze zullen zich in de bomen verschuilen,
of jullie vanuit de bosjes beschieten. Het lijkt me het best onverwachts aan te
vallen, voor ze tijd hebben zich te verspreiden.'

Elke dag straalde de zee groen licht uit onder een bleek zonnetje. Het bleef helder weer en de wind stond pal achter hen. Op de derde ochtend wierpen ze bij een vissershaven het anker uit en brachten de dag door met het ontschepen van de paarden en spullen. De kust was een stuk ruiger dan bij Ero, en woeste bossen bekroonden de riffen.

Het dorp was een klein, afgelegen plaatsje, zonder palissade, zonder markt-plein en zonder herberg. De Gezellen brachten de nacht op strozakken door onder het rieten dak van de tempel van Astellus, die wel vaker dienstdeed als pleisterplaats voor reizigers. Hun manschappen kampeerden op het strand onder canvas afdakjes. De volgende ochtend vertrokken ze voor dag en dauw; ze volgden een kronkelende pas de bergen in.

De bergen waren anders dan thuis. Ze waren minder hoog en afgerond, als afgesleten tanden, en waren dichtbegroeid tot bijna aan de top. Hun rotsach-tige bovenkant stak als de kale kop van een reus boven de bomen uit. In de brede valleien tussen de hellingen lagen vele hofsteden en ommuurde dorpen aan de rivieren en beekjes die het gebied doorsneden.

De burcht van Rilmar stond aan de monding van een van de grotere vallei-en, en bewaakte een belangrijke aanvoerweg. Tobin had zoiets als zijn oude huis in Alestun verwacht, maar Rilmar bestond slechts uit één grote ronde to-ren waaromheen een vervallen omheining van een aarden wal was aange-bracht die bezet was met palen. De toren was afgezet met een platform met kantelen aan de buitenzijde en een konische houten overkapping. De wappe-rende banier liet twee worstelende groene draken zien tegen een roodgeel veld.

'Dat zal je vaders nieuwe wapen wel zijn,' zei Tobin en hij wees ernaar.

Ki zei niets en hij glimlachte niet toen hij de muren bekeek. Tobin zag een stuk of vijf hoofden boven de kantelen uitsteken. Zijn banier en die van Korin moesten hen vertellen wie er in aantocht was, maar geen van de wachters be-gon te juichen of kwam aangesneld om hen welkom te heten.

Ki tuurde naar boven, met een hand boven zijn ogen.

'Zie je iemand van je familie?' vroeg Tobin, die popelde om de mensen te ontmoeten over wie hij zoveel verhalen gehoord had.

'Ik herken helemaal niemand.'

Binnen in de burcht sloegen honden aan toen ze de poort naderden.

Een haveloze schildwacht met één oog liet hen binnen. Hij salueerde voor Korin en Tobin, kneep zijn ene oog halfdicht om wrevelig de anderen op te nemen en scheen Ki niet te herkennen.

Achter de poort betraden ze een ongeplaveide binnenplaats. Mannen en vrouwen die er eerder als struikrovers dan als de soldaten van een heer uitzagen waren hier aan het werk, besloegen de paarden en hakten hout. Een smid was bezig in de smidse bij de muur. Anderen hingen zo te zien een beetje rond. Twee gevlekte honden zo groot als kalveren renden op de nieuwkomers af, en blaften woest tot een van de nietsnutten ze met een paar welgemikte stenen jankend op de vlucht joeg. Tobin zag hoe Porion en Tharin met opeengeperste lippen de vervuilde chaos opnamen. Hij hoorde iemand van de Gezellen giechelen, maar Korin legde diegene met een blik het zwijgen op.

Twee jongens, iets ouder dan Ki en gekleed in nette leren kurassen, sprongen van de gammele omloop op de ringmuur.

'Ki, ben jij dat?' vroeg de langste van de twee. Hij had hetzelfde donkere haar en dezelfde ogen als Ki, maar hij was een stuk breder en zag er eerder uit als een boer dan als een krijger.

'Dat je dat nog weet, Amin!' zei Ki en hij keek iets vrolijker toen hij uit het zadel gleed om zijn broer te begroeten.

De ander gaf hem een flinke mep met zijn vuist op zijn arm. 'Maar jij bent te lang van huis geweest, broertje. Ik ben Dimias. Dat is Amin.'

De andere jongen leek nog meer op Ki. 'Kijk hem nou, de fijne meneer!' riep hij en hij omhelsde zijn broertje stevig. Ze spraken beiden met het vette plattelandsaccent dat Ki ook gehad had toen Tobin hem leerde kennen. De smid, een blonde vent in een leren voorschoot met schroeiplekken, bleek kreupel en kwam mank lopend op hen af. Zijn handen en armen waren gigantisch, maar hij had een klompvoet. Hij maakte een onhandige kniebuiging voor Korin en legde zijn vuist op zijn hart. 'Welkom op Rilmar, uwes hoogheid.' Zijn ogen schoten steeds naar Ki en weer terug terwijl hij sprak, en Tobin las diepe afgunst in zijn kleine, toegeknepen ogen.

'Hallo, Innis,' zei Ki die klaarblijkelijk minder op deze man gesteld was. Innis had nooit een heldenrol gespeeld in Ki's verhalen. 'Prins Korin, mag ik u mijn halfbroer voorstellen?'

Innis veegde zijn handen aan zijn voorschoot af en maakte nogmaals een kniebuiging. 'Vader ligt binnen met jicht in zijn poot. Zei dat ik jullie binnen moest brengen alsdat jullie d'r waren. Je kan je paarden en mannen wel hier laten. Amin en Dimias, daar zorgen jullie voor. Kom op dan, uwes hoogheid.'

Porion en de kapiteins bleven bij de Gezellen terwijl ze naar de afbrokkelende stenen muur liepen die het andere erf van de burcht omgaf. Innis hompelde naast Ki verder en Tobin hoorde hem snauwen: 'Je hebt wel de tijd genomen om thuis te komen, niet dan? Zeker te goed voor je eigen volk geworden, wat?'

Ki balde zijn vuisten maar hield zijn rug recht en zei niets terug.

Toen ze onder de poort door liepen moest Tobin zich inhouden om zijn neus dicht te knijpen voor de stank die hem tegemoet sloeg.

Op het erf achter de poort stond een stel morsige wasvrouwen over een ketel met sop gebogen; de scherpe geur hing boven de bedompte binnenplaats en vormde een omlijsting voor de verpletterende lucht van mest, schimmelend hout en rottend afval, dat overal in de rondte zwierf. De dichte rook van houtvuurtjes bleef boven de vochtige lucht hangen. Vlak naast de stallen nam een stapel kapotte tonnen een hoek van het erf in beslag, en een eindje verderop wroetten de varkens in een mestvaalt.

De oude burcht was dringend aan herstel toe. De muren zaten onder het korstmos, en wilde planten hadden holten voor hun wortels gevonden waar de mortel tussen de verbrokkelde stenen weggevallen was. Hogerop hingen luiken aan één scharnier of ontbraken volledig, waardoor de toren een verlaten indruk maakte.

Het erf was geplaveid met stenen platen. Maar ze waren gebarsten en hier en daar door vorst naar boven gekomen, en elders waren stukken weggehaald waardoor er modderige bruine plassen ontstaan waren. Een paar verfomfaaide kippen en eenden haalden daar hun drinkwater vandaan. Pijpenstrootjes en distels schoten op in de breuklijnen van de stenen. Stokroos en nachtschade hadden naast de met ijzeren banden verstevigde voordeur een plek voor hun zaad gevonden, en een stokoude klimroos klom over de latei; enkele witte bloemen zorgden voor het enige sprankje schoonheid in deze trieste omgeving.

Het is net zo erg als in de straten rond Bedelaarsbrug, dacht Tobin. Zelfs in de donkerste dagen van Tobins jeugd werd de moestuin naast het erf nooit verwaarloosd, en in elk geval werden de bewoonde delen van de burcht goed onderhouden.

Aan de andere kant van het erf speelde een stelletje smerige kinderen achter een kar zonder wielen. Een ongeschoren jongeman met niets anders aan zijn lijf dan een lange, niet al te schone tuniek, bekeek de ruiters vanaf de bok. Zijn sluike haar hing in vettige lokken op zijn blote schouders en toen ze naderbij kwamen, zag Tobin de starende, wijd opgesperde ogen van een idioot.

Tobin hoorde meer gesmoord gegiechel achter zich. Ki was rood tot aan het topje van zijn oren. Al zijn lompe manieren en rauwe dialect was hij allang kwijtgeraakt en hij was altijd schoon op zijn kleren geweest. Nu begreep hij waarom Ki niet had staan trappelen om zijn familie weer te zien.

De kinderen bij de kar renden op de ruiters af, de rest volgde al spoedig.

De jongsten zwermden om hen heen als een vlucht gierzwaluwen, hoge kreetjes van plezier slakend. Een lang blond meisje met een dikke vlecht stopte om Korins met goud beslagen helm te bewonderen. 'Ben jij de koning?' lispelde ze, de ernstige blauwe ogen op hem gericht.

'Nee, ik ben de zoon van de koning, prins Korin.' Hij nam haar hand en kuste hem galant, waardoor ze gillend van de lach wegvloog.

De idioot op de bok stiet een loeiend gebrul uit, wipte op en neer en vormde een klank die met Ki's naam te maken kon hebben.

'Hallo, Kik,' riep Ki en hij zwaaide niet van harte terug.

'Nog een broer van je?' vroeg Mago met nauwelijks verholen pret.

'Bastaard natuurlijk,' gromde Innis.

Ze betraden de burcht en liepen door een lange, ronde kamer die als keuken zowel als opslagplaats dienstdeed; vervolgens gingen ze de hoge, krakende trap op naar de grote hal.

Deze ruimte werd verlicht door een paar smalle raampjes en een vuur in de langwerpige haard, maar toen Tobins ogen aan het rokerige gedempte licht waren gewend, bleek het er nauwelijks minder verwaarloosd dan de benedenruimte. De balken van het plafond en de lange tafels waren zwart van ouderdom, en de ruw opgesmeten pleister had op vele plekken losgelaten, waardoor de stenen buitenmuur eronder te zien was. Een paar goedkope, nieuwe wandtapijten hingen op de meest vreemde plaatsen en het zilveren bord op een plank boven de haard was dof en vlekkerig. Een zwart-witte teef lag midden in de kamer haar nest te zogen en een paar lange, broodmagere katten met happen uit hun oren liepen over tafel waar niemand zich iets van aantrok. De vrouwen van het huishouden wierpen de gasten scherpe blikken toe. Ze zaten bij de kleinere kookhaard te spinnen; twee halfnaakte peuters rolden over de vuile biezen onder hun voeten. De hele ruimte stonk naar ranzig vet en pis.

'Hier ben ik niet opgegroeid,' fluisterde Ki tegen Tobin en hij zuchtte. 'Dit is een stuk beter, moet ik zeggen.'

Tobin voelde zich alsof hij Ki verraden had; hij had niet kunnen denken dat het landgoed dat hij Larenth gegeven had zo'n gribus was.

Een magere, afgematte vrouw die niet veel ouder was dan Innis, kwam naar voren om hen welkom te heten. Ze was gekleed in een mooie nieuwe kleed vol bruinige vlekken op de rok. Onhandig knielde ze neer om Korins hand te kussen. Uit Ki's verhalen en uit haar uiterlijk bleek dat Larenth zijn nieuwe echtgenotes uit de bedienden koos, nadat hij de vorige had uitgeput door de vele zwangerschappen.

'Welkom in ons huis, uwes hoogheid,' zei ze. 'Ik ben vrouwe Sekora. Treed binnen en maak het u makkelijk. We danken uwes…' Ze hakkelde en zocht naar de juiste woorden. 'We danken uwes voor onze nieuwe titel. Mijn man… heer zit daar, hij wacht op u met zijn voet omhoog.'

Korin moest zijn lachen inhouden terwijl hij haar bij haar hand omhoog hielp. 'Dank u, vrouwe. Mag ik u mijn neef voorstellen, prins Tobin van Ero.'

Sekora keek Tobin nieuwsgierig aan. 'Dan is u Ki's meester, toch, waar die tovenares het over had?' Ze had rotte tanden en ze stonk uit haar mond.

'Ki is mijn schildknaap en mijn vriend,' zei Tobin en hij nam haar smalle, ruwe hand in de zijne en ze maakte nog een kniebuiging.

Ze keek van hem naar Ki en schudde het hoofd. 'Ki, reken maar dat je pa je wil spreken. Kom verder en eet, dan zal ik u de slaapplaatsen laten zien.'

Ze klapte in haar handen en de vrouwen zetten een koud buffet en wijn op tafel voor de gasten. Hun leeftijden liepen uiteen van een gebogen grootmoedertje tot een paar blozende jonge meiden die Tobin en de anderen steelse blikken toewierpen.

Het voedsel was eenvoudig maar opvallend goed, het rommelige huishouden in aanmerking genomen: koud lamsvlees met een muntsaus op sneden vers peterseliebrood, gestoofde sjalotjes in dikke room gekruid met kruidnagels en wijn, en de beste kalfsvleespastei die Tobin geproefd had sinds hij Kokkies keuken vaarwel had moeten zeggen. De gastvrijheid was natuurlijk een andere zaak. Vrouwe Sekora stond terzijde met de andere vrouwen, en wrong zenuwachtig haar handen terwijl ze nauwlettend elke hap in de gaten hield die Korin nam. Innis at met hen mee, hoofd diep over zijn broodplank gebogen, hij schoof het eten als een boer naar binnen.

'Waarom eet de heer des huizes niet met ons mee?' vroeg Korin en hij schoof een brutale witte kater weg van zijn vlees.

'Ziek, niewaar?' gromde Innis met zijn mond vol pastei. Hieruit bestond de hele conversatie tijdens het maal.

Toen ze klaar waren met eten ging Innis weer aan het werk en Sekora bracht Korin, Tobin en Ki naar een kleinere kamer naast de hal.

Hier was het een stuk gemoedelijker. Het vertrek was afgezet met grenen panelen die goudbruin van ouderdom geworden waren en werd verwarmd door een knapperend vuur dat de geur van een vergeten pispot maskeerde. Het deed Tobin denken aan Hakones kamertje.

Heer Larenth zat in een leunstoel bij de haard te doezelen, zijn van een kompres voorziene, omzwachtelde voet lag op een stoel voor hem. Zelfs slapend dwong de oude heer ontzag af. Hij had een haviksneus en verbleekte littekens op zijn ongeschoren kaken. Grijs piekhaar viel tot op zijn schouders en een grote hangsnor bekroonde zijn smalle lippen. Net als Sekora droeg hij nieuwe kleding van goede snit, maar het zag ernaar uit dat hij er meermalen in had liggen slapen, en het tevens als servet gebruikt had. Sekora schudde hem zacht bij zijn schouder. Hij schrok wakker en graaide naar zijn zwaard dat hij niet omhad. Zijn linkeroog was melkachtig wit, de man was dus halfblind. Tobin kon niets in de heer ontdekken dat hem aan Ki deed denken, op dat ene goede oog na: dat had dezelfde warmbruine kleur.

Al met al was heer Larenth wat Tobin een ruwe klant zou noemen, maar toch was hij beter geschoold in de hofetiquette dan zijn vrouw, want hij duwde zichzelf omhoog uit zijn stoel en maakte een diepe buiging voor zowel Korin als Tobin. 'Wilt u alstublieft zo goed zijn mijn nederige verontschuldigingen te aanvaarden, hoogheden. Ik kom niet veel verder dan deze stoel de laatste tijd, vanwege mijn voet. Mijn oudste zonen zijn vertrokken met het leger van de koning, en mijn oudste dochter... Sekora, is Ahra nou eindelijk thuisgekomen? Nee? Nou ja, ze zei dat ze terug zou komen, dus ik neem aan dat ze...' Zijn stem stierf weg. 'Innis had u moeten begroeten.'

'Dat heeft hij ook gedaan, en uw lieve vrouwe heeft ons hartelijk welkom geheten en met een goede maaltijd ontvangen,' verzekerde Korin hem. 'Gaat u toch zitten, heer. Ik zie toch dat u last heeft van uw voet.'

'Haal toch stoelen, vrouw!' snauwde Larenth en hij wachtte staand tot Korin zat voor hij zich zelf weer in zijn leunstoel liet zakken. 'Zo, prins Tobin, mijn hele familie staat bij u in het krijt omdat u ons deze titel heeft verleend. Ik zal mijn uiterste best doen om uw vertrouwen niet te beschamen, en dat van de koning natuurlijk.'

'Ik weet zeker dat dat zal lukken, heer.'

'En ik was bedroefd toen ik hoorde dat uw vader gestorven was. Het was een zeldzaam waarachtig strijder, en dat was ie. Zeldzaam waarachtig!'

'Dank u, heer.' Tobin accepteerde deze woorden met een knikje, en wachtte tot de oude heer zich tot zijn zoon zou keren, die hij niet eens gegroet had.

Korin haalde een brief uit zijn tuniek en overhandigde hem aan de oude man. 'De koning laat u groeten, heer, en geeft zijn orders aangaande de verrassingsinval van morgen.'

Larenth staarde eventjes naar het document voor hij het voorzichtig aannam. Hij draaide het om en om in zijn handen, bekeek de zegels en haalde zijn schouders op. 'Hebt u iemand bij u die het op kan lezen, hoogheid? We zijn daar niet zo mee bekend, hiero.'

'Schildknaap Kirothius, lees de brief van de koning op voor uw geëerde vader,' zei Korin en Tobin dacht: hij heeft het dus ook opgemerkt.

Larenths borstelige wenkbrauwen schoten omhoog en hij kneep zijn goede oog halfdicht. 'Ki, ben jij 't? Ik herkende je niet, jong.'

'Hallo, pa.' Tobin verwachtte dat zij elkaar lachend in de armen zouden vallen, zoals Tharin en zijn familie hadden gedaan toen ze elkaar weer ontmoetten. Maar Larenth keek naar zijn zoon alsof hij naar een of andere ongewenste vreemdeling keek. 'Nou dan heb je het ver geschopt, zeker. Ahra zei al zoiets.'

De brief trilde in Ki's handen toen hij hem openvouwde.

'En lezen kan je ook al?' mompelde Larenth. 'Laat horen dan.'

Ki las het korte schrijven voor. Het begon met de gebruikelijke begroeting en vervolgens dat Korin de aanval moest leiden. Ki hakkelde niet eenmaal, maar hij had een rooie kop toen hij klaar was.

Zijn vader had zwijgend toegeluisterd, zoog op zijn onderlip en wendde zich toen weer tot Korin. 'Die teringrovers hebben hun kamp een paar weken geleden hoger opgeslagen, nadat wij een aanval ondernomen hadden. Innis kan jullie er wel naartoe brengen, als Ahra vandaag niet terugkomt. Er is een spoor waarlangs jullie ze vanuit de flank aan kunnen vallen. Als jullie vannacht al vertrekken zijn ze misschien te bezopen om jullie te horen. Dan kan je ze bij de eerste zonnestralen een kopje kleiner maken.' Hij stopte even en keek Korin nauwlettend aan. 'Hoeveel bruikbare manschappen heb je precies?'

'Veertig.'

'Nou, ik zou ze dicht bij mekaar houden, hoogheid. Het is een ruig zootje, die bandieten. Ze hebben de helft van de dorpen in de vallei aangevallen, en ze hebben een bende vrouwen meegesleept. Ik zit sinds ik hier woon al achter ze aan en het gaat je niet in de kouwe kleren zitten. Ik heb altijd de leiding gehad tot die poot er bijna afviel.' Hij keek Korin weer aan en schudde het hoofd. 'Dus hou die mannen bij elkaar, hoor je dat? Ik wil die mooie brief hier niet beantwoorden met een zending koninklijke as.'

'We hebben een uitermate goede training gehad in Skala, heer,' antwoordde Korin stijfjes.

'O, daar twijfel ik niet aan, hoogheid,' zei de oude man somber. 'Maar niet elke training leert je hoe het is om iemand aan de punt van je zwaard te rijgen.'

Toen ze zich in dat deprimerende huis opmaakten voor de nacht, wou Ki dat Tobin zijn mond tegenover Erius gehouden had. Als zijn vader geen heer was geworden, zou de koning er niet over gepiekerd hebben de Gezellen bij hem onder te brengen. Het leek wel eeuwen geleden dat hij in dit gezin zijn jeugd had doorgebracht; hij had niet in de gaten hoezeer hij veranderd was tot hij ze weer zag en merkte hoe ze naar hem keken. Zelfs Amin en Dimias hadden hem jaloerse blikken toegeworpen toen ze rond de haard gezeten hadden. De kleinere kinderen, tenminste degenen die hem nog kenden, waren blij hem te zien en bedelden om verhalen over de stad. Zijn kleine halfzusjes en -broertjes, bastaardjes of niet, klommen als jonge eekhoorntjes op de schoot van wie maar stil genoeg zat, en Korin was bij iedereen favoriet, ook omdat hij het allemaal best vond. Wat Ki ook van de prins vond, hij moest hem nageven dat hij fantastisch met mensen omging, als hij wilde. En Ki had toch even moeten lachen toen een peuter met de poep nog aan zijn billen plompverloren op Albens schoot was gaan zitten.

Maar dat woog niet op tegen de rest. Nu wisten de Gezellen tenminste echt wat het betekende een grasridder te zijn. Hij had zich doodgeschaamd voor de aanblik van zijn vader en die arme Sekora in hun dure, maar smerige kleren. 'Je kan een varken zijden schoentjes aantrekken, een danser wordt hij nooit,' had zijn vader altijd gezegd van iemand die boven zijn stand leefde. Nooit had Ki dat gezegde beter begrepen dan nu.

Het grootste deel van het huishouden ging naar bed toen de zon onderging. De kleintjes sliepen nog steeds her en der met zijn allen op de vloer, tussen de honden en katten. Innis en de oudere jongens bleven hen gezelschap houden en schonken gul de ondrinkbare wijn in in een poging om gastvrij te lijken. Innis, het vierde echte kind na Ahra, was een grote vent die nogal traag van begrip was en zo gesloten dat het haast onbeleefd was. Hij had zich een beter smid betoond dan soldaat. Daarom en ook omdat hij nu eenmaal kreupel was, was hij altijd thuisgebleven om het huishouden te regelen wanneer de anderen oorlog voerden. Amin en Dimias waren koeriers geweest gedurende de laatste conflicten en het was duidelijk dat Innis hen benijdde zoals hij Ki benijdde.

Korin maakte er maar het beste van. Hij dronk beker na beker van het zure bocht en prees hem alsof het de beste Kalliaanse rode wijn was. Hij maakte grappen met Amin en ontlokte zelfs een lachje aan de grommerige Innis door hem uit te dagen voor een partijtje armworstelen en met opzet te verliezen. Caliël betaalde zijn logies door een paar liederen in te zetten en het werd zowaar gezellig. Maar Ki was zich te bewust van de blikken die Alben, Mago en hun maten naar hem wierpen, en hun gegrinnik om Sekora die onzeker de gastvrouw bleef spelen. Ze was altijd lief geweest voor Ki en hij was haast weer opgevlogen toen Arius haar een onbeschoft antwoord gaf. Ook zijn broers hadden het gemerkt en stonden klaar om hem te wurgen.

Lynx greep zijn knie onder tafel en schudde zijn hoofd. Zelfs hier, in zo'n troosteloze burcht, mocht een koninklijke schildknaap de kroonprins noch zijn heer tot schande strekken door in een vechtpartij betrokken te raken. Ruan en Barieus keken hem vol begrip aan, maar daar voelde Ki zich alleen maar ellendiger door.

Tobin wist hoe hij zich voelde; dat wist hij altijd. Hij schonk geen aandacht aan de botteriken en praatte over de jacht met Amin en kruiste zelfs voor de lol het zwaard met Dimias. Tussen de bedrijven door glimlachte hij naar Ki en hij meende dat met zijn hele hart.

Opgelucht zeiden ze eindelijk goedenacht en gingen naar hun kamer. Korin had een arm om Innis geslagen en zei dat hij toch wel een toffe kerel was. Tobin en Caliël namen Korin tussen zich in en stuurden hem met Sekora mee. Ki bleef dralen want hij had nog geen zin om zich tussen Mago en de anderen te ruste te leggen.

Zijn stiefmoeder bracht hem naar boven naar een redelijk schone gastenkamer met twee grote bedden. Zijn vader had dit ongetwijfeld een onbehoorlijke luxe gevonden, maar Ki kon wel door de grond zinken toen Sekora Korin meedeelde dat de schildknapen wel op de hooizolder in de stallen konden slapen, alsof het doodgewone bedienden waren. Korin weigerde dat heel beleefd en kreeg het voor elkaar dat er strozakken naar boven werden gebracht.

De rest van de verdieping, die ooit het privé-domein van een gezin moest zijn geweest, was zo bouwvallig als wat, maar er was geen enkele aanwijzing dat zijn vader erover dacht om daar verandering in te brengen. De andere kamers waren leeg en schimmelig, hun kale vloeren waren bezaaid met vogelpoep en muizenkeutels. Aangezien de hele familie nog steeds in de hal beneden woonde en sliep, zoals ze altijd gedaan hadden, zag niemand in waarom ze er tijd en energie in zouden steken.

'Vind je het erg als ik nog even naar beneden ga, Tob?' vroeg Ki zacht.

Tobin greep hem bij de pols. 'Tuurlijk niet, Ki. Ga maar gauw.'

'Dus je komt terug om te vechten, hm?' zei Amin en hij maakte plaats voor hem op de houten bank. 'Is dan echt niemand van jullie op het slagveld geweest?'

'Niemand,' zei Ki.

'Mooie boel, dat jullie hierheen komen voor een potje knokken, terwijl jullie nu al zo lang tussen lui van het koningshuis leven,' zei Dimias. 'Bij de ballen van Bilairy, Ki, zelfs ik was op het oorlogsveld. Waarom heeft dat hertogje van je je dan nooit meegenomen?'

'Edelen gaan nooit zo jong.' Het was waar, maar hij voelde zich toch wel een kleuter. Amin had een litteken van een zwaardsnee op zijn wang en ging expres zo zitten dat Ki het zien kon.

'Moet je hem horen!' merkte zijn zus Lyla op vanuit een van de groepjes slapende kinderen. 'Hij klinkt alsof-ie van adel is.'

'Ze hebben me geleerd net als hullie te praten,' zei Ki vinnig, terugvallend in zijn oude taaltje. 'Je dacht toch niet dat ze me zo laten ouwehoeren als jullie tussen al die fijne dames en heren?'

Dimias lachte en klemde zijn arm om zijn nek. 'Zo kennen we Ki weer! En ik zeg: houen zo. Misschien kan je het ons ook 'ns leren, zodat we een baantje in Ero kunnen krijgen, hm? Lijkt me wel vet, dat stadsleven. Lekker alle rotzooi achter je laten en vooral niet achteromkijken, net als jij gedaan hebt.'

'Pa heb me verkocht,' bracht Ki hem in herinnering, maar het was wel waar, het had hem niet veel kunnen schelen dat hij wegging van de hofstee.

Amin mompelde: 'Ik zag dat een paar lui behoorlijk uit de hoogte tegen je deden, en je liet ze je gewoon uitlachen ook. Gun ze niet het plezier om uit je slof te schieten, hoor je me? Ik heb gevechten gezien waar de honden geen brood van lusten. En let op mijn woorden, morgen doet minstens de helft van die blauwbloedige jochies het in zijn broek.'

'Maar jij niet, of wel soms?' Amin sloeg Ki op de schouder. 'Ahra zei dat jullie tweeën geboren strijders waren nadat ze jullie had gezien. Aangeraakt door Sakor zelf, zei ze nog. En hij lijkt me een goeie knul, die Tobin, al is hij zo iel als een meid.'

'Jullie houden stand, jij en die prins van je,' zei Dimias.

'Ja, wat dacht je!' lachte Ki. 'En hij is helemaal geen meid!'

Ze bekvechtten een beetje over dat onderwerp maar voor de eerste keer die dag was hij blij weer thuis te zijn, en het luchtte hem enorm op dat zijn broers Tobin oké vonden.

Platgedrukt tussen Nikides en Urmanis luisterde Tobin naar het gebral van de oudere jongens. Binnen een uurtje zou er van die rovers gehakt gemaakt worden! Zoals altijd hoorde je Korins stem boven iedereen uit. Tobin hield de deur in het oog, want hij kon pas slapen als Ki weer boven water was. Maar hij werd het wachten moe en besloot hem te gaan zoeken.

De hal was donker op het gloeien van de haard na. Hij stond op het punt weer naar boven te gaan toen hij iemand hoorde fluisteren: 'Ki is buiten, hoogheid, als u 'm zoekt.' 'Dank je wel.' Behoedzaam zocht Tobin zijn weg tussen de bergjes slapende kinderen, baande zich een weg door de keuken naar het stinkende erf. De hemel was wolkeloos, en de sterren waren zo groot als kievitseieren. Fakkels brandden op de toren en hij kon soldaten zien wachtlopen over de muur. Hij wilde al naar de poort toe lopen toen hij twee gestalten op de kapotte wagen zag zitten.

'Ki?' fluisterde hij.

'Ga naar bed, Tob. Veel te koud.'

Tobin klom op de versplinterde bok en kwam naast hen zitten. Tharin zat naast Ki met zijn ellebogen op zijn knieën. Plotseling voelde hij zich een indringer, maar hij had nog geen zin om naar binnen te gaan. 'Is er wat?'

Ki snoof luidruchtig. 'Dat zag je toch.' Hij gebaarde naar de burcht, het erf – naar alles waarschijnlijk. 'Hier kom ik nou vandaan. Denk je dat ze het ooit zullen nalaten me dat in te peperen?'

'Het spijt me. Ik had niet gedacht dat het zo erg zou zijn. Ik dacht…'

'Ja? Nou, dan heb je geen rekening gehouden met die familie van me.'

'Zo erg zijn ze nu ook weer niet – niet allemaal. Ik vind je broers heel aardig, en je pa is een taaie strijder zoals ze niet meer gemaakt worden.'

'Hij is oud geworden. Ik heb hem nog nooit zo gebroken gezien, halfblind en zo. Vijf jaar is erg lang, Tob. Als ik nu naar ze kijk, vraag ik me af wie ik ben.'

'Je bent wat je van jezelf maakt,' sprak Tharin ferm. 'Dat probeer ik hem nu al een tijdje uit te leggen, Tobin. Sommigen zijn edel van geboorte maar een echte vent worden ze nooit. Anderen, zoals Ki hier, zijn edel tot op het bot maar komen uit een ander soort nest. Jullie hebben mijn familie gezien. Ze waren niet veel anders dan jouw familie, Ki, maar Rhius heeft me onder zijn hoede genomen en ik kon mijn hoofd hooghouden naast elke man van hoge komaf. Jij bent uit hetzelfde hout gesneden. En er is geen jongen op de hele Palatijnse Heuvel aan wiens zijde ik morgen liever zou willen vechten.'

Tharin kneep ze allebei even in hun schouder en klom van de wagen. 'Neem hem snel mee naar binnen, Tobin. Jullie hebben ook wat rust nodig.'

Tobin bleef naast Ki zitten en dacht terug aan zijn eigen thuiskomst in Atyion. Hij had echt gedacht dat Ki eenzelfde welkom ten deel zou vallen. Maar de burcht was ronduit afschuwelijk; het viel niet te ontkennen. Wist de koning hiervan en had hij het daarom voorgesteld?

Hij wist niet wat hij moest zeggen maar vond Ki's hand en greep hem vast. Ki gromde en liet zijn hoofd tegen Tobins schouder vallen. 'Ik weet dat jij me hier geen cent minder om vindt. Als ik dat dacht zou ik de poort vannacht nog uitrijden en niet omkijken.'

'Nee, dat zou je niet. Dan zou je het gevecht morgen mislopen. En Ahra

ook. Wat denk je dat zij ervan zou zeggen als ze zou horen dat je ervandoor gegaan was?'

'Nou heb je me tuk. Ik ben veel banger voor haar dan voor welke Gezel dan
ook.' Hij ging staan en keek om zich heen over het deprimerende erf. 'Ach, het
kon erger wezen,' grinnikte hij.

'Hoe dan?'

Hij zag Ki's voortanden flitsen in het duister. 'Stel je eens voor dat ik dit allemaal zou erven…'

33

Het was nog donker toen Tharin en Porion hen kwamen wekken, maar Tobin voelde een zuchtje ochtendwind door het open raam komen. Er werd niet gebluft tijdens het aankleden. Tobin keek recht in Ki's ogen toen zijn vriend hem in zijn maliënkolder hielp en hij zag er zijn eigen opwinding en angst in weerspiegeld. Tegen de tijd dat hij zijn overkleed aan had, liep het zweet hem al over de rug.

Op weg naar de paarden zag Tobin dat Korin het paardenamulet droeg dat Tobin voor hem gemaakt had, maar ook een andere die hij nooit eerder had gezien.

'Wat is dit?' vroeg hij en hij boog zich naar voren om het beter te zien. Het was een fraai dingetje, een glanzend hoornen ruitvormig stuk in goud gevat.

'Een gelukstalisman die vader me gegeven heeft,' zei Korin en hij kuste het.

Voor het eerst sinds lange tijd benijdde Tobin Korin. Wat zou zijn vader tegen hem hebben gezegd, of gegeven hebben, wanneer hij voor het eerst een gevecht zou meemaken om strijder te worden?

In de hal was er geen ontbijt te bekennen. Kinderen en huisdieren keken naar hen vanuit de schaduwen terwijl ze rinkelend met zwaarden en maliën het erf op liepen. Ki's drie oudere broers stonden hen op te wachten op de grote binnenplaats, samen met Ahra en haar manschappen. Zo te zien hadden ze de hele nacht doorgereden om hier te komen en ze hadden het op het nippertje gehaald. Een meisje van een jaar of twaalf zat met blote voeten en in een gerafelde, met modder bespatte tuniek op net zo'n modderig paard als Ahra. Beiden stegen af om Ki te begroeten, vervolgens boog Ahra diep voor Tobin en Korin. 'Vergeef me mijn late komst, mijn prinsen. Vader heeft Korli op me afgestuurd maar ze werd onderweg nogal opgehouden.'

'Spijt me, uwes hoogheid,' murmelde het meisje verlegen, en ze probeerde een soort kniebuiging te maken. 'Hoi, Ki!'

Ki gaf haar een kusje.

Tobin bekeek haar belangstellend, want van iedereen die hij hier had gezien leek Korli nog het meest op Ki. Ze had zijn knappe trekken en glimlachte net zo met die vooruitstekende voortanden toen ze hem zag kijken.

'Is zij een volle zus van je?' vroeg hij Ki toen ze hun paarden gingen zadelen. Vreemd dat hij haar nooit genoemd had.

'Korli? Nee, dat is een van de bastaardjes.' Hij liet een stilte vallen en keek nog eens goed naar haar. 'Flink gegroeid trouwens.'

'Ze lijkt op je.'

'Vind je?' Hij beende weg in de richting van de stal.

Verbaasd door het bruuske einde van het gesprek wierp Tobin nogmaals een blik op het meisje. Korli was slanker dan Ki maar ze had dezelfde bruine ogen, het zachte steile haar en die gladde, gouden huid. Haar trekken waren minder hoekig en wat zachter…

Zoals mijn andere gezicht er in de bron uitzag.

Er liep een rilling over Tobins rug en hij wendde zich snel af, alsof hij een spook had gezien.

Ahra had twintig ruiters met zich meegebracht, een stel soldaten die zo verbeten keken als hij zelden gezien had; ten minste een derde ervan bestond uit vrouwen. De meeste mannen waren vrij oud of juist erg jong; de beste manschappen waren opgeroepen voor de algemene oorlogsregimenten. Toen hij rondkeek waar Ki kon wezen, zag hij dat een van de jongens hem heimelijk toewuifde. Tobin aarzelde, meende dat hij het verkeerd gezien had maar de jongen wuifde opnieuw. Nieuwsgierig liep Tobin op hem af.

Hij had geen baard, was niet ouder dan Tobin en het gezicht onder de helm en de strijdersvlechtjes zat onder de vuile vegen. Die ogen kwamen hem echter bekend voor en gezien de brede grijns kende de jongen Tobin nogal goed.

'Ken je me niet meer, hoogheid?'

Het was helemaal geen jongen!

Tobins hart maakte een sprongetje toen hij haar achter een stapel hooi volgde. 'Una, ben jíj het!'

Ze deed haar helm af en schudde haar haar naar achteren. 'Ja! Ik wilde niet dat Korin of de anderen me zouden ontdekken, maar ik wist dat jij me nooit zou verraden.'

Tobin herkende het meisje van adel haast niet meer. Ze droeg de beschadigde wapenrusting van een gewoon soldaat, maar het zwaard op haar heup was eerste kwaliteit en van een klassiek ontwerp.

'Van je grootmoeder?' giste hij.

'Ik zei je toch dat ik het eens zou dragen. Ik dacht alleen niet dat die dag zo snel zou aanbreken. En ik wed dat jij nooit geraden zou hebben dat ik me eerder in de strijd zou storten dan jij.'

'Nee! Wat doe je hier eigenlijk?'

'Waar dacht je dat ik heen zou gaan, na al die verhalen van Ki?'

'Daar dacht ik niet aan. We dachten eigenlijk…dat je…' Hij verslikte zich in zijn woorden, want hij wilde niet toegeven dat Ki en hij alleen durfden fluisteren dat de koning haar had laten vermoorden. 'Maar verdorie, ben ik even blij dat je erbij zult zijn! Heb je al iemand omgebracht?'

'Ja. Je was een goede leraar.' Ze aarzelde en keek hem strak aan. 'Heb je dan geen hekel aan me?'

'Waarom zou ik een hekel aan je hebben?'

'Het was per slot van rekening mijn idee om die meiden te trainen. Vader zei dat je goed in de problemen was gekomen door het allemaal op te zetten, en ik hoorde ook dat Arengil weer naar Aurënen is gestuurd omdat hij ook een van de aanstichters was.'

'Het was jouw schuld toch ook niet!'

'Opstijgen!' riep Korin.

Tobin nam haar hand in de soldatengreep. 'Sakors Vlam, Una. Ik zal het Ki vertellen!'

Una grijnsde en salueerde. 'Ik zal u rugdekking geven, mijn prins!'

Ze zagen er onverschrokken uit, zoals ze met hun banieren langs de toortsen van de burcht naar buiten reden. Zijzelf droegen geen fakkels. Innis en Ahra namen de leiding en loodsten hen door de vallei terwijl de laatste sterren langzaam vervaagden. Amin en Dimias reden met hen mee, en Tobin vond hen benijdenswaardig gemakkelijk in het zadel zitten. Tharin en kapitein Melnoth reden in de achterhoede.

Na een paar mijl verlieten ze de weg om dwars over land te rijden, door stoppelvelden en bosjes die nog in ochtendnevel gehuld waren. Ze bereikten het eerste gehucht toen het eigenlijk nog te donker was om meer te zien dan een stel rieten daken boven een palissade. Toen ze dichterbij kwamen, sloeg hem een bekende lucht tegemoet: het was de geur van verbrand essenhout en verschroeid vlees van de brandstapels buiten Ero.

'Bandieten?' vroeg Korin.

'Nee,' antwoordde Ahra. 'Bij deze hier was het de pest.'

Maar een paar mijl verderop reden ze langs de restanten van een dorp dat tot de grond toe was platgebrand. De hemel was van indigo in grijs veranderd, licht genoeg voor Tobin om de gebroken zwarte stomp van een schoorsteen en een houten pop in een goot te zien liggen.

'Dit is een paar weken terug gebeurd,' vertelde Innis hen. 'De mannen zijn afgemaakt, maar lijken van vrouwen of meiden waren niet te vinden.'

'Dan hebben ze zich dus echt gesetteld, met die vrouwen erbij,' merkte Tharin hoofdschuddend op. 'Hoe ver is het nog?'

Innis wees naar de heuvels die voor hen opdoemden, en waar een paar dunne rookkolommen boven de bomen te zien waren.

Tobin stelde zich voor hoe de gevangen vrouwen daar met het ontbijt bezig waren en huiverde.

'Maak je geen zorgen; die vrouwen komen hier veilig terug,' zei Korin.

Innis haalde zijn schouders op. 'Heeft weinig zin, of wel dan?'

'Beschadigde koopwaar, zeker? Je laat ze daar liever wegrotten?' gromde Ahra.

Innis wees met zijn duim achter zich naar het uitgebrande, verlaten dorp. 'Niks om voor terug te komen.'

Met gefronst voorhoofd nam Ahra de leiding weer en ze reden naar het westen, via een wildspoor het bos in.

'Geen woord meer. Geef het door,' fluisterde ze. Toen zei ze tegen Korin en de anderen die vlak achter haar reden: 'Pas op dat je wapens niet zo kletteren. Het is nog wel een paar mijl, maar het heeft geen zin hen te waarschuwen als ze mannen op de uitkijk hebben gezet.'

Iedereen keek zijn schede en boog na. Tobin boog zich opzij om het losse eind van Gosi's singel onder het zadel te stoppen, en hield hem met zijn dij op zijn plaats. Ki deed hetzelfde bij Draak.

De zon kwam juist boven de vallei uit maar tussen de bomen was het nog vrijwel nacht. Stokoude sparren torenden boven hen uit en de rotsachtige ondergrond was bezaaid met dode takken.

'Niet zo'n beste bodem voor een bereden aanval, hè?' zei Korin tegen Ahra.

'Nee, maar het is wel weer perfect voor een hinderlaag. Zal ik verkenners uitzetten?'

'Wij gaan wel,' bood Dimias aan.

Maar Ahra schudde haar hoofd en stuurde twee mensen uit haar divisie op pad.

Tobin zat rechtop in het zadel, en keek de schaduwen na of er soms verkenners zaten. Hij was niet zozeer bang, maar hij voelde wel een holle plek onder zijn hart.

Hij keek om zich heen en nam aan dat ook de anderen dat gevoel hadden.

Korins gezicht was vertrokken tot een grimmig masker onder zijn helm, en Tanil telde de pijlen in zijn koker. De anderen checkten alles voor een laatste keer, of keken nerveus tussen de bomen. Ki ving Tobins blik op en knipoogde. Was Una bang, vroeg Tobin zich af, of was je daar na één gevecht wel van genezen? Hij wou dat hij tijd had om het haar te vragen.

Ze waren al klimmend nog geen mijl gevorderd, toen Ki de geur van etensvuurtjes opsnoof. De vochtige ochtendlucht droeg de rook laag door de bomen. Al snel konden ze de rookpluimpjes zien opstijgen onder het druipende bladerdak. Hij speurde tussen de bomen door en kon het beeld van loerende ogen op niet meer dan een pijllengte maar niet van zich afschudden.

Maar er gebeurde niets. Je hoorde alleen het zachte geklop van paardenhoeven op mos en de ochtendroep van de vogels. Ze kwamen bij een open plek aan en stegen af. De officieren en de Gezellen kwamen rond Ahra staan terwijl de schildknapen de paarden stilhielden.

'Verder gaan we niet,' fluisterde ze en ze gebaarde naar het wildspoor dat in oostelijke richting verdween. 'Het kamp ligt maar een halve mijl verderop, in een door bomen omzoomd dal.'

Aller ogen waren gericht op Korin. Hij overlegde kort met Ahra en de kapiteins. 'Zo, Tobin, jij bent hier de bevelhebber met je garde. Nik, Lutha, Quirion, jullie blijven bij hem.' Quirion begon protesterende geluiden te maken maar Korin negeerde hem. 'Jullie dekken ons in de flank. Ik stuur een boodschapper naar je toe als we je nodig mochten hebben.'

'Jullie tweeën blijven ook bij hen,' zei Ahra tegen haar broers. 'Jullie kennen het gebied, mochten ze een gids nodig hebben.'

Korin trok even aan zijn nieuwe amulet en keek naar Porion die hem toeknikte. 'Nou, daar gaan we dan. Trek je zwaard en volg me.'

'De verkenners, mijn prins. Moeten we niet even wachten tot we meer van hen horen?' vroeg Ahra.

'Het is al later dan ik in mijn hoofd had.' Korin wierp een blik op de oplichtende hemel. 'Als ze verdwaald zijn, verspelen we onze laatste kans om de rovers te verrassen. We gaan.'

Hij liet zijn zwaard een grote cirkel in de lucht beschrijven en de rest van zijn gezelschap volgde hem op de voet.

De schildknapen en Tharins manschappen spanden lijnen tussen de bomen om de paarden te kluisteren. 'Losjes knopen, jongen,' zei Tharin zacht terwijl hij een strakke knoop van Ruan losser maakte. 'We mogen geen tijd verliezen in het geval we er als een haas vandoor moeten gaan.'

En toen konden ze alleen nog maar afwachten. En luisteren. Er was geen noodzaak om in de houding te staan, maar niemand kon erbij blijven zitten. Met de handen op het gevest of achter hun gordel stonden de Gezellen in een soort kring, de ogen op het pad gericht. Een paar manschappen van Tharin verspreidden zich om de randen van de open plek in de gaten te houden.

'Dat wachten maakt je altijd gek,' mompelde Amin.

'Hoeveel van dit soort aanvallen heb je al meegemaakt?' vroeg Lutha.

Amins zelfverzekerde houding maakte plaats voor een schaapachtige grijns. 'Nou ja, twee maar waarin echt gevochten werd, maar we hebben heel wat uren wachten achter de rug!'

De zon kwam net boven de toppen van de bomen uit toen ze de eerste aanvalskreten in de verte hoorden.

Tharin klom op een grote kei bij het begin van het pad en luisterde nog even. Toen glimlachte hij. 'Zo te horen hebben ze hen toch nog bij verrassing weten te pakken!'

'Dat is dan voorbij voor ze ons oproepen,' gromde Amin. 'Waar blijft die boodschapper nou?'

Het verre geschreeuw verstomde niet, maar er stak een windje op en ook de takken dempten het geluid behoorlijk. Tharin bleef op zijn rotsblok staan, zijn blik strak gericht op het pad zoals een hond wacht op de komst van zijn baas.

Hij was de eerste die viel.

34

De eerste ogenblikken van de aanval vanuit de hinderlaag waren griezelig stil. Het ene moment stond Tobin nog naast de anderen te luisteren naar de wind in de bomen. Toen stiet Tharin totaal onverwacht een gesmoorde kreet uit en viel van zijn rotsblok met een pijl in zijn linkerdijbeen, net waar de split van zijn maliënkolder enigszins openstond.

Een goed schot, of die man heeft geluk gehad, dacht Tobin en hij rende op hem af. Toen viel ook hij, door iemand opzij geduwd.

'Láág blijven, Tob!' Ki leek vastbesloten hem onder zich te houden.

'Maar Tharin is geraakt!'

'Dat zie ik ook wel. Laag blijven!'

Plat in het hoge gras kon Tobin niet verder kijken dan Amin die net zo plat naast hem lag.

De lucht boven hun hoofden zinderde van het libelleachtige gonzen. Pijlen drongen zich links en rechts van Tobin en Ki in de grond. Vanuit de bomen klonk geschreeuw. Ergens vlakbij klonk een kreet van pijn – was het Sefus? Een paard hinnikte hoog, toen begon de hele groep te steigeren en te bokken. De touwen raakten los en de paarden verspreidden zich tussen de bomen.

De pijlenregen stopte net zo plotseling als hij begonnen was. Tobin liet Ki van zich afglijden en was als eerste weer op de been. Iedereen was in het wilde weg gevlucht. Sommigen lagen nog plat op hun buik. Anderen hadden zich aan de rand van de plek tussen de bomen verstopt. Koni en een stel anderen probeerden een paar paarden die niet waren weggekomen tot bedaren te brengen.

'Hierheen! Hierheen!' riep Tobin terwijl hij zijn zwaard trok en op de beschutting van de bomen aan zijn rechterkant wees. 'Kom op, snel!'

Hij was nog niet uitgesproken of de aanval begon weer, maar de anderen hadden het begrepen. Sommigen renden met hun schild als bescherming, anderen vertrouwden op hun snelheid.

Ki beschermde hem zo goed als hij kon zonder onder de voet te worden gelopen. Nikides en Ruan hadden het gehaald, net als Ki's broers, met hun schilden geheven om de vliegende pijlen op te vangen.

Maar er werden er veel tijdens de oversteek geraakt. Sommigen bewogen niet meer; zeker drie man van Tobins garde lagen doodstil. De enige die hij herkende was Sefus, hij lag op zijn rug met een pijl door zijn ene oog. Een stukje verder zag Tobin iemand met de felle kleuren van een edelman; zo te zien moest het Lutha of Barieus zijn.

'Tobin, kom op!' drong Ki aan en hij probeerde hem dieper het bos in te trekken. Tobin keek om naar de rots waarop Tharin gestaan had, maar de kapitein zelf was nergens te bekennen. Biddend dat zijn vriend zich naar een beschutte plek had gesleept, rende Tobin naar de anderen die gehurkt naast boomstronken en stenen zaten. Vreemd genoeg was het holle gevoel onder zijn hart verdwenen; hij voelde eigenlijk helemaal niets meer. Hij tuurde tussen de bomen door, hij zag nog meer lijken op de open plek liggen, met de pijlen als distels in hun rug.

Ki greep Tobins arm vast en wees naar rechts. 'Hoor je dat?'

Er naderde iemand, takken braken onder zijn laarzen; wie het ook was, hij was op weg naar hen. Tobin nam snel de stand van zaken op. Nikides en Ruan waren de enige Gezellen op hem en Ki na. Quirion was spoorloos verdwenen. Behalve Amin en Dimias had Tobin Koni en vijf andere gardisten bij zich. En nu hoorden ze opeens ook vijandelijke geluiden aan hun linkerzijde.

Verdomme, ze hebben ons in de tang. Ze hebben ons uit elkaar gedreven, dacht Tobin ontmoedigd. Het was het beroerdste begin dat hij zich voor kon stellen, vooral omdat ze niet het flauwste vermoeden hadden hoeveel mannen er tegenover hen stonden. Iedereen keek hem aan.

'Nik, jij neemt Koni, Amin en die vier daar en jullie rukken links op,' zei hij. Zo klonk het net of er niet zo veel mensen om hen heen zaten. 'De rest gaat met mij mee.'

Koni schudde zijn schild af en gaf het aan Tobin. 'Neem dit mee, Tobin.'

Tobin nam het dankbaar aan. 'Sakor zij met jullie.' Hij wurmde zijn arm door de riemen en ging op pad, waarbij hij zijn kleine legertje nog dieper het woud rechts van hem in leidde.

Ze waren nog geen twintig voet gevorderd toen een groep potige lieden van achter de struiken te voorschijn sprong en met bijlen, knuppels en zwaarden op hen af kwam. Er was geen tijd om na te denken. Tobin stormde met Ki op hen af, zich vaag bewust van anderen die met hen meerenden om tot de aanval over te gaan.

De twee leiders van de bandieten wierpen zich op Tobin als honden op een konijn; een edelman was losgeld waard en ze dachten waarschijnlijk dat het een fluitje van een cent was hem te grijpen. Ki versperde hen de weg en had zijn zwaard snel genoeg de lucht in om de langste van de twee een gespleten schedel te bezorgen. De ander sprong opzij en graaide naar Tobin. Hij droeg een kort maliënhemd en een helm, maar je zag zo dat het geen getraind strijder was. Tobin sprong achteruit en haalde met een zwaai van zijn zwaard de dijen van de rover open. De man liet zijn bijl vallen en klapte tegen de grond, schreeuwend probeerde hij met beide handen het uit de wond spuitende bloed te stelpen.

Voor Tobin hem de genadeslag kon geven, voelde hij aan zijn linkerkant een vage beroering en hij draaide zich om, waarbij hij bijna struikelde over een dode zwaardvechter die dichtbij genoeg gestaan had om hem te doden. In stilte dankte hij degene die dat belet had, toen draaide Tobin zich weer om, om een vent die hem met een geheven knuppel te lijf wilde gaan af te weren. Die man stond er wel erg stom voor, want Tobin deed zonder moeite een pasje opzij en kon zo zijn buik met één haal opensnijden. De man wankelde en Ki maakte hem met een nekslag af.

Meer bandieten verschenen en vlogen op hen af. Gegil, geschreeuw en bloeddorstige vloeken vlogen hem om de oren, onderstreept door het gekletter van staal op staal. Tobin zag Dimias vechten met een vent die tweemaal zo zwaar was en rende ernaartoe om hem bij te staan, maar Amin sprong al vanachter een boom te voorschijn en sneed de man zijn keel door.

Ki was gevallen maar toen Tobin zich omdraaide om hem te helpen, werd zijn weg versperd door een bandiet met een dubbele bijl. Jaren training leken eindelijk gladjes op hun plaats te vallen. Bijna voor hij wist wat hij deed, hakte hij in de schouder van de man, om met een kleine wending van zijn zwaard ook de nek te doorklieven. Hij had die beweging tot vervelens toe geoefend, maar nog nooit was het hem zo vloeiend en natuurlijk afgegaan. De man had geen maliënhelm gedragen; Tobins kling gleed door huid en spierweefsel en raakte toen het bot. De man viel wankelend opzij, het bloed spoot uit de diepe snee terwijl hij neerklapte. Een straaltje kwam in Tobins gezicht terecht; de smaak van heet koper en zout deed zijn eigen bloed verlangen naar meer.

Die gedachte kostte hem haast het leven. Ki gilde en Tobin draaide zich om. Een fractie van een seconde zag hij niets anders dan de kling die op zijn hoofd neer zou komen. Toen viel hij achterover, onderuitgehaald door een explosie van ijzige lucht. Hij kwam tegen een boom terecht en rolde onhandig op zijn zij terwijl zijn aanvaller hem tegen de grond gedrukt hield. Tobin worstelde om weg te komen en besefte toen pas dat de man niet bewoog. Zijn hoofd bungelde krachteloos opzij terwijl Ki en Amin hem van Tobin aftilden, zo dood als een pier.

Tobin zag Broer over Ki's schouder naar hem gluren, zijn bleke gezicht vertrokken in diezelfde sneer die hij had toen hij Orun de dood in gejaagd had.

'Bedankt,' fluisterde Tobin maar Broer was alweer verdwenen.

'Bij de ballen van Bilairy!' riep Amin uit, en hij keek neer op de dode man. 'Wat deed je nou? Hij leek zich wel dood te schrikken!'

'Ik… ik weet het niet,' zei Tobin terwijl Ki hem omhoog hielp. Hoe had Broer hem gevonden? Ki's blik liet hem weten dat hij iets vermoedde, of misschien had hij Broer ook wel gezien.

Pas toen Dimias om zich heen keek en zei: 'Bij de Vlam. Niet slecht voor een eerste keer, hè?' drong het tot Tobin door dat het gevecht voorbij was.

Er kwam een man of zes door de bossen aangerend, Tharin voorop. De pijl was uit zijn been getrokken, maar er zat een donkere vlek op zijn bovenbeen. Tharin leek er geen last van te hebben. Hij liep nauwelijks kreupel en zijn kling droop van het bloed.

'Hier zat je dus!' bracht hij hijgend uit. 'Het Licht zij dank dat je ongedeerd bent! Ik kon niet zien waar je heen gerend was…' Toen pas besefte hij tussen hoeveel lijken hij stond en hij zette grote ogen op. 'Bij de Vlam!'

'En wat was er nu met jou aan de hand?' vroeg Ki.

'Het was een schampschot en de pijl kwam er zonder veel moeite uit,' antwoordde Tharin die nog steeds onthutst de doden telde.

'Je had onze prins moeten zien!' riep Koni uit. 'Minstens drie hiervan zijn van hem. Hoeveel Tobin?'

'Geen idee,' zei Tobin. Alsof het allemaal in een droom gebeurd was, zo voelde het aan.

'Je eerste echte gevecht, en dan al zo'n score,' zei Amin en hij sloeg Ki op zijn schouder. 'Je mag trots op jezelf zijn, broertje van me. En u ook, hoogheid. Welke was de eerste ook weer?'

Tobin keek om en schrok hevig toen hij constateerde dat de man, wiens dijbeen hij gekliefd had, nog leefde en bezig was zich het bos in te slepen.

'Die kun je beter meteen afmaken,' vond Ki.

'Ja, help hem uit zijn lijden, Tobin,' zei Tharin kalm.

Tobin wist wat hem te doen stond, maar die holte onder zijn hart was weer terug toen hij langzaam naar de man toeging. Doden tijdens een gevecht was makkelijk, het was gewoon een reflex. Maar alleen al bij de gedachte een gewonde te moeten doden, al was het dan een vijand, keerde zijn maag zich om.

Hij wist echter ook dat hij niet moest aarzelen met al die ogen op zich gericht. Hij mocht zichzelf niet te schande brengen door zich zwak te betonen.

Hij stopte zijn zwaard in de schede en trok zijn dolk uit zijn riem. Nog steeds vloeide het bloed uit de diepe snee in het been van de bandiet; hij had een bloedrood spoor achtergelaten op de roestkleurige dennennaalden.

Hij gaat er waarschijnlijk toch aan als ik het niet doe, dacht Tobin en hij stapte verder. Het hoofd van de man was onbedekt en zijn smerige haar was lang genoeg om hem daar vast te pakken. Een van Porions lessen schoot hem weer te binnen. *Trek het hoofd naar achteren. Snijd diep, hard en snel.*

Toen hij zich vooroverboog om het te doen, rolde de man op zijn zij en sloeg zijn armen voor zijn gezicht. 'Genade, heer. Ik smeek u om genade!' krijste hij.

'Bepaald geen heerschap dat genade verdient,' sprak Dimias honend. 'Kom op, koud maken die hap.'

Maar de smeekbede verlamde Tobin van top tot teen. Hij zag de plek waar hij zijn dolk moest laten neerkomen; de halsslagader klopte in 's mans keel. Het was geen vrees die zijn hand verlamde; het was de herinnering aan de koning die de weerloze tovenaar een zwaard in zijn buik gestoken had.

'Hij vraagt om genade,' zei Tobin en hij liet zijn dolk zakken.

De man keek Tobin boven de polsen voor zijn gezicht aan. 'Dank u, mijn heer. Gezegend zij u, heer!' Hij worstelde om bij Tobins laars te komen om die te kussen, maar Tobin trok zijn voet vol afkeer terug.

'En nou opzouten. Als ik je nog een keer tegenkom, ben je er geweest.'

Dimias snoof toen de gewonde man wegschuifelde tussen de bomen. 'Dat is weer eentje meer die we de volgende keer om zeep moeten brengen. Vandaag is het "dank u, heer" maar de volgende keer steekt-ie zodra hij de kans ziet een mes in je donder.'

'Misschien heb je gelijk, jongen, maar toch was het een nobele daad,' sprak Tharin. Toen zei hij zo zacht dat alleen Tobin het kon horen: 'De volgende keer doe je het sneller, zodat ze geen tijd hebben om genade af te smeken.'

Tobin slikte en knikte. Zijn zwaardhand was kleverig; het bloed voelde aan als stroop en hij werd er een beetje misselijk van.

De anderen van hun strijdmacht verspreidden zich nu om hun slachtoffers te bekijken. Tharin trok met hun bloed verticale lijnen op hun wangen en stipte er ook hun tong mee aan.

'Om de geesten van hen die je in de strijd gedood hebt te weerhouden om jou nachtmerries te bezorgen,' legde hij uit toen Tobin een vies gezicht trok.

'Waar zijn de anderen eigenlijk?' vroeg Tobin en hij keek in het rond. Er waren meer soldaten toegestroomd, maar Nik was er niet bij. 'Hebben jullie Lutha en Quirion soms gezien?' Hij telde snel en kwam tot de slotsom dat er minstens twaalf man van zijn compagnie ontbraken; verderop hoorden ze af en toe nog strijdrumoer.

'Arius is getroffen,' vertelde Tharin. 'Ik zag Nikides aan de andere kant vechten toen ik jouw richting insloeg. Er is nog een stel boogschutters bezig en ik zag tien bandieten te paard de benen nemen.'

Amin spuugde op de grond. 'Ze wisten dat we eraan kwamen, de teringlijkers.'

'Of ze hebben Korin in het nauw gedreven,' zei Tharin.

'Dan moeten we hem als de wiedeweerga gaan helpen!' riep Ki. 'Als er genoeg zijn om ons ook het leven zuur te maken…'

'Nee,' zei Tobin, 'dit blijft onze post. Korin zei dat hij iemand zou sturen als hij ons nodig had.'

Tharin salueerde. 'Sta me dan toe een paar man uit te sturen om de bossen rondom ons te doorzoeken.'

Ze bereikten de open plek en vonden Barieus die nog steeds bezig was twee vijandelijke boogschutters van zich af te houden. De gevallen Gezel in het gras bleek Lutha te zijn. De jongen lag met zijn gezicht naar beneden met een pijl in zijn rug. Maar hij leefde nog, en probeerde zich in veiligheid te brengen. Toen Tobin op hem af wilde lopen kwam er een andere pijl aangevlogen die trillend in de gras naast Lutha's hand bleef steken.

Barieus slaakte een kreet die door merg en been ging en rende naar de open plek om beter zicht te hebben. Zijn pijlen vlogen de vijand om de oren, maar zelfs van deze afstand zag Tobin dat Barieus huilde.

Tobin zocht de positie van de vijand op en schoot vooruit om hem dekking te geven.

'Volg de prins!' riep Tharin.

Tharin en Ki haalden hem in en verrasten vier mannen met zwaarden die de open plek wilden omsingelen. Tharin doorstak er een en de anderen zetten het op een lopen. Een boogschutter was gedood; de andere was al gevlogen toen ze de boom bereikten waarachter hij zich verscholen had.

Tharin waarschuwde hem nog, maar Tobin rende zonder er aandacht aan te schenken naar Lutha. Barieus zat al geknield naast hem.

'Het spijt me zo,' zei hij. 'Ik probeerde bij hem te komen, maar ze bleven maar schieten!'

Lutha duwde zichzelf met zijn laatste krachten op, maar hij kreeg een hoestbui en liet zich weer vallen. Hij spuugde een hoop bloedig schuim uit en klauwde in het gras.

'Toen het begon zaten we hier vast,' vertelde Barieus. 'Hij zei "ren nou maar" en ik dacht dat hij achter me aan kwam, maar…'

'Kalm maar, Barieus. En jij stilliggen, Lutha,' zei Tobin terwijl hij Lutha's koude hand greep.

Tharin knielde neer en bekeek de wond.

'Zijn longen zijn doorboord, zo te zien,' zei Dimias.

Tharin knikte. 'Het wordt een gutsende wond als we die pijl eruit trekken. We kunnen hem voorlopig beter laten zitten.'

Lutha kneep in Tobins hand, en probeerde iets te zeggen, maar zonder succes. Bloed schuimde over zijn lippen bij iedere ademtocht.

Tobin boog zijn hoofd om zijn eigen tranen te verbergen. Lutha was zijn eerste vriend geweest bij de Gezellen.

'Laat mij eens kijken, heren,' zei Maniës, die als wondheler voor Tharins manschappen dienstdeed als er geen drysiaan in de buurt was. Hij voelde voorzichtig waar de schacht in het lichaam zat. 'We moeten hem naar Rilmar zien te brengen, prins Tobin. Dit vraagt om meer kennis van heling dan wij in huis hebben.' Hij wendde zich tot Amin. 'Kunnen jullie een drysiaan bereiken?'

'Ja, er woont er eentje in het dorp ten zuiden van de burcht.'

'Goed, laten we hem dan zo snel mogelijk wegbrengen.'

'Maar hoe dan?' vroeg Tobin. Hij was voorbereid op de strijd, maar niet op een vriend die aan zijn voeten lag te sterven.

'Maniës kan hem meenemen,' zei Tharin. 'Amin, ga jij die drysiaan dan vast halen.' Hij zweeg even en keek naar Tobin. 'Als jij toestemt tenminste.'

'Ja, ga, alsjeblieft,' zei Tobin toen het tot hem doordrong dat ze op zijn bevel stonden te wachten. 'Ga dan. Haast je!'

Er waren een paar paarden gevonden. Amin sprong op het dichtstbijzijnde en ging er als een speer vandoor. Maniës besteeg een ander dier en Tharin tilde Lutha in zijn armen; hij legde hem op zijn zij zodat de pijl niet tegen de borst van de ruiter drukte. Lutha lag heel stil, alleen de vochtige, zwoegende ademhaling gaf aan dat hij leefde.

'Laat me met hem meegaan, Tobin,' vroeg Barieus en hij rende weg om een paard te pakken.

Tobin stond wankelend op en nam de andere slachtoffers in ogenschouw – Arius, Sefus en de drie andere gardisten: Gyrin, Haimus en hun oude sergeant, Laris. Weer sprongen de tranen hem in de ogen. Hij kende deze mannen al zijn hele leven. Laris droeg hem altijd rond op zijn schouders toen Tobin nog een klein jochie was.

Het werd hem allemaal te veel. Tobin draaide zich om toen de anderen de doden gereedmaakten om mee te voeren. Ki wikkelde Arius in doeken; Quirion leek wel in rook te zijn opgegaan.

Nikides en zijn mannen kwam uitgeput de open plek op gestrompeld. Nikides was lijkbleek en hij en Ruan droegen de bloedspatten van het gevecht nog op hun gezicht.

En nog steeds kwam er geen boodschapper van Korin. Er stond hen niets anders te doen dan te wachten.

De zon stond inmiddels hoog aan de hemel en het werd heet op de open plek. Vliegen zoemden rond de lijken. Een aantal gardisten was gewond, maar niet al te zwaar. Koni verbond hen zo goed en zo kwaad als het ging, terwijl Tharin en een stel anderen fluitend en met hun tong klakkend de bossen uitkamden op zoek naar de gevluchte paarden. De Gezellen en Ki's broer stonden op wacht voor het geval de bandieten terugkwamen voor een tweede aanval.

Terwijl hij op wacht stond keek Ki steels naar Tobins bleke, ernstige gezicht en zuchtte. Hij zou het nooit toegegeven hebben, maar hij was wel opgelucht dat ze hier bleven. Hij had wel genoeg dood en verderf gezien voor één dag. Trots als hij was om voor Tobin te hebben gevochten, had hij weinig lol aan de slachtpartij beleefd. Het leek in niets op het beeld dat in balladen werd opgeroepen, iets dat nu eenmaal gedaan moest worden, alsof je snuitkevers uit een pot meel viste. Misschien zou de sfeer anders zijn als je tegen echte soldaten vocht, dacht hij.

En dan de aanblik van de dode mannen die hij kende! En die arme Lutha die bloed ophoestte – daar hadden die balladen het ook nooit over. Ki begon zich af te vragen of er iets mis met hem was.

Het zou pas echt goed mis geweest zijn als Broer er niet geweest was. Hij moest slikken want hij begon nu echt te kokhalzen. Hij had er niet stil bij willen staan, maar nu het overal zo stil was kon hij de gedachte niet meer terugdringen. Hij zag hoe de aanvaller met zijn opgeheven zwaard Tobin vanachteren aanviel. Hij probeerde nog bij hem te komen maar twee anderen hadden zijn weg geblokkeerd. Hij wilde op de aanvaller springen maar wankelde en was gestruikeld. Het zou te laat zijn geweest voor Tobin als Broer niet plotseling was opgedoken.

Tobin had hem ook gezien en wist dat het Broer was en niet Ki die hem het leven gered had. Ki had de grootste fout begaan die een schildknaap kon maken: je laten scheiden van je meester in het heetst van de strijd.

Was Tobin daarom misschien zo stil?

Quirion wankelde eindelijk de open plek op met een smoesje over paar-dendieven die hij achternagezeten had. Maar iedereen zag dat zijn zwaard brandschoon was en hij durfde ook niemand in de ogen te kijken. Hij knielde neer bij het lichaam van zijn schildknaap Arius, trok zijn cape over zijn hoofd en snikte zachtjes.

Nou ja, ik ben er tenminste niet tussenuit geknepen, dacht Ki.

Ongeveer een uur later weerklonk een enthousiaste roep vanuit de boom van-waar Dimias de omgeving in de gaten hield.

'Nog meer bandieten?' riep Tobin en hij trok zijn zwaard.

'Nee joh, het zijn de onzen. Op zijn elfendertigst, maar alla.' Dimias liet zich nors naar beneden glijden. 'Ze hebben ons dus inderdaad niet nodig ge-had.' Korin kwam in zicht naast Ahra en Porion. De anderen begonnen te jui-chen, maar één blik op Ahra en Ki wist dat er iets helemaal fout zat. Korin was ook niet zichzelf, ondanks de vette bloedrode strepen op zijn kaken.

'Wat is er gebeurd?' vroeg Nikides toen ze waren afgestegen.

'We hebben ze in de pan gehakt,' antwoordde Korin grijnzend, maar zijn ogen stonden leeg. De andere Gezellen waren eveneens met bloed besmeurd en sloegen zichzelf op de borst, maar Tobin merkte wel dat er enkele steelse blikken op Korin geworpen werden, achter zijn rug natuurlijk. Caliëls arm hing in een reep linnen en Tanil zat achter op Lynx' paard, zo wit als een doek.

Ki probeerde Porions blik te vangen, maar Porion trok waarschuwend zijn wenkbrauwen op en riep: 'Prins Korin is met bloed getekend. Ik roep hem uit tot strijder!'

Nog meer gejuich steeg op. Iedereen droeg de begeerde strepen behalve Quirion, die zich snotterend in een donker hoekje verborg. Caliëls schild-knaap, Mylirin, had een pijl in zijn schouder gekregen, maar zijn maliënkol-der had de punt tegengehouden; hij hield er wel een lelijke schaafwond aan over. Zusthra liet trots een zwaardsnee op zijn wang zien en Chylnir hinkte rond, maar de rest van de Gezellen was redelijk ongeschonden uit de strijd ge-komen. De gardisten en Ahra's ruiters waren minder gelukkig. Er waren min-stens twaalf in doeken gewikkelde bundels en veel gewonden.

Ze hadden de ontvoerde vrouwen ook nog bij zich, tenminste, degenen die het hadden overleefd. Het was een geteisterd, hologig stelletje, van wie som-migen niet meer aanhadden dan wat lompen of een deken. Ahra's vrouwen verzorgden hen, maar toen Ki in die lege gezichten keek, meende hij dat Innis misschien toch de spijker wel op zijn kop had geslagen.

Tobin had hem tijdens hun wacht over Una verteld en Ki wilde haar dolgraag zien. Het duurde even voor hij haar herkende. Vuil en met wilde haren, zoals elke gewone soldaat, was ze bezig de arm van een van haar kameraden te verbinden.

'Hallo,' zei ze en ze glimlachte even toen ze hem zag. 'Jij ook nog bedankt, hè. Jullie waren prima leraren.'

'Blij dat te horen.'

Ze knikte en ging verder met haar werk.

'Het was een zware strijd, maar we hebben dat rattennest toch maar mooi uitgeroeid,' zei Korin. Zijn bravoure verdween even toen Tobin hem Arius liet zien en vertelde wat Lutha was overkomen. Maar toen Tobin zijn gevallen vrienden uit zijn garde noemde, haalde Korin zijn schouders op. 'Tja, dat is nou eenmaal het risico van het vak.'

Korin had bevolen de dode bandieten en hun kamp in brand te steken. Toen ze het bos uitreden zag Ki achter zijn rug een rookpluim boven de bomen opstijgen.

Dat gezicht vrolijkte hem wat op. Het was ze gelukt. Hij en Tobin hadden hun aandeel geleverd en konden een tweede strijd aangaan, als het nodig was. Ki bedankte zelfs Broer in stilte. Maar hij hield Korin in de gaten terwijl ze terugreden. De prins was te stil en zijn gelach klonk geforceerd.

Ze reden op hun dooie gemak en het was geen probleem voor Ki om zich aan te sluiten bij de colonne van zijn zuster. Hij reed een tijdje naast Una, die ergens achterin reed.

'Wat is er nou gebeurd?' fluisterde hij.

Una's zwijgen en haar waarschuwende blik vertelden hem alleen dat er inderdaad iets niet in de haak was met het gevecht in het bandietenkamp.

35

Zodra Rilmar in zicht kwam, galoppeerden Tobin, Ki en Nikides vooruit om te horen of Lutha het overleefd had. Sekora zat somber in de
hal. Larenth zat met Barieus voor de haard. De schildknaap zat met
zijn handen voor zijn gezicht geslagen en schudde langzaam het hoofd terwijl
Larenth met diepe stem opvallend vriendelijk tot hem sprak.

'Hoe is het met Lutha?' vroeg Tobin.

'De drysiaan is bij hem.' Sekora wees naar de zitkamer waar ze Larenth de
vorige dag hadden begroet. 'Het schreeuwen is net opgehouden. De helers laten niemand binnen, op mijn meid Arla na, die ze water en zo brengt.'

Ze gingen bij Barieus zitten, maar waren veel te rusteloos. Korin en de anderen kwamen beneden binnen, Tobin kon een paar van hen horen lachen.
Zelfs de gewonden waren opgewekt, ze hadden een knap staaltje werk geleverd.

De andere Gezellen kwamen de trap op en sloten zich bij hen aan. Lynx
kwam dicht bij Barieus zitten om zwijgend wat steun te bieden.

'Die bandieten van je zijn over de kling gejaagd, heer Larenth,' zei Korin.

Tobin kon de uitdrukking van de oude heer niet zien toen hij zijn goede
oog naar de prins keerde. 'Jullie zijn er ook een stel kwijt, hoorde ik?'

'Ja, helaas wel.'

'Brandewijn, Sekora!' riep Larenth. 'Laten we drinken op de doden, en op
degenen die zijn teruggekeerd.'

Een bediende bracht hen doffe zilveren bekers en Sekora schonk in. Tobin
deed zijn plengoffer op de vervuilde biezen op de grond, en dronk de rest in
één teug op. Hij had nooit veel gegeven om sterkedrank, maar nu merkte hij
dat de brandende vloeistof hem goed deed. Hij begon zich slaperig en warm te
voelen, het gerinkel in de keuken en het vertrouwde geklets van de bedienden
leken allemaal ver weg. Korin en een paar van de oudere jongens gingen naar

buiten, maar Tobin bleef bij Barieus en zijn vrienden wachten op nieuws.

'Ik heb hem in de steek gelaten,' kreunde Barieus. 'Ik had nooit vooruit moeten rennen!'

'Ik hoorde anders dat hij zei dat je vast moest gaan,' zei Lynx.

Maar de schildknaap was ontroostbaar. Hij gleed van de bank en ging op de grond zitten, met zijn hoofd op zijn knieën, zijn armen eromheen geslagen.

Het avondmaal werd opgediend en werd onaangeroerd weer meegenomen. Pas toen verscheen een oude man in een bruine pij, die zijn handen aan een bloederige lap afveegde.

'Hoe is het met hem?' wilde Tobin weten.

'Verrassend goed,' antwoordde de drysiaan. 'Taaie rakker, die kleine.'

'Gaat hij niet dood?' riep Barieus die opsprong met hoop in zijn roodomrande ogen.

'Dat is nog altijd in de handen van de Maker, maar de pijl heeft alleen de rand van één long geraakt. Twee vingers naar links en hij was dood geweest. De andere long geeft hem lucht genoeg om de nacht door te komen. Als de wond niet gaat etteren, wordt hij gauw weer beter.' Hij wendde zich tot Sekora. 'Hebt u genoeg honing in huis, vrouwe? Er is niets beters voor een snelle genezing dan een honingkompres. Mocht dat niet helpen, laat de honden dan de wond schoonlikken. Iemand moet vannacht de wacht houden om erop te letten dat hij blijft ademhalen. Als hij de ochtend haalt, maakt hij een goede kans.'

Barieus was al weg voor de oude man uitgesproken was.

Tobin liep achter hem aan. Lutha lag hijgend op een veldbed bij de haard. Zijn ogen waren gesloten, en zijn gezicht was asgrauw op de blauwe zweem van zijn lippen en de donkere kringen om zijn ingevallen ogen na. Barieus knielde neer en veegde zijn ogen af. Tobin knielde naast hem neer. 'Kun je een Dalna-amulet maken?' vroeg Barieus.

Tobin keek naar het met bloed bevlekte paardje dat Lutha om zijn nek droeg; dat had hem weinig geluk gebracht. Maar hij knikte toch maar, om de schildknaap te troosten. 'Ik zal de drysiaan vragen wat ik ervoor nodig heb.'

Toen ze allemaal een handvol aarde, graan en wierook op het huisaltaar hadden verbrand, gingen de Gezellen rond de keukenhaard zitten, wachtend op hun beurt van Lutha's wacht. Quirion zat iets van hen af, te beschaamd om wie dan ook in de ogen te kijken. Tobin had hem niet verraden, maar toch wist iedereen dat hij gedeserteerd was.

Afgemat als hij was viel Tobin ten slotte in slaap, al was dat niet zijn bedoeling geweest. Toen hij een tijdje later wakker schrok, was het vuur in as veranderd en het huis was in diepe rust. Hij lag op zijn zij, met zijn hoofd op Ki's been. Ki snurkte zachtjes boven zijn hoofd, leunend tegen de houtmand. Aan de andere kant van de haard kon hij Nikides tegen Ruans schouder zien leunen. Korin, Caliël en Lynx waren verdwenen.

Tobin vond een kaars op de schoorsteenmantel en stak hem met een gloeiende houtspaander aan, en liep voorzichtig langs de kasten en voorraadmanden naar de trap. Hij was bijna bij de eerste tree toen een donkere gestalte zich losmaakte uit de schaduwen en zijn arm aanraakte. Het was Ahra.

'Als je je neef zoekt, die zit bij de gewonde jongen,' fluisterde ze. 'Ik zou hem daar maar laten zitten, als ik jou was.'

'Wat is er toch gebeurd, Ahra?'

Ze legde een vinger tegen haar lippen, kneep de kaars uit en bracht Tobin door een donker gangetje naar een maanbeschenen zijerf met een bemoste stenen put. Ahra schoof het houten deksel weg en hees de emmer omhoog, doopte er een scheplepel in en gaf hem aan Tobin. Het water was koud en smaakte zoet. Hij gaf de lepel terug nadat hij alles had opgedronken.

'Wat is er gebeurd?' vroeg hij weer.

'Hier, kom dicht bij me zitten,' zei ze en ze ging op de stenen rand zitten. 'We mogen het er niet over hebben, maar de anderen hebben het gezien, dus dan mag jij het ook wel weten.' Ze drukte haar vuisten tegen haar knieën en Tobin begreep dat ze razend was.

'Het roversnest lag in een dal, ongeveer een kwart mijl van jullie open plek. We kwamen de verkenners tegen en ze zeiden dat het er verlaten bij lag; geen enkel teken van gewapende mannen. Ik voelde aan mijn water dat er iets niet in de haak was en wilde het de prins vertellen. Dat deden zijn kapitein en Porion ook, maar hij wilde er niets van weten en gewoon doorzetten.

We kwamen bij de rand van het woud en het zicht was vrij. Aan een riviertje stonden tenten en houten hutjes. Bij het vuur zat een stelletje vrouwen, maar van mannen geen spoor. Om het kamp heen was weidegrond, daarin konden ze zich niet schuilhouden. "Ze zullen ook niet in bed liggen," zei ik tegen de prins maar hij zei: "Die liggen vast hun roes uit te slapen. Het is schorriemorrie, het zijn geen soldaten."

Maar een heleboel bandieten waren vroeger, voor ze vrijbuiters werden, soldaat. Dat probeerde ik hem uit te leggen, maar hij was niet geïnteresseerd. Toen wees Porion hem erop dat er twee grote paardenkralen waren, met maar drie paarden erin. Elke malloot kon zien dat de mannen hem gesmeerd waren, maar de prins wilde kost wat kost aanvallen. Hij wilde niet eens een verkenner erop uitsturen. Dus daar ging-ie, vastbesloten ze een pak ransel te verkopen, luide kreten slakend. De Gezellen waren al net zo fel, dat moet ik ze nageven. Als de vijand in bed gelegen had, zouden ze de rovers een rolberoerte hebben bezorgd. Als.

We stormden het kamp binnen en geen mens kwam ons tegemoet, op die arme vrouwen na. Ze wisten niet waar de mannen waren, maar daar kwamen we snel genoeg achter. Ze hadden gewacht tot we waren afgestegen en ons verspreid hadden om het kamp te doorzoeken, en kwamen toen het bos uit gedenderd, vlakbij waar wij gelopen hadden. Vijftig man te paard die als een lawine de heuvel af kwamen geraasd.'

Ze pauzeerde en zuchtte. 'En de prins stond daar maar; met open mond zag hij ze aankomen. Iedereen wachtte, toen vroeg Porion : "Uw orders graag, heer?" Toen werd hij wakker, maar het was al te laat. Het was al te laat zodra we dat kamp binnenreden.

We hadden geen tijd om op te stijgen of iemand naar jullie te sturen om ons te hulp te komen. De Gezellen en een stel van mijn soldaten gingen om de prins heen staan en zochten naar dekking achter een hooiberg bij de paardenkampen. Alle anderen stelden zich verspreid op. Tegen die tijd stonden hun boogschutters al klaar en het regende pijlen op ons.' Ze schudde het hoofd. 'De prins vocht niet slecht toen hij eenmaal op dreef raakte, maar er waren heel wat lege zadels op mijn paarden omdat hij zonodig een grootscheepse aanval wilde. Maar je hebt hem gehoord: het risico van het vak.'

De bittere toon van haar woorden sprak voor zich. Ze nam nog een slokje water. 'Maar Tharin en de anderen hebben me verteld hoe jij je mannen leiding gaf en hoe dapper je vocht. Een kind van Sakor, dat ben je. Ik was trots op je toen ik het hoorde, maar het verbaasde me niet. Mijn vader had het meteen door, al had hij van je neef geen hoge pet op. En hij heeft het niet vaak mis, die ouwe schobbejak.'

'Bedankt dat je het me verteld hebt,' zei Tobin. 'Ik... ik denk dat ik nu mijn wake bij Lutha ga houden.'

Ze greep zijn arm vast. 'Niet zeggen dat ik het je verteld heb, hè? Maar ik vond dat je het moest weten.'

'Ik zeg geen woord. Nog bedankt.'

Hij was een beetje misselijk toen hij naar de keuken terugliep. Het was nog erger dan hij zich had voorgesteld. Hij stak de kaars weer aan en liep de trap op.

Lutha's deur stond op een kiertje open, en er viel een streep licht over de slapende kinderen en honden in de hal. Tobin liep behoedzaam om hen heen en tuurde naar binnen.

Naast het bed, met een kaarsenstandaard ervoor, stond Larenths leunstoel. Hij was niet naar de deur gericht, dus kon hij Korins profiel zien; hij keek strak naar Lutha's zwoegende borst.

'Waar zijn de anderen?' fluisterde Tobin die de deur achter zich dichtdeed en naderbij kwam. Al na één stap sloeg de dranklucht hem tegemoet; bij de stoel bleek dat Korin een kan wijn in zijn armen hield en dat hij ladderzat was.

'Lynx en Caliël zijn Barieus naar bed brengen. Moesten hem van me wegsleuren hier.' Hij sprak met dikke tong en de woorden kwamen er onduidelijk uit. Korin stiet een spottend lachje uit. 'Beste bevel dat ik vandaag gegeven heb, niet dan?'

Hij hield de kan weer omhoog en slikte luidruchtig. Wijn liep langs zijn hals omlaag, waardoor er nog meer vlekken op zijn smerige hemd kwamen. Hij had zich niet verkleed, noch had hij zich gewassen sinds hun aankomst. Vuile handen had hij; onder zijn vingernagels zat opgedroogd bloed.

Hij veegde zijn mond aan zijn mouw af en lachte verbitterd naar Tobin. 'Jij hebt je goed geweerd, hoorde ik. En Ki ook. Jullie allemaal, op Quirion na dan. Die vliegt eruit, zodra we terug zijn!'

'Zachtjes, Kor. Je maakt Lutha nog wakker.'

Maar Korin raasde maar door, met een bleek gelaat. 'Het was nooit de bedoeling dat ik koning moest worden, weet je. Ik was het vierde kind, Tob. En had nog een zus boven me ook. Dat zouden de Illioranen helemaal mooi gevonden hebben. Dan hadden ze weer een koningin gehad. Gherian en mijn oudste broer Tadir waren voor de troon geboren. Bij de Vier, je had ze eens moeten zien! Die hadden nooit...' Hij nam nog een ferme slok en ging wankelend staan. Tobin probeerde hem te helpen maar Korin duwde hem weg. 'Gaat wel, neevje. Hier ben ik tenminste goed in, niet dan? Waar is Tanil?'

'Hier.' De schildknaap dook op uit een beschaduwd hoekje en sloeg een arm om hem heen. Of hij vol medelijden of vol weerzin keek kon Tobin niet zeggen. Misschien allebei wel.

'Truste, neevje.' Korin probeerde een buiging te maken terwijl Tanil hem meenam.

Tobin hoorde hen struikelen en het protest van een slapend kind, vervolgens gestommel op de trap naar boven.

Tobin ging zitten en keek naar Lutha, en probeerde zijn gedachten op een rijtje te krijgen. Een grove inschattingsfout – en daar was Korin schuldig aan –

werd elke commandant zwaar aangerekend. Het werd de zoon van de koning zelfs zwaarder aangerekend.

En iedereen denkt dat ik een held ben. Zo voelde Tobin zich helemaal niet. Niet met Lutha die hijgend naar lucht hapte om in leven te blijven en met al die doden op de grote binnenplaats.

En daarop volgde een andere gedachte. Jarenlang had hij de betekenis van Lhels onthulling uit zijn hoofd verdreven. Maar toch had de wetenschap wortel geschoten en, net als de distels in de barsten tussen de stenen op het erf, was het idee gestaag gegroeid, alles opzij duwend om het daglicht te zien.

Als ik koningin word, zal Korin een stap opzij moeten doen. Maar dat is misschien ook maar het beste...

Zo voelde het echter niet aan. Tobin had de eerste twaalf jaar van zijn leven zonder dat hij het wist in een valse gedaante geleefd, en de laatste jaren had hij de waarheid genegeerd. Hij hield van Korin en van de meeste anderen. Wat zou er gebeuren als zij erachter kwamen wie hij was, niet alleen dat hij een meisje was, maar dat hij ook nog eens de kroonprins van de troon kwam stoten?

De tijd verstreek bij iedere stijging en daling van Lutha's smalle borst. Klonk zijn ademhaling nu beter, of juist slechter? Het was niet te zeggen. Het klonk niet zo slijmerig meer als het had geklonken, en er kwam geen bloed meer uit zijn mond. Dat was toch een goed teken? Maar het klonk behoorlijk raspend, en soms leek de lucht te blijven steken in zijn keel, waarna de ademhaling weer op gang kwam. Na een tijdje merkte Tobin dat hij zijn ademhaling aan die van Lutha aanpaste, alsof hij hem daardoor op gang wilde houden. Als Lutha's ademhaling stokte, stopte de zijne ook, terwijl hij wachtte op de volgende reutelende inademing. Het was een afmattende bezigheid.

Toen Ruan en Nikides binnenkwamen om de wacht over te nemen was Tobin maar al te blij. Hij moest nodig met iemand spreken.

Hij had geen kaars nodig om de weg naar de verlaten waterput te vinden. Hij fluisterde de woorden die de geest moesten ontbieden. Broer dook op uit de schaduwen en kwam zwijgend voor hem staan.

'Je hebt vandaag mijn leven gered. Nog bedankt.'

Broer staarde hem aan.

'Hoe... hoe heb je me gevonden, zonder de pop?'

Broer raakte Tobins borst aan. 'De binding is sterk.'

'Zoals die keer dat Orun me pijn deed. Toen riep ik je ook niet.'

'Hij wilde je vermoorden.'

Al was het nu zo lang geleden, de woorden deden hem nog altijd huiveren;

316

ze hadden het er nooit over gehad. 'Dat had hij nooit gedaan. Hij zou doodgemarteld worden als hij dat deed.'

'Ik kon zijn gedachten lezen. Ze gingen over moord. Die man vandaag dacht hetzelfde.'

'Maar waarom bemoei je je er dan mee? Je hebt nooit van me gehouden. Je hebt me gepest zoveel je kon. Als ik dood was, zou jij vrij zijn.'

Er trok een grimas over Broers onnatuurlijke trekken. 'Als jij sterft met de binding in je, dan zal geen van beiden vrij zijn, nooit.'

Tobin sloeg rillend zijn armen om zijn borst toen de kou van Broer afsloeg. 'Wat gebeurt er als ik de binding eruit haal?'

'Weet ik niet. De heks zegt dat ik dan vrij zal zijn.'

Tobin kon zich niet herinneren dat hij ooit zo'n direct antwoord van zijn tweelingbroer had gekregen. 'Dan… Dus als ik op het slagveld sta, ben je altijd in de buurt?'

'Tot ik vrij ben.'

Tobin dacht daar even over na, verscheurd door verwondering en wanhoop. Hoe kon hij zichzelf ooit bewijzen als hij altijd bovennatuurlijke hulp zou hebben?

Broer las zijn gedachten en maakte een geluid dat volgens Tobin een lach moest voorstellen; het had meer weg van ratten die door dorre bladeren renden. 'Ik ben je eerste schildknaap.'

'Eerste?' zei Tobin en opeens was hij terug in zijn moeders toren, met haar doodskreet in zijn oren. 'Heb jij haar naar buiten geduwd?'

'Ik heb jou naar binnen getrokken.'

'Maar waarom heb je haar niet gered?' Hij zei het veel te luid en sloeg verschrikt een hand voor zijn mond. 'Waarom niet?' fluisterde hij.

'Haar geest was ook vervuld van jouw dood.'

Hij hoorde het geschuifel van voeten over de stenen en versteende. Ki verscheen in het maanlicht en hij sperde zijn ogen open.

'Ik kan zijn gedachten ook lezen,' fluisterde Broer en vuil grijnzend loste zijn gestalte op.

'Wat moest hij hier nou weer?' vroeg Ki.

Tobin legde zoveel uit als mogelijk was, en het verraste hem dat Ki zo ongemakkelijk keek toen hij zei wat Broer over hem had gezegd. 'Maar Tobin, ik zou je toch nooit kwaad doen!'

'Dat weet ik toch. Dat bedoelde hij ook niet volgens mij. Trouwens, als ik in gevaar was, had hij je allang koud gemaakt, denk ik. Let maar niet op hem. Als jij erbij betrokken bent liegt hij meestal, gewoon om mij een rotgevoel te bezorgen.'

317

'Als ik je ooit aan zou vallen, hoop ik echt dat hij me van kant maakt!' riep Ki uit, veel ontstelder dan Tobin zich had kunnen voorstellen. 'Ik zou het nooit doen, Tob. Dat zweer ik op de Vlam!'

'Ik geloof je wel, heus,' zei Tobin en hij nam zijn vriend bij de hand. 'Kom, we gaan naar binnen. Ik bevries haast. Vergeet hem nou maar.'

Maar toen ze weer bij de keukenhaard zaten, voelde hij stiekem aan het bobbeltje onder zijn huid, en vroeg zich af of hij nou blij zou zijn als hij van Broer verlost was, of juist niet.

36

Tobin kwam nooit te weten wat de koning tegen Korin had gezegd na hun terugkeer in Ero. Ki vroeg zich in stilte af wat Melnoth en de anderen eigenlijk gerapporteerd hadden. De missie was een succes geweest, en dat werd met grote vreugde verkondigd toen ze het hof, met het opgedroogde bloed nog op hun gezicht, bereikten.

Hun leventje veranderde nu wel. In de ogen van iedereen waren het nu rasechte strijders en twee dagen na het Sakorfestival trokken ze weer hun allermooiste kleren aan voor Korins huwelijk.

Een koninklijke bruiloft was een uitzonderlijk en gewichtig evenement, dus werd er overal druk gespeculeerd waarom de bruiloft van Korin zo haastig in elkaar werd geflanst. Er was niet eens genoeg tijd geweest om de aankondiging over het hele land te verspreiden, en de opkomst was dus wat magertjes. Desalniettemin was de hele stad feestelijk versierd toen de grote dag aanbrak en elke tempel liet wolken van naar rozen geurende wierook in de frisse winterlucht opstijgen, met gebeden voor het gelukkige paar.

De plechtigheid vond plaats bij het grote altaar in het Nieuwe Paleis en werd bijgewoond door een menigte familieleden en edelen. Koning Erius zag er schitterend uit met zijn kroon en scepter, zijn rode staatsiegewaad was geborduurd met gouddraad en glinsterende edelstenen. Korin droeg een lange tuniek van hetzelfde ontwerp en een prinsenkroon. Tobin stond in zijn beste tuniek en overkleed naast hen en de rest van de Gezellen stond aan Korins linkerzijde. Het aantal was drastisch afgenomen: Arius was gestorven, Quirion verbannen wegens lafheid, en Barieus was bij Lutha die herstelde op het landgoed van zijn vader bij Volchi in de buurt.

De pijlwond was maar langzaam geheeld, maar daarnaast had hij ook nog een longontsteking opgelopen die hem dichter bij de dood had gebracht dan de pijl. Gelukkig had de drysiaan in Rilmar het bij het rechte eind gehad: Lutha was een vechtertje en sterk genoeg om zijn vrienden te schrijven hoe stierlijk hij zich verveelde in zijn ouderlijk huis. Niemand sprak erover, maar het moest nog maar blijken of hij zijn oude kracht weer zou herwinnen, of dat hij het Gezellenleven vaarwel moest zeggen.

Op de binnenplaats buiten de schrijn wierp een koor van jonge maagden parels en zilveren munten in de lucht terwijl ze een lied zongen dat de komst van het bruidspaar aankondigde. De menigte week uiteen toen ze binnenschreden.

Aliya zag er nu al als een echte koningin uit. Ze droeg een gouden diadeem die eruitzag als een bloemenkrans, en kettingen van parels en gouden kralen waren in haar glanzende kastanjebruine lokken gevlochten. Meer parels en kralen van gele kwarts en amber sierden haar glanzende gewaad van bronskleurige zijde. Een slim naaistertje had de taille verhoogd om de ronding van de buik van de bruid te verhullen.

Korin, die naast zijn vader en de hogepriesters van de Vier stond, nam de bruid over van haar vader en zij knielden neer voor Erius.

'Vader, ik stel u voor aan vrouwe Aliya, dochter van hertog Cygna en diens vrouwe, hertogin Virysia,' zei Korin plechtig, maar luid genoeg om door iedereen te worden gehoord. 'Voor de goden en deze getuigen, vraag ik u nederig om uw zegen.'

'Geeft gij uw dochter vrijwillig aan mijn zoon?' vroeg Erius aan haar ouders die vlak achter het paar stonden.

De hertog legde eerbiedig zijn zwaard aan de voeten van de koning. 'Jawel, Uwe Majesteit.'

'Moge het bloed van onze huizen voor altijd één blijven,' zei hertogin Virysia die de koning de symbolische bruidsschat in de vorm van een duif in een kooitje overhandigde.

Erius glimlachte naar Korin en Aliya. 'Dan ontvangen jullie hierbij mijn zegen. Sta op, mijn zoon, en laat me mijn nieuwe dochter omhelzen.'

Aliya stond blozend van blijdschap op. Erius nam haar handen in de zijne, kuste haar op beide wangen en fluisterde haar iets in het oor waardoor ze nog feller kleurde. Met schitterende ogen kuste ze zijn handen.

Erius draaide het koppel met hun gezicht naar de menigte, nam hun beider handen en legde zijn eigen hand erbovenop. 'Aanschouwt, edelen van Ero, uw toekomstige koning en koningin. Stuur koeriers door het ganse koninkrijk!'

Iedereen juichte en gooide gierst in de lucht om het paar een vruchtbare toekomst toe te wensen. Tobin zag Ki in lachen uitbarsten en moest er zelf ook een beetje om grinniken.

De huwelijksafkondiging werd dezelfde ochtend herhaald voor de stadsbevolking. Naar oud Skalaans gebruik gaf de koning een groots feest dat tot in de kleine uurtjes duurde. Overal in de stad brandden vreugdevuren en lange tafels vol heerlijkheden stonden op hetzelfde plein opgesteld waar het podium voor de executie had gestaan. Het gerucht deed de ronde dat de tafels van hetzelfde hout vervaardigd waren.

De voornaamste gildenmeesters en kooplieden konden daaraan plaatsnemen; anderen stonden rondom het plein of keken toe vanuit ramen en vanaf de daken. Eten werd bij karrenvrachten tegelijk aangevoerd, rivieren van wijn vloeiden over het plein en toen de nacht viel, verlichtte het Zengatese vuurwerk nog urenlang de hemel.

Tobin en de andere Gezellen keken ernaar vanaf de besneeuwde daktuin op het Nieuwe Paleis. Ergens beneden hen hadden Korin en zijn prinses hun nieuwe vertrekken in gebruik genomen. Zusthra en Alben fantaseerden er lustig op los over wat zich daar momenteel afspeelde.

Tobin en de anderen schonken geen aandacht aan die twee en hadden het over de gebeurtenissen van de volgende dag. Tegen het middaguur zouden ze allemaal scheep gaan met de toekomstige koning en zijn gemalin op hun hofreis langs de kustplaatsen. Ze hadden al weken toegekeken hoe de schepen op de tocht werden voorbereid. Behalve het koninklijke schip voer er een ware vloot van andere schepen mee waarop Korins gardisten, entertainers, paarden, en een legertje bedienden meevoeren, naast een schip waarop al het eten en drinken voor de hele hofhouding opgeslagen was. Ze zouden een jaar wegblijven.

'Ach, het kost een lieve duit,' merkte Ki op. 'Maar dan heb je ook wel een wereldreis.'

Het vuurwerk boven hun hoofden was nog in volle gang toen ze iemand de trappen op hoorden rennen.

'Prins Tobin! Waar bent u, meester?' riep een paniekerig piepstemmetje uit.

'Hier, Baldus! Wat is er aan de hand?'

Een fantastische witte sterrenregen verlichtte het bleke gezicht van de page toen hij hem bereikte. 'O, kom alstublieft mee naar beneden. Er is iets vreselijks gebeurd.'

Tobin greep hem bij de schouders. 'Wat is er dan? Is er iemand gewond?'

'Aliya!' zei Baldus buiten adem en helemaal van streek. 'Ze is ziek, zegt haar kamermeisje. Prins Korin weet niet waar hij het zoeken moet!'

Tobin rende naar de trap. Pas toen hij beneden in de verlichte gang was, merkte hij dat Caliël mee was gekomen. Geen van beiden zei een woord terwijl ze door de eindeloze gangen en over binnenplaatsen naar Korins vertrekken renden. Ze sloegen een laatste hoek om en botsten bijna op tegen een lakei in het livrei van hertog Cygna. Achter hem stond een stel edelen op een kluitje voor Korins deur.

'Talmus, wat is er gebeurd?' vroeg Caliël.

De bediende verbleekte. 'De vrouwe... de prinses, heer. Ze is ziek. Ze bloedt.'

Caliël greep Tobins arm. 'Ze bloedt?'

Tobin verstijfde. 'Het is toch niet de pest?'

Talmus schudde zijn hoofd. 'Nee, hoogheid, niet de pest. De drysianen zeggen dat ze het kind kwijtraakt.'

Tobin plofte neer op een van de stoeltjes die langs de gang stonden opgesteld, te ontzet en verdrietig om wat te zeggen.

Caliël ging naast hem zitten en ze luisterden naar het geween van de vrouwen aan het andere eind van de gang. Nu en dan werd een gesmoorde kreet vanuit de kamer gehoord.

De koning voegde zich al spoedig bij hen. Zijn gezicht was rood aangelopen omdat hij nogal veel wijn gedronken had, maar zijn ogen stonden helder. Hij beende langs Tobin en de groep mensen week uiteen om hem door te laten en hem binnen te laten gaan. Toen de deur openging, meende Tobin dat hij Korin hoorde huilen.

Pas bij het krieken van de dag was alles voorbij. Aliya had het overleefd, maar het kind niet. Daar moesten ze de Maker maar dankbaar voor zijn, murmelden de drysianen. Het kindje, dat nog maar zo groot was als een salamander, had geen gezichtje en geen armen.

DEEL 3

De oorsprong van Skala's zogenoemde Derde Orëska blijft in een sluier van raadselen gehuld, al lijdt het eigenlijk geen twijfel dat het wortel schoot in een verbond dat ontstond ten tijde van de regering van Erius de Priestermoordenaar, zoon van Agnalain de Waanzinnige.

Tovenarij was geheel ingeburgerd bij de Skalanen – het onvoorziene en, volgens velen, ongelukkige resultaat van het vermengen van onze twee volkeren. Maar de krachten van de Skalaanse tovenaars waren grotendeels inferieur aan die van ons, en werden nog verder ontkracht door het verlies van zoveel machtige magiërs gedurende de Oorlog der Zwarte Tovenaars.

Er zijn wetenschappers die veronderstellen dat Aura zelf een rol speelt bij het werk van de Skalanen. Hoe kunnen we anders de opkomst verklaren van een generatie hagenheksen en eenvoudige benevelaars die niet alleen de handen ineensloegen, maar ook ware macht verkregen? Toch vraag ik me af waarom deze nieuwgevormde krachten in de afgelopen eeuwen dan zo'n schrikbarend andere vorm hebben aangenomen. Het Derde Orëska wijst elke vorm van zwarte magie fel van de hand en de genoemde voorschriften van hun voornaamste school verbieden elke studie over dit onderwerp, en toch ben ik er zelf getuige van geweest dat zij bloedmagie toepasten, en contacten met doden zijn ook niet onbekend. Zoals Adin í Solun opmerkte in het derde deel van zijn Historiën: '*Ondanks de banden tussen onze twee landen op zowel historisch als economisch gebied, zou men nimmer moeten vergeten dat Skala gedurende haar vroegste geschiedenis altijd haar gezicht naar Plenimar heeft gewend, en niet naar Aurënen.*'

Sinds mijn verblijf in die hoofdstad kan ik instaan voor de befaamde gastvrijheid van het Orëskahuis, maar de sluier van heimelijkheid is blijven bestaan; de namen van de Stichters worden nergens genoemd of besproken, en de paar verslagen die door wetenschappers uit het verleden zijn gemaakt spreken elkaar allemaal tegen, waardoor alle hoop de waarheid boven water te krijgen de bodem ingeslagen wordt.

Passage uit Oriena ä Danus van Khatme's
Verhandeling over Buitenlandse Magieën

37

Het was Tharin die Arkoniël de miskraam van de prinses meldde. Tobin en Ki hadden de gebeurtenissen van dichtbij meegemaakt, maar konden het niet opbrengen erover te schrijven.

'Het was maar goed ook,' schreef Tharin en hij verwees naar de mismaaktheid van het kind.

'Het is de wil van Illior,' mompelde Nari. Het was een bitterkoude midwinternacht en ze zaten samen in de keuken voor de haard met hun mantels om en hun voeten op de hete stenen rondom. 'De koning heeft ook nooit meer een gezond kind verwekt nadat zijn kleintjes gestorven waren. Nu is die vloek op zijn zoon overgegaan. Voordat Iya me naar Rhius' huis bracht, had ik Illior nooit als een wrede god beschouwd.'

Arkoniël staarde in de vlammen. Na al die jaren waren de herinneringen nog steeds niet vervaagd. 'Kennis en waanzin.'

'Wat bedoel je?'

'Iya heeft me eens verteld dat alleen tovenaars het ware gezicht van Illior kunnen zien; dat alleen wij de kracht van de macht van deze god kunnen ervaren. Dezelfde kracht die kennis geeft kan ook waanzin voortbrengen. Er zit een bedoeling in alles wat gebeurd is en alles dat nog te gebeuren staat, maar soms komt dat inderdaad wreed over.'

Nari zuchtte en trok haar mantel strakker om zich heen. 'Maar toch is hij niet wreder dan de koning en zijn Haviken die al die meisjes gedood hebben, hm? Ik droom nog wel eens van het gezicht van de hertog, de blik in zijn ogen terwijl ze over die arme Ariani gebogen stonden, en al die soldaten beneden. Die heks heeft wel goed werk verricht die nacht. Wat zou er toch met haar gebeurd zijn?'

Arkoniël schudde zijn hoofd en hield zijn blik op de vlammen gericht.

'Weet je, en dat moet je niet verder vertellen, maar ik denk wel eens dat Iya haar van kant gemaakt heeft. Ze is familie van me en ik respecteer haar natuurlijk, maar die nacht was ze volgens mij tot alles in staat.'

'Ze heeft haar niet gedood. Al had ze het gewild, dan betwijfel ik nog of het haar gelukt zou zijn.'

'Meen je dat? Nou, ik ben blij dat te horen. Ten minste één dode minder op haar geweten.'

'En op het mijne,' zei Arkoniël zacht.

'Jij bent uit ander hout gesneden dan Iya.'

'O ja?'

'Tuurlijk. Dat zag ik die eerste avond al. En heb je er nooit bij stilgestaan dat de demon jou nooit meer iets heeft gedaan sinds die ontmoeting waarbij hij je pols brak?'

'Hij maakte mijn paard aan het schrikken en het beest begon te bokken zodat ik viel. Hij heeft me nooit met één vinger aangeraakt.'

'Nou, dat bewijst het wel. Maar Iya kan elke keer dat ze verschijnt op een aanval rekenen.'

'Hij heeft eens met me gepraat. Hij zei dat hij mijn tranen kon proeven.' Nari keek hem vragend aan. 'Ik huilde toen ik hem begroef. Mijn tranen zijn op zijn lichaampje gevallen. Dat betekende wel iets voor hem, waarschijnlijk.'

Nari was er even stil van. 'Op zijn moeder na ben jij dan de enige die om hem heeft gehuild. Rhius vergoot alleen tranen voor zijn vrouw. Jij bent ook degene die terugkwam om voor Tobin te zorgen. En nu heb je al die andere kleintjes om voor te zorgen. Dat zie ik haar nog niet doen, jij wel?'

'Ze zouden hier helemaal niet zijn als zij er niet voor had gezorgd dat ze kwamen,' bracht hij haar in herinnering. 'Dat visioen dat zij en de rest hadden, daar heb ik nooit wat van gemerkt. Nooit.'

Steeds meer tovenaars vonden hun weg naar de burcht, alleen of in groepjes. Tegen de tijd dat er een brief binnenkwam over Korins huwelijk en Aliya's miskraam, waren er zes nieuwe vluchtelingen aangekomen, met een handjevol bedienden erbij. Een kleine kudde paarden en ezels graasden op een open plek in het bos, verborgen voor de spiedende ogen van marskramers.

Cerana, een oude vriendin van Iya, kwam in de herfst als eerste. Lyan en Vornus reden samen vrij snel daarna de brug over, een paar oude grijsbebaarde tovenaars in hun vierde tijdperk, en ze werden alleen vergezeld door een bejaarde bediende die Cymeus heette. De twee tovenaars kletsten zo gemoedelijk met elkaar alsof ze man en vrouw waren; Arkoniël had het vermoeden dat ze ook niet veel met het celibaat opgehad hadden, lang geleden.

Melissandra, een tovenares uit het zuiden, volgde spoedig, in het holst van de nacht als een door de storm op drift geraakte trekvogel. Met haar donkere ogen en zwijgzame aard zag ze er door haar angst jonger uit dan ruim honderd jaar. Ze was in goeden doen geweest voordat de Haviken hun klauwen naar haar uitstaken; haar kamermeid, Dar, beheerde de geldkist.

Met de eerste sneeuw arriveerde ook Hain. Een stevige, doodgewone jongeling met een onregelmatig sikje, die leerling geweest was toen Arkoniël hem de laatste keer sprak. Maar net als de oude tovenaars zinderde hij van ware toverkracht, al was hij arm en onervaren.

Heer Malkanus en zijn kleine hofhouding haalden de burcht net vóór de sneeuw de wegen blokkeerde. Hij was maar een dertigtal jaren ouder dan Arkoniël en had geen bijzondere talenten, maar hij genoot het mecenaat van een rijke weduwe in Ylani, en hij stapte behalve met drie bedienden, ook met een kist vol goud en een hoge dunk van zichzelf binnen. Arkoniël had de man nooit gemogen. Malkanus had altijd al op anderen neergekeken, en vond dat hij en verder hoogstens Iya heel wat meer in huis hadden dan al die andere zwervende armoedzaaiers.De tijd noch de omstandigheden hadden zijn houding jegens anderen veranderd. Het speet Arkoniël dat Iya hem een van haar toversteentjes had gegeven, en hij snapte niet wat de Lichtdrager in die man zag dat hij hem een visioen gegeven had.

Kamers werden gestoft, bedden en strozakken opgesnord, en spoedig had iedereen een eigen, min of meer comfortabel plekje gevonden. Malkanus had natuurlijk stampij gemaakt over het delen van een kamer, dus gaf Arkoniël hem een oud slaapkamertje op de tweede verdieping, en vond het niet nodig hem iets te vertellen over de andere bewoonster van dat deel van het huis. Het stelde hem eigenlijk teleur dat Ariani helemaal geen aandacht schonk aan de nieuwe logé.

Kokkie en Nari waren in hun nopjes met zoveel gasten en de bedienden vervulden hun vele huishoudelijke taken gewillig. De burcht begon er weer als een echt huis uit te zien, ondanks het wat ongewone karakter van de bewoners.

Arkoniël had nog nooit zoveel tovenaars op één plek bij elkaar gezien, en hij moest er even aan wennen. Je wist nooit of je niet per ongeluk in de hal tegen iemand opliep die onzichtbaarheid of een zweefvlucht aan het oefenen was, maar het gezelschap deed hem goed. Lyan en Vornus waren zeer machtig en Hain had grote aanleg. Melissandra was wat minder sterk, maar een meester in afweerformules en blokkades en al snel zoemden de weide en de wegen

rondom de burcht van de alarmsystemen. Arkoniël haalde dankzij die bescherming wat opgeluchter adem. Ze ging ook leuk met de kinderen om en
hielp, samen met Lyan en Vornus, Arkoniël met hun lessen. Kleine Wythnir
werd op slag verliefd op haar en Arkoniël vreesde dat hij zijn eerste leerling
spoedig kwijt zou raken.

Hij drong er ook op aan dat alle tovenaars een handje hielpen met het testen van de kinderen – waartoe ze in staat waren en welke specialiteit hen aangeleerd kon worden. Kaulin en Cerana beoefenden kleine betoveringen en
huis-, tuin- en keukenmagie. Lyan kon boodschappen versturen in de vorm
van lichtpuntjes, een zeer bijzondere kunst. Vornus en Melissandra hadden
speciale interesse in transformatiebezweringen en hadden iets met blokkades
en sloten. Eyoli's geestbenevelende vaardigheden waren weliswaar simpel van
karakter maar hadden grote praktische waarde. Helaas waren ze niet zo eenvoudig aan te leren. Je werd ermee geboren of niet, net als iemand die van zijn
tong een rolletje kan maken of een eenmaal gehoord wijsje meteen na kan zingen. Wythnir en Arkoniël konden een illusie een paar seconden volhouden,
maar de anderen lukte het gewoon niet.

Het waren allemaal handige trucs, maar het was de hooghartige ijdeltuit Malkanus die hen allen verraste met zijn gevaarlijke talent om vuur en bliksem te
manipuleren. De kinderen mochten deze formules niet leren, maar Arkoniël
vroeg hem samen te werken met Ethni en de volwassenen, want, zo zei hij: 'Als
de Haviken besluiten ons met een bezoekje te vereren, wil ik hen wel duidelijk
laten weten hoe welkom ze hier zijn.'

Toen de winter doorzette bleek echter dat vele bezweringen, en vooral de
moeilijke, niet door iedereen aangeleerd konden worden.

Zoals hij al had verwacht waren Virishans wezen tot niet meer in staat dan
de allersimpelste spreukjes. Maar Wythnirs talent ontwikkelde zich razendsnel. De jongen bloeide op met zoveel leraren, en tegen midwinter kon hij een
kastanje in een zilveren vingerhoed veranderen en was het hem gelukt om een
paar stallen in brand te steken toen hij probeerde een bezwering van Malkanus te herhalen die hij stiekem had afgeluisterd. Arkoniël gaf hem een flink
standje maar in zijn hart was hij trots op de jongen.

De bedienden kwamen al net zo van pas als hun meesters. Noril en Semion, twee leden van Malkanus' hofhouding, konden uitstekend met paarden omgaan, en de derde, Kiran, maakte speelgoed voor de kinderen van hout
en lapjes. Vornus' bediende Cymeus was een vakkundig timmerman en hield
zich bezig met kleine reparaties in en om het huis. Met alleen repareren was

hij nooit tevreden als hij een constructie kon verbeteren. Daarom rustte hij de put uit met een houten arm met een gewicht aan het eind, zodat zelfs de kleine Totmus een emmertje water op kon takelen door met zijn hand op de arm te drukken. Hij liet Kokkie zien hoe ze haar almaar groeiende moestuin kon bevloeien met een irrigatiesysteem, bestaande uit een watercisterne op het dak en wat pijpen van klei. Bovendien voorzag hij de houten wastobbe in de keuken van een afvoerpijp, zodat ze de zware tobbe niet meer steeds om hoefde te keren om hem te legen, maar gewoon de stop eruit kon trekken.

'Heb je ooit zoiets handigs gezien?' riep ze uit toen ze allemaal kwamen kijken hoe het water kolkend de afvoer instroomde en er in de tuin weer uitkwam.

Cymeus, een grote, baardige beer, bloosde als een jonge meid en gromde: 'Heb ik gewoon eens opgepikt tijdens onze reizen. Niks bijzonders, hoor.'

'Je bent veel te bescheiden, kerel,' zei Vornus grinnikend. 'Hij is een tovenaar, Kokkie, alleen zonder magie.'

Arkoniël was voorzichtig in het tonen van zijn eigen magie, want die had onherroepelijk raakpunten met die van Lhel. Bezweringen die hij als vanzelfsprekend beschouwde zouden verraden wie zijn geheime lerares was. En Lhel drong nog harder aan op geheimhouding dan Arkoniël nodig vond.

'Hoe zou je mijn aanwezigheid hier willen verklaren, nou?' vroeg ze toen hij een nacht onder haar bontvellen doorbracht.

'Heb ik niet over nagedacht. Kunnen we niet gewoon zeggen dat je uit de heuvels bent gevlucht en hier bent gaan wonen?'

Ze streelde zijn wang en glimlachte. 'Je kent me nu al zo lang dat je vergeten bent hoe je eigen soort op mijn ras reageert. En over je eigen soort gesproken, heb je dat knappe vogelmeisje nu al eens tussen je lakens gekregen?'

'Eén keer,' gaf hij toe, want waarschijnlijk wist ze dat allang en had liegen geen zin.

'Eén keertje maar? En wat heb je ervan geleerd?'

'Waarom tovenaars zweren celibatair te blijven.' Lhel was dan wel niet knap, of jong, maar haar kracht maakte haar aantrekkelijker voor hem dan wie dan ook, zowel wat haar hart als haar bed betrof. Als hij met haar paarde leek hij wel door de bliksem te worden getroffen. Met Ethni bleef het donker vanbinnen. Zijn kracht stroomde in haar maar er kwam niets voor terug, op een beetje liefde na misschien. Het fysieke deel stelde niets voor in vergelijking met de vermenging van magische krachten. Hij had geprobeerd zijn teleurstelling te verbergen, maar Ethni had het aangevoeld en was niet meer naar zijn bed gekomen.

'Jouw Lichtdrager stuurt je een smal paadje op,' zei Lhel toen hij probeerde het haar uit te leggen.

'Maar is het bij jullie dan anders? Jullie kunnen kinderen krijgen, al hebben jullie magische krachten,' vroeg Arkoniël.

'Ons ras is heel anders. Dat ben je inmiddels vergeten. In de ogen van jouw nieuwe vrienden ben ik niets meer dan een zwarte tovenares. Die verwaande vuurtovenaar zou me meteen in een hoopje as veranderen als hij me zag.'

'Dan zou hij eerst met mij te maken krijgen,' verzekerde Arkoniël haar, maar hij snapte wel degelijk dat ze gelijk had. 'Dat verandert nog wel,' beloofde hij. 'Dankzij jou zal Skala weer een koningin krijgen.'

Lhel keek naar de schaduwen boven haar bed. 'Ja, dat zal nu spoedig gebeuren. Het wordt tijd dat ik mijn belofte waarmaak.'

'Welke belofte?' vroeg hij.

'Ik moet je laten zien hoe je Tobin van Broer kunt scheiden.'

Arkoniël ging rechtop zitten. Daar had hij nu jaren op gewacht. 'Is het moeilijk? Duurt het lang om het onder de knie te krijgen?'

Lhel boog zich voorover en fluisterde hem wat in het oor.

Arkoniël keek haar met grote ogen aan. 'En dat is het? Dat is alles? Maar…waarom heb je er dan altijd zo geheimzinnig over gedaan? Dat had je ons al jaren geleden kunnen verklappen en dan had je hier niet jarenlang in je eentje hoeven zitten!'

'Niet alleen daarom liet de Moeder me hier mijn intrek nemen. De binding verbreken mag dan eenvoudig zijn, maar wie zou de nieuwe binding kunnen vlechten als dat nodig mocht zijn? En misschien had je je pink nog wel gehad, maar de magie die je nu geschapen hebt is ook wat waard. De Moeder voorzag dat en ik moest zijn waar ik moest zijn.'

'Je hebt gelijk. Ik flapte er zomaar wat uit.'

'Omdat het zo eenvoudig is de binding te verbreken, is het extra noodzakelijk om het geheim te houden. Zou je dat ongelukkige kind met die kennis willen opzadelen?'

'Nee.'

'En vergis je niet,' zei ze en ze kroop weer onder de vachten. 'Het mag dan een ingreep van niks zijn, maar ze zal er alle moed voor nodig hebben die ze bezit.'

Lhels woorden bleven in Arkoniëls geest rondspoken, maar er waren dichter bij huis andere zorgen.

'Gisteren nog maakte de slagersjongen een opmerking over de hoeveelheid vlees die ik tegenwoordig bestel,' waarschuwde Kokkie toen ze op een avond met zijn allen in de hal aan tafel zaten. 'En de sneeuw ligt zo hoog, we zullen binnenkort ook voer voor de paarden moeten inslaan. Ik heb zo'n idee dat je meesteres daar niet aan gedacht heeft, maar het wordt alleen maar erger als ze er nog meer op ons dak stuurt. En dan heb ik het nog niet eens over eventuele spionnen.'

Arkoniël zuchtte. 'Maar wat kunnen we eraan doen?'

'Jij boft dat ik soldaat was voor ik hier in de keuken kwam werken,' antwoordde ze en ze schudde haar hoofd. 'Ten eerste moeten we ophouden om alle boodschappen in Alestun te doen. De mannen kunnen jagen, maar de groente is een probleem. Mijn tuin is niet op zo'n hoop volk berekend, dus daarvoor zullen we het een beetje verderop moeten zoeken. Kraaienvoorde is maar één dag rijden met de wagen, en niemand kent ons daar. Stuur er een paar man op af, net of het reizende kooplui zijn, en stuur volgende week weer iemand anders. Tobins grootvader heeft die strategie een keer toegepast toen we op winterkamp in de buurt van Plenimar waren.'

'Kijk, dat is nou het verschil tussen soldaten en tovenaars. Daar had ik nou nooit bij stilgestaan. Ik benoem je bij dezen tot kwartiermeester.' Terwijl ze terug wilde lopen naar de keuken schoot hem iets te binnen en hij legde zijn hand op haar stevige rode onderarm. 'Ik ken je nu al zoveel jaar, maar ik heb je nog nooit gevraagd hoe je heet.'

Ze lachte. 'Je bedoelt dat je niet weet wat elke winkelier in Alestun weet? Dat noemt zich tovenaar!' Ze trok haar wenkbrauw op, maar lachte goedmoedig. 'Catilan heet ik. Ik stond bekend als sergeant Cat, van de Koninklijke Boogschutters. Met het zwaard ben ik niet zo handig meer, maar met pijlen sta ik mijn mannetje. Ik oefen nog wel eens als ik een kwartiertje overheb.'

'Hoe ben je dan ooit het koksvak ingerold?' vroeg hij zonder nadenken.

Ze snoof. 'Hoe denk je?'

38

Aliya's miskraam zorgde voor een maand vertraging van de koninklijke hofreis en over de Palatijnse Heuvel ging het gerucht dat een aantal adviseurs van de koning had voorgesteld haar weer naar huis te sturen; de details van de misgeboorte konden niet geheel binnenskamers worden gehouden. Maar een scheiding zou veel te veel aandacht aan de oorzaken ervan opgewekt hebben en trouwens, Korin leek haar oprecht lief te hebben, al konden Tobin en de andere Gezellen niet bevatten hoe zoiets mogelijk was, want het huwelijk had haar scherpe tong in elk geval niet beïnvloed.

'Misschien is ze onder vier ogen wel poeslief,' mopperde Ki nadat ze aan tafel weer eens een geringschattende opmerking over hem had gemaakt.

'En anders zou ze dat snel moeten worden, want ze heeft nogal wat te verliezen,' zei Nikides. 'En ze is snugger genoeg om dat niet te vergeten. Kijk maar eens hoe de koning uit haar hand eet. Ze weet wel wie hier de lakens uitdeelt.'

Erius was overdreven gesteld op haar geraakt en had haar tijdens haar week van herstel dagelijks opgezocht met kleine attenties.

Haar moeder en een half dozijn drysianen verzorgden haar goed en dus was Aliya al snel weer op de been. Toen ze gezond genoeg was om aan boord te gaan was het ergste leed alweer geleden en men sprak over het gezonde effect dat de zeelucht op de jonge bruid zou hebben.

Nadat ze zo lang pas op de plaats hadden gemaakt, sprongen Tobin en de anderen een gat in de lucht toen het vertrek aangekondigd werd. Het stadsleventje verveelde hen mateloos, dus het vooruitzicht van een reis, zelfs al was het midden in de winter, was een welkome afwisseling.

Tobin had zo zijn eigen redenen om ernaar uit te zien. Een week voor hun vertrek had Iya hem weer eens een van haar onverwachte bezoekjes gebracht.

'Dit is een zeldzame kans voor je,' zei ze tegen hem toen ze samen in zijn moeders huis zaten. 'Vergeet nooit dat je voorbestemd bent om dit land te regeren. Neem zoveel in je op als je kunt. Kijk naar dit land met de ogen die de Raaf je gegeven heeft.'

'Omdat ik Skala tegen Plenimar zal moeten verdedigen?' zei Tobin.

'Nee, omdat je het van je oom of je neef zal moeten afnemen.'

'Door een oorlog, bedoel je? Maar ik dacht dat de Lichtdrager me zou... ik weet niet...'

'Je een handje zou helpen?' Iya lachte smalend. 'Voorzover ik weet creëren de goden alleen kansen; ze laten het aan ons over ze te grijpen. Vast ligt er niets.'

Die avond vertelde ze hem over het visioen dat ze vóór zijn geboorte in Afra had gehad. 'Ik ben sindsdien nog een aantal malen naar het Orakel geweest maar Illior heeft niets aan dat beeld veranderd. De toekomst is een gerafeld touw en we moeten de strengen zo strak mogelijk in elkaar draaien om er te komen.'

'Dus het is niet zeker dat ik slaag?' Tobin rilde bij de gedachte.

Iya nam zijn handen in de hare. 'Nee. Maar je zal wel moeten.'

Ze hesen de zeilen op de twaalfde dag van Dostin; de masten van hun schepen waren vrolijk met banieren en slingers versierd. Korin nam zijn Gezellen, garde en een kleine stoet bedienden mee. Aliya had haar moeder en een stel tantes uitgenodigd en nam haar kameniers, twee drysianen, honden- en havikenverzorgers en een draagbare vruchtbaarheidsschrijn uit de tempel van Dalna mee.

Het was fris weer, maar rustig genoeg om langs de kust te varen en de kleine vloot bereikte vijf dagen later Cirna al. Tobin was dolblij dat hij eindelijk dit landgoed van zijn familie zou zien, dat op zijn manier net zo belangrijk was als Atyion; maar hier aan land gaan hield ook in dat hij Cirna's huidige beschermheer zou zien. Heer Niryn reisde met hen mee en zou de rol van gastheer vervullen zodra ze bij het fort aankwamen.

Niryn had hen aan boord begroet op de ochtend van hun vertrek; hij leek meer op een edelman dan op een tovenaar. Onder een met poolvos afgezette mantel droeg hij gewaden van dikke, zilverkleurige zijde bezet met parels.

'Welkom, mijn prinsen!' juichte hij alsof hij de kapitein van de onderneming was.

Tobin concentreerde zich op het ingewikkelde borduursel op de mouwen van de tovenaar, zodat geen andere gedachte zijn hoofd binnen kon komen.

Het dorp bij Cirna bestond slechts uit een stelletje ruw afgewerkte boerenhuisjes boven een beschutte haven aan de oostzijde van de landengte. Ze werden hartelijk welkom geheten, en dat zette de toon voor de rest van de reis. Een knappe, zwierige, jonge toekomstige koning met een beeldschone gemalin aan zijn zijde was een fantastisch gezicht; geen mens buiten de paleizen wist ook maar iets van zijn eerste optreden als strijder.

Korin hield een korte toespraak en toen leidde Niryn hen een bevroren, kronkelige weg op naar het fort dat de tol inde voor het gebruik van de weg. Het was een imposant gebouw en Tobin bloosde, en dacht eraan hoe onverschillig hij het eens weg had willen geven. Heer Larenth zou inderdaad niet de beste keus zijn geweest om dit landgoed te beheren, maar toch had Tobin hem liever gehad dan de huidige beschermheer.

Het fort leek in niets op Atyion. Stokoud, vochtig en somber was het en het had meer weg van een kazerne dan van een residentie van een edelman. Omdat hij het fort noch hun gastheer erg mocht, besteedde Tobin zo veel tijd als hij kon met zijn vrienden op ontdekkingstocht.

De borstweringen waren alle naar het noorden gericht. De hoge muur had drie niveaus met houten balustraden en schietgaten. Bovenaan was de muur niet overkapt, maar had wel brede loopgangen en kantelen met ronde pijlgaten. De jongens stonden tussen de kantelen en stelden zich voor dat er een vijandelijke strijdmacht over de landweg op hen afkwam. Het fort was op het smalste punt van de landbrug gebouwd, en de steile kliffen aan beide zijden boden weinig houvast op het steile pad naar het dorp na.

Vanaf de muren konden ze oostelijk over de Binnenzee uitkijken en als ze zich omdraaiden lag op minder dan een mijl de enorme Osiaanse Zee.

'Moet je zien!' riep Ki uit. 'De Binnenzee is helemaal turquoise vandaag, maar de Osiaanse is inktzwart.'

'Is dat Aurënen daar?' vroeg Ruan en hij wees naar de hoge bergtoppen heel ver in het westen over het water.

'Nee, dat ligt nog verder naar het zuiden,' antwoordde Tobin want hij en Ki hadden veel tijd besteed aan het bestuderen van de kaarten in de paleisbibliotheek. 'Als je vanaf hier almaar naar het westen rijdt, kom je volgens mij in Zengat terecht.'

Ze reden een eind over het landgoed en werden duizelig toen ze over de kliffen aan de westelijke kant keken. Diep beneden hen konden ze de ruggen van cirkelende zeemeeuwen zien, en daaronder de witte krullende golven die te pletter sloegen tegen de loodrechte stenen muur.

'De landtong is als de muur van een fort,' zei Tobin. 'Om naar dat kleine stukje land aan de andere kant te komen zou je helemaal om Skala heen terug moeten varen.'

'Daarom staan er ook nauwelijks nederzettingen aan de westelijke kant,' zei Nikides. 'Het land is steiler aan die kant van de bergen en goede havens zijn er ook niet. En grootvader zegt dat de Drie Landen zich allemaal naar Kouros richten omdat dat het centrum van de wereld is.'

'Mooi. Dat betekent dat we dus niet de hele weg terug hoeven te varen,' zei Ruan, die behoorlijk last van zeeziekte had gehad.

Maar Tobin hield zijn blik gericht op dat kleine uitspringende stukje land in de verte. Het was omgeven door het donkere blauw van de Osiaanse Zee en zo te zien begroeid met eikenbomen. Hoe zou het zijn om daar te wandelen? Hij zou het waarschijnlijk nooit te weten komen en dat maakte hem droef te moede. Dat door wind omgeven reepje land en het woeste rotsgebergte deelden het Skalaanse schiereiland precies doormidden.

Ze vertrokken uit Cirna en begonnen een moeizame tocht langs de noordelijke kust met al zijn inhammen en uitstekende rotspunten. Soms verbleven ze in kastelen, soms in steden, waarbij ze met dezelfde toejuichingen, dezelfde inzegeningen en toespraken en heildronken ontvangen werden als in elke andere haven. Ze voeren terug en toen de lente aanbrak waren ze nog maar net bij Volchi aangekomen, maar Tobin had al twee journalen met militaire observaties volgeschreven. Andere gedachten kon hij uiteraard niet aan het perkament toevertrouwen.

39

Halverwege de zomer kwam Iya naar de burcht met nog drie tovenaars voor Arkoniëls kleine troep. Ze was in de wolken over de ontwikkelingen, vooral toen ze hoorde dat hij en Eyoli Lyans berichtenformule onder de knie hadden gekregen.

De nachten waren warm en de tweede avond maakten ze een wandeling langs de koele rivier. Achter hen schenen vriendelijke lichtjes door de ramen van de burcht. Een groot blok hout was na de lenteregens aangespoeld. Ze gingen erop zitten en lieten hun blote voeten in het water bungelen. Iya keek toe hoe hij een onzinberichtje naar Lyan stuurde in een klein bolletje dat een blauwachtig licht verspreidde. Even later kwam het vrolijke antwoord terug in de vorm van een flitsend groen vuurvliegje.

'Buitengewoon!' riep Iya.

'Het is eigenlijk helemaal niet zo'n moeilijke formule, als je het patroon eenmaal doorhebt.'

'Dat bedoel ik niet. Je bent jong, Arkoniël, en je hebt het grootste deel van je leven vastgeketend gezeten aan mijn grote plan. Weet je niet meer hoe het vroeger was? Tovenaars leven niet in groepen en ze delen maar zelden hun kennis. Weet je nog hoe gefrustreerd en gekwetst je was wanneer iemand je een fraaie bezwering liet zien, maar je niet wilde verklappen hoe het werkte?'

'Ja. En jij zei altijd dat het onbeleefd was om het te vragen.'

'Dat was ook zo, maar de tijden zijn veranderd. Tegenspoed brengt ons samen – zowel in dit clubje van jou, als van die groep in Ero waarover ik je verteld heb.'

'Die Wormgattovenaars?' grinnikte Arkoniël.

'Ja. Hoeveel samenzweringsgroepjes zouden er nog meer zijn, denk je?'

'Nou, die van de Haviken. Dat waren de eerste.'

Iya klemde haar lippen op elkaar van afkeer. 'Je zult wel gelijk hebben.

Toen ik ervan hoorde dacht ik dat het zo weer uiteen zou vallen. Maar ze hielden het wel degelijk vol…' Ze schudde haar hoofd. 'Ja, de tijden zijn inderdaad veranderd.'

Arkoniël keek terug naar het warme schijnsel in de ramen. 'Ik vind dit geweldig, Iya. Ik vind het geweldig om zoveel kinderen samen te zien spelen en ze les te geven. Ik vind het ook schitterend om magie met anderen te delen.' Ze klopte op zijn hand en stond op om terug te gaan. 'Dit was ook voor jou voorbestemd, mijn jongen.'

'Hoe bedoel je? Zodra jouw taak erop zit, wordt het toch weer net zoals het vroeger was.'

'Dat weet ik zo net nog niet. Weet je nog wat ik vertelde over mijn visioen in Afra?'

'Natuurlijk.'

'Ik heb je niet alles verteld. Ik heb jou ook gezien.'

'Mij?'

'Ja. Je stond in een groot, schitterend wit paleis vol tovenaars, met een leerling aan je zijde.'

'Wythnir?'

'Nee, in mijn visioen was je een eeuwenoude man. Het was een toekomstbeeld en dat kind was nog erg jong. Ik begreep er toen niets van, maar nu begin ik de betekenis te doorgronden.'

Arkoniël keek weer naar de burcht en schudde het hoofd. 'Niet bepaald een schitterend paleis.'

'Maar je bent ook nog geen eeuwenoude tovenaar. Nee, ik denk dat we aan het begin van jouw uiteindelijke levenspad staan.'

'Ons levenspad.'

'Dat denk ik niet.'

De woorden kwamen hard aan. 'Ik weet niet wat je daar precies mee wilt zeggen, Iya, maar geloof me, waar ik ook ga of sta, je zult er altijd welkom zijn. En ik denk dat jij degene bent die dat witte paleis zal bouwen. Je ziet gewoon te ver vooruit.'

Iya gaf hem een arm terwijl ze de heuvel weer opliepen. 'Misschien heb je gelijk, maar wat het ook betekent, ik weet wat ik heb gezien en heb er vrede mee.'

Een tijdlang sprak geen van beiden. Toen ze de ophaalbrug bereikten vroeg ze: 'Hoe gaat het eigenlijk met die deurbezwering van je? Het merendeel van je vingers heb je nog, zie ik.'

'Eigenlijk heb ik een heel spannend nieuwtje. Ik heb het aan Vornus laten zien en hij zag vrijwel dezelfde bezwering bij een centaurmagiër in het Nimra-gebergte. Hij noemde het translocatiemagie. Ik vind het een betere omschrijving dan deurbezwering. Zo simpel is het namelijk niet, het is een soort draaikolk die het voorwerp meezuigt en ergens anders uitspuugt. Het probleem is alleen dat die draaikolk te snel rondwervelt. Als ik hem op de een of andere manier kan vertragen, zou ik op een dag misschien zelfs mensen kunnen verplaatsen!'

'Wees toch voorzichtig, mijn jongen! Dat is een gevaarlijke weg die je inslaat. Dat heb ik al gedacht toen je me de eerste beginselen liet zien.'

'Niet zo benauwd, we gebruiken alleen maar muizen en ratten.' Hij glimlachte wrang. 'En gezien onze laatste pogingen denk ik dat we de burcht vrij van ongedierte hebben tegen de tijd dat het lukt. Maar ik geef de moed niet op.'

'Dat is niet het enige gevaar waar ik aan denk. Je moet altijd de consequenties van deze krachten in ogenschouw nemen. Beloof me dat je het voorlopig geheimhoudt.'

'Dat doe ik ook. Ik vertrouw Vornus en Lyan, maar over die Malkanus ben ik nog niet zo zeker. Hij heeft al genoeg kracht en daar schijnt hij veel plezier uit te putten.'

'Je hart kan goed onderscheid maken, Arkoniël. Dat heb ik altijd al gevonden. Als jij jezelf niet laat verblinden door medelijden, zal je dat goed van pas komen.'

Arkoniël kromp ineen na die hint van verwijt die hij tussen de regels hoorde. Hoewel ze het nooit met zoveel woorden had gezegd, wist hij dat ze het hem nooit helemaal vergeven had dat hij Ki's leven had gespaard.

40

Korin en de Gezellen keerden naar Ero terug toen de herfstregens begonnen te vallen en waren dolblij toen ze Lutha en Barieus op de kade zagen staan om hen thuis te verwelkomen. Lutha was niet alleen helemaal genezen, maar bovendien drie duim gegroeid.

'Die bijna-doodervaring heeft me goed gedaan,' zei hij en hij lachte toen iedereen zijn bewondering uitte. 'Maar ik haal jou toch net niet in, Tobin.'

Tobin grijnsde verlegen. Hij was zo snel gegroeid het afgelopen jaar dat hij nieuwe kleren had moeten bestellen. Hij was nu zo lang als Korin, maar al was hij dan bijna vijftien jaar, de brede borst en baardharen wilden maar niet komen, en dat was iets waar de anderen hem soms meedogenloos mee plaagden.

Tobin lachte dan maar met ze mee, maar het zat hem natuurlijk vreselijk dwars. Al zijn vrienden kregen een mannelijker figuur. Ki had bredere schouders gekregen en pronkte met een smal snorretje en een even mager baardje op de kin, een stijl waarvoor Korin de trend had gezet. Nik en Lutha pochten met hun 'dubbele pijlen', indrukwekkende punten zijdeachtig haar boven hun mondhoeken.

Zelfs Broer was veranderd. Ze hadden er altijd vrijwel hetzelfde uitgezien, maar het afgelopen jaar was ook Broer zijn jongensachtige uiterlijk ontstegen, met schouders die bijna even breed waren als die van Ki. Zacht zwart dons legde een schaduw op zijn bovenlip en de middellijn van zijn borst, terwijl Tobin een onbehaarde, meisjesachtige borst behield.

De afgelopen zomer had hij zelfs smoesjes verzonnen om maar niet met de anderen mee te hoeven zwemmen; Tobin leek nog steeds op een kind in vergelijking met hen, al was hij dan nog zo gegroeid.

Maar dat was niet eens het ergste. Hij had het er bepaald moeilijk mee om niet naar hun gespierde lichamen en geslachtsdelen te staren. Worstelen was een favoriete sport van hem geweest toen hij bij de Gezellen kwam, maar nu kreeg hij er verwarde gevoelens bij, vooral wat Ki betrof.

Tharin had zo zijn vermoedens toen hij op een bloedhete dag in Lenthin Tobin chagrijnig op het dek van het schip zag staan. Alle anderen waren gaan zwemmen in een baaitje verderop, maar Tobin was aan boord gebleven 'omdat hij hoofdpijn had'. Zelfs Ki had hem in de steek gelaten.

'Toen ik zo oud was als jij, was ik ook zo mager als een lat,' zei Tharin vriendelijk en ze gingen samen in de schaduw zitten. 'Je zult zien, vandaag of morgen heb je opeens haar op je bovenlip en spieren als een worstelaar.'

'Was dat ook zo bij mijn vader?' vroeg Tobin.

'Ach, Rhius groeide wat sneller, maar aan je moederskant waren ze ook zo snel niet. Haar vader was lang en slank, maar net zo sterk als jij.' Hij kneep Tobin even waarderend in zijn bovenarm. 'Je bent taai en hebt spieren als gespannen snaren, net als hij. En je bent zo snel als een kat. Ik zag je gisteren door Zusthra's verdediging heen breken. Snelheid kan elke spiermassa aan als je slim bent. En dat ben je.'

Het kon Tobin eigenlijk allemaal niets schelen, hij kon Tharin immers niets vertellen over de maanpijnen die hem nu steeds regelmatiger plaagden. Al wist hij de waarheid, hij voelde zich achtergesteld. Geen wonder dat alle meisjes het opgegeven hadden met hem te flirten.

Het gaat helemaal niet om je uiterlijk, fluisterde een stemmetje in zijn binnenste. *Ze weten het. Ze voelen het aan.*

Hij wist welke verhalen er over hem en Ki rond gefluisterd werden, verhalen die ze elk om hun eigen reden negeerden. Maar op een van die zomerdagen was er iets veranderd, en hij had niet eens naar Ki gekeken. Hij durfde er niet eens aan te denken wanneer Ki in de buurt was, uit angst dat die zijn gevoelens van zijn gezicht zou kunnen lezen.

Ki hield nog net zoveel van hem als altijd, maar er was geen twijfel mogelijk waar zijn voorkeur naar uitging. Een paar dienstmeisjes in Ero hadden met hem gerollebold en tijdens de reis waren de mogelijkheden legio. Ki was knap en deed nergens moeilijk over; meisjes kwamen op hem af als vliegen op de stroop. En hij zag er geen been in om tegenover de andere jongens over zijn veroveringen op te scheppen.

Tobin zweeg altijd gedurende die gesprekken, hij zei geen boe of ba. *O, Tobin is weer eens verlegen,* dacht iedereen en ook Ki zocht er niets achter. Wat hem betrof waren ze broertjes zoals ze altijd geweest waren. Hij sprak ook nooit met Tobin over de verhalen die over hen de ronde deden. Als tegenprestatie slikte Tobin zijn verwarrende verlangens in die hem op de gekste momenten overvielen.

Bij volle maan had hij er altijd het meeste last van, wanneer de maandelijkse pijn in zijn onderbuik het ergst was en hem eraan herinnerde wie hij werkelijk was. Soms betrapte hij zichzelf erop dat hij naar jonge meiden keek en zich afvroeg hoe het zou aanvoelen om in die benijdenswaardige golvende rokken rond te lopen, met kralen in je haar gevlochten en parfum op je polsen – en om de jongens naar je te zien kijken.

Eens, dacht Tobin en hij verborg zijn brandende gezicht in zijn kussen tijdens die nachten en deed net of hij niet wist dat Ki zo vlak bij hem lag, zo dichtbij dat hij hem aan kon raken. *Eens zal hij het weten en dan zien we wel.*

Er waren ook momenten dat hij alleen was en naar zijn naakte lichaam keek, naar zijn smalle heupen en platte harde borst. Hij keek naar dat doodgewone gezicht in de spiegel en vroeg zich af of hij ooit een echte vrouw zou worden. Hij verborg zijn kleine penis in een hand en probeerde zich voor te stellen hoe het leven zonder dat geval zou zijn, en dat verwarde hem meer dan ooit.

Toen ze eindelijk terugvoeren, beloofde hij zichzelf plechtig dat hij een manier zou vinden om Lhel op te zoeken.

Toen ze eindelijk weer in Ero waren, liepen Tobin en Ki trots rond in hun nieuwe suite in Korins vleugel van het Nieuwe Paleis. De andere Gezellen hadden daar ook kamers gekregen.

Het leven ging zijn gangetje met een bal hier en een feest daar, en zo nu en dan gingen ze weer 'op jacht' in de nachtelijke stad. Ze waren echter nog maar een paar weken thuis toen de koning nogmaals een terechtstelling op het plein verordonneerde. Tobin was het incident met de jonge priester al bijna vergeten en de manier waarop mensen naar hem hadden gestaard die dag, maar nu reden ze met een dubbele garde uit.

Er werden deze keer drie tovenaars verbrand. Tobin bleef zo ver mogelijk uit de buurt van het platform, bang als hij was om herkend te worden, maar deze keer liepen de veroordeelden passief en stil achter hun gruwelijke ijzeren maskers voorbij.

Tobin wilde zijn hoofd afwenden toen ze verbrand werden, maar wist dat de anderen hem in de gaten hielden en er het hunne van zouden denken. Een paar van hem hoopten natuurlijk heimelijk dat hij zichzelf weer voor schut zou zetten. Dus hield hij zijn ogen open en zijn gezicht op het verblindende witte vuur gericht en probeerde de wriemelende donkere silhouetten erbinnen niet te zien.

Er werd niet geprotesteerd deze keer. De massa juichte goedkeurend en de

Gezellen joelden en applaudisseerden. Tobin knipperde met zijn brandende ogen en keek naar Korin. Zoals hij al vermoedde, keek zijn neef ook naar hem en hij grijnsde trots naar Tobin. Tobins maag draaide zich haast om; hij moest hevig slikken om de bittere smaak binnen te houden.

Tijdens het banket dat na de executie werd gehouden kon Tobin geen hap door zijn keel krijgen. De aanval van misselijkheid was voorbij, maar hij voelde de kramp diep in zijn buik, als herinnering. De kramp werd erger toen de avond vorderde en werd bijna zo hevig als die dag dat hij tussen zijn benen bloed gevoeld had. Lhel had beloofd dat het niet meer zou gebeuren, maar bij elke steek kreeg hij het te kwaad. Als er nu weer bloed zou komen? Als iemand het zou zien?

Niryn zat zoals altijd naast de koning en diverse keren voelde Tobin dat zijn ijzige blik op hem rustte. Ki, die net als de andere schildknapen bediende, keek Tobin vragend aan. Haastig stak Tobin zijn mes in de plak lamsvlees die koud begon te worden, en dwong zichzelf een paar happen te nemen.

Zodra ze de eettafel mochten verlaten rende hij naar het dichtstbijzijnde privaat en checkte zijn broek. Hij had gelukkig niet gebloed, maar hij had het wel moeilijk met Ki's bezorgde blik.

'Ben je niet lekker of zo?'

Tobin haalde zijn schouders op. 'Ik ben nog steeds niet gek op die executies.'

Ki sloeg een arm om hem heen toen ze naar hun kamers terugliepen. 'Ik ook niet. En ik hoop ook niet dat dat verandert.'

'Uw neef heeft het nog steeds moeilijk met de rechtvaardige uitvoering van uw wetten, mijn koning,' merkte Niryn op toen ze in Erius' tuin nog een pijpje rookten.

Erius haalde zijn schouders op. 'Hij zag wel pips, maar hij hield zich kranig.'

'O zeker. Maar het komt me vreemd voor dat een knaap die zich zo sterk betoond heeft in de strijd het moeilijk zou hebben met de dood van een misdadiger.' *En hij heeft het er niet alleen moeilijk mee. De jongen was boos.* Dat amuseerde de tovenaar buitengewoon, al had hij die wetenschap voor zich gehouden. De prins had geen enkel belang voor hem, en mocht hij lastig worden, dan zou het toeval wel met hem afrekenen. Nog zo'n gevecht misschien, of een zwervende pestbacil.

'Ach, zo vreemd is dat niet.' Erius keek een kringeltje rook na dat hij de avondlucht had ingeblazen. 'Ik kende een kei van een generaal, een echte leeuw in de strijd. Maar het liep hem dun door de broek als er een kat zijn kamer binnenwandelde. En ik mag het eigenlijk niet vertellen, maar ik heb gezien dat generaal Rheynaris een keer is flauwgevallen toen hij zijn eigen bloed zag. We hebben allemaal onze eigenaardigheden. Dan is het niet zo verwonderlijk dat een jongen bleek om de neus wordt bij de aanblik van iemand die levend verbrand wordt. Ik moest er zelf eerlijk gezegd ook even aan wennen.'

'Als u het zegt, Majesteit.'

'En trouwens, wat dan nog?' grinnikte Erius. 'Ik heb hem niet meer nodig als erfgenaam. Aliya is alweer zwanger, zoals je weet, en het verloopt allemaal voorspoedig.'

'U bent erg op haar gesteld, Majesteit.'

'Ze is mooi, ze is sterk en ze heeft pit – een uitstekende partij voor mijn zoon – en zij is dol op mij, als een echte dochter. Wat een prachtkoningin zal ze worden, mits ze natuurlijk deze keer een echte erfgenaam weet te werpen.'

Niryn glimlachte en blies zijn eigen perfecte rookkringels de nacht in.

4I

rkoniël besefte pas aan wat voor een makkelijk leventje hij gewend
was geraakt, toen de bedrieglijke rust waarin ze leefden in duigen viel.
Hij was met de kinderen in de kruidentuin aan het werk om de
laatste planten van het seizoen binnen te halen. Het zou vannacht volle maan
zijn en hij verwachtte vorst aan de grond. Plotseling verscheen er een klein
lichtbolletje, een paar voet voor zijn neus. Wythnir en de anderen keken oplettend toe terwijl Arkoniël een vinger naar het berichtbolletje uitstak om het
aan te raken. Hij voelde Lyans opwinding toen het bolletje oploste en hij haar
opgewonden hoorde zeggen: 'Verstop je! Er komt een heraut aan!'

'Kom jongens, het bos in,' beval hij. 'Mandjes en gereedschap meenemen.
Hup, opschieten!'

Zodra ze veilig in het struikgewas zaten, wierp hij zelf een berichtbezwering
op en stuurde hem als de wiedeweerga naar Eyoli in de werkkamer.

'Komen de Haviken ons halen?' piepte kleine Totmus en hij kroop dicht tegen Arkoniël aan. De anderen kwamen dicht bij Ethni zitten, die haar armen
om hen heen sloeg, maar net zo bang was.

'Nee, het is maar een koerier. Maar we moeten toch heel stil zijn. Eyoli
komt ons halen als alles veilig is.'

Een ruiter kwam in galop de heuvel op en ze hoorden het klipklop van de
hoeven op de ophaalbrug. Arkoniël vroeg zich af of Nari de ruiter de gebruikelijke gastvrijheid zou betonen – een maaltijd en een slaapplaats voor één
nacht. Hij had er weinig zin in om de nacht onder de sterren door te brengen.
Alsof hij die gedachte wilde benadrukken, smoorde Totmus een hoestbui.
Ondanks het gezonde eten en Nari's zorg, was hij nog altijd een ziekelijk,
bleek ventje dat nu weer een flinke verkoudheid had opgelopen.

De zon verschoof langs de hemel en in de schaduwen koelde de lucht snel
af. De sterren fonkelden al aan de donkerpaarse hemel toen ze de ruiter hoor-

den vertrekken. Arkoniël slaakte een zucht van verlichting toen het geluid op de weg naar Alestun wegstierf, maar wachtte toch tot Eyoli's lichtbolletje hem liet weten dat de kust veilig was.

Nari en Catilan wachtten hen op in de hal. De andere tovenaars bleven op de bovenverdieping zitten.

'Het is van Tobin,' zei Nari en ze overhandigde hem de rol perkament met het zegel van Atyion eraan.

De schrik sloeg Arkoniël om het hart toen hij de brief las, al waren het louter vrolijke berichten: de Gezellen waren weer thuis, de koninklijke hofreis was een succes geweest en de koning had Tobins verzoek ingewilligd om met zijn verjaardag een paar weken te gaan jagen rond zijn oude thuis. Binnenkort zouden ze de wagens vol bedienden en voorraden tegemoet kunnen zien, zodat alles voorbereid kon worden.

'Tja, dat moest een keer gebeuren,' zuchtte Nari. 'Het is en blijft zijn huis. Maar hoe moeten we in hemelsnaam het hele stel verbergen met een bende jagers die door het hele gebied zullen zwerven?'

'Het bos insturen kan dus niet,' zei Catilan. 'Hoe goed we het kamp ook verstoppen, vroeg of laat loopt iemand ertegenaan.'

'En jij dan, Arkoniël?' voegde Nari eraan toe. 'Wat moeten we met jou beginnen? En dan heb ik het nog niet eens over de extra bedden die ergens vandaan gehaald moeten worden! En die enorme moestuin zal wel opvallen!'

Arkoniël rolde de brief op en stopte hem weg. 'Wel, generaal, wat kunnen we het beste doen?'

'Het huis is in een mum van tijd op orde. Voor die moestuinen verzinnen we wel wat. Maar de rest van jullie zal moeten verdwijnen,' antwoordde Catilan. 'De hamvraag is: waar? Het is al bijna winter.' Ze nam Totmus op haar arm en keek Arkoniël veelbetekenend aan. 'Over een tijdje is alle grond met sneeuw bedekt.'

Eyoli had op de trap meegeluisterd en kwam naar beneden. 'We kunnen niet als groep op weg, zoals toneelspelers en potsenmakers. Dat hebben anderen al geprobeerd en dat mislukt geheid. De Haviken houden iedereen aan die zegt acteur of zo te zijn. We moeten ons verspreiden.'

'Nee!' zei Arkoniël. 'Nari, geef die kinderen iets warms. Eyoli, kom met me mee.'

De andere tovenaars zaten in de werkkamer ongeduldig op hem te wachten. Arkoniël had de situatie nauwelijks uit de doeken gedaan of ze begonnen allemaal in paniek door elkaar heen te praten. Melissandra rende op de deur af en riep tegen Dar dat ze moest pakken, en Hain wilde hetzelfde doen. Malkanus was bezig een verdedigingslinie voor de weg uit te stippelen. Zelfs de ouderen leken van zins hun spullen te pakken en op stel en sprong te vertrekken.

'Luister alsjeblieft naar me!' riep Arkoniël. 'Melissandra, Hain, kom onmiddellijk terug.'

Toen ze zijn bevel negeerden, mompelde hij een bezwering die Lhel hem geleerd had en klapte in zijn handen. Een daverende donderklap deed de kamer schudden op zijn grondvesten en iedereen was meteen doodstil.

'Zijn jullie nu al vergeten waarom jullie hier zijn?' vroeg hij streng. 'Kijk dan om je heen.' Zijn hart begon sneller te slaan terwijl de woorden van zijn lippen stroomden. 'Het Derde Orëska waarover Iya het met jullie heeft gehad is geen droom uit verre landen. Het is hier. Nu. In deze kamer. Wíj zijn het Derde Orëska, het eerste resultaat van haar visioen. De Lichtdrager heeft ons samengebracht. Wat de reden daarvoor ook mag wezen, we kunnen dit niet meer uiteen laten vallen.'

'Hij heeft gelijk,' zei Eyoli. 'Meesteres Virishan zei altijd dat veiligheid in eenheid lag. Die kinderen beneden? Die zouden niet meer in leven zijn als zij er niet geweest was. Met vereende krachten hebben we een kans de Haviken te verslaan. In mijn eentje kan ik het in elk geval niet.'

'Dat kan niemand van ons,' stemde Vornus in en hij keek vastberaden naar de anderen.

'Ik heb het altijd aardig weten te redden,' mopperde Kaulin obstinaat als altijd.

'Door op de loop te gaan. En je bent hier uit vrije wil gekomen,' bracht Arkoniël hem in herinnering.

'Ik kwam hier alleen voor de veiligheid, niet om mijn vrijheid op te geven!'

'O, zou je dan liever een van hun zilveren spelden dragen?' vroeg Cerana. 'Hoe vrij ben je nog als de Haviken je een nummer hebben gegeven en je naam in hun grote boek hebben genoteerd? Ik zal vechten voor jouw koningin, Arkoniël, maar belangrijker voor me is dat die in het wit geklede monsters voor eens en voor altijd verdwijnen. Waarom staat Illior die verkleedpartij toch toe?'

'Misschien kunnen wij bewijzen dat de Lichtdrager dat niet doet,' merkte Malkanus op, elegant leunend tegen een muurtje bij het raam.

Verrast keek Arkoniël hem aan. De ander haalde zijn schouders op en betastte het fijne borduurwerk op zijn mouw. 'Ik zag het visioen en ik geloofde erin. Ik vecht mee, als het nodig is. We moeten samen blijven.'

'Dan blijven we samen,' zei Lyan. 'Maar hier kunnen we niet blijven.'

'We kunnen dieper de bergen in trekken,' zei Kaulin. 'Ik ken het gebied zo langzamerhand. Er is wild genoeg, als er hier mensen zijn die kunnen schieten.'

'Maar voor hoe lang?' vroeg Melissandra. 'En de kinderen dan? Hoe hoger we gaan, des te eerder worden we door de winter overvallen.'

'Lyan, kun je een van je berichtlichtjes naar Iya sturen?'

'Niet als ik geen idee heb waar ze is. Ik moet ze richten.'

'Oké dan. Dan moeten we het zelf uitzoeken. We pakken een ossenwagen in en de paarden dragen alle provisie die ze kunnen dragen. We zien wel waar de weg uitkomt. Morgenochtend vroeg vertrekken we.'

Het was geen geweldig plan, maar ze moesten toch ergens beginnen.

Nari en de bedienden zorgden voor de voedselvoorraad. Met de hulp van de mannen verhuisde Arkoniël zijn schamele bezittingen naar zijn verlaten slaapkamer op de tweede verdieping. Toen ze klaar waren stuurde hij hen naar de moestuin, en opeens was hij sinds vele maanden helemaal alleen op deze verdieping. Hij kreeg er kippenvel van. Het was al donker.

Hij pakte zijn spullen haastig in en smeet wat kleren voor een paar dagen in een plunjezak. Hij zou niet al te lang wegblijven; zodra de anderen ergens een bewoonbare plek hadden gevonden, zou hij terugkomen om met Tobin en Ki te praten. Hij bande de afgesloten deur aan het eind van de gang uit zijn gedachten, al had hij sterk het gevoel dat Ariani hem stiekem gadesloeg.

'Dit is voor jouw kind. Alleen voor haar,' fluisterde hij. Hij pakte zijn scheve, bobbelige zak, maar halverwege de trap bedacht hij dat hij de tas met Iya's kom vergeten was. Het was alweer maanden geleden dat hij daaraan had gedacht.

Hij draaide zich om en tuurde de duisternis voor zijn lamp in. Was dat een witte gestalte die voor de deur van de torenkamer zweefde of was het de schittering van het licht? Hij vermande zich en liep terug naar de werkkamer. De lucht tegen zijn gezicht verkilde gaandeweg, maar wegrennen kon hij niet. Niet zonder de kom.

Hij dook onder de tafel en haalde de stoffige leren tas naar zich toe. Hij propte hem in zijn plunjezak en keek angstig om zich heen, want hij verwachtte iedere minuut Ariani's met bloed besmeurde gezicht uit de schaduwen te zien opduiken. Maar er was geen spoor van haar te bekennen, alleen die kilte, en dat kon de nachtwind door de luiken zijn. Met trillende handen deed hij nog wat kruiden en een potje met vuurspaanders in zijn bagage.

Weer was hij halverwege de gang toen hem nog iets te binnen schoot.

Over een paar dagen zou dit huis vol zitten met jonge edelen, jagers en bedienden. Elke kamer zou gebruikt moeten worden.

'Bij de ballen van Bilairy!' Hij zette de zak boven aan de trap, peuterde zijn toverstaf eruit en liep snel terug naar zijn kamers.

Versluiering was geen ingewikkelde magie, maar je had er wel tijd en concentratie voor nodig. Tegen de tijd dat hij de deuren naar zijn kamers verborgen had door ze de aanblik van een bakstenen wand te geven, stond hij te trillen op zijn benen en droop hij van het zweet. Nu waren er nog twee gastenkamers aan de andere kant van de gang die gebruikt konden worden.

Maar toen schoot hem te binnen dat hij de ramen vergeten had, die van de weg af zichtbaar waren. Met een grom van frustratie maakte hij de behoedzaam opgestelde bezweringen ongedaan en begon opnieuw – deze keer schiep hij de illusie dat er een brand gewoed had; van buitenaf zouden de mensen beroete stenen rond de ramen en luiken zien. Toen hij de laatste deur versluierde ging plotseling zijn lamp uit en hoorde hij een onmiskenbare zucht.

Ariani stond stralend als een kaars in de duisternis bij de deur naar de torenkamer. Water en bloed stroomden van haar lange zwarte haar, maakten de voorkant van haar gewaad drijfnat en vormde een plasje aan haar voeten. Stil als rook gleed ze door de deur van de werkkamer, één hand tegen haar mond gedrukt, de andere in een vreemde hoek tegen haar borst, alsof ze iets droeg. Ze keek naar de versluierde deur maar scheen niet te begrijpen wat er was gebeurd.

'Ik bescherm je kind,' zei hij tegen haar.

Ze keek hem even aan en loste zonder een woord te zeggen op.

Arkoniël had verwacht niet te kunnen slapen, maar hij zakte in een rusteloze sluimer weg zodra hij op het onopgemaakte bed in Tobins kamer was gaan liggen, en hij droomde over ruiters die hem door het bos achternazaten, voorafgegaan door de geest van Ariani.

De aanraking van een koude hand op zijn voorhoofd wekte hem. Het was geen droom – een hand had hem aangeraakt. Hij wierp het dek af, viel van de verkeerde kant van het bed en bleef met lakens om zijn benen tussen het bed en de muur klem zitten.

Er stond een vrouw aan de andere kant van het bed, hij zag slechts haar silhouet tegen het licht dat door het open raam viel. Ariani was hem gevolgd. Hij kromp ineen bij de gedachte dat zij hem had aangeraakt in zijn slaap.

'Arkoniël?'

Maar dat was Ariani's stem niet.

'Lhel?' Hij hoorde een zacht gegrinnik, voelde toen aan de matras dat ze was gaan zitten. 'Bij de Vier!' Hij krabbelde overeind, klom op bed en omhelsde haar. Toen legde hij zijn hoofd in haar schoot. Knopen van hertentanden drukten zich in zijn wang. De in donker gehulde Lhel streelde zijn haar.

'Heb je me gemist, kleine man?'

Verlegen ging hij rechtop zitten, trok haar tegen zich aan en liet zijn vingers door haar dikke stugge krullen glijden. Er zaten dode takjes en blaadjes in, en hij proefde zout op haar lippen. 'Ik heb je in geen weken gezien. Waar heb je gezeten?'

'De Moeder stuurde me over de bergen naar een plek waar mijn volk eens woonde. Het is maar een paar dagen reizen van hieruit. Morgen zal ik je tovenaars de weg wijzen. Jullie moeten wel snel zijn, de huizen moeten gerepareerd worden voor de sneeuw komt.'

Arkoniël leunde naar achter op zijn handen en probeerde haar aan te kijken. 'Je godin heeft je vandaag teruggebracht, net nu ik je zo ontzettend hard nodig had?'

Toen ze niets zei, begreep hij dat ze waarschijnlijk al langer terug was. Voor hij daar verder op in kon gaan, drukte ze hem tegen de matras en begon hem gretig te kussen. Vuur schoot door zijn buik terwijl ze boven op hem ging zitten, haar rokken optilde en de voorkant van zijn tuniek verschoof. Hij voelde ruwe wol tegen zijn buik, en toen warme huid. Het was de eerste keer dat ze seks wilde hebben binnen de burcht en ze was er net zo aan toe als hij. Hij drukte zijn handen tegen haar borsten en ze begon hem wild te berijden; ze boog zich voorover om hun kreten te smoren terwijl ze klaarkwamen. Arkoniël zag bliksemflitsen door zijn gesloten oogleden toen hij schokte en kreunde onder haar en toen explodeerde de wereld in rood licht.

Toen de nevel voor zijn geest weer optrok lag ze naast hem, met zijn ballen in één heet, vochtig handje.

'Je hebt wel erg weinig bagage voor je reis,' murmelde ze.

'O, die zak was vol voor jij hem voor me leegmaakte,' grinnikte hij om dat grapje over zijn mannelijkheid.

Ze kwam op een elleboog omhoog en liet een vinger langs zijn lippen glijden. 'Nee, je reisbagage. Tobin heeft zo weinig aan je als je dood bent. Je moet met de anderen meegaan en uit de buurt blijven.'

'Maar nu ben jij hier! Je zou ze naar de eik kunnen meenemen en ze daar verbergen.'

'Het zijn er te veel, en er komen te veel vreemdelingen, misschien wel met tovenaars die genoeg kennis hebben om mijn magie te doorzien.'

'Maar ik wil de jongens zien. Leer me hoe je jezelf zolang verborgen hebt kunnen houden!' Hij pakte haar hand en kuste haar ruwe handpalm. 'Alsjeblieft, Lhel. In de naam van de Moeder…'

Lhel trok als door een adder gebeten haar hand terug en liet zich furieus van het bed glijden. Hij kon haar gezicht niet zien terwijl ze haar kleren weer op orde maakte, maar haar woede zinderde door de kamer.

'Wat is er? Wat zei ik dan?'

'Je hebt het recht niet!' siste ze. Ze liep de kamer door om haar afgeworpen sjaal te pakken en het maanlicht viel over haar gezicht, waardoor het een lelijk masker werd. Het bleke licht vulde elke groef en rimpel met schaduw en beroofde haar van elke kleur. De machtssymbolen staken af tegen de huid van haar gezicht en borsten, contrasterend als inkt op albast. De minnares van een paar minuten geleden stond voor hem zoals hij haar nooit had aanschouwd – als een wraakzuchtige toverkol.

Arkoniël deinsde terug; dit was de kant waarvoor Iya hem vaak gewaarschuwd had. Voor hij wist wat hij deed, hief hij zijn hand als een afweerteken in haar richting.

Lhel versteende, met haar ogen verzonken in de beschaduwde kassen, maar het harde masker smolt van verdriet. 'Maak je dat gebaar tegen mij?' Ze kwam terug naar het bed en nam plaats. 'Je mag mijn godin nooit aanroepen. Ze zal nooit vergeven wat jouw volk en jouw Orëska ons volk hebben aangedaan.'

'Maar waarom heeft ze jou dan toegestaan ons te helpen?'

Lhel liet haar handen over haar gezicht glijden en streek de symbolen van haar huid. 'Het is de wil van de Moeder dat ik jou hielp en Haar wil dat ik bleef om voor de onrustige geest te zorgen die we die nacht gecreëerd hebben. Tijdens al mijn lange, eenzame dagen heb ik daarover nagedacht. En toen, toen je naar me toekwam en mijn leerling wilde worden…' Ze zuchtte. 'Als de Moeder daar geen voorstander van was geweest, had je nooit zoveel, met zoveel gemak van me kunnen leren.' Ze nam zijn hand en haar vingers zochten het stompje van zijn pink. 'Je kunt geen kind bij me verwekken met jouw zaad, maar jouw magie heeft met die van mij iets nieuws voortgebracht. Misschien zullen onze volkeren samen meer nieuws maken, maar onze goden verschillen nog te veel. Jouw Illior is niet mijn Moeder, hoe vaak je jezelf dat ook voorspiegelt. Wees je eigen goden trouw, mijn vriend, en let een beetje op dat je die van anderen niet beledigt.'

'Ik wilde ook niet…'

Ze legde haar koude vingertoppen op zijn lippen. 'Nee, je wilde me beïnvloeden door Haar aan te roepen. Doe dat nooit meer. En wat de andere tovenaars betreft, dacht je dat ze het leuk zouden vinden als ze me hier aantroffen?

Weet je nog wat jij van me dacht toen wij elkaar ontmoetten? Je angst en je af-schuw, en hoe je me een "kleine oplichtster" noemde?'

Arkoniël knikte met het schaamrood op de kaken. Hij en Iya hadden haar behandeld als een minderwaardig kruidenvrouwtje en hadden haar geen en-kel respect betoond, zelfs niet nadat ze alles gedaan had wat ze hadden ver-langd.

'Ik zal ze niet voor me winnen zoals ik jou voor me gewonnen heb.' Lhel liet haar vingers plagerig langs zijn buik naar beneden gaan, tot in het bosje haar toe. 'Maar let er wel op dat de sterkeren mij niet aanvallen.' Ze leunde iets achterover met een harde blik in haar ogen. 'Voor hun eigen bestwil, ja?'

'Ja.' Hij fronste zijn voorhoofd. 'Maar wat zullen Tobin en Ki wel niet den-ken, als ze merken dat ik er niet ben?'

'Het zijn intelligente jochies. Ze zullen het wel raden.' Ze dacht even na. 'Laat die geestbenevelaar hier.'

'Eyoli?'

'Ja. Hij is heel slim, en kan overal onopvallend rondlopen. Wie maakt zich nu druk om een staljongen? Als Tobin ons nodig heeft, kan hij ons een bericht laten sturen.' Ze liet zich van het bed glijden. 'Houd je ogen open, ik sta mor-gen ergens langs de weg. Neem zo veel mogelijk proviand en gereedschap mee. En meer kleren. Je doet toch wel wat ik zeg, hè? Je moet echt uit de buurt blijven. Daar win je niets mee.'

Voor hij kon antwoordden was ze verdwenen, en loste als een geest in de duisternis op. Misschien zou ze hem ooit eens dat trucje kunnen leren.

Nu wist hij zeker dat hij niet meer zou kunnen slapen. Hij liep naar de bin-nenplaats bij de moestuin, keek de bevoorrading na, telde dekens, rollen touw, zakken meel, zout en appels. Het Licht zij dank dat de koning hier geen beschermheer had aangesteld. Hij liep door de stallen en de kazerne en nam elk stuk gereedschap mee dat hij kon vinden – handzaagjes, hamers, twee roestige bijlen, een klein aambeeld uit de werkplaats van de hoefsmid. Hij voelde zich een stuk beter, nu hij iets nuttigs deed, en het leek er nu wel erg sterk op dat er een bladzij van zijn leven was omgeslagen. Na al die jaren rond-gezworven te hebben met Iya, stond hij er nu zelf voor met een handvol voort-vluchtige tovenaars en een wagen vol spullen – zijn nieuwe Orëska.

Het was een bescheiden begin, dacht hij, maar de kop was eraf.

42

De sterren vervaagden al toen Arkoniël met zijn groep op pad ging. Hain zette de kinderen in de wagen; de rest ging te paard. Wythnir zat bij Arkoniël achterop, zijn kleine bundeltje kleren tussen hen in. 'Waar gaat deze weg naartoe, meester?' vroeg hij.

'Naar de mijnstadjes die hier ten noorden van liggen, en uiteindelijk naar de kust, aan het westen van de landengte,' antwoordde Arkoniël. IJzer, tin, zilver en lood hadden Skalaanse pioniers aangetrokken die daar nederzettingen hadden gebouwd. Er waren nog een paar mijnen in bedrijf.

Hij vertelde niets over de oude verhalen die Lhel hem verteld had: hoe Skalaanse soldaten – met Tobins voorouders voorop – de weg gebruikt hadden om oorlog te voeren tegen Lhels volk. De *Rethna'roi* waren grote plunderaars en strijders geweest, maar ze werden gevreesd om hun magie. Toen Arkoniël en Iya zich de bergen in waagden om een heks te vinden, voelden ze nog altijd de vijandigheid smeulen in de harten van dat kleine, donkere volkje.

Hij had gedaan wat Lhel hem had gevraagd, had hen niets over haar verteld, alleen dat er straks een gids met hen mee zou gaan die hen naar een veilige plaats zou brengen. Ze zagen haar vlak na zonsopkomst. Ze stond boven op een rotsblok op hem te wachten.

De tovenaars toomden hun paarden in. Malkanus stak zijn hand al in zijn buideltje om magie tegen haar in te zetten, maar Arkoniël ging meteen voor hem rijden.

'Nee, wacht. Laat dat!' zei hij. 'Dit is onze gids.'

'Dit?' zei Malkanus en hij spuugde. 'Zo'n gore hagenheks?'

Lhel sloeg haar armen voor haar borst en keek hem dreigend aan vanaf haar rots.

'Dit is Lhel, een eerbiedwaardige vriendin van mij en Iya. Ik verwacht dat jullie haar met respect zullen behandelen. Illior heeft haar al jaren geleden op ons pad gebracht. Ze heeft net als jullie het visioen gezien.'

'Is Iya het hiermee eens?' vroeg Lyan, die oud genoeg was om zich de invallen te herinneren.

'Natuurlijk. Alsjeblieft, vrienden. Lhel heeft haar hulp aangeboden, en die hebben we hard nodig. Ze meent het goed met ons, daar durf ik mijn hand voor in het vuur te steken.'

Arkoniël probeerde hen op alle fronten gerust te stellen, maar aan beide kanten liep de spanning hoog op. Lhel zat wrevelig op de bok naast Hain, die zo ver mogelijk van haar af ging zitten alsof ze de Rood-Zwarte Dood had.

Die dag bereikten ze de eerste pas en zwoegend reden ze de steile weg omhoog, terwijl de lucht kouder werd en er af en toe sneeuw van de hoge pieken naar beneden gleed om langs de kant te blijven liggen. Als er al bomen stonden, waren ze vrij laag, zodat ze aan de grillen van de wind waren overgeleverd. 's Nachts hoorden ze vlakbij wolven huilen en af en toe hoorden ze het gejank van bergleeuwen echoën tussen de bergtoppen.

De kinderen kropen onder dekens achter in de wagen bijeen, terwijl de tovenaars op het vuur letten en de wacht hielden. Totmus hoestte nu onophoudelijk. Hij lag tussen de anderen in en doezelde af en toe weg, maar slapen kon hij niet. Terwijl de Orëska-tovenaars wantrouwig toekeken, maakte Lhel een beetje thee voor hem en ze kon hem ertoe verleiden het te drinken. Het kind raakte een alarmerende hoeveelheid groen slijm kwijt waar het van opknapte. De tweede dag lachte hij weer met de anderen mee en hij sliep een stuk beter.

De tovenaars bleven op hun hoede, maar de kinderen hadden geen problemen met de heks. Tijdens de lange vervelende uren in de wagen vertelde Lhel spannende verhalen en leerde hen leuke kleine trucjes. Elke nacht wanneer ze gingen slapen verdween ze in de duisternis en kwam ze terug met paddestoelen en kruiden voor in de stoofpot.

De derde dag liep de weg steil naar beneden langs de rand van een ravijn, en het bos kwam weer naderbij. Honderd voet beneden hen stroomde een blauwgroene rivier woest tussen de echoënde wanden door. Vlak na de ruïnes van een verlaten dorpje sloegen ze rechtsaf naar een zijrivier en die volgden ze tot in een klein, dichtbebost dal.

Een weg was er niet. Lhel leidde hen langs de oever van de rivier en langs torenhoge dennen. Het onkruid schoot hier hoog op zodat het bos spoedig te dichtbegroeid werd voor de wagen; ze leidde hen te voet verder langs een beekje naar een open plek tussen de bomen.

Eens had hier een dorp gestaan, maar dat was niet door Skalaanse handen gebouwd. Kleine, ronde huizen zonder dak stonden langs de rivieroever, allemaal zo groot als een appelschuurtje. Veel waren er ingestort en het domein van mos en klimplanten geworden, maar andere leken nog bruikbaar.

Een paar door weer en wind geteisterde palen stonden in vreemde hoeken rond de rand van de plek, die aangaf waar een palissade de wolven en bergleeuwen had buitengehouden, en misschien ook Skalaanse invallers.

'Dit is goede plek,' zei Lhel tegen hen. 'Water, hout en eten. Maar jullie moeten snel aan de slag met bouwen.' Ze wees naar de hemel waar zich grijze wolken samenpakten. Ze konden hun adem in wolkjes zien opstijgen. 'Het gaat sneeuwen. Kleintjes moeten een warme plek hebben om te slapen, ja toch?'

Ze liep naar een van de hutten en liet hen gaten zien en een paar topstenen. 'Voor dakspanten.'

'Blijft u bij ons, meesteres?' vroeg Danil met zijn hand in de hare. De vorige dag had Lhel hem geleerd om veldmuisjes te roepen en ze op zijn knie te laten klimmen, een trucje dat Arkoniël nooit achter het ventje gezocht had. Het jochie volgde de heks als een jong hondje.

'Een tijdje,' zei ze en ze klopte hem op de hand. 'Wil je nog meer magie leren?'

'Mag ik ook?' vroeg Totmus terwijl hij zijn neus aan zijn mouw afveegde.

'En wij ook!' gilde de tweeling.

Lhel schonk geen aandacht aan de priemende blikken van de oudere tovenaars. 'Ja, mijn diertjes. Allemaal leren.' Ze glimlachte naar Arkoniël en weer bleek voor hem dat alle stukjes op hun plaats vielen.

De bedienden volgden Lhels aanwijzingen op om een aantal van de oude hutten bewoonbaar te maken voor de nacht door van jonge boompjes en grote takken tijdelijke daken te vlechten.

Ondertussen namen Malkanus, Lyan en Vornus Arkoniël terzijde.

'Is dit dat Derde Orëska van je?' vroeg Malkanus kwaad, en hij wees naar de kinderen die om Lhel heen zaten. 'Moeten we allemaal zwarte kunst van die heks leren?'

'Je weet dat het verboden is,' waarschuwde Vornus. 'Aan dat lesgeven moet een einde komen.'

'Ik ken de verhalen, maar ik zeg jullie, die zijn maar voor een deel correct,' hield Arkoniël stug vol. 'Ik heb jaren onderricht van deze vrouw achter de rug, en ken de ware wortels van haar magie. Ik zou het graag aan jullie laten zien, dan weten jullie dat ik de waarheid vertel. Illior zou haar nooit op ons pad ge-bracht hebben als het niet de bedoeling was dat we wat van haar zouden leren. Zien jullie niet dat het een teken is?'

'Maar de magie van onze school is zuiver!' zei Lyan.

'Het is maar wat je zuiver noemt. Ik heb Aurënfaiers het hoofd zien schud-den bij sommige spreuken van ons. En vergeet niet, onze magie is net zo on-natuurlijk voor ons volk als die van Lhel. Pas toen ons bloed vermengd werd met dat van de 'faiers stonden er tovenaars op in de Drie Landen. Misschien kan het geen kwaad om nog wat vreemd bloed toe te laten, bloed van Skalaan-se bodem zelfs. De heuvelmensen woonden hier al voor onze voorouders zelfs maar boten konden maken.'

'Ja, en ze hebben honderden van ons volk over de kling gejaagd,' zei Malka-nus wrokkig.

Arkoniël haalde zijn schouders op. 'Ze vochten tegen invallers. Zou jij dat niet gedaan hebben? Zou jij niet iemand doden die alles van je wilde afpak-ken? Ik denk dat het tijd wordt om vrede met hen te sluiten. Maar geloof me voorlopig maar als ik zeg dat we Lhels hulp hard nodig hebben en haar magie ook. Praat eens met haar. Sluit je niet af voor wat ze te vertellen heeft. Ze is zeer machtig.'

'Dat voel ik zo ook wel,' mompelde Cerana. 'En dat vind ik juist zo griezelig.'

Ondanks al Arkoniëls pogingen om de twijfel weg te nemen, liepen de ande-ren hoofdschuddend weg.

Lhel kwam naar hem toe en zei: 'Kom, ik zal je iets nieuws leren.' Ze ging terug naar de wagen, rommelde wat in de bagage en haalde een koperen schaal tevoorschijn. Ze volgden de oever van de rivier zodat ze dieper in het woud te-rechtkwamen. De bodem was steil hier en de oevers waren vol mossige randen en ruige, door vorst aangetaste pollen varens en rietbes. Dikke bossen dodde-gras wuifden langs de waterrand. Ze trok een plant uit het water en schilde de dikke witte wortel. Hij was vezelig en droog in deze tijd van het jaar, maar nog wel eetbaar.

'Er is hier eten in overvloed,' zei Lhel terwijl ze verder wandelden. Ze stop-te weer en plukte een grote gele paddestoel van een rottende boomstam en bood hem een hapje aan. 'Je moet jagen voor de sneeuw valt en het vlees ro-ken. En hout zoeken. Ik betwijfel of alle kinderen de lente zullen halen. Tot-mus in elk geval niet.'

'Maar je hebt hem beter gemaakt!' riep Arkoniël wanhopig. Hij was erg ge-steld geraakt op het kleine knulletje.

Lhel haalde haar schouders op. 'Ik deed wat ik op dat moment voor hem kon doen, maar de ziekte zit vast in zijn longen. Het komt weer terug.' Ze zweeg even. 'Ik weet wat ze over me zeiden. Je verdedigde me, en daar dank ik je voor, maar de ouderen hebben gelijk. Je weet niet half hoe machtig ik ben.'

'Zal ik dat ooit te weten komen?'

'Dat wil je niet weten, mijn vriend. Maar nu zal ik je wat nieuws laten zien, en het is alleen voor jou. Zweer dat je het voor jezelf zult houden.'

'Ik zweer op mijn handen, mijn hart en mijn ogen.'

'Goed dan. We beginnen.' Ze vormde haar handen als een kop om haar mond en stiet een huiveringwekkende, blatende roep uit, en luisterde toen. Arkoniël hoorde niets dan de wind in de bomen en het kabbelen van de stroom.

Lhel draaide zich om en liet de roep het water overgaan. Deze keer weerklonk er een flauw antwoord, toen nog een, steeds dichterbij. Een enorme hertenbok kwam tevoorschijn tussen de bomen aan de andere kant van de rivier, en snoof achterdochtig de geuren op. Hij was zo groot als een klein damespaard en droeg tien scherpe vertakkingen aan elke gebogen geweitak.

'Het is bronsttijd,' bracht Arkoniël haar in herinnering. Een hertenbok in de kracht van zijn leven was levensgevaarlijk in deze tijd van het jaar.

Maar Lhel maakte zich er niet druk om. Ze stak haar hand als groet op en begon op die hoge melodieloze manier te zingen zoals ze soms deed. Het hert snoof luid en schudde zijn kop. Een paar flarden van de fluwelen bekleding van het gewei vielen op de grond. Arkoniël zag een stukje losraken en onthield waar het terechtkwam; als hij deze ontmoeting zou overleven, zou hij een brouwseltje kunnen maken waarin het niet gemist kon worden.

Lhel zong maar door en het hert begon de rivier over te steken. Hij klom spetterend op de oever en bewoog zijn kop langzaam van links naar rechts en terug. Lhel glimlachte naar Arkoniël terwijl ze het dier tussen de oren krabbelde en hem kalmeerde als een oude melkkoe. Ze neuriede voort, trok haar zilveren mes met haar vrije hand en vaardig maakte ze een sneetje in de dikke slagader onder de kaak van het dier. Een straaltje bloed gutste eruit en ze ving het op in haar schaal. Het hert snoof zacht maar bleef stilstaan. Toen ze een duimdik laagje bloed had verzameld, gaf Lhel de schaal aan Arkoniël en legde haar hand op de wond, die zich onmiddellijk sloot.

'Naar achteren,' murmelde ze. Toen ze op veilige afstand waren klapte ze in haar handen en riep: 'Ik laat je vrij!'

Het hert sneed met zijn gewei door de lucht en met één sprong was hij tussen de bomen verdwenen.

'En nu?' vroeg hij. Een vette wildlucht steeg op uit de schaal en hij kon de warmte en de kracht van het bloed door het metaal heen voelen.

Ze grijnsde. 'Nu laat ik jou zien wat je al zo lang wilt weten. Zet de schaal neer.'

Ze hurkte neer naast de schaal en gebaarde Arkoniël hetzelfde te doen. Ze trok een leren buideltje uit de hals van haar gerafelde jurk en gaf het aan hem. Er zaten enkele bundeltjes kruiden met draad samengebonden en nog wat kleinere zakjes in. Ze instrueerde hem een handjevol gedroogde dagbloemen te verkruimelen met wat naalden van de tamarisk. Uit de kleine zakjes nam hij snuifjes zwavelpoeder, gemalen botjes en oker dat zijn vingers de kleur van roest gaf.

'Roer het nu dooreen met het eerste takje dat je vindt,' zei Lhel.

Arkoniël vond een kort gebleekt takje en roerde ermee in het mengsel. Het bloed dampte nog steeds maar het rook volkomen anders.

Lhel haalde een van de vuurspaanders tevoorschijn die hij voor haar had gemaakt en gebruikte het om een bosje hooi aan te steken. Toen ze de scherpe rook over het oppervlak blies, begon het bloed rond te draaien en werd het pikzwart.

'Zing nu met me mee.' Lhel sprak een aantal vreemde lettergrepen uit en Arkoniël deed zijn uiterste best ze na te zeggen. Ze wilde de formule niet vertalen maar corrigeerde zijn uitspraak en liet het hem steeds maar weer zingen tot hij de bezwering goed in zijn hoofd had.

'Goed. Nu vlechten we de draden voor de bescherming. Breng de schaal.'

'Zo heb je je eigen woonplaats verborgen, hè?'

Ze knipoogde.

Ze bracht hem naar een knoestige oude berk die over het stroompje hing en liet hem zien hoe hij zijn handpalm met bloed moest insmeren om de boom te markeren, terwijl hij de bezwering zong.

Arkoniël trok een gezicht; tussen zijn vingers voelde het bloed dik en glibberig aan. Al zingend drukte hij zijn hand tegen de bladderende witte bast. Het bloed stak er sterk tegen af maar verdween binnen een paar tellen. Er was zelfs geen druppel vocht te bekennen.

'Wonderbaarlijk!'

'We zijn net begonnen. Eén is geen, in dit geval.'

Lhel bracht hem naar een grote zwerfkei en hij moest het proces herhalen. Het bloed verdween net zo makkelijk in de steen.

Terwijl de zon achter de toppen van de bergen onderging en de schaduwen kil werden, maakte ze een wijde cirkel rondom het kamp, waardoor een magische kring ontstond die de zintuigen van elke vreemdeling in de war zouden sturen. Alleen degenen die het wachtwoord kenden – *alaka*, 'doorgang'– zouden door die kring heen kunnen breken.

'Ik zat altijd te kijken als jij en de jongens me probeerden te vinden,' grinnikte Lhel. 'Soms keek je me recht in mijn gezicht en wist je van niets.'

'Zou dit ook werken bij een stad? Of voor een heel leger?' vroeg hij maar ze haalde haar schouders op.

Ze voltooiden het werk onder de rijzende volle maan en volgden het flakkerende licht van de kampvuurtjes terug naar de anderen, die ook druk waren geweest tijdens hun afwezigheid. Twee van de ronde stenen wanden waren netjes overkapt en een deel van de voorraden was al van de wagen gehaald. Droog hout lag opgestapeld bij de nieuw gegraven vuurkuil en Hain hakte nog meer in stukken, vooral de grote takken die de kinderen uit het bos hadden gesleept. Bij de oever waren Noril en Semion een vette ree aan het schoonmaken.

'Het is een goed voorteken,' zei Noril terwijl hij de huid van het karkas stroopte. 'De Schepper stuurde haar zo het kamp in terwijl we dat tweede dak aan het aanbrengen waren.'

Dar en Ethni hadden al brokken wild boven een houtvuurtje gehangen en een spit met het hart, de lever en de zwezerik. Terwijl het vlees geroosterd werd legde Arkoniël uit dat er een beschermende bezwering rond het kamp was aangebracht, en hij vertelde het wachtwoord. Cerana en Malkanus wisselden wantrouwige blikken uit maar Ethni en de kinderen gingen ervandoor om het te testen.

Het was geen slecht begin. Er was genoeg vlees voor iedereen en brood was er ook. Na het eten toverden Vornus en Kaulin hun pijpen te voorschijn en ze gaven ze in de kring door terwijl ze de nachtelijke geluiden interpreteerden. De krekels en kikkers waren stil in deze tijd van het jaar, maar ze konden genoeg kleine wezens horen trippelen in het bos. Een grote witte uil schoot over de open plek heen, en groette hen met een treurig 'oehoe'.

'Nog een goed voorteken,' zei Lyan. 'Illior stuurt zijn boodschapper om ons nieuwe thuis te zegenen.'

'Thuis,' gromde Malkanus, en hij trok een tweede mantel over zijn schouders. 'Midden in de rimboe zonder een normale maaltijd en met tochtige schoorstenen om in te wonen.' Melissandra trok bedachtzaam aan een van de pijpen en blies een gloeiend rood paard van rook uit, dat tweemaal rond het vuur galoppeerde voor het boven Ethni's hoofd in flinters uiteenspatte.

'Er zijn er onder ons die heel wat verricht hebben met heel wat minder,' zei ze, en ze blies een koppel blauwe vogeltjes uit voor Rala en Ylina. 'We hebben water, goede jachtgronden en een schuilplaats.' Ze knikte naar Lhel. 'Dank je wel. Het is een goede plek.'

'Hoe lang moeten we hier blijven?' vroeg Vornus aan Arkoniël.

'Dat kan ik nog niet zeggen. We moeten de hutten maar goed herstellen voor de sneeuw valt.'

'O, zijn we nu ook al timmerlui geworden?' kreunde Malkanus. 'Wat weet ik nou van hutten bouwen?'

'O, daar vinden we wel wat op, meester,' verzekerde Cymeus hem.

'Er zijn tovenaars die ook goed met hun handen kunnen werken,' voegde Kaulin eraan toe. 'Vele handen maken licht werk, zeggen ze.'

'Bedankt Kaulin, en jullie ook.' Arkoniël stond op en boog naar Dar en de andere bedienden. 'Jullie zijn zonder morren met jullie meesters en meesteressen meegegaan en hebben ons hier in de wildernis geholpen om een nieuw thuis te krijgen. Jullie hebben ons horen praten over het Derde Orëska. Het begint me te dagen dat jullie daar net zo goed deel van uit moeten maken als de tovenaars. Vandaag bouwen we onze hutten omdat we onszelf verbannen hebben, maar ik beloof jullie, als we op Illior blijven vertrouwen en de taak die we onszelf gesteld hebben volbrengen, dan wonen we eens in ons eigen paleis, zo groots als welk paleis in Ero ook.'

Kaulin gaf Malkanus een por. 'Nou, hoor je het nou? Geef de moed niet op, jongen. Je zal weer in een zacht bedje slapen voor je het weet!'

Totmus kuchte krampachtig terwijl hij in Ethni's armen indommelde.

43

Tobin legde de laatste mijl naar de burcht in galop af, dolblij om eindelijk weer eens thuis te komen. Toen hij tussen de bomen door de weide bereikte, hield hij zijn paard in en keek verrast om zich heen.

'Sodemieter!' riep Ki uit, die zich samen met de anderen bij hem gevoegd had. 'Het lijkt wel of de koning half Ero heeft meegenomen!'

Aan de overkant van de rivier was de vergeelde wei omgetoverd in een tentendorp met geïmproviseerde stallen. Tobin had het eenvoudig willen houden, maar dit had meer weg van een jaarlijkse stadskermis. Hij liet zijn ogen over de banieren van de kooplui glijden, die wapperden aan hun palen. Ze waren allemaal vertegenwoordigd, van bakkers tot handelaars in de parafernalia van de valkenjacht. Er waren natuurlijk ook volop kunstenmakers, zelfs de groep acteurs van het theater de Gouden Voet.

'We zitten hier ver van de stad,' zei Erius die hun commentaar lachend had aangehoord. 'Ik wilde er zeker van zijn dat jullie jongelui passend vermaak zouden hebben zolang jullie hier te gast zijn.'

'Dank u wel, oom,' zei Tobin. Hij had al vijf banieren van minstrelen en zes van hoofdstedelijke koks geteld. Hij vroeg zich af hoe Kokkie zou reageren als die lieden haar keuken binnenmarcheerden. Ze was ten slotte een krijgsvrouw geweest en je moest het niet wagen haar te storen als ze aan het koken was.

'Kijk daar!' riep Ki uit en hij wees naar de heuvel. Nari had hen geschreven dat er brand geweest was, maar het was toch een hele schrik om de geblakerde ramen van Arkoniëls kamers te zien. Wat had de tovenaar uitgespookt? vroeg Tobin zich in stilte af. Arkoniël was hier immers nog een geheim; waarschijnlijk hield hij zich schuil in Lhels holle eik.

Nari en Kokkie kwamen naar buiten om hen te begroeten en schonken daarbij bijzonder veel aandacht aan Korin.

'En moet je jullie nou eens zien!' riep Nari uit, want ze moest op haar tenen staan om Tobin en Ki een zoen te geven. 'Jullie zijn me daar een flink stuk gegroeid sinds de laatste keer dat ik jullie zag!'

Tobin was juist verbaasd dat ze zo klein leek. Als kind had hij haar altijd fors gevonden.

Toen hij de Gezellen later een rondleiding gaf, merkte hij nog meer veranderingen op, dingen die alleen iemand die hier altijd gewoond had opvielen. De kruidentuin achter de kazerne was flink uitgebreid, en de moestuin was zeker drie keer zo groot geworden. Behalve een nieuwe, ietwat loensende staljongen waren er geen nieuwe gezichten onder het personeel.

Het huis zag er lichter uit dan Tobin zich herinnerde, het was echt thuis geworden, maar daar had Nari voor gezorgd. Ze had elke kamer opnieuw gemeubileerd en had al haar beste linnengoed, wandversieringen en wandtapijten uit kisten en dozen tevoorschijn gehaald. Zelfs de tweede verdieping was vrolijk bij daglicht; de kamers aan de linkerkant van de gang stonden vol veldbedden voor het kleine legertje bedienden dat meegekomen was. Arkoniëls oude kamers waren dichtgemaakt met baksteen tot ze gerestaureerd konden worden.

Terwijl de anderen zich gereedmaakten voor het avondmaal, glipte Tobin boven naar het eind van de gang. De deur van de torenkamer was op slot, de koperen klink was dof geworden. Hij rammelde eraan en vroeg zich af of Nari de sleutel nog zou hebben. Hij herinnerde zich maar al te goed hoe bang hij altijd was geweest als hij zich voorstelde dat de boze geest van zijn moeder naar hem keek, dwars door de deur heen. Nu was het gewoon een deur als alle andere.

Maar toch stak een oud verlangen de kop op. Tobin legde zijn voorhoofd tegen het gladde hout en fluisterde: 'Ben je daar, moeder?'

'Tobin?'

Tobin schrok zich lam, maar het was Ki maar die boven aan de trap stond.

'O, daar ben je. Kokkie wil dat je de soep komt voorproeven en je hebt nog niet eens je schone kleren aan – zeg, wat scheelt eraan?'

'Niets, ik keek alleen even rond.'

Ki hoorde natuurlijk dat het maar een smoesje was. Hij kwam naar Tobin toe en liet zijn vingers over het glanzende hout glijden. 'Ik was het vergeten. Staat ze daar?'

'Ik geloof het niet.'

Ki leunde tegen de muur. 'Mis je haar?'

Tobin haalde zijn schouders op. 'Ik dacht van niet, maar ik moest ineens denken aan hoe ze op goede dagen was voor…. Nou ja, voor de laatste dag.

Toen leek ze net een echte moeder.' Hij haalde de ring met het portret van zijn ouders tevoorschijn en liet Ki haar serene profiel zien. 'Zo zag ze eruit voor Broer en ik geboren werden.'

Ki zei niets, maar legde zijn hoofd op Tobins schouder.

Tobin zuchtte. 'Ik heb nagedacht. Ik denk dat ik de pop maar hier laat.'

'Maar zíj zei dat je hem moest houden, ja toch?'

'Ik heb hem niet meer nodig. Hij vindt me toch wel, of ik hem nu bij me heb of niet. Ik word er zo moe van, Ki. Moe om hem en de pop steeds maar te verbergen.' *En mezelf te verbergen,* dacht hij, maar hij slikte de woorden in. Hij keek rond en lachte ietwat melancholiek. 'Wat is het lang geleden hè, dat we hier woonden. Het ziet er niet zo uit als ik me herinner. Alles leek zo groot en donker toen, zelfs toen jij hier de boel kwam opvrolijken.'

'Wij zijn groter geworden.' Met een grijns trok Ki Tobin weg van de torenkamer. 'Kom maar, ik kan het bewijzen.'

Nari had hun slaapkamer net zo gelaten als hij was toen ze vertrokken, en in de speelkamer lag een dikke laag stof over de speelgoedstad en wat ander kinderspeelgoed. In de slaapkamer hing de maliënkolder van Tobins vader nog steeds op de standaard.

'Nou, kom op,' zei Ki. 'Je hebt in geen eeuwen geprobeerd of hij paste.'

Tobin trok de wapenrusting over zijn hoofd en keek toen chagrijnig naar zijn spiegelbeeld.

'Vader zei dat als ik hierin paste, ik oud genoeg zou zijn om met hem mee ten strijde te trekken.'

'Nou, je bent er lang genoeg voor,' zei Ki.

Dat was zo, maar Tobin was nog te smal. De schouders van het bovenstuk hingen ongeveer op zijn ellebogen en de mouwen kwamen tot over zijn vingertoppen. De kap viel steeds over zijn ogen.

'Je moet gewoon nog een beetje in de breedte groeien.' Ki zette de oude helm op Tobins hoofd en roffelde er met zijn knokkels tegenaan. 'Die past tenminste. Hé joh, kijk 'ns wat vrolijker! De koning heeft gezegd dat we kustpatrouilles mogen rijden als we terug zijn. Beter piraten en struikrovers dan helemaal geen gevecht, toch?'

'Misschien wel, ja.' Uit zijn ooghoek zag Tobin iets bewegen. Toen hij zich omdraaide ontdekte hij Broer in de schaduwen van het vertrek. Die had dezelfde maliënkolder aan, maar die van hem zat als gegoten. Tobin trok de zijne snel uit en wierp hem over de standaard. Toen hij weer omkeek was de geest verdwenen.

Tobin zag voor het eerst in zijn leven de grote hal vol kameraden en jagers, muziek en gelach. In de haard knapperde een vrolijk vuur dat de tafels die eromheen gezet waren verlichtte en schaduwen ervan op de beschilderde wanden wierp. Potsenmakers liepen her en der en de minstreelgalerij stond vol muzikanten. Het hele huis weerklonk van de geluiden van een feest en vrolijkheid.

Kokkie en de stadse kok waren blijkbaar tot een akkoord gekomen en de oude kokkin hielp trots mee om het banket ter tafel te brengen. Nari speelde hofmeesteres in een nieuwe jurk van bruine wol. Andere vrouwen waren ofwel bedienden ofwel potsenmakers. Omdat Aliya weer zwanger was, was ze bij haar moeder gebleven, en logeerde daar onder het wakend oog van een stel drysianen.

Op de ereplaats naast Tobin keek Tharin melancholiek voor zich uit. 'Zo is het nooit meer geweest sinds ik een jongen was.'

'We hebben hier heel wat goede momenten beleefd, ja!' zei de koning en hij tikte met zijn beker die van Tobin aan. 'Die grootvader van je kon een goede jacht voorbereiden – herten, zwijnen, zelfs bergleeuwen vingen we! Ik heb nu al zin om er morgen op uit te trekken!'

'En we hebben ook nog een verjaardagsverrassing voor je,' zei Korin en hij gaf zijn vader een knipoogje.

De gezelligheid en het gezelschap deden Tobin goed en hij deed vrolijk mee met het zingen en de drankspelletjes. Tegen middernacht was hij bijna net zo dronken als Korin. Omringd door vrienden en muziek kon hij zijn sombere gedachten over profetieën en verdriet over het verleden laten varen; eindelijk was hij baas in eigen huis.

'Wij blijven toch altijd vrienden, hè?' zei hij met zijn arm om Korins schouders.

'Vrienden?' zei Korin lachend. 'Broers, dat zijn we! Een dronk op mijn kleine broertje!'

Iedereen juichte en wuifde met zijn beker. Tobin deed mee, maar de lach verdween snel van zijn gezicht toen hij twee donkere gestalten in een beschaduwd hoekje van het balkon van de muzikanten zag rondhangen. Ze deden een paar passen naar voren, zonder aandacht te schenken aan de vedelaars die lustig naast hen voort speelden; het waren Broer en zijn moeder. Tobin huiverde toen hij haar zag. Dit was niet die aardige dame die hem schrijven en tekenen had geleerd. Met een bloederig gelaat en ogen die brandden van haat wees ze hem verwijtend aan. Toen losten beide geesten op maar Tobin kon nog net zien wat ze onder haar arm hield.

De rest van het feest kon hij zich nadien maar nauwelijks herinneren. Toen het laatste gerecht soldaat gemaakt was liet hij weten dat hij kapot was en hij haastte zich naar boven. Zijn hutkoffer was nog steeds op slot maar toen hij hem opende en tussen de tunieken begon te graven, bleek de pop te zijn verdwenen, net waar hij bang voor was geweest.

'Mooi! Ben blij toe!' schreeuwde Tobin de lege kamer in. 'Blijf maar lekker bij mekaar, net als altijd!' Hij meende het nog ook en hij begreep er dan ook niets van dat hij plotseling door tranen verblind werd toen hij zich op het bed liet vallen.

44

Het weer bleef fraai en de jacht was succesvol. Elke ochtend reden ze voor dag en dauw uit om de heuvels en bossen uit te kammen en te- rug te komen met voldoende herten, wilde zwijnen, patrijzen en ko- nijnen om een heel leger te voeden. De koning was steeds goedgemutst, al wist Tobin nu wel beter en bleef hij steeds op zijn hoede. Maar het was wel makkelijker om zich te ontspannen, nu Niryn niet de hele tijd bij hen was en elke gedachte of ieder gebaar van hem in de gaten hield.

Elke avond was er een banket en werd er gedronken, en werden ze ver- maakt door een steeds wisselende groep kunstenmakers. Tobin bleef weg van de tweede verdieping en de geesten vertoonden zich ook niet meer beneden.

'Misschien moeten we de pop gaan zoeken,' stelde Ki voor toen Tobin hem eindelijk verteld had wat er was gebeurd.

'Waar? In de torenkamer soms?' vroeg Tobin. 'Die is op slot en de sleutel is weg. Ik heb het al aan Nari gevraagd. En al had ze hem wel gehad, ik zou voor geen goud meer naar boven gaan.'

Hij had er al over nagedacht, had er zelfs al over gedroomd, maar niets ter wereld zou hem weer naar die kamer en naar dat raam kunnen krijgen.

Hij verdreef de pop uit zijn gedachten en ook Ki kwam er niet meer op te- rug. Hij maakte zich meer zorgen om Lhel. Ze waren er al eens samen tussen- uit geknepen om de bergweg af te speuren, maar van Lhel of Arkoniël was geen spoor te bekennen.

'Des te veiliger voor ze, met zo'n bende jagers die overal kunnen opduiken,' zei Ki, maar hij klonk al net zo teleurgesteld als Tobin zich voelde.

Op de ochtend van zijn verjaardag zag Tobin dat er achter de kazerne een nieuw paviljoen was opgericht. Het was enorm groot en gemaakt van felge- kleurd canvas, behangen met zijden banieren en bonte wapperende linten.

Toen hij vroeg waarvoor dat bedoeld was, antwoordde Korin hem met een knipoog.

Tijdens het banket werd er druk gefluisterd en het was duidelijk dat er een soort samenzwering gaande was. Vooral Korin en de anderen konden hun lachen nauwelijks inhouden. Toen de laatste honingtaartjes opgegeten waren stonden ze op en gingen ze om de jarige heen staan.

'Ik heb een héél speciaal verjaarscadeautje voor je, neefje,' zei Korin. 'Daar ben je nu wel oud genoeg voor.'

'Waar ben ik dan oud genoeg voor?' vroeg Tobin ongemakkelijk.

'Dat zullen we je meteen laten zien!' Korin en Zusthra tilden hem op hun schouders. Hij keek in paniek achter zich toen hij werd weggedragen en hij zag dat de schildknapen Ki tegenhielden; die ging dus niet mee. Die leek dat overigens heel gewoon te vinden en deed niet bijster veel moeite om hem achterna te komen.

'Nog een fijn feestje, Tob!' riep hij en hij zwaaide hem lachend na.

Tobins ergste angsten werden bewaarheid toen ze hem naar het opzichtige paviljoen droegen. Het was natuurlijk een bordeel, eigendom van een favoriete hoerenmadam van de koning. Binnen werd de tent door zware geborduurde draperieën in kamertjes verdeeld; in het midden bevond zich een ontvangsruimte. Kandelaars en bronzen lampen verlichtten de tent die was ingericht als een dure villa met tapijten waarin je voeten wegzonken, en waarop sierlijke wijntafeltjes en dikke kussens stonden. Meisjes in doorschijnende zijden hemdjes begroetten de gasten en lieten hen plaatsnemen op fluwelen banken.

'Ik heb al voor je gekozen,' zei Korin. 'Hier is je cadeau!'

Een knap blond meisje verscheen vanachter een van de fluwelen gordijnen en kwam naast Tobin zitten. De andere Gezellen hadden al een meisje op schoot zitten en zo te zien voelden ze zich daarmee helemaal thuis. Zelfs Nikides en Lutha schenen in hun sas met deze ontwikkelingen.

'Je bent nu een man, en een strijder bovendien,' zei Korin en hij hief zijn beker in zijn richting. 'Het wordt hoog tijd dat je de pleziertjes van een man eens aan den lijve ondervindt!'

Het was een nachtmerrie en Tobin deed zijn uiterste best zijn wanhoop te verbergen. Alben zat te ginnegappen met Urmanis en Zusthra die hem vals grijnzend aanstaarden.

'Het is me een eer, mijn prins,' zei het meisje, terwijl ze tegen hem aanschoof en hem lekkernijen op een verguld bordje aanbood. Ze was een jaar of achttien maar haar ogen waren zo oud als die van Lhel terwijl ze hem snel opnam. Ze deed ingetogen maar er sprak ook een hardheid uit haar glimlach waar Tobin alleen maar angstiger door werd.

Hij stond toe dat ze zijn beker vulde en dronk hem snel leeg, terwijl hij wenste dat hij ter plekke in lucht op zou gaan of dat de grond zich onder zijn voeten zou openen. Helaas wilde geen van beide lukken en ten slotte stonden de meisjes op om hun minnaars naar hun kamer rondom het zitgedeelte te leiden.

Tobins knieën begonnen te knikken toen het meisje een gordijn opzij schoof en hem in een met wandkleden behangen kamertje trok. Een zilveren lamp hing aan een ketting in het midden en op een standaard van houtsnijwerk brandde een staafje wierook in een brandertje. Over fraai geknoopte karpetten leidde ze hem naar een hemelbed. Terwijl een gemaakt glimlachje rond haar mond speelde, begon ze zijn tuniek los te knopen.

Overvallen door gêne en wanhoop hield Tobin zijn hoofd gebogen opdat het meisje zijn blos niet zou zien. Het liefst zou hij wegrennen, maar dan zou hij niet alleen binnen de Gezellen het mikpunt van spot worden. Het alternatief was echter ondenkbaar.

Tobins hart bonkte zo hard in zijn oren dat hij haar nauwelijks hoorde toen ze haar handen stilhield en fluisterde: 'Zou je liever hebben dat ik je niet uitkleedde, mijn prins?'

Ze wachtte op zijn antwoord, maar hij kon geen woord over zijn lippen krijgen. Neerslachtig staarde hij naar de vloer en schudde toen het hoofd.

'Alleen dit dan maar,' mompelde ze en ze reikte naar de vetersluiting van zijn broek. Hij deinsde terug en ze bleef stil staan. Zo stonden ze een tijdje tegenover elkaar tot hij plotseling de zachte aanraking van haar lippen op zijn wang voelde.

'Je wilt het helemaal niet, hè?' fluisterde ze dicht bij zijn oor. 'Ik zag het al zodra ze je binnenbrachten.'

Tobin rilde, en stelde zich voor wat ze Korin later zou vertellen. Hij had Quirion verbannen omdat hij te schijterig was geweest om te vechten; zou dit op hetzelfde oordeel uitdraaien?

Maar tot zijn verbazing omhelsde ze hem. 'Dat maakt niet uit. Het hoeft ook niet.'

'Hoeft het…hoeft het niet?' stamelde hij, en hij keek haar aan en zag haar glimlachen, met een echte glimlach. De harde trekken waren verdwenen; ze zag er eigenlijk heel aardig uit.

'Kom maar even bij me zitten.'

Er was geen andere plek om plaats te nemen dan het bed. Ze trok haar benen op en nestelde zich tegen de kussens; ze beklopte het plekje naast zich. 'Kom dan,' zei ze vleiend. 'Ik bijt niet, hoor.'

Aarzelend kwam Tobin bij haar zitten en trok zijn knieën op onder zijn kin. Op dat moment drongen er zachte kreetjes en iets harder gegrom door vanuit de andere ruimtes. Tobin weerstond de aandrang om zijn vingers in zijn oren te stoppen; hij herkende een paar van die stemmen en dankte de Vier dat de schildknapen deze keer niet mee waren gegaan. Hij had het niet aangekund als hij Ki had horen kreunen. Het klonk bijna alsof ze pijn hadden, maar vreemd genoeg was het ook een opwindend geluid. Zijn lichaam reageerde op zijn omgeving en hij bloosde feller dan ooit.

'De prins bedoelt het goed, denk ik,' fluisterde het meisje, maar echt gemeend klonk het niet. 'Hij is een echte dekhengst geweest sinds zijn jongste jaren, maar hij is een ander type, niet? Sommige jongens zijn er pas veel later aan toe.'

Tobin knikte. Ergens was het wel waar.

'Maar je hebt vast een naam hoog te houden bij je vrienden, of vergis ik me?' ging ze verder en ze grinnikte toen Tobin er brommend mee instemde. 'Dat is een fluitje van een cent. Schuif maar een beetje op.'

Nog steeds op zijn hoede deed Tobin wat ze vroeg en keek met grote ogen toe hoe ze op haar knieën in het midden van het bed ging zitten en van die verontrustende geluiden begon te maken – kreunen, zuchten, lachen diep vanuit haar keel, en vervolgens slaakte ze kleine hoge kreetjes zoals die nu overal rondom hen te horen waren. Toen begon ze tot zijn ontzetting op het bed te springen als een kind. Zonder haar keelklanken te staken grijnsde ze naar Tobin en stak haar handen naar hem uit.

Eindelijk drong het tot hem door wat ze deed en hij pakte haar handen en begon op zijn knieën op en neer te springen. De veren piepten en het bed begon te schudden. Ze liet haar stem nog hoger klimmen en viel neer op het bed met een indrukwekkende zucht. Ze duwde haar gezicht meteen in het dekbed omdat ze in giechelen uitbarstte.

'Oké, neefje!' riep Korin dronken vanuit de andere kamer.

Tobin sloeg beide handen voor zijn mond om zijn eigen lachbui te smoren. Zijn metgezellin keek met stralende ogen naar hem op omdat ze samen zoveel lol hadden en ze fluisterde opgewekt: 'Volgens mij is je reputatie gered, mijn prins.'

Tobin ging naast haar liggen zodat hij zacht kon blijven praten. 'Maar waarom deed je dat?'

Ze liet haar kin op haar handen rusten en keek hem sluw aan. 'Het is mijn taak om mijn klanten genot te schenken. Heb je genoten?'

Tobin kon zijn lachen met moeite inhouden. 'Ik dacht het wel, ja!'

'Dan zal ik dat je neef en de koning vertellen, als ze me ernaar vragen. En dat doen ze beslist.' Ze gaf hem een lief kusje op zijn wang. 'Je bent niet de eerste, hoor. Een paar van je vrienden hier delen je geheim.'

'Wie dan?' vroeg Tobin. Ze klakte bestraffend met haar tong en hij moest alweer blozen. 'Hoe kan ik je bedanken? Ik heb niet eens mijn beurs bij me.'

Ze streelde hem over zijn wang. 'Je bent echt onschuldig, hè? Een prins betaalt nooit, lieverd, zeker mijn beroepsgroep niet. Ik vraag je alleen om nog eens aan me te denken en mijn zusters goed te behandelen wanneer je ouder bent.'

'Je zusters...? O, ik snap het. Ja, natuurlijk. Maar ik weet niet eens hoe je heet.'

Ze overwoog of ze moest antwoorden of niet. Ten slotte glimlachte ze en zei: 'Ik heet Yrena.'

'Dank je wel, Yrena. Ik zal niet vergeten hoe aardig je voor me geweest bent, nooit.'

Hij hoorde mensen rondlopen, geritsel van kleren en riemen die omgegord werden.

'We moeten nog even de puntjes op de i zetten.' Ondeugend lachend trok ze de veters van zijn tuniek los, woelde door zijn haar en kneep in zijn wangen om ze wat kleur te geven.

Toen deed ze, als een kunstenaar, een stapje naar achter om het resultaat te beoordelen. 'Bijna, maar nog niet helemaal.' Ze liep naar een zijtafeltje, nam een albasten potje rouge op en verfde haar lippen rood. Toen kuste ze hem een paar keer op zijn gezicht en zijn hals. Toen ze klaar was veegde ze haar lippen af aan het laken en drukte nog één kus op zijn voorhoofd. 'Zo, zie je er nu niet uit als een echte rokkenjager? Als je vrienden je om bijzonderheden vragen, glimlach je gewoon. Dat zegt ze dan wel genoeg. Als ze erop staan je nog een keer mee te slepen, zeg je dat je alleen met mij wilt.'

'Zouden ze dat doen?' fluisterde Tobin angstig.

Yrena lachte in zichzelf, kuste hem en stuurde hem weg.

Yrena's list werkte perfect. De Gezellen droegen hem triomfantelijk op hun schouders terug naar de burcht en de schildknapen luisterden jaloers terwijl de jongens zich om hun veroveringen op de borst klopten. Tobin voelde steeds wanneer hij vragen ontweek Ki's ogen op zich rusten.

Toen ze later samen in hun kamer zaten, kon Tobin hem nauwelijks aankijken.

Ki ging in de vensterbank zitten, grijnsde en vroeg: 'Nou?'

Tobin aarzelde even, maar vertelde hem toen de waarheid. Ki zou er ongetwijfeld om moeten lachen, maar dan konden ze er tenminste samen om lachen.

Maar de reactie van zijn vriend viel heel anders uit. 'Je bedoelt… dat je het niet kon?' vroeg hij met gefronst voorhoofd. 'En je zei dat het zo'n lekker ding was?'

Elke keer dat hij tegen Ki had gelogen lag dat aan dat ene geheim, en elke keer voelde het aan als verraad.

Tobin wist niet wat hij ermee aan moest en haalde uiteindelijk zijn schouders op. 'Ik had er geen zin in.'

'Dan had je dat moeten zeggen. Dan had Korin je wel een andere…'

'Nee, ik wilde er geen een.'

Ki staarde naar zijn bungelende voeten en zuchtte diep. 'Dus het is wáár.'

'Wat is waar?'

'Dat je…' Nu was het Ki's beurt om te blozen en hij kon Tobin niet aankijken. 'Dat je niet op meisjes…nou ja… dat je niet op meisjes valt. Ik dacht, als je maar ouder was dan zou je wel…'

De paniek die Tobin in de bordeeltent bevangen had vloog hem weer aan. 'Ik val op helemaal niemand!' beet hij terug. Door angst en schuldgevoelens klonk het kwader dan hij bedoelde.

'O sorry! Ik bedoelde niet…' Ki liet zich van de vensterbank af glijden en greep zijn vriend bij de schouders. 'Het is, ach… laat ook maar zitten. Ik bedoelde er niets mee, oké?'

'Jawel, dat deed je wel!'

'Maakt niet uit, Tob. Het kan me echt niets schelen.'

Tobin wist dat dat niet waar was; Ki wilde gewoon dat het waar was.

O, kon ik hem maar alles vertellen, dacht Tobin. *Wist hij de waarheid maar. Maar hoe zou hij dan naar me kijken?* De aandrang om het er allemaal uit te gooien was zo sterk dat hij zich moest omdraaien en zijn lippen op elkaar perste om alles binnen te houden.

Ergens vlakbij hoorde hij Broer grinniken.

Het onderwerp werd niet meer ter sprake gebracht, maar Ki deed niet mee aan de plagerige geintjes van de anderen toen Tobin smoesjes verzon om niet voor de tweede keer naar de versierde tent te gaan.

Tobin trok er sinds die avond vaker alleen op uit op zoek naar Lhel en Arkoniël, maar steeds tevergeefs.

45

De koning deed wat hij had beloofd en op een dag halverwege Kemmin zetten de Gezellen koers om bandieten te verjagen in het heuvelachtige gebied ten noorden van Ero. Korin deed net zo stoer als altijd, maar Tobin kon merken dat hij ernaar verlangde om hun verwachtingen deze keer waar te maken. Volgens Tharin wist nu de halve Palatijnse Heuvel al van zijn falen in de vorige strijd.

De nacht voor ze vertrokken gaf de koning een feestje ter ere van de Gezellen. Prinses Aliya zat rechts van haar schoonvader en vervulde de rol van gastvrouw. Ondanks de angstige eerste weken leek deze zwangerschap zeer voorspoedig te verlopen. De bevalling zou na het Sakorfestival plaatsvinden en haar buik vulde de voorkant van haar gewaad alsof er een enorm rond brood onder zat.

De koning was nog steeds gek op haar en zij deed poeslief tegen hem, met iedereen erbij. Privé echter had Ki gelijk gekregen. Ze was nog steeds dezelfde feeks die ze altijd was geweest en de ongemakken van haar toestand hadden haar zeker niet milder gestemd. Tobin kon haar scherpe tong dankzij de familieband meestal ontlopen. Maar Korin was niet zo gelukkig. Nu hij al maanden uit de echtelijke sponde verbannen was, had hij zijn oude gewoonten weer opgepakt. Maar dat was Aliya natuurlijk niet ontgaan, en de onophoudelijke ruzies waren over de hele heuvel befaamd. Volgens haar hofdame had de vrouwe een uitstekende werparm en miste ze haast nooit.

Dat maakte haar niet erg geliefd bij Tobin, maar stilletjes vond hij haar toch wel fascinerend, want zij was de eerste zwangere vrouw die hij kende. Lhel had gezegd dat dit deel uitmaakte van de geheime macht der vrouwen en hij begon te begrijpen wat ze ermee bedoelde, vooral toen Aliya hem dwong zijn hand op haar buik te leggen om het kind te voelen bewegen. Hij was als de dood geweest, maar zijn verlegenheid had al snel plaatsgemaakt voor verwondering toen iets hards en glibberigs langzaam onder zijn handpalm verschoof. Daarna merkte hij dat hij vaak ongemerkt naar haar buik zat te staren en wachtte of hij die mysterieuze bewegingen ook zou kunnen zien. Dat was Korins kind, daarbinnen, en familie van hem.

Die winter begon vochtig en ongewoon warm voor het seizoen. De Gezellen en hun manschappen reden uit in een motregentje en ze zouden de zon de komende weken niet zien. De wegen waren boterzacht onder de hoeven van de paarden. Herbergen en forten waren er nauwelijks in dit deel van het land, dus brachten ze de meeste nachten door in met was ingesmeerde canvastenten – modderige, treurige kampementen.

De eerste bende bandieten die ze vonden was een schamel zootje: gewoon een stel haveloze mannen en jongens die vee stalen. Ze gaven zich zonder gevecht over en Korin liet ze stuk voor stuk ophangen.

Een week later liepen ze tegen een sterkere bende op die zich in een grot in de bergen verborgen hield. Ze lieten hun paarden gaan, maar de kerels waren goedbewapend en hielden het vier dagen uit voor de honger hen naar buiten dreef. Zelfs op een lege maag vochten ze fel. Korin doodde de leider midden in een bloederige chaos. Tobin voegde er nog drie bij en deze keer zonder Broers hulp. Hij had niet geprobeerd de geest op te roepen en had hem ook niet meer gezien sinds hij de burcht verlaten had.

De soldaten kleedden de lijken uit voor ze in brand gestoken werden, en pas toen bleek dat acht van hen vrouwen waren, inclusief Ki's tweede slachtoffer. Ze had grijze lokken en zat vol oude littekens.

'Ik wist het niet,' zei hij bedremmeld.

'Ze was een bandiet, Ki, net als de anderen,' zei Tobin tegen hem maar het voorval had hem net zo goed een vreemd gevoel in zijn maag bezorgd.

Tharin en Koni stonden over een ander lichaam gebogen. Tobin herkende de besmeurde groene tuniek in Koni's handen; deze moest hij gedood hebben. Deze vrouw was nog ouder dan de andere. Haar verlepte borsten en de dikke witte strepen in haar haar deden hem aan Kokkie denken.

'Ik kende haar,' zei Tharin en hij legde een oude mantel over haar lichaam. 'Ze was kapitein in het Witte Valkenregiment.'

'Het idee alleen al dat ik tegen wijven heb gevochten!' riep Alben en hij schopte een van de doden om met zijn voet. Hij spuwde vol weerzin op de grond.

'Je hoeft je nergens voor te schamen. Ze waren strijders destijds, net als jij nu.' Tharin zei het rustig maar iedereen hoorde hoe scherp zijn woorden klonken.

Porion schudde het hoofd. 'Ware strijders worden geen vrijbuiters.'

Tharin draaide zich om.

Korin spuwde op de dode kapitein. 'Deserteurs en verraders, het hele zoot-je. Verbrand ze maar met de rest.'

Tobin had geen positieve gevoelens voor overtreders en misdadigers – Una en Ahra hadden een manier gevonden om te blijven dienen en de vrouwen van Atyion bleven geduldig wachten tot het tij zou keren. Maar Tharins on-uitgesproken woede kon hij niet vergeten en die verwarde hem al net zozeer als de geur van verschroeid vlees die in hun kleren bleef hangen toen ze weg-galoppeerden.

De dode kapitein spookte nog weken rond in Tobins dromen, maar het was geen wraakzuchtige geest. Naakt en bebloed, knielde ze wenend neer aan zijn voeten en bood hem haar zwaard aan.

46

Het werd Cinrin en het regende nog steeds. Tijdens de Rouwnacht stak er een storm op die de zwarte doeken van de bronzen festival-gongs blies en hen als begrafenisoffers door de kletsnatte straten joeg. De gongs kletterden tegen hun frame en sloegen een middernachtelijk alarm terwijl ze de triomf van de dageraad moesten aankondigen.

Tijdens het ritueel waren er al ongunstige voortekenen geweest. De Sakor-stier stribbelde flink tegen en zwaaide woest met zijn kop zodat de koning drie keer moest steken voor hij de kritieke slagader te pakken had. Toen Korin de ingewanden en lever naar de wachtende priesters bracht, bleken die vol wor-men te zitten. Meteen werden er offerandes gebracht om de goden gunstig te stemmen, maar een week later bleek waarvoor dit alles een voorspelling was geweest, zo leek het althans.

Tobin gebruikte die avond de maaltijd bij Korin op zijn kamer, een simpel soupeetje ter ere van Aliya. De regen kletterde op het dak zodat de klanken van de harpiste verdronken in het lawaai van de elementen.

Het was een informele maaltijd en iedereen lag er gemakkelijk bij op de banken. Aliya lachte terwijl Erius probeerde het haar gemakkelijk te maken met extra kussens in haar rug.

'Je bent een galjoen, tot de nok gevuld met schatten,' zei hij en hij klopte op haar buik. 'Aha, daar is-ie, ons ventje, hij schopt naar zijn grootvader. En nog eens! Weet je zeker dat je maar één baby in je buik hebt?'

'Ik krijg zoveel stompen en schoppen te verduren dat het volgens mij een heel regiment is!' Ze legde haar handen om haar gezwollen middel. 'Maar dat heb je nu eenmaal met een jongetje; dat zeggen de drysianen tenminste.'

'Nog een jongen,' knikte Erius. 'De goden moeten een voorkeur hebben voor een Skalaanse koning, of de Schepper zou ons er niet zoveel sturen. Eerst

Korin, dan Tobin hier voor mijn zuster. En meisjes hebben het niet overleefd. Een plengoffer voor mijn kleinzoon en een heildronk! Op alle koningen van Skala!'

Tobin kon er niet omheen en moest wel meedoen, maar hij deed het met gemengde gevoelens. Hij droeg het kind geen kwaad hart toe.

'Dat was maar een schamel plengoffertje, Tobin,' zei Erius minachtend en Tobin besefte met een schok dat men hem in de gaten had gehouden.

'O, neem me niet kwalijk, oom,' zei hij en hij goot snel zijn halve beker op de grond. 'Gezegend zij Korin en zijn familie.'

'Je hoeft niet jaloers te zijn, neefje,' zei Korin.

'Je had toch niet echt verwacht dat jij de tweede erfgenaam zou worden, of wel soms?' zei Aliya en Tobin werd bijkans misselijk van de onverhulde haat die uit haar ogen sprak. 'Je blijft heus Korins rechterhand wel. En is dat geen hele eer?'

'Natuurlijk.' Tobin kon nog net een glimlach opbrengen, en vroeg zich af hoe ze hem zou behandelen wanneer het kind eenmaal geboren was. 'Meer heb ik nooit verwacht.'

Het partijtje kabbelde verder maar Tobin had het gevoel of de hele wereld als een kleed onder zijn voeten vandaan was getrokken. Hij wist zeker dat Aliya's vader hem scherpe blikken toezond en ook de glimlach van de koning leek onoprecht. Zelfs Korin schonk geen aandacht meer aan hem. Hij proefde niets van de spijzen, maar hij dwong zichzelf te eten, voor het geval men nog steeds op hem lette en zijn gedrag beoordeelde.

Het eerste dessert was juist opgediend toen Aliya een hoge gil uitstiet en haar buik vastgreep. 'De weeën,' hijgde ze, bleek van angst. 'O moeder, daar zijn de weeën weer, net als de laatste keer!'

'Het komt allemaal goed, liefje, je zit niet ver van je datum af,' zei de hertogin en ze straalde. 'Kom, we leggen je lekker in bed. Korin, laat de vroedvrouwen en drysianen komen!'

Korin nam Aliya's handen en kuste ze. 'Ik ben terug zo snel ik kan, mijn schat. Tobin, roep de Gezellen bij elkaar en laat ze een wake houden voor ons. Mijn erfgenaam is op komst!'

Het was de gewoonte dat de Gezellen de wacht hielden buiten de bevallingskamer. Ze drentelden nerveus rond te midden van de andere hovelingen, en slikten wanneer de schrille kreten, met steeds kortere tussenpozen, te horen waren.

'Schreeuwen ze altijd zo?' fluisterde Tobin tegen Ki. 'Het klinkt alsof ze doodgaat!'

Ki haalde zijn schouders op. 'Sommigen schreeuwen harder dan anderen, zeker als het de eerste keer is.' Maar toen de nacht voorbijging en de kreten in gillen veranderden, werd zelfs hij onrustig.

De vroedvrouwen kwamen en gingen met kommen warm water en stuurse blikken. Vlak voor zonsopgang werd Tobin door een van hen binnengeroepen. Als lid van de koninklijke familie was het vereist dat hij getuige van de geboorte was.

Er stond al een groep mensen rond het hemelbed waarvan de gordijnen waren dichtgetrokken, maar er werd plek voor hem gemaakt door Korin en de koning. Zijn neef was lijkbleek en zweette als een otter. Kanselier Hylus, heer Niryn, en op zijn minst tien kanseliers waren aanwezig, en natuurlijk priesters van alle vier de goden.

Aliya gilde niet meer, hij hoorde haar piepende ademhaling vanuit het bed. Door een spleet in de gordijnen zag Tobin net één bloot been, met bloederige strepen. Hij wendde snel het hoofd af, met het gevoel dat hij iets onzedelijks had gezien. Lhel had het gehad over magie en kracht; dit had alles weg van een marteling.

'Nu moet het komen, denk ik,' murmelde de koning en hij keek verheugd. Alsof ze antwoordde stiet Aliya weer zo'n schrille gil uit waardoor Tobins haar te berge rees. Aliya's moeder viel bijna bewusteloos tussen de beddengordijnen naar buiten en hij hoorde vrouwen huilen.

'Nee!' schreeuwde Korin. 'Aliya!'

Aliya lag als een kapotte pop midden in het met bloed doorweekte bed, wit als het linnen nachthemd dat tot haar heupen was opgestroopt. Een huilende vroedvrouw knielde nog tussen haar gespreide benen, met een bundeltje in haar armen.

'Het kind,' vroeg Korin en hij stak zijn armen uit. 'O mijn prins!' snikte de vrouw. 'Het is geen kind!'

'Laat dan zien, mens,' beval Erius.

Met afgewend hoofd sloeg de vrouw de doeken terug. Het had geen armen, en het gezicht – of wat het gezicht had moeten zijn – was leeg op het bolle voorhoofd en de spleten voor ogen en neusgaten na.

'Vervloekt!' siste Korin. 'Ik ben vervloekt!'

'Nee!' zei Erius schor. 'Zeg dat nooit!'

'Maar vader, kijk dan....!'

Erius draaide zich om en sloeg Korin recht in zijn gezicht, waardoor de prins achteroverviel. Tobin probeerde hem nog op te vangen maar eindigde wijdbeens onder hem.

Erius greep Korin bij de voorkant van zijn tuniek en rammelde hem door elkaar terwijl hij schreeuwde: 'Waag het niet dat nog eens te zeggen! Waag het eens! Ik wil dat nooit meer horen, begrepen?' Hij liet Korin los en wendde zich tot de omstanders. 'Wie hierover ook maar één woord durft los te laten zal levend op de brandstapel belanden, is dat begrepen?' Hij beende de kamer uit en schreeuwde dat de kamer bewaakt moest worden.

Korin strompelde terug naar het bed. Zijn neus bloedde; het liep in een straaltje over zijn mond en in zijn baard terwijl hij Aliya's slappe hand greep. 'Aliya? Hoor je me? Word wakker, verdomme, en zie wat we gemaakt hebben!'

Tobin baande zich een weg naar buiten, haastte zich weg van hier. Toen hij zich naar de deur wendde, viel zijn oog op Niryn die kalmpjes het dode kind onderzocht. Tobin kon slechts de zijkant van zijn gezicht zien, maar aangezien hij zijn hele leven gezichtsuitdrukkingen bestudeerd had, stokte zijn adem. De tovenaar keek opgetogen, triomfantelijk zelfs. Van schrik vergat Tobin zich meteen af te wenden voor de tovenaar zag hoe hij naar hem staarde.

En Tobin voelde het: dat misselijkmakende gevoel van koele vingers die zich een weg baanden door zijn ingewanden. Hij kon niet bewegen, hij kon zijn gezicht niet eens afwenden. Heel even dacht hij dat zijn hart was gestopt met kloppen.

Toen werd hij losgelaten en Niryn was in gesprek met Korin alsof er de laatste seconden niets gebeurd was. De vroedvrouw had het bundeltje weer in haar armen, al had Tobin niet gezien dat iemand het haar weer had aangereikt.

'Dit is zonder enige twijfel zwarte kunst,' zei Niryn. Hij stond vlak bij Korin met een vaderlijke hand op zijn schouder. 'Ik verzeker u, mijn prins, ik zal de verraders vinden en hen verbranden.' Weer keek hij Tobin aan met ogen zo koud en harteloos als van een slang.

Korin huilde, maar zijn vuisten waren gebald en de spieren in zijn kaken trilden terwijl hij uitriep: 'Verbrand ze! Verbrand ze allemaal!'

Ki en de anderen hoorden Erius schreeuwen en hij dook meteen weg toen de koning de kamer uitstormde.

'Roep mijn wachters!' brulde Erius en hij keerde zich tot de jongens. 'Kom op, opgedonderd, allemaal! En ik wil geen woord horen, van niemand. Zweer het!'

Ze zwoeren, en ze verspreidden zich op Ki na. In een nis midden in de gang wachtte hij tot Tobin tevoorschijn kwam. Na één blik op het grauwe, murw geslagen gezicht van zijn vriend was hij blij dat hij gebleven was. Hij leidde Tobin terug naar hun vertrek, zette hem met een deken en een beker wijn in een leunstoel bij de haard en riep Baldus om Nikides en Lutha te halen.

Tobin dronk de hele beker leeg voor hij een woord kon uitbrengen, en vertelde hen toen alleen wat ze al wisten: dat de baby doodgeboren was. Ki zag zijn hand trillen en wist dat er meer achter zat, maar Tobin zei verder niets meer. Hij zat met opgetrokken knieën zwijgend voor zich uit te staren tot Tanil binnenkwam met het nieuws dat Aliya gestorven was. Toen boog Tobin het hoofd en barstte in tranen uit.

'Korin wil niet bij haar weg,' vertelde Mylirin toen Ki probeerde Tobin te troosten. 'Tanil en Caliël probeerden alles om hem weg te krijgen tot hij ons allemaal wegstuurde. Zelfs Caliël mocht niet blijven. Niryn zit nog bij hem, en die heeft het over niets anders dan tovenaars verbranden! Ik ga terug en blijf daar wel wachten tot ze eruit komen. Mag ik je laten roepen, prins Tobin, als Korin met je wil praten?'

'Natuurlijk,' fluisterde Tobin zwakjes en hij veegde zijn wangen aan zijn mouwen af.

Nikides schudde het hoofd. 'Welke tovenaar zou nou een ongeboren kind kwaad doen? Als je het mij vraagt, is het Illiors...'

'Nee!' Tobin schoot uit zijn stoel. 'Dat mag je niet zeggen. Dat mag niemand zeggen. Nooit.'

Dat was geen doodgeboren kind, dacht Ki.

Nikides was intelligent en begreep het ook. 'Jullie hebben de prins gehoord,' zei hij rustig tegen de anderen. 'We hebben het er nooit meer over.'

47

L hel bleef bij Arkoniël en de anderen in het kamp op de berg, maar ze sliep in haar eentje in haar eigen hut. Haar afwijzing deed Arkoniël wel pijn, dat wist ze, maar het kon niet anders. De anderen zouden hem niet volgen als ze wisten dat hij haar minnaar was. En wat Lhel betrof, de Moeder was met haar nog niet klaar.

Zoals ze voorspeld had stierf de kleine Totmus enkele weken na hun aankomst. Ze rouwde met de anderen om zijn dood, maar wist dat de winter moeilijk genoeg zou worden zonder een ziekelijk joch om voor te zorgen. De anderen waren sterk.

Dankzij Cymeus, die hen aanwijzingen kon geven, bouwden ze een grote schuilhut voor de winterstormen toesloegen. De kinderen sleepten hout aan zodra ze eropuit konden gaan en Lhel toonde hen de wortels en paddestoelen die ze konden meenemen om te eten en hoe ze het vlees konden roken dat Noril en Kaulin binnenbrachten. Wythnir en de meisjes vulden hun provisiekast aan door met hun katapult op konijnen en patrijzen te jagen. Malkanus maakte zichzelf onverwachts nuttig door een dodelijke spreuk te werpen naar een vet everzwijn dat het kamp binnen kwam wandelen.

Lhel liet de stedelingen zien hoe je elke tand, ieder bot en pees kon gebruiken en hoe je het voedzame merg uit de lange beenderen kon zuigen. Ze leerde hen om elke huid te looien, door de ruwe huiden op te rekken aan frames van cederhout en ze in te wrijven met een mengsel van as en hersenen om ze te conserveren. Ondanks dit alles stonden de oude tovenaars nog steeds argwanend tegenover haar, en ze zorgde er wel voor dat ze in hun bijzijn geen flintertje magie gebruikte. Arkoniël mocht hen leren wat hij wilde. Dat was een voorzorg die de Moeder had genomen.

De voedselvoorraad die ze hadden meegenomen zou met wat ze forageerden in het woud niet toereikend zijn; dat zag ieder van hen wel in. Met de lange winter voor de boeg zouden voedsel, hooi, kleding en kleinvee gekocht moeten worden. Vornus en Lyan namen de wagen om inkopen te gaan doen in de nog noordelijker gelegen mijnstadjes.

Kort daarna begon de sneeuw te vallen, uitgestrooid in enorme donzen vlokken door de grijze hemel. Langzaam maar zeker stapelden ze zich op tot ze een dikke deken over de grote takken vormden, en iedere steen of stobbe een hoge muts kreeg. Toen de wind koud genoeg werd om er kleine vinnige vlokjes van te maken waren de Skalanen er net in geslaagd om een aangebouwde stal te maken en een lange, lage hut. Het was weinig verfijnd, maar groot genoeg om 's avonds allemaal bij elkaar te zitten. Ze hadden niet genoeg vette wol of modder om de kieren in de muren te dichten, maar Cerana weefde een bezwering tegen tocht en Arkoniël sprak er een uit naar het dak van groenblijvende takken die daardoor nog dichter in elkaar geschoven werden, waardoor het weer goed buiten gehouden werd.

Op de kortste nacht van het jaar nam Lhel Arkoniël mee naar haar hut. Hij hield zich niet bezig met de Moeder en Haar rituelen terwijl ze paarden, maar hij was opgewonden en vol verlangen en het offer werd op de juiste wijze gebracht. De Moeder schonk Lhel visioenen die nacht en voor de eerste keer sinds ze met de tovenaar naar bed was geweest, was ze opgelucht dat zijn zaad haar geen kind kon geven.

Toen de ochtendschemering inzette was ze al mijlenver weg, met slechts een paar voetstappen in de sneeuw als afscheid.

DEEL 4

De eerste klap van de aanval van de Plenimaranen werd niet toegebracht door legers of schepen, of door zwarte tovenaars en hun demonen, maar door kinderen die her en der op de kust van Skala werden achtergelaten.

Van Ylania ë Sydani, Koninklijk Geschiedschrijver

48

Nadat hij zijn waren aan de man had gebracht in Ero, zag een boer op weg naar huis het meisje huilend aan de kant van de weg zitten. Hij vroeg waar haar moeder en vader waren, maar ze was te verlegen of bang om het hem te vertellen. Aan haar modderige houten klompjes en grauwe, grof geweven jurkje te zien kwam ze niet uit de stad. Misschien was ze van een of andere wagen gevallen. Hij stond op en keek de weg in beide richtingen af, maar er waren nergens reizigers te bekennen.

Hij was een goedaardige man en omdat de avond begon te vallen en er geen hulp in zicht was, vond hij dat er niets anders op zat dan haar op te tillen en mee te nemen naar huis, naar zijn vrouw. Het kind hield op met snikken toen hij haar naast zich op de bok zette, maar ze rilde van de kou. Hij sloeg haar een doek om en gaf haar een stukje kandij dat hij voor zijn eigen dochtertjes had gekocht.

'We stoppen je lekker in tussen mijn meiskes en dan word je net zo warm als een meelworm in de pap,' beloofde hij haar, en hij klakte naar zijn paard dat het verder kon gaan.

Het meisje nieste, en begon blij aan de harde suikerklont te zuigen. Omdat ze stom geboren was kon ze de man niet vertellen dat ze zijn taal niet verstond. Ze wist dat hij aardig voor haar was, wat ze afleidde uit de klank van zijn stem en de manier waarop hij haar behandelde. Hij leek helemaal niet op de boze mannen die haar weggehaald hadden uit haar dorp en haar op een boot vol verdrietige kinderen hadden gezet, om haar vervolgens 's nachts achter te laten aan de kant van de weg in onbekend gebied.

Ze kon hem ook niet bedanken voor het snoep, en dat vond ze jammer, want het verzachtte het brandende gevoel in haar keel.

49

Er kwam maar geen eind aan de sombere winter. In Ero hingen de rouwbanieren voor Aliya nat en gerafeld aan ieder huis en elke winkel. Binnen de Palatijnse Ring droeg iedereen, van het nederigste afwashulpje tot de koning, zwarte of donkergrijze kleren, en dat zou een jaar en een dag zo blijven ook. En de regen wilde maar niet ophouden.

De paleisbedienden gromden en brandden zurige kruiden in wierookbrandertjes in de gangen. In de nieuwe eetzaal van de Gezellen serveerden de koks bittere drysiaanse thee om het bloed te zuiveren.

'Het ligt aan de zachte winter,' legde Molay uit toen Ki en Tobin erover klaagden. 'De grond bevriest niet, iedereen heeft last van de kwade sappen, vooral in de steden. Veel goeds komt er niet van.'

Al snel bleek hij gelijk te hebben gehad. De Rood-Zwarte Dood raasde als een wervelwind langs de oostkust en leek niet te stuiten.

Niryn nam Nalia, die nu bijna twintig jaar was, zonder veel poespas mee naar Cirna. Dankzij de afgelegen locatie en een minimum aan handel in de haven, waren het fort en het dorpje gespaard gebleven voor de ziekte. Het meisje en haar meid waren allesbehalve verrukt van het sombere, eenzame nieuwe thuis, maar Niryn beloofde plechtig wat vaker langs te komen.

Rond Dostin hadden de doodsvogels opdracht gegeven twintig dichtgetimmerde huizen in de haven van Ero in brand te steken, met hun door pest getroffen inwoners erbij.

Maar dat hield de verspreiding van de ziekte niet tegen. Er werd een pesthuis ontdekt bij de Korenmarkt en binnen de kortste keren was de hele wijk ermee besmet. Zeven gebouwen en een tempel van Sakor werden in de fik gestoken, maar een aantal bewoners wist in paniek te ontsnappen zodat de pest zich nog verder kon uitzaaien.

Halverwege Dostin werd het favoriete theater van de Gezellen, de Gouden Voet, getroffen en het hele gezelschap – acteurs, kleedsters, pruikenmakers en al het technisch personeel – moest in quarantaine.

Tobin en Ki kregen tranen in hun ogen van het nieuws. Het waren dezelfde mensen die hen vermaakt hadden op de burcht tijdens zijn verjaardag; ze waren goed bevriend geraakt met de acteurs.

De Voet lag maar vijf straten verwijderd van de Palatijnse Poort en het verlies werd nog verergerd toen de koning alle audiënties afgelastte en de Gezellen tot nader order verbood om ook maar één voet buiten het paleis te zetten. Vermaak was sowieso verboden in de eerste rouwmaand, dus de jongens verveelden zich rot.

Meester Porion drong erop aan dat ze hun training zouden voortzetten, maar Korin was of te zwaarmoedig of te dronken. In zijn zwarte kleding ijsbeerde hij in zijn kamer of wandelde vertwijfeld door de tuinen op het dak, en hij was nauwelijks in staat je te antwoorden wanneer je hem aansprak. Het enige gezelschap dat hij scheen te verdragen was dat van zijn vader of van Niryn.

Tegen het einde van de maand draaide de wind en de drysianen voorspelden dat dit de lucht kon klaren. Maar er stak integendeel een andere en veel vernietigender ziekte de kop op. Zover men wist was het begonnen op het platteland, met uitbarstingen van Ylani tot Grijskop. In Ero zag men de eerste verschijnselen op de lagergelegen markten, maar voor er een handelsverbod opgelegd kon worden had de ziekte de citadel al bereikt.

Het was een vorm van pokken, en het begon met keelpijn, wat na een dag al gevolgd werd door kleine zwarte blaasjes op het lichaam. Als ze stopten bij de hals, zou de patiënt het overleven, maar meestal rukten de puistjes verder op naar het gezicht, de ogen, de mond en uiteindelijk de keel. De crisis kwam al na vijf dagen, en dan was de patiënt ofwel dood, of hij zat onder de gruwelijkste littekens en was blind bovendien. De Aurënfaiers kenden de ziekte en voor de eerste symptomen bekend waren, zag je nauwelijks nog 'faiers in de stad.

Niryn stelde vast dat dit wederom het werk was van een verraderlijke tovenaar die aan zwarte magie deed. De Haviken gingen er met volle kracht tegenaan, ondanks het feit dat men steeds openlijker weigerde deze theorie te aanvaarden, zeker als het verbranden van priesters in het geding was. Rellen braken uit bij de tempel van de Lichtdrager. De soldaten van de koning sloegen deze opstootjes met nietsontziende wreedheid neer, maar de executies werden voortaan weer buiten de stadsmuren gehouden.

Illiors maansikkel zag je opeens overal – op muren gekrabbeld, op een balk geverfd, zelfs met krijt aangebracht op de zwarte rouwbanieren. Wanneer het duister viel, glipten velen de tempel van de Lichtdrager binnen om offers te brengen of om hulp te vragen.

Vreemd genoeg waren tovenaars immuun voor de pokken, maar Iya durfde het risico niet te nemen bij Tobin langs te gaan en hem eventueel te besmetten. In plaats daarvan gebruikte ze Arkoniëls translocatiemagie om hem drie kleine ivoren amuletjes te sturen met het teken van Illior: voor hem, Ki en Tharin.

Toen de epidemie echt losbarstte verschenen er bergen door pokken geschonden lichamen op de hoeken van de straten, in de steek gelaten door hun familieden zodra de eerste symptomen opdoken, of misschien pas gestorven nadat ze blindelings op zoek waren gegaan naar hulp die nooit verscheen. Iedereen die ook maar even kuchte liep de kans openlijk gestenigd te worden. De koning vaardigde het bevel uit dat zieken binnenshuis moesten blijven op straffe van standrechtelijke executie door de stadswachters.

Maar spoedig waren er nog maar weinigen over om die executies uit te voeren. Sterke mannen – vooral soldaten – bleken het meest vatbaar voor de ziekte en herstelden zich maar zeer zelden, terwijl oude en zwakke lieden soms hoogstens wat littekens opliepen.

Terwijl de stad zich van angst geen raad meer wist, werden Iya en haar Wormgatkameraden een stuk brutaler. Zij waren het geweest die de eerste maansikkels op de stadsmuren gekalkt hadden, en zij waren het die tegen iedereen die maar wilde luisteren zacht zeiden: '"Zolang er een dochter uit het geslacht van Thelátimos heerst en het verdedigt, zal Skala nimmer onderworpen worden." En zij komt!'

Er woonden nu tweeëntwintig tovenaars in het geheime hol onder de verlaten Aurënfaier winkeltjes. Eyoli had zich bij hen aangesloten toen sneeuw het hem onmogelijk maakte terug te keren naar de hutten in de bergen.

Nu ze hun gebruikelijke pleziertjes moesten missen, werden de Gezellen vrij snel rusteloos. Tobin nam zijn houtsnijwerk weer op en gaf les aan iedereen die het wilde proberen. Ki bleek er handig in te zijn, en Lutha ook. Lynx kon aardig tekenen en schilderen en ze werkten samen aan ontwerpen voor borstplaten en schilden. Nikides toonde zijn onvermoede talenten als jongleur.

Caliël deed een poging een gezelschap te vormen van acterende en kunstenmakende edelen die aan het hof aanwezig waren, maar na een paar weken werd ook dat vervelend. Nu de dames uit de stad onbereikbaar waren geworden, begonnen de meeste jongens weer met dienstertjes te rommelen. Zusthra verloofde zich met een jonge gravin, maar een huwelijk was in die eerste maanden van officiële rouw uitgesloten.

De krampen die bij het vrouwzijn hoorden, plaagden Tobin nu steeds vaker, onafhankelijk van de stand van de maan. Gewoonlijk was het een pijn die kwam en weer verflauwde, maar soms, vooral bij nieuwe of volle maan, leek het wel of er iets verschoof in zijn onderbuik, ongeveer zoals Aliya's kind gedaan had. Het was een angstwekkend gevoel en het was vooral zo erg omdat hij er met niemand over kon praten. Nieuwe dromen plaagden hem nu ook, of eigenlijk maar één droom, die nacht na nacht met minieme variaties opdook.

De droom begon in de toren van de burcht. Hij stond midden in zijn moeders oude kamer, met al het kapotte meubilair en stapels beschimmelde lapjes en wol om zich heen. Broer verscheen vanuit de schaduwen en leidde hem naar de trap. Het was te donker om te zien wat er beneden was; Tobin moest al zijn vertrouwen in de geest stellen terwijl hij de uitgesleten treden onder zijn voeten voelde.

Het was allemaal heel duidelijk en precies zoals hij het zich herinnerde, maar zodra ze aan het eind van de trap waren, zwaaide de deur open en stonden ze aan de rand van een afgrond boven zee. Het deed denken aan de kliffen van Cirna, maar toen hij achteromkeek, zag hij een groen golvend heuvellandschap achter zich in de verte verdwijnen, waar zich hoge steile bergtoppen bevonden. Er stond een oude man boven op een van de heuvels. Hij was te ver weg om hem te herkennen, maar hij droeg het gewaad van een tovenaar en zwaaide naar Tobin alsof hij hem kende.

Broer was nog steeds bij hem en trok hem mee naar de uiterste rand van de klif tot Tobin met zijn tenen over de rand stond. Diep onder zich zag hij een brede haven die tussen twee landtongen gevangen lag. Omdat het een droom was, zag hij hun gezichten in het water weerspiegeld, maar zijn gezicht was het gezicht van een vrouw, en dat van Broer was veranderd in Ki. In de droom was hij heel verrast.

Terwijl hij nog steeds vervaarlijk op het randje balanceerde, probeerde de vrouw die hij was Ki te kussen. Ze kon de vreemdeling op de heuvel naar haar horen roepen, maar de wind droeg zijn woorden ver weg. Net toen haar lippen die van Ki raakten, blies de wind haar van de rand af en ze viel... viel... viel...

Zo eindigde het elke keer. Tobin schrok wakker en zat meteen rechtop in bed, met bonzend hart en een erectie van hier tot ginder. Hij maakte zich daar geen illusies meer over. Wanneer Ki op zo'n nacht woelde en zich tegen hem aan wilde vlijen, vluchtte Tobin meteen uit bed en bleef de rest van de nacht door de paleisgangen zwerven. Hij verlangde zo hevig naar iets waarop hij niet eens durfde te hopen dat hij zijn vingers tegen zijn lippen drukte om dat gevoel van die kus in zich op te roepen.

Na de droom voelde hij zich altijd neerslachtig en behoorlijk in de war. Af en toe besefte hij dat hij naar Ki stond te staren, terwijl hij zich afvroeg hoe het zou zijn om hem te kussen. Hij verdrong die gedachte onmiddellijk en Ki wist er gelukkig niets van; die hield zich bezig met de tastbaarder attenties van diverse flirtende kamermeisjes.

Ki glipte steeds vaker met een van hen naar buiten en kwam soms pas tegen het ochtendgloren terug. Het was een ongeschreven regel dat Tobin nooit klaagde over deze escapades en Ki schepte er ook niet over op, tenminste niet tegen hem.

Op een stormachtige avond in Klesin zat Tobin weer eens in zijn eentje na te denken over een ontwerp voor een stel met stenen bezette mantelspelden voor Korin. De wind ritselde in de klimopbladeren langs de dakrand. Nikides en Lutha waren langs geweest, maar hij was niet in de stemming voor gezelschap. Ki was op stap met Ranar, het meisje dat het bedlinnen verschoonde.

Dankzij het werk kon hij de gedachten die door zijn hoofd speelden even loslaten. Hij was beroemd om zijn ontwerpen voor sieraden. Het afgelopen jaar hadden spelden die hij voor zijn vrienden had gemaakt de aandacht van hun gastheren getrokken. Velen van hen hadden hem daarna geschenken gestuurd, met een pakketje edele metalen en edelstenen erbij, en het verzoek iets te maken als teken van vriendschap. De uitwisseling van geschenken was volgens Nikides een manier om de banden tussen de heren en Tobin te verstevigen. Wie zou niet op goede voet willen staan met de geliefde neef van de toekomstige koning? Tobin had genoeg geschiedenisboeken gelezen om zijn advies op te volgen en nam dus de meeste opdrachten aan.

Maar het werk zelf was nog steeds het belangrijkste voor hem. Om een beeld dat hij in zijn hoofd had in realiteit om te zetten maakte hem gelukkiger dan wat ook.

Hij was bijna klaar met de eerste speld die hij in was uitsneed, toen Baldus hem kwam vertellen dat er bezoek voor hem was.

'Ik ben bezig. Wie is het?' gromde Tobin.

'Ik ben het,' zei Tharin die over de page heen keek. Zijn mantel was klets-nat van de regen en zijn lange blonde haar was door de wind een warboel ge-worden. 'Ik hoopte dat je zin had in een spelletje bakshi.'

'Kom erin!' riep Tobin uit en zijn sombere bui was op slag verdwenen. Het was weken geleden dat de twee weer eens ouderwets hadden kunnen kletsen. 'Baldus, neem heer Tharins mantel aan en haal wat wijn. En neem ook wat te eten mee – wat roggebrood, koud vlees en kaas. En een potje mosterd natuur-lijk! Laat die wijn ook maar zitten. Een pot donker bier is genoeg.'

Tharin grinnikte toen de knaap wegholde. 'Dat is een kazernemaaltijd, mijn prins.'

'En daar ben ik nog steeds gek op, net als het gezelschap dat erbij hoort.'

Tharin ging naast hem aan de werkbank zitten en bekeek de schetsen en de wassen stukken waarmee hij nog bezig was. 'Je moeder zou trots op je zijn ge-weest.'

Tobin keek hem verbaasd aan. Tharin had het nooit over haar.

'En je vader trouwens ook,' voegde Tharin eraan toe. 'Maar zij was de kun-stenares van het stel. Je had hem moeten zien zwoegen met die speelgoedstad van je. Hij was er zo'n tijd mee zoet dat je zou denken dat hij Ero op ware grootte wilde nabouwen.'

'Ik wou dat ik hem deze dingen had kunnen laten zien.' Tobin wees op de drie miniatuurgebouwtjes van hout en klei die op een plank boven de werk-bank stonden. 'Weet je nog hoe zijn Oude Paleis eruitzag?'

Tharin grinnikte. 'Ja, natuurlijk. Van oude zoutdozen, als ik me niet ver-gis.'

'Nooit wat van gemerkt! Nou, deze zijn niet veel beter. Zodra we weer de stad in mogen zoek ik een stel bouwkundigen op om ze te vragen me het een en ander over bouwen te leren. Ik zie huizen voor me, en tempels met witte pilaren en koepels die groter zijn dan van welk gebouw dan ook in Ero.'

'Die komen er ook, wees maar niet bang. In je hart ben je een schepper, al geef je je ook met hart en ziel aan de strijd.'

Tobin keek verrast op. 'Dat heeft iemand anders me ook al eens verteld.' 'Wie was dat?'

'Een Aurënfaier goudsmid, Tyral. Hij zei dat Illior en Dalna me vaardig met mijn handen hadden gemaakt, en dat ik gelukkiger zou zijn als ik dingen maakte dan wanneer ik vocht.'

Tharin knikte langzaam en vroeg toen: 'En wat denk je zelf, nu je alle twee geprobeerd hebt?'

'Ik ben een goede strijder, toch?' vroeg hij, want hij wist dat Tharin waarschijnlijk de enige ter wereld zou zijn die hem een eerlijk antwoord zou geven.

'Natuurlijk ben je dat. Maar dat vroeg ik niet.'

Tobin pakte een slanke driehoekige vijl en draaide hem rond tussen zijn vingers. 'Ik denk dat die Aurënfaier gelijk had. Ik ben er trots op dat ik kan vechten en ik ben niet bang uitgevallen. Maar het gelukkigst ben ik toch als ik hier een beetje kan zitten prutsen.'

'Daar hoef je je niet voor te schamen; dat weet je toch.'

'Zou mijn vader dat ook gezegd hebben?'

Baldus en twee tafelbedienden stommelden binnen met flessen en dienbladen en dekten een tafel voor hen bij de haard. Tobin stuurde hen weg en schonk het bier in terwijl Tharin het vlees in plakken sneed en de kaas in hompen, en ze op dikke sneden brood bij het vuur een beetje opwarmde.

'Dit is bijna net zo fijn als weer thuis te zijn,' zei Tobin terwijl hij naar hem keek terwijl hij zo bezig was. 'Het is lang geleden dat jij en ik samen bij de haard hebben gezeten. Hoe kwam je er eigenlijk op?'

'O, daar had ik al een tijdje zin in. Maar nou wil het geval dat ik vandaag een nogal aparte bezoekster heb gehad. Een vrouw die Lhel heette, en die zegt dat ze een vriendin van je is. Ik zie aan je gezicht dat je die naam kent.'

'Lhel? Maar hoe komt ze hier?' Tobins hart werd loodzwaar toen hij zich Iya's waarschuwing herinnerde. Wat zou ze doen als Lhel Tobins geheim aan Tharin had verklapt?

Tharin krabde zijn hoofd. 'Ja, dat is ook zo'n vreemd verhaal. Ze kwam eigenlijk niet echt bij me, maar ze verscheen als het ware. Toen ik opkeek was daar zo'n klein heuvelvrouwtje, ze zweefde in een kring van licht, midden in de kamer. Ik zag de burcht achter haar, net zo scherp als ik jou nu zie. Eerlijk gezegd dacht ik dat ik het gedroomd had, tot dit moment.'

'Waarom kwam ze naar je toe?'

'O, we hebben heel wat gebabbeld, zij en ik.' Tharin kreeg een droeve blik in de ogen. 'Ik ben wel niet zo intelligent als je vader of Arkoniël, maar ik ben niet op mijn achterhoofd gevallen. Wat ze me vertelde had ik op de een of andere manier allang uitgevogeld.'

Tobin had Tharin zo vaak de waarheid willen vertellen, maar nu kon hij alleen maar met stomheid geslagen aanhoren wat Lhel onthuld had.

'Ik was er niet bij toen je geboren werd,' zei Tharin en hij boog naar voren om het brood voor de haard om te keren. 'Het heeft me nooit lekker gezeten dat Rhius me rond die tijd naar Atyion stuurde met een boodschap die elke officier had kunnen brengen. Ik dacht eigenlijk dat je moeder erachter zat.'

'Mijn moeder?'

'Ze was stinkend jaloers op me, Tobin, al weet Illior dat ik haar daar nooit reden toe heb gegeven.'

Tobin schoof ongemakkelijk in zijn stoel heen en weer. 'Ki zei… Nou ja, over jou en mijn vader.'

'Heeft hij het verteld? Wel, dat was allemaal allang achter de rug tegen de tijd dat hij met haar trouwde, maar een geheim is het ook nooit geweest. Ik heb zo vaak aangeboden om bij een ander in dienst te gaan, maar Rhius wilde er niet van horen.

Dus dacht ik dat zij dat had bedacht om me weg te sturen. Ik dacht er niet meer over na tot de dag waarop je vader stierf. Ik heb je toch verteld dat zijn laatste woorden jou betroffen? Maar ik heb je nooit verteld wat hij precies zei. Hij wist dat hij stervende was…' Tharin zweeg even om zijn keel te schrapen. 'Het spijt me. Je zou denken dat het na zo'n tijd… Maar het staat me bij als de dag van gisteren. Met zijn laatste adem fluisterde hij: "Bescherm mijn kind met je leven. Tobin moet Skala regeren." Dat Illior me vergeve, maar ik dacht dat hij ijlde. Maar toen ik Arkoniël er later over vertelde, las ik in zijn ogen dat het geen onzin was. Hij mocht me niets meer vertellen, maar vroeg me dringend om die eed aan je vader gestand te doen, al wist ik niet wat er aan de hand was. Maar een vermoeden had ik wel.'

Tobin drong zijn tranen terug. 'Ik heb je altijd vertrouwd.'

Tharin legde zijn vuist op zijn borst. 'En dat kun je altijd blijven doen, Tobin. Zoals ik zei, erg slim ben ik niet, maar met al die epidemieën en oorlogen zou het best kunnen zijn dat jij de laatste erfgenaam van de troon zou kunnen worden. Maar er waren nog steeds dingen waar ik me suf over piekerde. Zoals die keer dat jij en Ki die demon van je '"Broer" in plaats van "Zus" noemden.'

'Heb je dat gehoord? En je hebt er nooit naar gevraagd!'

'Ik heb Arkoniël beloofd dat ik het niemand zou vertellen.'

'Maar Lhel heeft je dus over Broer verteld?'

'Dat hoefde ze niet. Ik heb hem gezien.'

'Waar?'

'In het huis van heer Orun, die dag dat hij stierf.'

'Hij heeft Orun vermoord,' flapte Tobin eruit.

'Zoiets dacht ik al. Hij stond nog over het lijk gebogen toen ik de deur intrapte. Eerst dacht ik dat jij het was, tot die griezel me aankeek. Bij het Licht, ik snap niet hoe je het al die jaren met hem hebt uitgehouden. Het bloed stolde in mijn aderen door die ene blik.'

'Maar je hebt Iya nooit verteld wat hij had gedaan.'

'Ik dacht dat jij dat wel zou doen.'

'Wat heeft Lhel je dan verteld? Iets over mij?'

'Ja, dat je op een dag de troon zal opeisen. En dat ik bereid moest zijn je te steunen en nooit aan je mocht twijfelen.'

'Is dat alles?'

'Dat was alles, behalve dat ze me al een hele tijd in de gaten hield en ze was heel lovend over me.' Hij schudde zijn hoofd. 'Ik wist meteen wat ze was toen ik die heksentekens op haar gezicht zag. Maar hoe dan ook, ik was blij met haar oordeel.'

'Ze heeft altijd volgehouden dat Iya en vader het jou hadden moeten vertellen. Ook Arkoniël vond dat. Maar Iya wilde er niet van weten. Vader zou het gedaan hebben als Iya het niet verboden had.'

'Maakt niet uit, Tobin. Hij heeft het me op zijn manier verteld toen het verteld moest worden.'

'Ze deden het om jou te beschermen,' zei Tobin, al nam hij het Iya nog steeds kwalijk. 'Ze zegt dat Niryn gedachten kan lezen. Ik heb geleerd om mijn gedachten te verhullen toen ik hier kwam. Daarom weet Ki er ook niets van. Jij zegt toch ook niets tegen hem, hè?'

Tharin gaf Tobin een stuk warm brood met kaas aan. 'Natuurlijk niet. Maar je zal het wel heel zwaar gehad hebben, dat je er met niemand over kon praten, al die tijd. Zeker dat Ki er niets van mocht weten.'

'O, ik heb zo vaak op het punt gestaan het hem te verklappen! En nu…'

'Ja, en nu.' Tharin nam een hap brood en kauwde het langzaam op voor hij verderging. Ten slotte slaakte hij een zucht en zei: 'Ki weet wat je voor hem voelt, Tobin. Iedereen kan het zien aan de manier waarop je naar hem kijkt. Hij houdt op zijn manier van je, maar je mag niet meer van hem verwachten.'

Tobin voelde zijn gezicht gloeien na die woorden. 'Weet ik ook wel. Minstens zes meiden zijn verliefd op hem. Waar dacht je dat hij nu was?'

'Hij is een zoon van zijn vader, Tobin, en kan er ook niks aan doen dat hij een kleine straatkat is.' Hij keek Tobin steels aan. 'Er lopen er ook genoeg rond die graag een aardig woord van jou zouden willen horen, hoor.'

'Maar dat kan me niet schelen!' Maar terwijl hij dat zei fluisterde er een stemmetje binnen in hem: *Wie dan?*

'Nou, het zou niet gek zijn er toch eens aandacht aan te schenken. Lhel vond het ook. Een knul van jouw leeftijd moet toch een ietsepietsie interesse tonen, zeker een prins die kan kiezen wie hij wil.'

'Maar dat gaat toch niemand wat aan.'

'Aan het hof wel. En zo maak je het Ki wat minder moeilijk.'

'Heeft Lhel je dat verteld?'

'Nee, dat zei Ki.'

'Ki?' Tobin kon wel door de grond zakken.

'Hij kan niet voor je voelen wat jij voor hem voelt, en daar voelt hij zich schuldig over. Want je weet dat hij dat zou doen als hij kon.'

Daar wist Tobin niets op terug te zeggen. 'Iedereen heeft altijd gezegd dat ik eigenaardig ben. Voor mijn part gaan ze daar gewoon mee door.'

'Je hebt fijne vrienden, Tobin. Een dezer dagen zul je wel merken wie dat zijn. Ik weet ook wel dat het je moeilijk valt…'

'O ja? Hoe weet jij dat nou!' Al de angst en pijn en geheimen van jaren kwamen in één klap weer boven. 'Hoe kun jij nou weten hoe het is om altijd te moeten liegen, en dat er tegen je gelogen wordt? Om niet eens te weten hoe je gezicht eruitziet tot iemand het je laat zien? En Ki? Mijn vader wist toch ook wat jij voor hem voelde?'

Tharin boog zich weer over de sneden brood bij de haard. 'En werd het daar makkelijker door? Nou, dat had je gedacht.'

Tobins woede maakte plaats voor schaamte. Hoe kon hij zo tekeergaan tegen Tharin, juist tegen Tharin, en net nadat hij zoveel verteld had? Hij liet zich uit zijn stoel glijden en sloeg zijn armen om de kapitein heen, en drukte zijn gezicht tegen zijn schouder. 'Sorry. Dat had ik nooit mogen zeggen.'

Tharin klopte hem op de rug alsof Tobin nog een jongetje was dat hij op zijn schouders droeg. 'Het is al goed. Je krijgt net door hoe de wereld in elkaar zit.'

'Nou, dat weet ik allang. Het is een en al ellende en haat.'

Tharin tilde Tobins kin met één vinger op en keek hem ernstig aan. 'Soms wel, ja. Maar zoals ik het zie, ben jij gekomen om dat te veranderen, om het te verbeteren. Veel mensen hebben heel wat moeite voor jou gedaan. Je vader is ervoor gestorven, en je arme moeder ook. Maar zolang ik leef zul je niet alleen zijn. En als de tijd daar is, ik zweer je Tobin, dan laat ik je ook niet in de steek.'

'Dat weet ik.' Tobin ging weer zitten en veegde zijn neus af aan zijn mouw. 'Als de tijd daar is, dan maak ik een rijke heer van je met een landgoed waar je het eind niet van ziet en niemand die me dat kan beletten.'

'Nou, dan heb je buiten mij gerekend!' Tharins fletsblauwe ogen schitterden van pret terwijl hij Tobin nog een snee roggebrood in de handen drukte. 'Ik ben gelukkig waar ik nu ben, Tobin. En dat ben ik altijd al geweest.'

50

Niemand zag hen naderen, zelfs wij niet die toch gezworen hadden het land met ons leven te bewaken. Op zo'n nacht zou toch niemand een aanval vanuit zee hebben zien aankomen? Welke kapitein zou het in zijn hoofd halen om de Binnenzee in die tijd van het jaar over te steken?

De storm stapelde die nacht de golven als hooibergen op, vlak voor de haven, en scheurde de wolken die voor de maan langs joegen aan flarden. De mannen die op de uitkijk stonden was het niet kwalijk te nemen dat ze de schepen niet zagen; je kon het huis van je buurman niet eens onderscheiden.

De grote, met gestreepte zeilen opgetuigde vloot van Plenimar was met die monsterlijke stormwind uitgevaren en nam Ero totaal onverwachts in. De laatste mijlen hadden ze met gedoofde lantaarns afgelegd – wat hen weliswaar schepen en levens kostte maar het cruciale verrassingselement bleef zo in stand. Negentien wrakken werden uiteindelijk geteld, het aantal schepen dat net ten noorden van Ero voor anker ging was onbekend, maar het aantal manschappen van de legermacht dat van boord ging liep in de duizenden. Ze verrasten de buitenposten, ze slachtten elke Skalaan af die ze tegenkwamen, jong of oud, ze stonden al bij de stadspoort voor men alarm had kunnen slaan.

De helft van de bevolking was dood of stervende aan de winterpokken; er waren nauwelijks genoeg soldaten om de poort gesloten te houden.

Lyman de Jongere,
Chef Kronieken van het Orëskahuis

Die nacht loeide de storm zo oorverdovend dat de Palatijnse wachters de eerste alarmklokken uit de benedenstad niet hoorden. Pas toen koeriers kwamen vertellen wat er gebeurd was, verspreidde het bericht zich over de citadel als een lopend vuurtje.

Ki werd gewekt door het geluid van gongs en geschreeuw. Eerst dacht hij dat hij droomde van het Sakorfestival. Hij wilde juist de kussens over zijn hoofd trekken toen Tobin uit bed sprong en de dekens met zich meetrok.

'Er wordt alarm geslagen, Ki. Opstaan!' riep hij en hij tastte bij het zachte licht van het nachtlampje rond naar zijn kleren. Ki gleed uit bed en trok de eerste tuniek aan die binnen zijn bereik lag.

Molay stormde in zijn nachthemd binnen. 'Een aanval, mijne heren! Gord uw wapens om! De koning wenst iedereen onmiddellijk in de audiëntiezaal te zien!'

'Is het Plenimar?' vroeg Tobin.

'Zo gaan de geruchten, mijn prins. De boodschapper zegt dat de gebieden buiten de muren al in lichterlaaie staan, van Bakenhoofd tot Bedelaarsbrug.'

'Ga Lutha en Nik wakker maken…'

'We zijn er al!' schreeuwde Lutha die met de schildknapen binnenrende.

'Aankleden en wapenrusting aan. Kom dan hierheen,' beval Tobin. 'Molay, waar is Korin?'

'Ik heb geen…'

'Maakt niet uit! Laat Tharin en mijn gardisten roepen!'

Ki's handen trilden toen hij Tobin in zijn gecapitonneerde hemd en maliënkolder hielp. 'Weer eens wat anders dan een bandieteninval, hè?' mompelde hij luchtig. 'Hé, Tobin?' Even dacht hij dat zijn vriend het niet had gehoord.

'Ja, ja, wat je zegt. Alleen had ik ons eerste echte oorlogsgevecht een beetje anders voorgesteld.' Tobin nam Ki's hand in de soldatengreep. 'Je staat toch wel achter me? Wat er ook gebeurt?'

'Ja, natuurlijk, joh!' Ki's ogen gleden over Tobins gezicht. 'Is echt alles oké met je?'

Tobin kneep even in Ki's hand. 'Zeker weten. Kom op.'

Iya stond op het dak van het gebouw boven het Wormgat te vloeken en te tieren tegen de storm. Die kwam van zee en droeg een brandlucht met zich mee. Het havendistrict stond in lichterlaaie en de vijandelijke oorlogsschepen blokkeerden de havenmonding. In de droogdokken werden ook de Skalaanse schepen aangestoken, en de trossen van degene die voor anker lagen waren doorgehakt zodat ze zouden stranden.

De vijand had nog geen bres in de muren geslagen, maar lang zou het niet meer duren. Met een zichtspreuk had Iya hun posities al bepaald, ze had zwarte tovenaars en militairen van de genie bezig gezien. Ze hadden enorme katapulten opgezet en schoten brandende voorwerpen over de oostelijke muur. Rookwolken stegen al op uit de wijk waar textiel en leer geverfd werd.

De straten beneden haar waren onbegaanbaar. Drommen mensen renden in de richting van de benedenwijken met elk voorwerp dat ze in de haast hadden kunnen grijpen. Anderen probeerden een kar volgestouwd met bezittingen voort te duwen, zich onbewust van het feit dat vluchten onmogelijk was geworden. Voor elke poort stonden honderden vijandelijke soldaten.

Maar daar ging het haar niet om. Ze had al zoekspreuken voor de jongens uitgeworpen en had alleen ontdekt dat ze de amuletten die ze naar hun kamer had gestuurd hadden laten liggen. Ze zette zich schrap tegen de stormwind, sloot haar ogen en zond een andere bezwering in hun richting, want ze had al een angstig vermoeden waar ze zich bevonden. Haar ogen brandden achter haar oogleden; haar slapen klopten en eindelijk vond ze hen.

'Vervloekt!' schreeuwde ze en ze schudde haar vuist naar de hemel.

Er was geen sprake van dat de Gezellen thuis moesten blijven. Het halve stadsgarnizoen was al aan de pest bezweken en de Plenimaraanse stormrammen bonkten al tegen de poorten, dus geen enkele strijder kon zich aan de strijd onttrekken. Gewapend met bogen en zwaarden namen de jongens hun positie in aan de kop van elke colonne die zich op het oefenterrein had verzameld. De koning besteeg zijn zwarte strijdros en stak het Zwaard van Ghërilain de lucht in. Met krachtige stem om boven de loeiende wind uit te komen, riep hij: 'Er is geen tijd voor een toespraak. Ik heb zojuist vernomen dat er zwarte tovenaars voor de Oosterpoort staan. Moge Sakor zien met wat voor verachtelijke vijanden wij te maken hebben, en moge hij ons de overwinning gunnen. Strijders van Skala, samen staan we sterk, dus jaag die vuilakken onze kust af! Elke poort moet standhouden, elke voet van de muur moet van ons blijven. Ze komen er niet door!' Hij draaide zijn paard en ging hen voor.

De rest volgde hem te voet. Toen Tobin over zijn schouder keek zag hij Tharin en zijn manschappen vlak achter hem, met de koninklijke standaard van Atyion in hun midden. Ki liep vastberaden naast hem, de extra pijlen ratelend tegen zijn rug.

Ze liepen de poort door en Tobin hield zijn adem in. In het ochtendgrauw kon hij van de heuvel af vanuit de ruïnes aan de andere kant van de stadsmuren verscheidene rookwolken zien opstijgen. Er stonden al verdedigers op de muur, maar het waren er veel te weinig, de opstelling zat vol gaten.

Hoe dat kwam werd hen snel genoeg duidelijk. De Gezellen hadden sinds het uitbreken van de pokken geen bezoek aan de stad meer mogen brengen en de rapporten hadden hen niet voorbereid op de gruwelijke realiteit van de situatie. Ero was een knekelhuis.

In elke straat lagen lijken te rotten, want het waren er te veel voor de lijkbezorgers om ze mee te nemen. Misschien waren alle doodgravers zelf al dood, wie weet. Tobin huiverde toen ze een zeug en haar biggen een lijk van een meisje aan flarden zagen scheuren. Waar hij ook keek liepen de levenden tussen de doden door alsof het gewoon straatvuil was. En zelfs met die bijtende wind was de stank ondraaglijk.

'Als de Plenimaranen ons niet krijgen, worden we wel geveld door de pokken!' mompelde Ki en hij sloeg zijn hand voor zijn mond.

Een in lompen geklede vrouw zat gebogen over het lichaam van haar zwaar door pokken aangetaste kind, maar keek op toen ze haar passeerden. 'Vervloekt bent u, Erius, zoon van Agnalain, en ieder van uw huis! U hebt Illiors vloek over dit land gebracht!'

Tobin keek snel de andere kant op toen een soldaat haar met zijn knuppel het zwijgen oplegde. Erius reageerde niet op de uitspraak, maar Tobin zag Korin ineenkrimpen.

De straten in de buurt van de Oosterpoort waren niet door te komen, ze stonden stampvol met hysterische mensen, hoog opgetaste karren en doodsbange dieren. Erius' garde sloeg de menigte met knuppels uiteen zodat er een pad voor de troepen ontstond.

Maar op de muren troffen ze mannen, vrouwen en zelfs kinderen aan, vastberaden om de aanval af te slaan. Helemaal boven op de muur stonden de mannen opgesteld, maar het waren er te weinig. Tobin zag hoe een paar vijandelijke soldaten de top van de muur bereikt hadden maar ze werden met kracht teruggedreven. Tegelijkertijd suisden er pijlen boven hun hoofden en sommige troffen doel. Skalaanse strijders vielen dodelijk gewond van de muren en schaarden zich bij de hopen doden en stervenden op de kinderkopjes beneden.

'Kijk,' zei Ki en hij wees op een stapel lijken. Er lagen twee dode Plenimaranen verstrengeld met de rest. Ze droeg zwarte tunieken over hun maliën en hadden lange zwarte baarden en vlechten in hun haar. Ze hadden nooit eerder een Plenimaraan gezien.

'De muren op!' schreeuwde Erius terwijl hij afsteeg en zijn zwaard weer de lucht in stak.

'Volg mij, Gezellen!' riep Korin en Tobin en de anderen volgden hem de wankele houten trappen op naar de omloop bij de verschansingen bovenop.

Van hieraf kon Tobin door de pijlgaten en de moordgaten tussen de kantelen een blik werpen op de kolkende massa krijgers aan de andere kant. De Skalaanse verdediging wierp met stenen, en vrouwen goten vaten kokende olie en pek naar beneden, maar dat veroorzaakte slechts een tijdelijk gat in de vijandelijke troepen. De Plenimaranen hadden al honderden vierkante houten schuttinkjes neergezet waarachter hun boogschutters konden schuilen, en van daaruit regende het onophoudelijk pijlen. Bij de poort beneden hen had de genie een dakje gefabriceerd waaronder het doffe, ritmische gebonk van de stormram te horen was.

Schouder aan schouder met Ki en Tharin spande Tobin bij een moordgat zijn boog en richtte op de zwerm manschappen onder aan de muur. Toen hun pijlen op waren, gingen ze door met stenen smijten en duwden ze vijandelijke ladders om. Toch bereikten enkelen de top van de muur, maar ze gingen er meteen achteraan om ze een dodelijke slag toe te brengen. Ki bleef naast hem lopen en Tobin ving glimpen op van de andere Gezellen, maar toen de strijd zich verhevigde, verloren ze elkaar te midden van andere verdedigers uit het oog. Tobin zag Korin ook al niet meer, maar hoe druk het ook werd, Ki en Tharin volgden hem op de voet.

Er scheen geen eind aan de aanval te komen. Links en rechts raapten ze pijlen op en schoten die terug, en ze gebruikten lange palen om ook de lagere ladders om te duwen. Tobin en Ki hadden er net weer een om laten vallen, waarbij zes man boven op hun maten terechtkwamen, toen een pijl onder de wangbeschermer van Tobins helm glipte. Hij schrok en een tweede pijl raakte zijn rechterschouder, die hem een bloeduitstorting onder de maliën en het opgevulde jak bezorgde. Ki en Tharin trokken hem naar beneden achter de verschansing.

'Heeft hij je diep geraakt?' vroeg Tharin en hij rukte de gescheurde mouw van Tobins jak los.

Voor Tobin hem kon vertellen dat het niets om het lijf had, ramde een gekatapulteerde kei de muur een paar voet van hen vandaan en door de klap vielen ze om.

Even later steeg er van links een luid gebrul op, naast het geluid van vallende stenen. Er werd gegild en mannen renden langs hen heen, terwijl ze schreeuwden: 'Ze zijn doorgebroken!'

Tobin was meteen weer op de been en hij keek door een pijlgat. Hij zag een enorme berg stenen en dikke planken waar de poort had gezeten. Vijandelijke soldaten stroomden de stad in.

'Dat is zwarte kunst,' hijgde Tharin. 'Die rammeien waren alleen maar een dekmantel!'

Caliël en Korin renden langs hen. 'Zusthra is dood, Chylnir ook!' riep Caliël, en Tobin en zijn mannen gingen achter hen aan.

Tien passen verder kwamen ze Lynx tegen die over Orneus gebogen zat en probeerde zijn vriend te beschermen tegen de hollende mannen. Beiden zaten onder het bloed. Een pijl met zwarte veer stak uit Orneus' keel. Zijn hoofd lag slap naast hem, zijn ogen waren leeg. Lynx wierp zijn helm af en probeerde hem op te tillen.

'Laat liggen; die is dood!' beval Korin in het voorbijgaan.

'Nee!' gilde Lynx.

'Je kunt niets meer voor hem doen!' riep Tharin. Hij trok de snikkende schildknaap omhoog, duwde de helm weer op zijn hoofd en sleepte hem in looppas mee met de rest.

Vlak voor de trappen was er weer een opstopping, iedereen dromde samen om generaal Rheynaris die bij de koning neerknielde. Erius' helm was verdwenen en het bloed stroomde uit een jaap op zijn voorhoofd, maar de woedende blik stelde iedereen vreemd genoeg gerust. Toen Korin bij hem kwam, krabbelde hij snel weer overeind en duwde iedereen opzij. 'Niks aan de hand, verdomme! Opdonderen en doe je werk. Ze zijn doorgebroken! Korin, neem je mannen mee naar Waterstraat en val die klootzakken vanuit de flank aan! Naar beneden jullie, allemaal, en drijf ze terug!'

Waterstraat was verlaten toen ze eraan kwamen en ze stopten even om te zien wie er nog bij hen was. Tot zijn grote schrik zag Tobin dat Lutha en Nikides ontbraken.

'Ik ben ze ongeveer een uur geleden al uit het oog verloren,' zei Urmanis, steunend op Garol. Zijn rechterarm hing er krachteloos bij in een snel in elkaar geflanste draagband.

'Ik zag ze vlak voor de poort het begaf,' zei Alben. 'Ze waren bij Zusthra.'

'O tering! Caliël, heb jij hen gezien?' vroeg Ki.

'Nee, maar als ze verder waren dan waar ik ze het laatst zag…' en Caliëls stem brak.

Tharin, Melnoth en Porion telden de manschappen en ze bleken maar veertig man te hebben die echt gevechtsklaar waren. Tobin keek ongerust zijn gardisten na en was blij dat de meesten van hen er niet onderdoor gegaan waren. Koni salueerde weifelend.

'Er is nu geen tijd om ons druk te maken over de ontbrekende manschappen,' zei kapitein Melnoth. 'Uw orders, prins Korin?'

'Maak je niet te sappel,' mompelde Tharin tegen Tobin. 'Als Lutha en Nik nog leven, vinden ze ons wel.'

Korin staarde naar het gedruis in de verte en zei niets.

Porion ging naast de prins staan. 'Uw orders, mijn prins.'

Korin draaide zich om en Tobin las pure angst in de ogen van zijn neef. Dit moest Ahra gezien hebben tijdens die eerste rampzalige inval. Korin keek Porion smekend aan. Melnoth wendde zijn hoofd af om zijn onthutste blik te verbergen.

'Prins Korin, ik ken deze wijk goed,' begon Tharin toen. 'We zouden het best door dat steegje daar kunnen gaan, dan komen we in de Breestraat. Wellicht kunnen we daar wat verkenners opvangen die ze vooruit hebben gestuurd.'

Korin knikte langzaam. 'Eh ja…. Ja, laten we dat maar doen.'

Ki keek Tobin bezorgd aan terwijl ze hun zwaarden trokken en Tharin achternagingen.

Ze liepen tegen twee kleine verkennersgroepen op en ze doodden ze bijna allemaal, maar toen ze weer naar de poort renden, werden ze haast onder de voet gelopen door een enorme met fakkels gewapende strijdmacht, waarmee ze alles wat ze tegenkwamen in de hens zetten. Ze hadden geen keus: wegrennen was de boodschap.

'Hierheen!' riep Korin en hij dook een zijstraat in.

'Nee, niet zo!' riep Tharin hem nog na, maar de prins was al verdwenen. Ze moesten hem wel volgen.

Ze sloegen een hoek om en stonden opeens op een doodlopend marktpleintje met hoge gebouwen eromheen, waarvan er al een aantal in brand stond. Dit was de enige straat die erop uitkwam, dus vluchtten ze de dichtstbijzijnde open deur in, die van een herberg was, maar via de achteruitgang sloegen de vlammen hen al tegemoet.

Tobin rende terug naar de voorkant en tuurde door een kapot luik naar buiten. 'O nee, Korin, we zitten in de val!'

De vijand had hen gevolgd. Er stonden zeker zestig soldaten buiten, die in hun grommerige taal met veel keelklanken met elkaar overlegden. Een paar liepen naar de herberg om hem in de fik te steken, ze wierpen de fakkels al op het dak. Boogschutters legden aan om iedereen die probeerde te ontsnappen neer te schieten.

'We moeten ons al vechtend een weg banen,' zei Ki.

'Er zijn er veel te veel!' zei Korin bits. 'Je bent hartstikke gek als je dat ook maar probeert!'

400

'En we verbranden levend als we hier blijven staan,' zei Porion tegen hem. 'Als we jouw gardisten voorop zetten en die van prins Tobin achteraan, kunnen we hen misschien overmeesteren.' Hij glimlachte wrang. 'Daar heb ik jullie voor opgeleid, jongens.'

Het was maar een heel kleine kans en daarvan waren ze doordrongen, maar ze stelden zich desondanks snel op, met Korin tussen de Gezellen in. Iedereen keek benauwd, behalve Lynx, die geen woord had gezegd sinds ze van de muur waren afgedaald. Hij kneep zijn zwaard haast fijn, zag dat Tobin naar hem keek en maakte een kleine buiging, alsof hij afscheid van hem nam.

Tobin ving Ki's blik op en deed hetzelfde, maar Ki keek hem vastberaden aan en schudde zijn hoofd. Achter hen wreef Tharin in zijn ogen vanwege de rook en mompelde iets als: 'Het spijt me.'

'We wachten op uw bevel, prins Korin,' fluisterde Melnoth.

Tobin was trots dat Korin niet wankelde toen hij met zijn hand het signaal gaf om uit te breken.

Voor ze de deuren open konden gooien, hoorden ze eerst gegil op het plein en vervolgens kreten van pijn.

Ze renden naar de ramen en zagen Plenimaranen kronkelend op de stenen liggen, onder een deken van blauwwitte vlammen. Iedereen die zijn kameraden wilde helpen werd erdoor besprongen, dus de rest rende al weg zo snel ze konden.

'De Haviken!' riep Korin.

Tobin had dat ook al vermoed, maar hij zag alleen een paar in lompen geklede gestalten door het steegje wegrennen. Toen stapte er iemand vanuit de schaduwen naar voren in het roodflakkerende licht van de gebouwen.

'Tobin, ben je daar?'

Het was Iya.

'Ik ben hier!' riep hij terug.

'Het is veilig, maar we moeten wel voortmaken,' riep ze.

Melnoth greep zijn arm toen hij de deur open wilde doen. 'Ken je haar?'

'Ja. Een vriendin van mijn vader. Ze is tovenares,' voegde hij eraan toe, alsof dat nog nodig was.

Iya boog diep voor Korin toen hij naar buiten stapte. 'Bent u gewond, hoogheid?'

'Nee, en nog bedankt, meesteres.'

Tobin staarde naar de verkoolde, verwrongen lichamen die over het pleintje verspreid lagen. 'Ik... ik wist niet dat je...'

'O, ik had wat hulp. Ze zijn al op weg om te zien wat ze nog meer kunnen doen om de indringers tegen te houden. Weinig, ben ik bang. Prins Korin, uw vader is gewond naar het paleis gebracht. Ik stel voor dat u meteen naar hem toegaat. Kom, ik ken een veilige route. De Plenimaranen hebben de bovenste wijken nog niet bereikt.'

De nacht viel en een koude motregen daalde op hen neer toen ze naar de Palatijnse poort terugsjokten. Volkomen apathisch liep Tobin met de anderen mee, die al net zo futloos waren. Het was erger dan uitputting of honger. Ze hadden in Bilairy's ogen gekeken, daar in die herberg; als Iya en haar mysterieuze hulpjes er niet waren geweest, was er nu alleen nog wat as van hen over geweest.

Hier en daar vonden ze de weg geblokkeerd door barricaden – karren, meubilair, kippenrennen, stukken hout; alles wat de door paniek bevangen bevolking te pakken had kunnen krijgen om de aanvallers tegen te houden. In één straat waren ze gedwongen om over een berg pokkenslachtoffers heen te klauteren.

Het was hier rustig, maar het was duidelijk dat er al gevochten was. Mannen van beide partijen lagen levenloos op straat, en Tobin ontdekte ook wat Haviken en gardisten tussen hen in.

'Ik dacht dat die niet te doden waren!' riep Alben en hij liep met een grote boog om een dode tovenaar heen.

'Alle tovenaars zijn vrij eenvoudig om zeep te helpen.' Iya stopte en hield haar hand boven het gezicht van de dode. Even later schudde ze verachtelijk het hoofd. 'De meesten van die witjurken zijn gewoon pestkoppen die geleerd hebben in roedels te jagen. Ze intimideren en martelen iedereen die zwakker is dan zij, zoals wolven een ziek hert pakken. Voor iets anders zijn ze niet geschikt.'

'Dit is taal van een verrader, meesteres,' waarschuwde Korin haar. 'Ik zeg dat tegen u als iemand die zijn leven aan u te danken heeft, maar ik zou maar uitkijken als ik u was.'

'Vergeef me, mijn prins.' Iya tikte op de broche met het cijfer op haar mantel. 'Ik weet misschien beter dan u hoe gevaarlijk het is om kwaad te spreken over de tovenaars van uw vader. Maar ik neem nogmaals de vrijheid om u te vertellen dat zijn angst geheel ongegrond is. De tovenaars en priesters die geëxecuteerd zijn waren net zo loyaal aan Skala als u en ik. We vechten zelfs nu nog voor Ero. Ik hoop dat u zich dat later nog eens zult herinneren.'

Korin knikte kort, maar zei niets meer.

De wijken rond de citadel waren nog ongeschonden, maar nu ze zo hoog stonden zagen ze dat vrijwel de hele benedenstad in brand stond, want de stormwind hielp de vijand nog een handje mee.

Toen de Palatijnse poort in zicht kwam, gebaarde Iya naar Ki dat hij verder moest lopen, maar ze nam Tobin even apart. 'Blijf dicht bij je vrienden,' fluisterde ze. 'Je uur heeft geslagen en dit is het teken. Het Orakel van Afra heeft het me laten zien, maar ik had het niet door. Houd de pop bij je. En raak hem niet kwijt!'

Tobin slikte moeizaam. 'Hij is in de burcht.'

'Wát? Tobin, wat heeft je bezield...'

'Mijn moeder heeft hem afgepakt.'

Iya schudde het hoofd. 'O. Dat is wat anders. Ik zal zien wat ik kan doen.' Ze keek snel om zich heen en fluisterde: 'Houd Koni kost wat kost in je buurt. Verlies hem niet uit het oog, begrijp je dat?'

'Koni?' De jonge pijlenmaker was een van zijn favoriete gardisten, maar Iya had nog nooit aandacht aan hem geschonken.

'Ik moet ervandoor. Onthoud wat ik heb gezegd.' En weg was ze, alsof de aarde haar verzwolgen had.

'Iya?' fluisterde Tobin en hij keek angstig rond. 'Iya, ik weet niet of ik er wel klaar voor ben. Ik weet niet wat ik moet doen!'

Maar ze was weg en de anderen keken al om waar hij bleef. Tobin rende naar hen toe.

'Gek, dat ze precies op kwam dagen toen ze nodig was en net zo snel weer verdwijnt,' zei Ki.

'O, daar ben je!' riep Koni toen en hij kwam naast hen lopen. Tobin wilde weten of Iya ook met hem gesproken had, maar dat deed hij liever niet waar de anderen bij waren. 'Ik was je even kwijt op de muur, en dat gebeurt me niet meer.'

'Mij ook niet,' zei Tharin en hij zag er zo afgetobd uit als Tobin hem nog nooit gezien had. 'Dat was kantje boord, daarnet.' Hij keek even naar Korin en dempte zijn stem. 'Houd me in het oog bij het volgende gevecht.'

'Doe ik.' Tobin vond het niet prettig om Korin af te vallen, maar hij had hem nu zelf zien twijfelen. Dat was dezelfde aarzeling waarover Ahra het had gehad. Het had hen bijna het leven gekost.

51

'Hoe is het met mijn vader?' vroeg Korin meteen aan de wachters van de Palatijnse poort.

'Hij is gewond, mijn prins,' vertelde de wachtmeester. 'Hij laat weten dat hij in het zomerpaviljoen ligt, vlak bij de tempel. En dat u onmiddellijk naar hem toe moet komen.'

De Palatijnse Heuvel zag zwart van de gewonden en vluchtelingen van de benedenstad, en met vee dat erheen gedreven werd voor het geval ze belegerd zouden worden. Geiten en schapen blaatten naar hen vanuit de tuinen van de villa's en langs de olmenlaan naar de grafkelders liepen varkens te wroeten.

Hier en daar werden de Gezellen toegejuicht toen ze zich naar het paviljoen haastten. De paleizen en de meeste huizen waren donker als op Rouwnacht, maar overal brandden kampvuurtjes. De terreinen en tuinen waarin ze getraind hadden zagen eruit als een slagveld. Mensen verdrongen zich om de vuurtjes, met mantels over het hoofd getrokken tegen de regen. De geuren van rook en voedsel dat bereid werd hingen over het hele terrein; Tobin hoorde kinderen huilen in het donker, paarden die hinnikten en van alle kanten het onophoudelijke geroezemoes van bezorgd pratende burgers.

Het paviljoen was helder verlicht. Binnen liepen edelen en officieren nerveus heen en weer. Een kleinere groep stond om een tafel in het midden van het gebouw. De andere Gezellen bleven buiten staan toen Korin en Tobin ernaartoe liepen.

'De prinsen, de Vier zijn gedankt!' riep Hylus uit toen ze naderden. 'We vreesden dat u de weg kwijt was.'

Erius lag op een tafel, met een bleek gelaat en gesloten ogen. Hij was naakt vanaf zijn middel en Tobin zag dat zijn rechterkant bont en blauw zag en zijn arm was gespalkt. Het Zwaard van Ghërilain lag aan zijn linkerkant; de kling zag zwart van het bloed.

Generaal Rheynaris stond naast hem en Niryn stond naast twee drysianen met een ernstig gezicht aan het eind van de tafel. Officieren en bedienden stonden op enige afstand en natuurlijk stond Moriël ertussen. Hij had gevechtskledij aan en zijn jak was besmeurd met roet en bloed. Hij keek Tobin aan en salueerde. Verrast knikte Tobin hem toe en keek weer naar de koning.

Korin zag ook bleek in het flakkerende licht van het vuur terwijl hij zich over zijn vader boog. 'Wat is er gebeurd?'

'Door een spreuk van een zwarte tovenaar stortte de muur waarop wij stonden als een pudding ineen, vlak nadat we u naar de Waterstraat gestuurd hadden, mijn prins,' antwoordde Rheynaris. Zijn gezicht was bebloed en zijn linkeroog was opgezet zodat hij daarmee niets kon zien. 'Hele brokstukken hebben uw vader geraakt toen hij viel.'

Korin greep de goede hand van de koning. 'Maar hij overleeft het toch wel?'

'Ja, mijn prins,' antwoordde een grijsharige drysiaan.

'Ja, wat dacht je dan,' zei Erius schor en hij deed zijn ogen open. 'Korin, wat voor nieuws heb je uit de stad?'

Rheynaris ving Korins blik op en schudde van nee.

'We vechten dapper door, vader,' vertelde Korin.

Erius knikte en sloot zijn ogen.

Tobin stond een tijdje bij hem en liep toen terug naar de anderen die bij een van de vuurpotten bij de trap aan de buitenkant stonden.

Ze stonden daar al een tijdje toen een bekende stem riep: 'Daar zijn ze! Ze leven nog!'

Nikides en Lutha doken op uit de menigte en renden naar hen toe om Tobin en Ki te omhelzen. Barieus was bij hen, maar van Ruan geen spoor. Ze waren net zo smerig als iedereen, maar bleken niet eens gewond te zijn.

'We dachten dat jullie net als Zusthra bij de poort gestorven waren!' zei Tobin, onnoemelijk opgelucht dat hij zijn vrienden levend en wel terugzag.

'Waar is Ruan?' vroeg Ki.

'Dood,' zei Nikides en zijn stem werd hees van emotie. 'Een Plenimaraan wilde me van achteren bespringen en Ruan dook tussen ons in. Hij heeft mijn leven gered.'

Ki plofte op de trap naast Lynx neer. Barieus ging bij hen zitten met zijn mantel over zijn hoofd.

'O Nik, wat vreselijk. Maar hij stierf een heldendood,' zei Tobin, maar de woorden klonken hol. 'Orneus is ook al dood.'

'Arme Lynx.' Lutha schudde het hoofd. 'Weer drie van ons dood.'

De drysianen hadden hun werk blijkbaar goed gedaan, want toen ze klaar waren weigerde de koning naar het paleis gedragen te worden, maar vroeg om een stoel. Moriël en Rheynaris hielpen hem te gaan zitten en Korin legde het Zwaard van Ghërilain over zijn vaders knieën. Niryn en Hylus stonden achter deze noodtroon alsof het schildwachten waren.

Erius leunde zwaar op de leuning van de stoel en hapte naar adem. Hij gebaarde dat Korin bij hem neer moest knielen en ze spraken zacht met elkaar. De koning gebaarde dat ook Niryn, Rheynaris en Hylus zich voorover moesten buigen en het gesprek ging verder.

'Waar hebben ze het over?' fluisterde Tobin tegen Nikides. 'Je grootvader heeft een bezorgde trek op zijn gezicht.'

'Volgens de berichten staan we er nogal slecht voor. Onze soldaten hebben de Oosterpoort wel weer dicht gekregen, maar er lopen nog steeds troepen Plenimaranen rond in de benedenstad en er is net gemeld dat er een andere groep is doorgebroken bij de Zuiderpoort. Hun zwarte tovenaars zijn erger dan in je stoutste dromen. De Haviken verliezen de strijd op alle fronten; ze kunnen er niet tegenop.'

Lutha keek tersluiks naar Niryn. 'Nee, tovenaars verbranden en priesters ophangen, dat is het enige waar ze goed in zijn.'

'Pas nou op,' waarschuwde Tobin.

'Het komt er dus op neer dat we ze niet de baas kunnen,' zei Lutha zachtjes. 'We hebben gewoon niet genoeg mannen.'

Nikides knikte. 'Niemand durft het te zeggen, maar het ziet ernaar uit dat Ero een verloren zaak is.'

Eindelijk hield het op met regenen en de wolken braken open om naar het westen af te drijven. Af en toe zag je weer wat sterren fonkelen, zo fel dat je schaduwen kon zien. Illiors maansikkel hing als een scherpe, witte klauw boven de stad.

Er werd soep verstrekt vanuit de paleizen en tempels, maar de Gezellen hadden weinig trek. Ze zaten op de trap in hun mantels gewikkeld om de kille lentenacht buiten te sluiten en ze slepen hun zwaarden in afwachting van hun orders.

Uitgeteld gaf Ki het wachten op en leunde met zijn rug tegen Tobin aan met zijn hoofd op zijn knieën. Caliël en de overgebleven Gezellen zaten rondom hen, maar niemand had zin om te praten.

We wilden een gevecht, en we hebben het gekregen, dacht Ki soezerig.

Lynx was in zijn eentje weggegaan en zat vlakbij in een kampvuur te staren.

Nikides rouwde stilletjes om Ruan, maar Ki wist dat ze niet hetzelfde door-maakten. Een schildknaap had gezworen voor zijn meester te sterven. Wie daarin faalde, faalde compleet. Maar het was Lynx' fout niet, het kwam door die gestoorde situatie op de muur.

Hoeveel troost zou die gedachte me bieden, als ik Tobin verloren had? dacht hij somber. *Als die pijl hem nu eens in zijn keel geraakt had in plaats van in zijn schouder? Als Iya nu eens niet op het juiste moment tevoorschijn was gekomen? Maar dan waren we tenminste met zijn allen ten onder gegaan.*

Terwijl Ki zo peinsde, dook Tharin ineens uit de duisternis op en hij ging bij Lynx zitten. Hij legde een deken over de schouders van de jongen. Hij praatte zachtjes tegen hem, zo zacht dat Ki het niet kon verstaan. Lynx trok zijn knieën op en legde zijn gezicht tussen zijn armen.

Ki moest ervan slikken en wreef in zijn ogen die opeens erg branderig aan-voelden. Tharin voelde waarschijnlijk het best aan hoe Lynx zich voelde.

'Wat gaat er met hem gebeuren?' fluisterde Tobin en Ki besefte dat hij ook had zitten kijken. 'Denk je dat Korin hem bij de Gezellen zal laten blij-ven?'

Daar had Ki nog niet eens bij stilgestaan. Lynx was een van hen, en een van de besten. 'Hij heeft toch niets om voor naar huis te gaan. Zijn vader is een heer, maar Lynx is de vierde zoon.'

'Misschien kan hij Nikides' schildknaap worden?'

'Misschien.' Maar Ki betwijfelde of Lynx dat een optie zou vinden. Hij was Orneus niet zomaar trouw geweest, hij hield met zijn hele hart van die zatlap, al had Ki nooit begrepen wat hij in hem zag.

In het paviljoen achter hen spraken de generaals nog steeds met de koning. De Palatijnse Heuvel was nu merkwaardig stil en Ki kon het eentonige ge-brom van gebeden horen dat opsteeg uit de tempel van de Vier; de geur van wierook en offergaven hing doordringend in de lucht. Ki keek op naar de koude maansikkel en vroeg zich af waar de goden vandaag zo nodig naartoe moesten.

De wind draaide snel daarna en droeg de lucht van dood en rook met zich mee, en het flauwe geluid van de zingende vijand.

Overwinningsliederen, dacht Ki.

Tobin was haast ingedut toen hij wakker schrok van iemand die hem op de schouder tikte.

Het was Moriël. 'De koning vraagt naar je, prins Tobin.'

Ki en Tharin volgden hem stil en Tobin was blij dat ze erbij waren.

Hij rook brandewijn en genezende kruiden toen hij de koning naderde, maar de ogen van zijn oom stonden scherp als altijd toen hij gebaarde dat Tobin op een kruk aan zijn voeten moest gaan zitten. Hylus, Rheynaris en Niryn stonden nog altijd vlakbij en Korin ook. Erg vrolijk keken ze niet.

Erius stak zijn linkerhand naar Tobin uit en keek hem zo strak aan dat Tobin er bang van werd. Hij zei niets en luisterde naar het hese en haperende ademhalen van de koning.

Even later liet de koning zijn hand los en liet zich weer achterovervallen. 'Er zijn vanmorgen postduiven naar de kuststeden gestuurd,' fluisterde hij schor. 'Volchi is nog erger door de pokken getroffen dan wij. Ze kunnen geen manschappen sturen. Ylani heeft wel een stuk of wat soldaten, maar hun garnizoen stelt sowieso niet al te veel voor.'

'En Atyion dan? Solari is vast al op weg.'

'Er is geen antwoord gekomen,' zei Hylus ernstig. 'Er zijn verscheidene vogels die kant opgestuurd, maar geen een is er teruggekomen Misschien heeft de vijand ze onderschept. Maar hoe het ook zij, we moeten aannemen dat Solari het nieuws nog niet vernomen heeft.'

'Dus moeten we hem waarschuwen, Tobin,' zei de koning hees. 'We moeten de strijdmacht van Atyion hebben! Met het aanwezige garnizoen, Solari's manschappen en de troepen uit de omringende steden, zou je er drieduizend mee terug kunnen nemen. Jij moet ze halen, en snel ook!'

'Natuurlijk, oom. Maar hoe moet ik daar komen? De stad is omsingeld.'

'De vijand heeft niet genoeg mannen om de hele stad af te sluiten,' zei Rheynaris. 'Ze concentreren zich bij de oostelijke muur en de poorten. Maar daartussenin staat maar hier en daar een soldaat, vooral aan de noord- en westkant. Een kleine groep zou kunnen ontkomen. Mijn verkenners hebben aan de noordwestkant een wagentoegang gevonden die niet bewaakt wordt. We laten jullie door een moordgat zakken en dan moeten jullie buiten maar een paard zien te vinden.'

'Wat vind jij ervan, Tharin?' vroeg de koning.

'Aangenomen dat we onderweg de paarden kunnen vervangen, zouden we er morgenmiddag kunnen zijn. Maar de tocht terug zal wel langer gaan duren, met zo'n marcherend leger. Het kan wel een dag of drie duren eer we terug zijn.'

'Veel te lang!' gromde Erius. 'Geforceerde mars, Tharin, zoals we bij Caloford gedaan hebben. Doe je dat niet, dan staat er geen huis meer overeind om te verdedigen. Ero is het hart van Skala. Als Ero valt, valt Skala.'

'Hoeveel mannen mag ik meenemen?' vroeg Tobin.

'Hoe minder hoe beter,' raadde Rheynaris hem aan. 'Des te minder val je op.'

'En nog minder als ze als gewone soldaten gekleed gaan,' zei Niryn.

Tobin knikte naar de tovenaar. 'Tharin en Ki gaan met me mee.' Hij zweeg even en voegde eraan toe: 'En mijn gardist Koni. Hij is een van mijn beste ruiters.'

'En mij! Neem mij ook mee!' klonk het van buiten.

'Ik ga mee,' zei Lynx die met wat ellebogenwerk tussen de anderen doordrong en aan Korins voeten knielde. 'Alstublieft, laat mij met hem meegaan.'

Korin fluisterde iets tegen zijn vader en Erius knikte. 'Uitstekend.'

'En ik ook!' riep Lutha die zijn best deed binnen te komen.

'Nee,' sprak Erius ernstig. 'Korin moet mijn plaats met het zwaard innemen en hij heeft Gezellen nodig om hem te beschermen. Er zijn al zo weinig van jullie over.'

Beteuterd maakte Lutha een diepe buiging, met zijn vuist tegen zijn borst.

'Dat is het dan wel. Jullie vier begeleiden prins Tobin,' zei Rheynaris. 'Ik zorg voor gewone wapenrustingen en een escorte naar de muur.'

Erius stak zijn hand op toen ze weg wilden lopen. 'Eén momentje nog, neef.'

Tobin ging weer zitten. Erius gebaarde hem dichterbij te komen en fluisterde in zijn oor: 'Je bent de zoon van je vader, Tobin. Ik weet dat je me niet teleur zult stellen.' Tobin haalde diep adem en kon de koning niet aankijken.

'Geen valse bescheidenheid,' zei Erius schor die dacht dat hij daarom zijn hoofd boog. 'Ik ga nu iets zeggen dat ik niet zou moeten zeggen, dus mondje dicht, begrepen?'

'Ja, oom.

'Mijn zoon…' en Erius boog zich nog dichter naar Tobin toe, met een gezicht dat vertrok van pijn. 'Mijn zoon is niet zo'n strijder als jij.'

'Nee, oom…'

Erius schudde bedroefd het hoofd. 'Het is de waarheid en dat weet je best. Maar hij zal koning worden en morgen staat hij in mijn plaats tegenover de vijand. Kom als de bliksem terug met die versterkingen en blijf dan vlak bij hem, nu en altijd. Jij staat daar in Rheynaris' plaats als hij de kroon draagt, dat had je toch wel begrepen? Beloof me dat, Tobin.'

'Ja, oom.' De herinnering aan zijn moeders gezicht op de dag dat ze stierf maakte het eenvoudiger om te liegen. Maar toen hij wegrende om de soldatenkleren aan te trekken, durfde hij Korin niet in de ogen te zien.

Korin kon niet horen wat zijn vader Tobin allemaal in het oor fluisterde, maar de uitdrukking van zijn vader stelde hem niet gerust. De twijfel werd nog groter toen Tobin hem niet aan wilde kijken.

'Wat is er aan de hand, vader?' vroeg hij en hij boog zich weer naar de koning. 'Maak je maar niet ongerust, Tobin redt zich wel. En ik ook.' Hij knielde neer en hield zijn handen op om het Zwaard in ontvangst te nemen. 'Geef me uw zegen, vader, opdat ik net zo wijs als u aan het hoofd van mijn leger zal staan.'

Erius greep het heft stevig vast en de blik in zijn ogen verhardde zich. 'Je loopt te hard van stapel, zoon. Er is maar één hand die het Zwaard van Ghërilain hanteert. Zolang ik nog ademhaal, ben ik de koning. Bewijs jij eerst maar eens dat je die titel waard bent.'

Alleen Niryn had gehoord hoe Korin door zijn vader werd afgescheept. Korin zag het minzame glimlachje van de tovenaar en nam zich meteen voor wraak te nemen. 'Bij de Vier en de Vlam, vader, ik zal u niet teleurstellen.'

Erius legde zijn linkerhand op Korins hoofd. 'Bij de Vier en de Vlam, ik zegen je. Houd Rheynaris bij je en luister naar zijn raad.'

Korin boog en beende weg. Rheynaris ging achter hem aan, maar omdat Korin nog steeds pissig was om het afwijzende antwoord van zijn vader, deed hij net of hij de man niet kende.

Met de verkenners van Rheynaris voorop, liepen Tobin en zijn kleine leger volgelingen haastig door de verlaten straatjes. Zijn eigen garde en twaalf soldaten van de koning begeleidden hen naar de noordermuur, maar ze kwamen niemand tegen. De huizen hadden hun luiken al gesloten. Nergens scheen een lichtje.

Ze klommen op de omloop en keken door de pijlgaten. Verderop zagen ze hier en daar wat kampvuren, vooral bij de haven, maar Tobin merkte ook een reeks vuurtjes langs de kustlijn op.

Het gebied aan de andere kant van de muur was vlak en hij zag nauwelijks beschutting. De maan was niet te zien, maar de sterren schenen helder genoeg om de bleke lijn van de hoofdweg te zien.

Om zich snel te kunnen bewegen hadden ze hun zware wapenrusting en schilden achtergelaten. Ze hadden gewone leren, met ijzer beslagen jakken aan, droegen hun schede op de rug en de boog in de hand.

'Hier, prins Tobin,' fluisterde een van de verkenners en hij deed een luik boven een moordgat open. Het was een duizelingwekkende afstand tot de grond, zeker vijftig voet diep. Rheynaris' mannen maakten de touwen die ze hadden meegebracht gereed.

'Ik ga eerst,' zei Tharin zachtjes. Hij liet een lus over zijn hoofd glijden en trok hem strak onder zijn oksels aan. Toen ging hij met de benen over de rand bij het gat zitten. Hij knipoogde naar Tobin terwijl drie forse soldaten hem zachtjes naar beneden lieten zakken.

Tobin lag op zijn buik en keek toe hoe Tharin de grond raakte en opging in de schaduw van een heggetje vlakbij.

Lynx was de volgende, daarna Koni en Ki. Ki grijnsde als een boer met kiespijn en kneep zijn ogen stijf dicht toen hij in het gat verdween.

Tobin ging zo snel mogelijk om zichzelf geen tijd te geven na te denken over de leegte onder zijn voeten. Toen hij de grond bereikte deed hij snel het touw af en rende naar de anderen toe.

Tharin had de omgeving al verkend en had een plan. 'We zullen bij de weg uit de buurt moeten blijven. Die houden ze natuurlijk in de gaten en het is licht genoeg om ons te zien lopen. We kunnen niets anders doen dan het op een lopen zetten en maar hopen dat we snel genoeg paarden vinden. Kijk nog even of je pijlen echt niet kunnen rammelen als jullie rennen.'

Tobin en de anderen keken de opgepropte wollen kousen na die ze in hun kokers geduwd hadden, zodat de schachten niet tegen de leren randen aan kletterden.

'Klaar,' zei Ki.

'Oké dan maar. Daar gaan we.'

De eerste mijlen waren doodeng. De sterren schenen zo fel dat ze schaduwen op de grond wierpen.

De hofsteden die het dichtst bij de stad lagen waren geplunderd. Ze waren niet in brand gestoken, maar het vee was meegenomen en de bewoners waren afgeslacht. Mannen, vrouwen en kinderen lagen op de grond waar ze gevallen waren en waar op hen was ingehakt tot ze stierven. Tharin bleef er niet te lang rondhangen maar ging voort naar de volgende en de derde boerderij. Nog een tiental mijl verder kwamen ze eindelijk boven de linie van de vijandelijke verwoestingen. De hofsteden waren verlaten, hun stallen leeg. De akkers ertussen waren omgeven door lage heggen en muurtjes, meer beschutting boden ze niet.

Ten slotte vonden ze een boomgroepje en ze renden ernaartoe, maar ze hoorden het onmiskenbare *plonk* van boogpezen al voor ze er aankwamen. Een pijl scheerde langs Tobins wang, zo dichtbij dat hij het zoeven van de veer kon horen.

'Hinderlaag!' riep Tharin. 'Naar rechts. Zoek dekking!'

Maar ook van die kant sprongen soldaten met ontblote zwaarden uit de bosjes. Tijd om te tellen hadden ze niet, maar zij waren beslist in de minderheid. Tobin tastte nog naar zijn zwaard toen Lynx zijn oorlogskreet uitstiet en langs hem heen denderde om de dichtstbijzijnde soldaat aan te vallen. Zodra zijn kling op staal sloeg kwamen de andere krijgers naderbij.

Toen vielen de anderen van Tobins groep aan. Tobin ontweek de eerste man die hem bereikte en met een sierlijke draai gleed zijn zwaard tegen de achterkant van zijn nek, net onder de helm. Hij stortte neer maar meteen stonden er twee andere aanvallers voor hem. 'Bloed, mijn bloed,' fluisterde Tobin zonder na te denken, maar Broer verscheen niet.

Tobin vocht zo goed als hij kon, met Tharin en Ki aan zijn zijde. Hij hoorde Ki achter zich schreeuwen en het kletteren van staal op staal vertelde hem dat Lynx zich nog altijd staande hield.

Het bloed suisde in Tobins oren terwijl hij elke aanvaller terugdreef. Ze waren sterk, maar hij kon ze aan, tot er niemand meer was om tegen te vechten. Overal lagen lijken, en hij zag een paar anderen wegvluchten.

'Laat maar gaan,' hijgde Tharin leunend op zijn zwaard.

'Alles oké, Tob?' was alles wat Ki kon uitbrengen.

'Nog geen schrammetje heb ik. Waar zijn de anderen?'

'Hier.' Lynx dook op uit de schaduw van de bomen, in het licht van de sterren was zijn zwaard zwart tot het heft.

'Ben je nou helemaal gek geworden om zo maar op je eigen houtje de bosjes in te gaan!' schreeuwde Tharin en hij rammelde hem door elkaar. 'Volgende keer blijf je gewoon bij de rest.'

Lynx trok zich los en beende weg.

'Laat hem met rust,' zei Tobin. 'Hij was verdomd dapper.'

'Dat is geen dapperheid,' beet Tharin hem toe en hij riep de schildknaap na: 'Als jij zo nodig dood wil, wacht je maar even tot prins Tobin veilig in Atyion is! Je plicht is prins Tobin te beschermen, heb je dat goed begrepen, jongen? Nou?'

Lynx liet zijn hoofd hangen en knikte.

Tobin keek rond. 'En Koni? Waar is Koni?'

'O, verdomme!' Tharin begon de lichamen die op de grond lagen te onderzoeken. Iedereen deed mee en ze riepen Koni's naam. De slachtoffers van Plenimar droegen zwarte kleding en Tobin had er geen enkel probleem mee om zijn mes te steken in de paar die nog bewogen.

'Koni!' riep hij en hij veegde zijn lemmet aan zijn broek af. 'Koni, waar ben je?'

Links van hem hoorde hij iemand kreunen. Toen hij zich omdraaide zag hij een donkere gestalte langzaam in zijn richting kruipen.

Tobin rende naar hem toe en bekeek zijn wonden. 'Waar ben je geraakt?'

De jonge gardist stortte grommend neer. De anderen kwamen aangesneld toen Tobin het lichaam voorzichtig omdraaide. Een gebroken pijl stak uit de borst net onder zijn rechterschouder.

'Bij het Licht!' Tharin bekeek hem van dichterbij. 'Wie voor de donder is dit nu weer?'

Tobin keek geschrokken naar de blonde knaap in Koni's kleren. Zijn borst was doorweekt van het bloed en hij ademde met kleine stootjes. 'Ik weet het niet.'

De ogen van de jongeman gingen even open. 'Eyoli. Ik ben…Eyoli. Iya heeft me gest… gestuurd. Ik ben een… geestbenevelaar.'

'Een wat?' Ki trok zijn zwaard.

'Nee, wacht. Je zegt dat Iya je heeft gestuurd. Hoe weten we dat het waar is?'

'Ze zei dat ik prins T…' Hij vertrok zijn gezicht van pijn en greep naar zijn borst. 'Ik moest zeggen dat de heks in de eik zit. Ze zei…. Dat je dat wel zou snappen.'

'Het is in orde,' zei Tobin. 'In Ero zei ze me al dat ik Koni bij me moest houden. Hij zal wel een tovenaar zijn.'

'Tovenaar... van niks.' De jongen grinnikte even. 'En vechten kan ik al helemaal niet. Ik moest bij je blijven, prins. Om je te beschermen.'

'Maar waar is de echte Koni dan?' vroeg Tharin.

'Die is gestorven, al voor de poorten plat gingen. Ik heb zijn plaats ingenomen en kon jullie bereiken voor jullie bij die herberg in de val liepen.'

'Dood?' Overmand door verdriet draaide Tobin zich om.

'Het spijt me. Het was de enige manier om bij je te blijven. Ze zei: "Blijf bij de prins,"' hijgde Eyoli. 'En zo wist ze dat jullie in de val zaten. Ik had haar een berichtje gestuurd.'

'Weet ze waar we nu zijn?' vroeg Tobin.

'Ik denk het wel. Ze kon waarschijnlijk niet meer ontsnappen.'

Tobin keek om naar de brandende stad. Ze konden onmogelijk op Iya wachten.

'Hoe erg is hij gewond?' vroeg Ki.

'Die pijl en een zwaardsnee in zijn zij,' antwoordde Tharin. 'We moeten hem achterlaten.'

'Nee!' riep Tobin. 'Dan zal hij hier helemaal in zijn eentje sterven!'

'Ga, alsjeblieft!' Eyoli probeerde overeind te komen. 'Iya vindt me wel. Jullie moeten snel verder.'

'Hij heeft gelijk, Tobin,' zei Tharin.

'Nee, we laten hem niet alleen doodgaan. Dat is een bevel, begrepen? Hij heeft ons allemaal geholpen te ontsnappen. Ik ga niet verder tot we voor hem gedaan hebben wat we kunnen.'

Tharin liet een gefrustreerde vloek ontsnappen. 'Lynx, zoek iets waarmee we hem kunnen verbinden. Ki, water en mantels. We pakken hem goed in en leggen hem onder de bomen. Het spijt me, Tobin, maar meer kunnen we echt niet voor hem doen.'

'Het spijt me dat jullie met nog minder mannen verder moeten,' fluisterde de jonge tovenaar en hij sloot zijn ogen. 'Ik had je moeten zeggen…'

'Je hebt je plicht gedaan,' zei Tobin en hij nam zijn hand in de zijne. 'Ik zal het nooit vergeten.'

Ki kwam terug met mantels en water en een stel bogen. Hij liet ze naast Tharin neervallen en vroeg: 'Wat vind je hiervan?'

Tharin pakte er eentje op, en nog een. 'Ze zijn van Skalaanse makelij.'

'Dat waren ze allemaal. Zwaarden ook, voorzover ik kon zien.'

'Is dat zo?' Tharin begon de pijl uit Eyoli's schouder te snijden. De tovenaar kneep in Tobins hand en probeerde het niet uit te schreeuwen van pijn, maar het werd hem te veel. Ki legde een hand over zijn mond en dempte de kreten tot Eyoli flauwviel. Tharin verbond de wond, pakte de bebloede pijlpunt en onderwierp hem aan een nauwkeurig onderzoek. 'Ki, Lynx, pak hem zo warm mogelijk in en zoek een beschut plekje onder de bomen. Laat al het water dat we hebben bij hem achter. Tobin, kom eens mee.'

Tharin liep naar het dichtstbijzijnde lijk en liet zijn handen over de borst van de man glijden. Hij gromde zacht en deed hetzelfde bij een aantal andere lichamen. 'Bij de Vlam!'

'Wat is er?'

'Kijk eens,' zei Tharin en hij stak zijn vinger door een bebloede scheur in de tuniek van de man. 'Steek je hand er eens door en vertel me wat je voelt.'

'Hé, er is geen wond! Hij stierf door die nekslag.'

'Dat is hetzelfde bij de anderen. En Ki heeft ook gelijk over die wapens. Dit zijn Skalanen in gebruikte Plenimaraanse kleren!'

'Maar waarom hebben ze ons dan aangevallen?'

'Omdat men hen dat opgedragen heeft, zou ik zeggen. En het moest eruit-zien alsof we door de vijand gedood waren.' Hij stond op en liep even rond. Met een handvol pijlen kwam hij terug. Ze hadden dikke schachten en vier veren in plaats van drie. 'Skalaanse bogen, maar Plenimaraanse pijlen. Na al die gevechten van vandaag heb je er zo honderd bij elkaar.'

'Maar ik begrijp het nog steeds niet. Als we Atyion niet snel genoeg bereiken, zal Ero ingenomen worden!'

'Het moet iemand zijn geweest die wist dat we naar Atyion gingen, hoe we zouden gaan en wanneer. En hij moet het snel gehoord hebben, anders had hij die hinderlaag niet kunnen leggen.'

'Niet de koning! Al wil hij me misschien dood hebben, dan zou hij Ero er niet voor opofferen.'

'Wie waren er nog meer bij jullie vanavond? Misschien was het niet eens Erius' plan om jou te sturen.'

Tobin dacht na. 'Hylus kan het niet zijn geweest.'

'Nee, dat denk ik ook niet.'

'Dus generaal Rheynaris of heer Niryn.'

'En prins Korin.'

'Nee! Korin zou dat nooit doen. Het moet Niryn geweest zijn.'

'Dat maakt nu even niet uit. We moeten nog een heel eind en we moeten paarden vinden.'

Ki en Lynx hadden Eyoli zo gemakkelijk mogelijk op een bed van mantels onder een eikenboom neergelegd.

'Ik stuur snel iemand naar je toe,' beloofde Tobin.

Eyoli bevrijdde een hand vanonder zijn dek om zijn voorhoofd en borst aan te raken. 'Ga, mijn prins. Red je stad.'

Achter het groepje bomen doemde een grote boerderij op. Hij was omgeven door een laag stenen muurtje en het hek hing aan één scharnier.

'Voorzichtig, jongens,' zei Tharin.

Maar de boerderij was verlaten. De schuurdeuren stonden open en de paardenkraal was leeg.

'Bij de ballen van Bilairy!' hijgde Ki die met lege handen uit de stallen terugkwam. 'Ze zullen de beesten wel hebben laten lopen zodat ze niet in handen van de vijand zouden vallen.'

Tharin zuchtte. 'Er zit niets anders op dan verder te lopen.'

Ze waren net bij de poort toen ze een hevig gesuis hoorden.

Tobin keek verbaasd rond. De wind was al een uur geleden gaan liggen.

Het gesuis werd luider maar hield opeens op toen er tien voet verderop een zwarte gestalte fladderend uit de lucht kwam vallen, onhandig op zijn rug terechtkwam en zich aan een trog probeerde op te trekken.

Tobin wilde ernaartoe lopen, maar Tharin hield hem tegen. Ki en Lynx liepen er voorzichtig heen, met de zwaarden ontbloot.

'Ik geloof dat het een man is!' riep Lynx.

'Hij leeft nog ook!' zei Ki.

'Een tovenaar?' zei Tobin.

'Of erger,' mompelde Tharin en hij ging voor Tobin staan.

De vreemde luchtreiziger ging langzaam op zijn knieën staan en stak twee armen op om aan te geven dat hij ongewapend was. Ki slaakte een verrast gilletje. 'Tobin, het is Arkoniël!'

'Bij de Vier, of we nog niet genoeg tovenaars gezien hebben vandaag…,' bromde Tharin.

Tobin rende erheen om Arkoniël overeind te helpen. In plaats van zijn gebruikelijke cape droeg de tovenaar een lang wollen vest van een schaapherder en een hoed die met een sjaal op zijn plaats werd gehouden. Leren handschoenen bedekten zijn armen tot aan de elleboog. Hij was buiten adem en rilde alsof hij koorts had.

'Hoe kom je hier nou weer terecht?' vroeg Tobin.

Arkoniël greep Tobins schouder vast want hij stond nog wat wankel op de benen. 'O, een formule waaraan ik werkte. Nog niet helemaal perfect, maar ik heb tenminste mijn armen en benen nog.'

'Wist je dat het hier zulk noodweer was?' vroeg Ki met een blik op de absurde hoed.

'Nee, maar wel dat het een woeste tocht kon worden. Zoals ik zei, ontbreekt er nog een kleinigheidje aan de bezwering. Ik had namelijk ook in hapklare brokken kunnen aankomen.'

Arkoniël trok zijn linkerhandschoen uit en liet zijn gespalkte pols zien. 'Dezelfde die ik brak op de dag dat ik bij de burcht aankwam, weet je nog?' Hij trok met zijn tanden de rechterhandschoen uit en maakte de sjaal los die zijn hoed op de plaats hield.

'Hoe heb jij ons nou weer gevonden?' vroeg Tharin.

'Dat heb je aan Iya en Eyoli te danken. Ze hebben me een berichtje gestuurd. Tobin, ik geloof dat je deze wel kunt gebruiken.' Arkoniël tilde zijn hoed op en liet Tobins oude lappenpop eruit vallen. 'Houd hem vanaf nu aan altijd bij je.'

Tobin stopte hem onder zijn leren jak, terwijl Lynx grote ogen opzette. 'Kun je lopen?'

Arkoniël klopte zijn stoffige kleren af. 'Ja, ik ben nog een beetje duizelig, met twee van die reisjes binnen één nacht. Ik kan het niemand aanbevelen.' Hij keek rond. 'Geen paarden?'

'Nee,' zei Tharin. 'Ik neem aan dat je daar geen handig spreukje voor hebt?'

Arkoniël glimlachte geheimzinnig. Hij nam zijn kristallen toverstafje, tekende een figuurtje van rood licht, stak twee vingers in zijn mond en floot schel. 'Zo, ze komen eraan.'

Ki en Lynx liepen weer naar de schuur. Toen ze met de zadels terugkwamen, hoorden ze het geklepper van galopperende hoeven op de weg. Een paar minuten later stormden tien paarden het erf op die rond Arkoniël kwamen staan, terwijl ze hem besnuffelden.

'Nou, je bent tegenwoordig van alle markten thuis, zie ik,' lachte Tharin.

'Dat kun je wel zeggen. Ik heb veel bijgeleerd de afgelopen jaren.'

Arkoniël nam Tobin even terzijde terwijl de anderen de dieren zadelden. 'Ik neem aan dat je weet waar dit alles op duidt?'

Tobin knikte.

'Mooi. Het wordt tijd dat je je vrienden inlicht, vind ik.'

'Tharin weet het al.'

'Heb je het verteld?'

'Nee, Lhel liet het doorschemeren.'

Arkoniël greep Tobin bij zijn schouder vast. 'Heb je haar gezien? Waar is ze nu?'

'Ik heb haar niet gezien. Ze is als een soort visioen aan Tharin verschenen.'

Arkoniël zuchtte diep en Tobin zag hoe teleurgesteld hij was. 'Ze heeft ons rond het Sakorfestival in de steek gelaten. Ik heb haar gezocht toen ik naar de burcht vloog voor die pop, maar ze was nergens te bekennen.'

'Bedoel je dat Lhel die pop niet van mijn moeder heeft afgepakt?'

'Nee. Hij lag gewoon in de torenkamer. Er moet vlak voor ik daar kwam iemand zijn geweest. Een van de tafels stond weer rechtop en er zaten een stuk of tien poppen op, netjes op een rijtje. Weet je nog? Al die jongens zonder mond? Die van jou zat ertussen. Alsof iemand wist dat ik hem zou komen halen.'

'Nari misschien?'

'De deur naar de torenkamer was nog op slot en ik heb de sleutel al jaren geleden in de rivier gegooid. Het zou Lhel geweest kunnen zijn, maar… Weet je, ik denk dat je moeder wist dat je hem nodig had.'

Tobin schudde van nee. 'Of dat Broer hem nodig had.'

'Hoe bedoel je?'

'Ze heeft altijd van hem gehouden, ik liet haar koud.' Hij kneep in de bobbel die de pop onder zijn jas maakte. 'Ze heeft deze gemaakt om hem bij zich te hebben. Ze sleepte hem overal mee naartoe. Ze hield van hem.'

'Nee, Tobin. Lhel heeft gezegd dat ze die pop moest maken. Het was de

417

enige manier waarop Broer na… na zijn dood in bedwang kon worden gehouden. Lhel hielp haar ermee, en maakte de pop magisch zodat Broer in toom te houden was. Misschien dat het je moeder wat troost gegeven heeft, maar liefde was het zeker niet.'

'Jij was er niet bij! Jij hebt nooit gezien hoe ze deed. Het ging altijd om hem. Ze heeft me nooit gewild.'

Een pijnlijke trek gleed over Arkoniëls gezicht. 'O Tobin, het was noch jouw fout, noch die van haar hoe de dingen gelopen zijn.'

'Wiens fout dan wel? Waarom behandelde ze me niet net zoals mijn broertje dat doodgeboren was?'

Arkoniël stond op het punt iets te zeggen, maar kon het niet. Hij draaide zich om, maar Tobin greep zijn mouw. 'Wat is er?'

'Niets. Het is nu allemaal voorbij. Je moet eerst snel naar Atyion. Het zou het beste zijn als je daar je ware ik liet zien.'

'Maar hoe dan? Lhel is hier niet om de binding te verwijderen.'

'Ze heeft het mij geleerd. Het is eigenlijk doodeenvoudig. Snijd het koord rond de poppennek door dat ze van jouw haar gevlochten heeft, haal de botjes van Broer eruit, en snijd het botje dat ze onder je huid geplaatst heeft eruit.'

'Is dat alles?' riep Tobin uit. 'Maar dat had ik elk moment kunnen doen!'

'Ja, en als je het geweten had, had je het misschien te vroeg gedaan en dan zou alles mislukt zijn.'

'Dat zou ik nooit gedaan hebben! Ik vind het een rotidee. Ik wil het nog steeds niet.' Tobin sloeg zijn armen om zich heen. 'Ik ben zo bang, Arkoniël. Als zij…' Hij keek naar Ki en de anderen.

'Wat zullen zij doen?'

'We moeten echt opstappen, hoor,' riep Tharin.

'Eén seconde nog,' riep Arkoniël. 'Het wordt tijd dat je het Ki vertelt. Dat is alleen maar eerlijk en je hebt hem straks hard nodig.'

'Nu?'

'Ik wil het ook wel voor je doen.'

'Nee, dat moet hij van mij horen. En Lynx?'

'Ja, zeg het hen allebei maar.'

Tobin liep langzaam terug naar Ki. Hij had al honderd keer op het punt gestaan het eruit te flappen, maar nu bestierf hij het van angst.

Als Ki hem nu zou gaan haten? En Korin en de andere Gezellen? Als al die mensen in Atyion hem een bedrieger zouden vinden en hem niet zouden willen volgen?

'Schep moed, Tobin,' zei Arkoniël zacht. 'Vertrouw op Illiors wil. Voor Skala!'

'Voor Skala,' mompelde Tobin.

'Wat heb je toch?' vroeg Ki, nog voor Tobin een woord had gezegd. 'Slecht nieuws?'

'Er is iets dat ik je moet vertellen, en ik weet niet hoe, dus doe ik het maar gewoon.'

Tobin haalde diep adem en hij kreeg het gevoel alsof hij op het klif in zijn dromen stond, op het punt om te vallen. 'Ik ben niet wie jullie denken dat ik ben. Wanneer jullie naar me kijken, dan zie je mij niet. Dan zie je Broer.'

'Wie?' vroeg Lynx die Tobin aankeek of hij gek was geworden. 'Tobin, je hebt toch helemaal geen broer.'

'Ja, die heb ik wel. Of die had ik. Hij is die demon over wie je gehoord hebt, maar eigenlijk is het een geest. Het was geen tweelingzusje dat stierf; het was mijn broertje. *Ik* was het meisje, en een heks heeft me betoverd zodat ik eruit zou zien als mijn broertje, vlak nadat ik geboren was.'

'Lhel?' Ki's stem was weinig meer dan een zucht.

Tobin knikte en probeerde uit Ki's strakke gezicht op te maken wat hij dacht. Dat lukte niet en toen sloeg de angst hem om het hart.

'Jullie kennen al die verhalen over de koning wel,' zei Arkoniël. 'Dat hij al zijn vrouwelijke verwanten heeft gedood om zijn recht op de troon niet te verliezen. Dat zijn geen geruchten. Dat is de waarheid. Het Orakel in Afra waarschuwde mijn leermeesteres, en liet haar weten dat wij Tobin moesten beschermen tot zij oud genoeg zou zijn om te regeren. En daarom hebben we dat zo gedaan.'

'Nee!' riep Ki uit. Hij deed een stap terug. 'Nee, ik geloof er geen barst van. Ik ken je! Ik zie je elke dag! Je bent net zomin een meisje als ik!'

Ik wist ook van niks, ik weet het pas een paar jaar! wilde Tobin zeggen maar hij kon geen woord uitbrengen want hij zag hoe Ki steeds verder achteruitdeinsde.

'Ik was erbij die nacht, Ki,' zei Arkoniël. 'Het is mijn levenswerk geweest dit tot nu toe geheim te houden. We hadden gewoon geen keus, en Tobin nog wel het minst. Maar nu is het tijd om haar ware uiterlijk te onthullen. Skala moet een koningin hebben, een rechtmatig erfgename.'

'Koningín?' Ki draaide zich om en rende naar de schuur.

'Ik praat wel even met hem,' zei Tharin. 'Alsjeblieft, Tobin laat mij dit doen. Dat is voor jullie allebei het beste.'

Tobin knikte lamgeslagen en Tharin ging achter Ki aan.

Lynx kwam naar hem toe en bekeek Tobins gezicht eens goed. 'Is dit heus waar? Ik bedoel… Ik heb je toch ook gezien, bij het zwemmen en sporten.'

Tobin haalde zijn schouders op.

'Tobin wist er ook niet van tot een jaar of wat geleden,' legde Arkoniël uit. 'Het zal niet makkelijk zijn, de volgende fase. Hij zal het tegen Erius en Korin op moeten nemen. Tobin moet op zijn echte vrienden kunnen rekenen.'

'Word je koningin?' vroeg Lynx alsof hij het niet goed gehoord had.

'Zoiets. Maar Lynx, je bent een Gezel. Jij kent Korin al langer dan ik.' De woorden voelden aan als zand in Tobins mond. 'Als je voor hem kiest… dan begrijp ik dat best.'

'Het staat je vrij om naar Ero terug te keren, natuurlijk,' zei Arkoniël.

'Teruggaan? Ik wil helemaal niet teruggaan. Tharin heeft me gezegd waar het op staat, Tobin, dus kan ik net zo goed blijven.' Hij giechelde even en stak zijn hand uit. 'Niet zo'n beste eed, vind je ook niet?'

Tobin greep zijn hand en omklemde hem. 'Goed genoeg voor mij.'

Tharin vond Ki op de drempel van de schuurdeur, met zijn armen slap langs zijn zij. 'Waarom heeft hij het me nooit verteld?' zei hij met een stem zwaar van verdriet, met zijn rug naar Tharin toe.

Tharin vond het moeilijk zijn woede te beteugelen. Hij had van Ki meer verwacht. 'Hij had er zelf geen idee van toen jullie elkaar ontmoetten.'

'Wanneer dan wel?'

'Die keer dat hij naar de burcht was gevlucht, toen hij dacht dat hij de pest had. Iya en die heks hebben hem laten zweren het aan niemand te vertellen. Het was een loodzware last die hij getorst heeft, Ki, daar kun je je geen voorstelling van maken.'

'Jij wist het wél!'

'Ik kwam er pas een paar weken geleden achter. Rhius heeft me er ook nooit iets over verteld, maar dat was niet omdat hij me niet vertrouwde. Het ging hem om Tobins veiligheid. Het heeft niets met ons te maken.'

'Wat zal er nu met mij gebeuren?'

'Hoe bedoel je? Ga je me nu vertellen dat je wel een prins maar geen koningin wilt dienen?'

'Dienen?' Ki draaide zich bliksemsnel om. 'Tharin, hij is mijn beste vriend! Hij… hij is alles voor me! We zijn samen opgegroeid, we hebben geoefend en samen gevochten. *Samen*! Maar koninginnen hebben toch geen schildknapen, of wel soms? Ze hebben kanseliers, generaals, een gevolg. Dat ben ik allemaal niet.' Hij hief zijn handen in de lucht. 'Ik ben helemaal niets!'

Gewoon een grasridder, zoon van een paardendief…'

Tharin sloeg hem met de rug van zijn hand zo hard in zijn gezicht, dat Ki wankelde. 'Is dat alles wat je geleerd hebt, na al die jaren?' gromde hij, terwijl hij boven de ineengekrompen jongen uittorende. 'Denk je soms dat een tovenares als Iya jou zomaar heeft uitgekozen? Had Rhius jou schildknaap van zijn zoon gemaakt als hij ook zo over je dacht? Zou ík je zijn leven toevertrouwen? Niemand kan zijn vader kiezen, Ki, maar wel zijn levenspad. Ik dacht heus dat je al die onzin achter je had gelaten.' Hij moest zich bedwingen hem niet nog een klap te verkopen. 'Heb ik je dat geleerd? Om weg te rennen om in het donker een potje te gaan staan grienen?'

'Nee.' Ki's stem trilde maar hij ging wel weer rechtop staan. Bloed liep in een straaltje uit zijn neus en bleef hangen in het vlassige snorretje boven zijn lip. 'Het spijt me, Tharin.'

'Luister eens naar me, Ki. Tobin heeft niet het flauwste idee wat hem boven het hoofd hangt. Hij denkt alleen dat al zijn vrienden hem in de steek zullen laten. Dat jij hem in de steek zal laten. En daar is hij banger voor dan voor wat dan ook. En dat is dan ook precies wat je gedaan hebt.'

Ki kreunde hardop. 'Bij de ballen van Bilairy! Denkt hij… O, verdomme Tharin, daarom ben ik toch helemaal niet weggerend!'

'Dan zou ik maar als de sodemieter naar hem toegaan om hem dat te vertellen.' Tharin stapte opzij en Ki stormde de schuur uit, terug naar Tobin. Tharin bleef staan waar hij stond en wachtte tot zijn hand ophield met trillen. Zijn hand deed nog pijn waar hij de jongen geslagen had, er zat bloed op zijn knokkels. Hij slikte een vloek in toen hij hem aan zijn jas afwreef. Goddelijke wil of niet, iedereen die erin betrokken was scheen een zware weg te moeten afleggen.

Ki was hoogstens tien minuten weggeweest, maar voor Tobin leken het wel eeuwen. Ki liep recht op Tobin toe en omhelsde hem zo stevig als hij kon, en knielde toen neer en bood hem zijn zwaard aan.

'Wat doe je nou weer, Ki? Sta eens op en doe normaal, man. Je bloedt…'

Ki stond op en greep hem bij de schouder. 'Sorry dat ik zomaar wegrende. Ik was alleen een beetje… verrast. Maar tussen ons is toch niks veranderd.' Hij aarzelde en zijn kin trilde toen hij Tobins gezicht bekeek. 'Toch?'

Tobins stem trilde toen hij Ki omhelsde. 'Jij bent mijn allerbeste vriend. En daar kan niks of niemand wat aan veranderen!'

'Dat is dan weer geregeld!' Ki lachte bibberig toen hij een stap terugdeed en ze elkaars onderarm als vanouds vastgrepen.

Tobin merkte dat zijn ogen glommen. 'Je laat me toch niet in de steek, hè, Ki?'

Ki verstevigde de greep en grijnsde vastberaden. 'Om de dooie dood niet!'

Tobin geloofde hem en was zo opgelucht dat hij niet wist wat hij moest zeggen. 'Mooi zo,' bracht hij uit. 'Dan moesten we maar weer eens opstappen.'

52

Terwijl ze verder reden probeerde Tobin angstvallig niet te denken aan wat hem wachtte. Ki's reactie had hem banger gemaakt dan de gruwelijkste strijd die hij zich kon voorstellen. Ki had hem weliswaar stoer verzekerd dat hij bij hem zou blijven, maar tegelijkertijd merkte Tobin wel dat Ki hem meerdere malen een bevreemde blik toewierp, alsof hij probeerde een glimp van de vreemdelinge onder Tobins geleende huid op te vangen.

Ik wil helemaal niet veranderen! dacht hij neerslachtig. Met een blik op de verre bergen die tegen de hemel vol sterren opdoemden, vroeg hij zich af of hij niet gewoon de benen moest nemen en alles in de steek moest laten – de slag om de stad, de stad zelf, zijn vrienden, zijn lot.

Maar die gedachte vervaagde snel. Hij was een Skalaans strijder en een prins van koninklijken bloede. Al was hij als de dood, hij zou zichzelf nooit beschamen, of hen die hij liefhad verraden.

Met zijn naam en zegel kreeg hij bij iedere herberg verse paarden, en overal waar ze stopten vertelden ze over de invasie van Ero. Tegen zonsopkomst zagen ze de zee weer liggen en iets na het middaguur kwamen ze in Atyion aan.

Ze hielden de teugels in bij de stadspoort en Tharin riep naar de wachters op de muur: 'Open de poort in naam van prins Tobin, heer van Atyion. De prins is terug!'

'Ero is in staat van beleg; Plenimar is tot de aanval overgegaan,' vertelde Tobin de geschrokken schildwachten zodra ze binnen waren. 'Zegt het voort! Elke strijder moet zich gereedmaken om met mij terug te marcheren! Nee, wacht!' riep hij toen een van de mannen al weg wilde hollen. 'Ook de vrouwen, iedereen die voor Skala wil vechten is welkom onder de banier van Atyion. Heb je dat goed begrepen?'

'Ja, mijn prins!'

'Zeg tegen iedereen dat ze zich op de binnenplaats van het kasteel moeten verzamelen.'

'Goed gesproken, Tobin!' mompelde Arkoniël.

Ze stormden de stad door en troffen de ophaalbrug opgetrokken tegen de kasteelmuur aan. Tharin vormde een toeter met zijn handen en groette de wachters, maar er kwam geen antwoord.

Ki legde een hand boven zijn ogen en keek met half toegeknepen ogen naar de mannen op de muur. 'Dat zijn mannen van Solari.'

'Laat de brug neer in naam van de prins!' schreeuwde Tharin weer.

Nu leunde er een officier over de kantelen boven de poort. 'Ik heb orders van hertog Solari om niemand uit Ero binnen te laten, vanwege de pokken.'

'Wat een klotestreek!' zei Ki zacht.

'Laat die brug onmiddellijk zakken of je wordt wegens hoogverraad gehangen!' brulde Tharin terug zo hard als Tobin hem nog nooit had horen schreeuwen.

Arkoniël deed het kalmer aan. 'Dit is een ernstige kwestie, beste man. Roep je meester maar naar de muur.'

'Dit kan Solari toch niet maken!' riep Ki opgewonden. 'Dit land is van Tobin, of hij nu meerderjarig is of niet.'

'De man die baas is op het kasteel is baas van Atyion,' mompelde Tharin met één oog op de kasteelmuur gericht.

'Dus Broer had toch gelijk,' zei Tobin tegen Arkoniël. 'Hij zei me al lang geleden dat Solari Atyion voor zichzelf wilde houden.'

Er ging een uur voorbij terwijl ze maar buiten de poort stonden. Een groep bewapende burgers sloot zich bij hen aan terwijl ze wachtten. Het bericht over de toestand was als een lopend vuurtje rondgegaan. Tharin zag een aantal sergeants onder hen en benoemde koeriers om de ridders van de hofsteden buiten de stad te halen. Arkoniël stuurde mensen naar de stadspriesters.

Twee vrouwen stapten naar voren en bogen diep voor Tobin. Eén was gekleed in een ouderwetse wapenrusting. De ander droeg de witte gewaden en het zilveren masker van de Illioraanse tempel.

Zelfs met het masker herkende Tobin haar en hij boog terug vanaf zijn paard. 'Geëerde vrouwe Kaliya.'

De priesteres boog en liet de veelkleurige draken op haar handpalmen zien. 'Ik heb sinds lang over je komst gedroomd, al dacht ik niet dat het zo snel zou zijn. Atyion zal de erfgenaam die haar rechtens toekomt niet verloochenen.'

Tobin steeg af en kuste haar hand. 'Ik zal Atyion niet verloochenen. Wist u het?'

'Dat jij het zou zijn? Nee, hoogheid, maar ik ben er erg verheugd over.' Ze boog haar hoofd dicht naar het zijne en fluisterde: 'Dochter van Thelátimos, wees welkom.'

Er kwamen meer priesters naar hen toe. Arkoniël en Kaliya namen hen terzijde en spraken rustig met hen. Tobin huiverde terwijl hij naar hen keek. Eén voor één wendden ze zich naar hem toe en brachten hem zwijgend een groet, met de hand op het hart.

Eindelijk verscheen Solari op de borstwering en hij riep: 'Gegroet, prins Tobin. Het spijt me dat ik u zo'n armzalig welkom moet geven.'

'Weet u dan niet wat er in Ero aan de hand is?' riep Tobin terug. 'Ze hebben gisteren diverse postduiven gestuurd. De stad wordt aangevallen en staat in brand!'

Verbijstering ging als een rimpeling door de massa.

'Ja, dat weet ik allemaal wel,' schreeuwde Solari. 'Maar Atyion moet kost wat kost tegen de epidemie beschermd worden.'

'Flauwekul!' riep iemand in de menigte.

'Zelfs als dat de koning het leven kost?' schreeuwde Tharin terug. 'Solari, dit is Rhius' zoon, en hij is hier in opdracht van de koning. Je eigen zoon zit in Ero aan het hof!'

'Andere duiven waren sneller dan jij, en dit is oud nieuws voor me. Erius' hele benedenstad is verloren en de koning zit in de val op de Palatijnse Heuvel. Voor je terug bent zijn ze al dood.'

'Verrader!' gilde Ki en hij trok zijn zwaard.

Solari schonk geen aandacht aan hem. 'Skala moet verdedigd worden en Atyion is het machtigste bastion dat nog overeind staat. Alleen een doorgewinterde generaal als ik kan de verdediging leiden. Draag je rechten aan mij over, prins Tobin, dan zul jij mijn erfgenaam worden. De priesters zullen getuige zijn van mijn plechtige gelofte.'

'Dat zullen zij niet!' schreeuwde de Illioraanse priesteres en die kreet werd herhaald door de anderen. 'Ik zal de vloek der verraders over u uitroepen!'

'Je hebt andere zonen, Solari,' antwoordde Arkoniël. 'Al zouden we je geloven, hoe lang zou Tobin het tussen hen uithouden als hij de erfgenaam van dit alles wordt?'

'Nog geen veertien dagen!' schreeuwde een vrouw achter hen.

'Kan iemand die verrader een pijl door zijn donder jagen?' riep iemand anders.

'Bestorm het kasteel!'

'Hang al die hufters op. Voor jullie zullen we nooit buigen!'

Ki steeg af en liep naar Tobin. 'Kun je Broer niet even naar hem toe sturen, Tob?'

Arkoniël ving het op en siste: 'Als dat nog één keer durft te vragen, Ki... Je weet gewoon niet wat je zegt.'

Arkoniël reed naar de rand van de slotgracht en stak zijn vuist de lucht in, met het kristallen toverstafje erin. De ondergaande zon liet hem schitteren. 'Hoort mij aan, jullie in dat kasteel, en jullie die achter ons staan.' Zijn stem droeg zo ver als een oorlogskreet. 'Ik ben de tovenaar Arkoniël, eens de leerling van meesteres Iya. Wij waren de huisvrienden van hertog Rhius. Door zijn hand zijn wij de beschermers van zijn enig kind en erfgenaam gemaakt, die hier als een bedelaar voor zijn eigen poort staat!

Solari stelt dat hij de pokken niet binnen wil laten komen. Heeft hij ooit eerder zoiets gedaan? Nee, alleen nu hij gelooft dat Ero toch al verloren is. Deze afgelopen jaren vol pest en dood zijn de vloek van Illior die koning Erius over ons land heeft gebracht. Met zijn medeplichtigen heeft hij de troon van Skala's wettige erfgename ingenomen. Prinses Ariani, dochter van Agnalain, moeder van Tobin – zij had koningin moeten zijn!'

'Hij spreekt de waarheid,' riep Kaliya en ze stak haar handpalmen op om de woorden te bekrachtigen. 'Haar kind staat nu voor jullie, niet besmet door ziekte of honger. Prins Tobins landgoederen – Atyion, Cirna, Alestun, Middelvoort, Havikszij – zijn allemaal gespaard gebleven. Hebben jullie je nooit afgevraagd waarom? Ik zal het jullie vertellen: omdat Ariani's bloed door zijn aderen vloeit! Zonder dat hij het wist is Tobin jullie ware beschermer geweest, gezegend door Illior en al de Vier.'

Het geroezemoes zwol aan tot gejuich, maar van het kasteel kwam geen reactie. Tobin keek nerveus om zich heen. Ondanks de steun van de bevolking, voelde hij zich ontzettend kwetsbaar. Solari's boogschutters konden op dit moment hun bogen aanspannen. 'En nu?' vroeg hij Tharin.

Kaliya kwam naderbij en greep zijn schouder. 'Ik heb u lang geleden mijn hulp beloofd. Herinnert u zich dat nog?'

'Jazeker.'

'En toch bent u nooit gekomen om mij om hulp te vragen. Ik bied het u nogmaals aan. Ik wil uw strijdkreet horen, heer van Atyion. Uit volle borst, zo luid als u kunt. Nú!'

Er klonk iets in haar stem door dat hem hoop gaf. Hij besteeg zijn paard weer, legde zijn hoofd in zijn nek en riep: 'Atyion. Atyion voor Skala en de Vier!'

Ki en de anderen namen de kreet over, en de stadsbevolking deed dapper mee, en wuifde met zakdoeken, omslagdoeken en alles wat als wapen dienen kon. Het geluid stortte zich als een vloedgolf over Tobin heen en het klonk hem als muziek in de oren.

Kaliya maakte een handgebaar en het gedruis stierf weg. 'En nu… Hoort u dat?'

De kreet was binnen de kasteelmuren overgenomen. 'Atyion voor Skala! Voor de Vier!' Toen steeg er een hoog, dreigend gegil op en plotseling weerklonk het geluid van staal tegen staal.

Tharin boog voor de priesteres met een ernstige glimlach. 'Uitstekend gedaan, meesteres. Atyion kent de stem van haar meester. Ze vechten voor jou daarbinnen, Tobin. Roep hen!'

'Open de brug!' riep Tobin maar er gebeurde niets.

Ze zaten gespannen op hun paarden met het oog op de ophaalbrug. Het duurde nog een uur voor het geluid van het gevecht afnam en men boven op de borstwering in rep en roer leek.

Er scheen een soort schermutseling gaande te zijn. Het duurde maar kort en het eindigde met een man die schreeuwend met een lus om zijn nek naar beneden werd gegooid. Zijn kreten werden in een wip gesmoord toen de strop zich strak trok en zijn nek brak. Het groenzijden gewaad dat hij droeg was zo kostbaar als dat van een koning; de edelstenen die erop geborduurd waren vingen de laatste zonnestralen toen het lichaam langzaam ronddraaide aan het eind van het touw.

Het was Solari.

Even later ging de ophaalbrug ratelend naar beneden en soldaten renden Tobin tegemoet om hem welkom te heten. Sommigen droegen het groen van Solari, maar toch scandeerden ze Tobins naam.

Onder hen bevonden zich heel wat vrouwen, met hun rokken en schorten nog aan, maar bewapend met korte zwaarden. Een van de kokkinnen rende op Tobin af en viel voor hem op haar knieën. Ze bood hem op beide handen haar zwaard aan en riep : 'Voor Atyion en de Vier!'

Het was Tharins nicht die hen op hun eerste bezoek begroet had. Tobin steeg af en nam het aan, voor hij het aan haar teruggaf. 'Sta op, Grannia. Hierbij benoem ik je weer tot kapitein.'

Weer steeg er gejuich op, dat tussen de kasteelmuren en door de hele stad echode. Het leek wel of Tobin op die klanken weer in het zadel werd geholpen, en hij voelde zich opgetogen en duizelig van trots. Toen kwam Arkoniël weer naast hem staan.

'Het is tijd, Tobin,' riep hij om boven het lawaai uit te komen.

'Ja, ik weet het.'

Geflankeerd door zijn vrienden en de voornaamste priesters reed Tobin de brug over naar de enorme binnenplaats van het kasteel. De korte veldslag had een aantal doden opgeleverd, voornamelijk mannen van Solari. Anderen waren samengedreven in omheiningen en lagen daar geknield onder het wakend oog van boogschutters van Atyion.

Tobin reed een rondje om de situatie in zich op te nemen. De meeste soldaten van Solari hadden uiteindelijk de zijde van Atyion gekozen.

'Het kasteel behoort jou toe, Tobin,' zei Tharin.

Hertogin Savia en haar kinderen wachtten hem op boven aan de trap naar het kasteel. De hertogin hield trots haar hoofd geheven, maar hij zag een schittering van angst in haar ogen toen ze haar kinderen tegen zich aan trok. Tobins hart sloeg over toen hij dezelfde angst in de ogen van de kinderen las. De laatste keer dat hij hier was had hij met hen gespeeld en gedanst. Kleine Roos had op zijn knie gezeten. Nu klemde ze zich aan haar moeders rokken vast, en snikte het uit toen hij de trap opliep naar het bordes.

Savia viel op haar knieën. 'Dood me als je wilt,' riep ze en ze stak haar handen smekend naar hem uit. 'Maar ik bid u, in de naam van de Vier, spaar mijn kinderen, alstublieft!'

'U staat onder mijn bescherming,' stelde Tobin haar gerust. 'Ik zweer bij de Vier en de wetten van Skala dat u en uw kinderen niets zal overkomen.' Hij keek rond. 'Is vrouwe Lytia hier?'

'Jawel, mijn prins,' riep ze en ze stapte uit de groep mensen die zich op de binnenplaats had verzameld.

'Vrouwe Lytia, ik benoem u tot hofmeesteres van Atyion. Dit moet in alle hoeken van het kasteel bekendgemaakt worden. De hertogin en haar kinderen mag niets overkomen; beledigingen zijn ook niet toegestaan. Ze mogen nu naar hun vertrekken gaan, voorlopig onder geleide. Wanneer ze daar gearriveerd zijn, laat dan mijn banieren hijsen.'

'Dat zal ik doen, mijn prins.' De goedkeurende blik in haar bleekblauwe ogen voor ze de snikkende hertogin meenam, kwam hartverwarmender op Tobin over dan al het gejuich dat opsteeg uit honderden kelen.

'Nu zou ik de manschappen maar eens toespreken,' adviseerde Tharin.

Hoewel alles tot nu toe goed verlopen was, verkrampte Tobin een beetje bij de aanblik van die zee van verwachtingsvolle gezichten.

'Strijders van Atyion,' begon hij, en zijn stem klonk wat schril in de openlucht. 'Ik dank jullie voor jullie trouwe diensten vanmiddag.'

Arkoniël stapte naderbij en fluisterde iets in zijn oor terwijl ze wachtten tot het gejoel bedaarde. Tobin knikte en haalde diep adem.

'Volk van Atyion, jullie hebben me vanwege mijn vader in jullie midden geaccepteerd en me welkom geheten, waarvoor ik jullie hartelijk dank. Vandaag…' Hij hakkelde, zijn mond voelde droog aan. 'De oorlogsschepen van Plenimar liggen voor anker in de haven van Ero. De stad staat in brand en de vijand rammelt aan de poorten van de Palatijnse Heuvel.'

Weer stopte hij en verzamelde zijn gedachten terwijl de boze kreten wegstierven. 'Ik sta heden niet alleen voor jullie als het kind van Rhius, maar ook van Ariani; zij die koningin had moeten zijn.' Hij zweeg even, zo bang dat hij dacht dat hij voor het oog van iedereen zou moeten overgeven. Hij haalde diep adem en dwong zichzelf verder te spreken. 'Skala moet weer een koningin hebben, als ons land alles overleeft. Ik moet jullie iets heel vreemds vertellen, maar…'

Wanhopig richtte hij zich tot Arkoniël. 'Ik weet niet hoe ik het hun moet vertellen. Help me, alsjeblieft!'

Arkoniël boog alsof hij antwoord gaf op een streng bevel, en hield zijn hand op om ieders aandacht te vangen. Ki glipte langs Tharin en legde een arm om Tobins trillende schouders. Dankbaar keek Tobin hem aan.

Arkoniël stak een hand in zijn tuniek onder het herdersvest en viste er een zilveren amulet van Illior uit. 'Strijders van Atyion, sommigen van jullie kennen me wel. Ik ben Arkoniël, een vrije tovenaar van Skala en een leerling van tovenares Iya. Mijn meesteres en ik zijn de uitverkoren beschermers van prins Tobin, zestien jaar geleden door Illior Lichtdrager aangewezen via het Orakel van Afra. Mijn meesteres kreeg een visioen toen Ariani's kinderen nog in haar buik zaten. Jullie weten allemaal dat de prinses een tweeling kreeg, waarvan het meisje stierf en het jongetje bleef leven. Dat klopt niet helemaal. Mijn meesteres en ik waren getuige van de geboorte en hebben de waarheid omtrent deze gebeurtenis tot vandaag geheimgehouden.

Hierbij maak ik bekend dat het het *meisje* was dat in leven bleef, niet het jongetje. Door de wil van Illior en in Skala's belang ontving het meisje dankzij afschrikwekkende en ingewikkelde magie het uiterlijk van haar dode broertje. Dit moest wel, omdat zij anders door de koning en zijn dienaren vermoord zou worden. Dat meisje, dat eruitziet als een jongen, staat nu voor jullie als prins Tobin!'

Doodse stilte hing over de binnenplaats. Tobin kon eenden horen kwaken in de slotgracht en honden horen blaffen in de stad. Toen riep er iemand: 'Dat is geen meisje!'

'Wat voor magie zou zoiets kunnen bewerkstelligen?' vroeg een bebaarde

Dalnische priester fronsend en zijn woorden riepen bijval op, en spoedig was iedereen die op de binnenplaats was toegestroomd met elkaar aan het redetwisten.

Tharin, Ki en Lynx gingen rond Tobin staan, met de handen op het gevest van hun zwaard. Arkoniëls knokkels verbleekten omdat hij zijn toverstaf haast fijnkneep. Het was de Illioraanse hogepriesteres die de menigte tot zwijgen bracht.

Kaliya klapte tweemaal met haar handen in de lucht en een donderende knal echode tussen de kasteelmuren. 'Laat hem uitpraten!' riep ze. 'Zou ik nog naast hem staan, net als mijn broeders en zusters van de andere tempels, als we dachten dat hij onzin sprak? Laat de tovenaar verder spreken!'

Arkoniël maakte een buiging in haar richting en vervolgde zijn verhaal. 'Al vijftien jaar lang kennen jullie deze dappere jonge strijder als de zoon van Rhius. Vandaag zullen jullie, als Illior het wil, getuige kunnen zijn van de verschijning van de laatste ware erfgenaam van de troon van Skala. U bent gezegend, volk van Atyion. Jullie hebben dan ook jullie goede wil getoond toen jullie de verraderlijke Solari uit de weg ruimden. Sluit die episode af door met deze priesters van de Vier te verklaren dat het onwaarschijnlijke mogelijk is gebleken.'

Hier en daar werd iets geroepen en er werd ongelovig gejoeld toen Arkoniël iedereen bij Tobin wegstuurde.

'Hij is veel te kwetsbaar zo. Kunnen we het niet in de hal doen?' zei Tharin bezorgd.

'Nee, het moet door iedereen gezien worden. Toe nou, Tharin, ga nu achter hem staan.'

Tharin keek Tobin nog een keer diep in de ogen, en Ki en de anderen deden met tegenzin een paar stappen opzij, naar de rechterkant van de trap. De priesters deden hetzelfde naar de andere kant.

Al waren zijn vrienden nog geen twintig voet ver, Tobin voelde zich toch vreselijk alleen. Niemand riep nu zijn naam, en niemand juichte. De binnenplaats leek een meer vol sceptische ogen.

Kaliya glimlachte alsof ze Tobins stijgende wanhoop voelde en die vol medeleven accepteerde. De anderen keken hem bijzonder ongemakkelijk aan.

Arkoniël kwam naast Tobin staan en gaf hem een dun zilveren mes; het was van Lhel geweest. 'Ze heeft me dit al een tijdje geleden gegeven. Wees moedig en gebruik het,' fluisterde hij terwijl hij Tobin op beide wangen kuste. Dat had hij nooit eerder gedaan. 'Denk aan wat ik je heb uitgelegd. Begin met de pop. Dapper zijn, Tobin. Dit is jouw volk dat naar je kijkt.'

Mijn volk. De hele binnenplaats scheen de adem in te houden. Hij klemde het mes vast en Tobin voelde zijn angst en wanhoop wegsijpelen, zodat hij dezelfde innerlijke stilte voelde die hij had voor een strijd begon. En toch trilden zijn handen toen hij de pop tevoorschijn haalde en naar het haren koord tastte dat om de nek gewikkeld zat. Hij stak het puntje van het mes eronder, sneed het koord door en liet het vallen. Toen sneed hij de naad van het versleten mousseline open en ontdeed het omhulsel van de verkruimelde kruiden, vergeelde wol en al die fijne botjes. Er kwam ook een glimmend rechthoekig plaatje mee naar buiten; het stuiterde de treden af. Het was de gouden plaquette met de woorden van het Orakel. Hij was helemaal vergeten dat hij het daar had verstopt. Het kwam terecht bij de voeten van een bebaarde sergeant, die het aarzelend opraapte. Toen Arkoniël hem beduidde te blijven waar hij was, fluisterde hij: 'Zal ik het dan maar voor u vasthouden, mijn prins?'

En plotseling stond Broer naast Tobin, en hij keek hem met hongerige blik aan. Hier en daar gingen verschrikte kreetjes op, dus ook anderen konden hem blijkbaar zien.

'Je kleren,' zei Arkoniël zacht. 'Je moet ze uitdoen. Help hem even, Ki.'

Broer siste zachtjes toen Ki naderbij kwam maar hij hield hem niet tegen. Zonder na te denken deed Tobin zijn zwaardriem af, het leren jak en hemd uit en hij gaf ze aan Ki. Broers aanwezigheid bezorgde hem kippenvel. De geest stond akelig dicht bij hem, eveneens met ontbloot bovenlijf. Tobin deed snel zijn laarzen, sokken en broek uit en na een korte aarzeling zijn linnen lendendoek. Ki glimlachte zwakjes toen hij alles op de andere stapel legde. Ook hij had het flink benauwd, maar hij wilde het niet laten merken.

'Niks aan de hand,' fluisterde Tobin terwijl hij de halsketting afdeed en naar hem uitstak. 'Houd dit even bij je.'

Ki sloot zijn vuist om de ring en het zegel en bracht zijn hand naar zijn hart als groet aan Tobin, terwijl hij zijn plaats naast Tharin weer innam.

Naakt stond Tobin tegenover de mensenzee en hij voelde naar het stukje bot op zijn borst. Daar zat het, vlak onder de huid. De piepkleine steekjes van Lhels naaiwerk voelden ruw aan toen hij ze met zijn vingertoppen betastte.

'Snel!' siste Broer.

Tobin keek voor de laatste keer in Broers zwarte ogen toen hij het zilveren mes naar boven bracht. 'Ja.'

Hij nam het harde stukje tussen duim en wijsvinger en stak het lemmet in de huid. Hij kon niet zien wat hij deed, maar zijn vaardigheid met snijden kwam nu van pas. Hij verkrampte toen het mes door de huid gleed. Bloed sijpelde naar beneden.

'Dieper snijden!' fleemde Broer.

Tobin maakte de snee dieper, draaide het mes een beetje en een vurige pijn schoot door zijn hele lijf toen de punt van het mes doel trof. Hij zakte door zijn knieën en het mes gleed uit zijn handen op de treden.

'Laat me vrij!' gilde Broer en hij hurkte neer om Tobin de bloedende wond op zijn eigen borst te laten zien. Bovendien huilde hij weer tranen van bloed. 'Het doet pijn! Maak het af!'

Happend naar lucht kneep Tobin zijn ogen dicht en schudde zijn hoofd. De pijn was ondraaglijk.

'Nu!' riep een vrouw. 'Het moet nu gebeuren, dochter!'

Toen Tobin zijn ogen opendeed, zag hij de geesten staan.

Ze stonden in een cirkel om hem heen, met hun kroon op en het Zwaard van Ghërilain verticaal omhoog. Hij herkende hen niet – de beelden in de graftombe waren te zeer gestileerd om hun trekken thuis te kunnen brengen, maar hij wist toch wel wie het waren. Ghërilain de Eerste stond naar hem te kijken en zijn eigen met bloed besmeurde grootmoeder eveneens. En die uitgemergelde, droevig ogende man naast hen – dat zou Thelátimos wel zijn, de laatste wettige koning.

Koele vingers streken het haar van zijn voorhoofd. Tobin keek op naar het enige gezicht dat hij eerder had gezien. Het was Tamír, de vermoorde koningin. Zij had hem geroepen en zij sprak ook nu tot hem. *Moed, mijn dochter. Het moet nu gebeuren, voor Skala!*

Iemand liet het mes weer in zijn hand glijden. Het was Ki. Hij huilde terwijl hij naast Tobin knielde.

'Je kúnt het,' fluisterde hij en hij schuifelde weer naar opzij. Hij zag eruit alsof hij Tobin naar zijn eigen executie had gebracht.

Tobin stak het mes van onder naar boven onder zijn huid. De pijn deed zijn lippen vertrekken tot een akelige grijns toen hij dieper wroette. Hij had zich voorgesteld dat het scherpe platte botje als een splinter te voorschijn zou springen, maar zijn vlees was eraan vastgegroeid, als de stam van een boom om een spijker. Weer draaide hij het lemmet een beetje en toen hoorde hij iemand gillen. Het klonk als Broer maar zijn eigen keel voelde rauw aan.

Het botscherfje was los maar zat nog in een omhulsel van rauw vlees. Met een ruk trok hij het eruit en hij kreeg nauwelijks de tijd om het tussen zijn vingers te voelen want een nieuwe pijngolf overspoelde hem, erger dan hij zich ooit had kunnen voorstellen.

Witheet vuur verschroeide hem, zo intens dat hij door ijzige kou bevangen leek. Gevangen in die vlammenzee kon hij onmogelijk denken of ademen of gillen of horen, maar op de een of andere manier zag hij Broer en midden in dat helse witte vuur voelde hij de geest met hem worstelen, hem omhelzen en door hem heen schieten als een kille zwarte schaduw.

En toen was de pijn plotseling voorbij. Tobin lag als een embryo op zijn zij op de hete, gladde stenen van het bordes. De geesten stonden nog altijd om hem heen, maar ze zagen er doorschijnender uit, als gestalten die uit fijn grijs gaas waren samengesteld. Op de trap was romdom hem een grote, zwart verschroeide kring.

En Broer was verdwenen.

Hij tuurde om zich heen en zag de geschokte, doodstille toeschouwers niet, hij zag alleen dat Broer weg was. Dat voelde hij ook; er zat een naargeestige leegte binnen in hem. Ze hadden geen afscheid genomen, geen vaarwel gezegd. Hij had Broer uit zijn lichaam gesneden en de geest was verdwenen. Tobin kon het nog niet bevatten.

'Tob?' Een warme hand omvatte zijn elleboog en hielp hem overeind. Het was Ki.

Tobin strekte zijn hand naar hem uit en versteende van schrik toen hij naar de vreemde lappen huid keek die zijn arm bedekten. Van zijn vingertoppen tot zijn schouders hing het vel in losse kleurloze flarden als een verrotte handschoen van hem af. Dat was over zijn hele lichaam hetzelfde; zijn vel hing in rafelige repen om hem heen, hij werd gevild door de afgrijselijke magie die hij ontketend had. Ki wreef zacht over zijn onderarm en het vel liet los, waardoor er een nieuwe, gladde huid zichtbaar werd. De wijnkleurige moedervlek was er nog steeds, feller van kleur dan ooit.

Hij strekte zijn vingers, wreef zijn handen af, en bewoog ze onder zijn armen, en de oude huid viel af als bij een slang in de lente. Hij wreef over zijn gezicht en voelde een dun droog masker afglijden, maar het maanvormige litteken bleef zichtbaar op zijn kin. Op de een of andere wijze had het vuur zijn haar gespaard, maar hij voelde de oude hoofdhuid in schilfers loslaten.

Toen liet hij zijn handen over zijn borst glijden en versteende opeens, omdat hij nu pas doorkreeg wat er gebeurd was. De oude huid die zijn borst bedekte stond strakgespannen over twee heuveltjes…

…als in een meisjeshemdje.

Bevend wreef Tobin het oude vel weg en keek naar haar kleine borsten.

Tobin werd vaag een gemompel gewaar en keek nog verder naar beneden. Haar jongensgenitaliën waren verschrompeld tot lege, verdroogde omhulsels. Ze trok aan de losse huid erboven en de flarden lieten los en vielen neer op de stenen.

433

Ki draaide zich met een hand voor zijn mond om en ze hoorde hem kok-halzen.

De wereld werd langzaam grauw rondom haar. Ze kon de stenen onder haar voeten niet meer voelen. Maar Tharin stond naast haar en sloeg een man-tel om haar heen en hield haar overeind. En Ki was er ook weer, met zijn arm vast om haar middel. 'Hé, het is al goed. Ik houd je wel vast.'

De priesters en Arkoniël waren er ook en de mantel moest toch nog even open om een nauwkeurig onderzoek te laten plaatsvinden. Tobin keek naar de hemel boven hun hoofden; ze was te versuft om zich er nog druk over te ma-ken.

'Het is allemaal in orde, Tob,' mompelde Ki.

'Niet... Tobin,' fluisterde ze. Haar lippen deden pijn en haar keel was rauw.

'Ja, nu moet ze een vrouwennaam kiezen,' zei Kaliya.

Arkoniël kreunde. 'Daar hebben het helemaal nog niet over gehad!'

'Ik weet het zelf,' zei Tobin hees. De geestenkoninginnen stonden weer om haar heen. 'Tamír, de koningin die vermoord en verloochend werd. Ze kwam naar me toe... Bood me het zwaard aan. Haar naam...' De grauwsluier viel weg en tranen prikten in haar ogen. 'En Ariani voor mijn moeder die had moeten regeren. En Ghërilain voor Illior en Skala.'

De koninginnen bogen voor haar, lieten hun zwaarden in de schede glijden en vervaagden in het namiddaglicht.

De priesteres knikte. 'Tamír Ariani Ghërilain. Moge die naam je kracht en geluk brengen.' Ze wendde zich tot de menigte, die weer doodstil was gewor-den en ze riep: 'Ik verklaar hierbij dat ik het heb gezien! Zij is een vrouw en draagt dezelfde kenmerken en littekens.'

'Ik verklaar hetzelfde,' zei de priesteres van Astellus en de anderen herhaal-den dat.

'En ik roep jullie op om getuigenis af te leggen,' riep Arkoniël tegen de toe-schouwers. 'De ware koningin is naar jullie teruggekeerd. Bij de moedervlek der wijsheid op haar arm en het litteken op haar kin, verklaar ik dat dit dezelf-de persoon is als Tobin, maar nu in haar ware gedaante! Aanschouw Tamír de Tweede!'

De mensen waren eindelijk overtuigd en ze barstten in gejuich uit, maar zelfs dat kon het scheurende gekraak achter Tobin niet overstemmen. Het ver-sierde houten paneel boven de kasteeldeur – waarin een zwaard van Sakor was uitgesneden – spleet open en onthulde het oorspronkelijke steenreliëf.

Het Oog van Illior waakte weer over Atyion.

Tobin hield haar hand omhoog om haar eerbied te betuigen. Maar het gebrul van de menigte maakte haar draaierig, tilde haar hoog de lucht in en toen werd de hele wereld zwart om haar heen.

Op hetzelfde ogenblik lachte het Orakel in Afra hardop in de duisternis van haar onderaardse grot.

Terwijl ze met een stuk of zes andere tovenaars verborgen in de ruïne van een herberg in Ero leefde, schrok Iya zich lam en ze sloeg onmiddellijk haar handen voor haar gezicht toen ze werd verblind door een fel schitterend wit licht. Achter haar gesloten oogleden stierf het licht langzaam weg en het gezicht van een zwartharige jonge vrouw met blauwe ogen werd onthuld. 'De Lichtdrager zij gedankt,' fluisterde ze en haar metgezellen, die hetzelfde hadden meegemaakt, herhaalden de woorden met dezelfde eerbied en verwondering. Toen zeiden ze het allemaal tegelijk hardop: 'De Lichtdrager zij gedankt! De koningin is weergekeerd!'

In de bergen ten noorden van Alestun hadden de tovenaars van Arkoniëls Derde Orëska in ballingschap datzelfde visioen en ze holden naar elkaar toe, terwijl iedereen vol vreugde riep wat ze gezien hadden.

Door heel Skala heen hadden tovenaars, die Iya's kleine herkenningssteentje aangenomen hadden, en velen die werden geacht dit teken niet waardig te zijn, dit visioen en zij huilden van geluk, of van schaamte.

Voor Niryn was het visioen een dubbele klap toen hij over de borstwering beende. Hij herkende dat gezicht ondanks de gedaanteverwisseling en hief zijn gebalde vuisten in de lucht, zo razend was hij op het verraad van de Lichtdrager en van Solari, maar hij was vooral spinnijdig omdat het zijn moordenaarsteam niet gelukt was de Beschermer van Atyion uit de weg te ruimen.

'Zwarte magie!' gilde hij en hij blies zich op als een woedende adder. 'Een vals gezicht en een valse huid! Maar de draden zijn nog niet geweven.'

Een wachter van de Haviken die zo stom was om op dat moment naar zijn meester te gaan werd op slag blind en stierf een dag later.

Lhel werd in haar eenzame eikenhuis wakker en riep haar raambezwering op. Toen ze erdoor naar binnen keek, zag ze Tharin die het meisje door een soort gangetje droeg. Lhel bekeek het bleke, slapende gezichtje. 'Kiesa,' fluisterde ze en ze wist zeker dat ze Tobins oogleden heel even zag knipperen. 'Kiesa, vergeet me niet.' Ze keek nog even, om er zeker van te zijn dat Ki bij hen was en sloot het venster.

Het was nog steeds winter in de bergen. Bevroren sneeuw knerpte onder haar voeten terwijl ze trekkend met haar been naar de bron ging, waar nog steeds ijs op lag. Maar het midden was helder. Ze boog zich over het water en zag haar gezicht in het licht rimpelende oppervlak; ze zag hoe oud ze eruitzag. Ze had geen maanpijnen meer gehad sinds de winterzonnewende en haar haar was eerder wit dan zwart. Als ze bij haar volk was gebleven en een normaal leven had geleid, had ze een man, kinderen en eer van haar werk gehad. Maar het enige dat haar echt speet was dat ze geen dochter had om deze heilige plaats – de grootmoedereik en de heilige bron – na haar dood over te nemen. Haar volk was die zolang kwijt geweest en nu zou de vergetelheid hem weer opeisen.

Ze hief haar handpalmen naar de onzichtbare maan en deed een zichtspreuk over het water. Er ontstond maar één beeld in de duisternis. Ze bekeek het nauwlettend en liep toen langzaam terug naar de holle eik en ging op haar bed liggen, nog steeds met haar handpalmen naar boven – leeg, vol aanvaarding – en luisterde naar de wind in de takken.

Hij kwam zonder gerucht. De verweerde hertenleren deurflap bewoog niet toen hij binnenkwam. Ze voelde hoe hij zich naast haar neerlegde, koud als een sneeuwbank, en zijn armen om haar nek sloeg.

Ik ben eindelijk naar je teruggekomen.

'Welkom, mijn kind,' fluisterde ze.

IJzige lippen vonden de hare en ze opende haar mond met liefde, en liet deze demon die ze Broer genoemd hadden haar laatste adem stelen zoals zij zijn eerste gestolen had. Het evenwicht was hersteld.

Ze waren allebei vrij.

53

Erius zat bij het raampje van het torenwachtershuis en keek naar zijn brandende stad. Ondanks de beste zorgen van de helers was er gangreen uitgebroken en de verrotting breidde zich snel uit. Zijn schouder en borst waren al zwart geworden, zijn zwaardarm was opgezwollen en onbruikbaar. Omdat hij kon rijden noch vechten, zat er voor hem niets anders op dan hier als een ziek man op een bank te liggen, omringd door zure hovelingen en fluisterende bedienden. Er waren nog maar weinig officieren over die hem rapport konden uitbrengen. Met het Zwaard van Ghërilain nog in de hand, heerste hij hulpeloos over zijn vallende stad.

De Plenimaranen waren gisterochtend heel vroeg weer tot de stad doorgedrongen. Toen de avond viel was het leeuwendeel van de benedenstad verloren. Vanuit zijn uitkijkpost moest hij toezien hoe wagens vol geroofde goederen naar de zwarte schepen in de haven reden, met grote groepen krijgsgevangenen – zijn onderdanen – als vee ertussen.

Korin was geen knip voor de neus waard op het slagveld. Rheynaris was aan zijn zijde gebleven en had hem zijn orders ingefluisterd totdat een pijl hem rond het middaguur geveld had. Met nog geen duizend man om de stad te verdedigen had Korin zich teruggetrokken naar de Palatijnse Heuvel waar hij wilde proberen ongenode gasten buiten de poorten te houden. Ergens halverwege de stad vochten nog een paar andere regimenten, maar die waren niet groot genoeg om Plenimar het hoofd te bieden. Vijandelijke soldaten stroomden met duizenden tegelijk naar de bovenstad en stelden zich rond de Palatijnse Ring op. De rammeien bonkten tegen de poorten en katapulten stuurden brandende zakken met in olie gedrenkt hooi over de muren. Soldaten en vluchtelingen renden met emmers water van de vijvers en cisternes naar de brandhaarden om te redden wat er te redden viel, maar het vuur verspreidde zich razendsnel. Erius kon rook zien opstijgen vanuit het dak van het Nieuwe Paleis.

Niryns Haviken hadden dapper gevochten, maar zelfs zij hadden het onderspit moeten delven. De zwarte tovenaars hadden er velen weten te doden en de overlevenden waren radeloos en ordeloos de stad in gerend. Af en toe kwam er een bericht binnen over rebellerende Skalaanse tovenaars, die gisteren op raadselachtige wijze opgedoken waren. Daarover bestonden tegenstrijdige berichten: volgens Niryn vielen deze tovenaars zijn witte tovenaars aan, maar andere getuigen beweerden dat deze 'verraders' alles deden om de vijandelijke troepen te hinderen. Ze konden volgens hen water en vuur oproepen, zelfs hele zwermen ratten. Niryn geloofde daar geen woord van; geen enkele Skalaanse tovenaar kende zulke krachten.

Erius had de hele dag de noordelijke weg in de gaten gehouden. Het was te vroeg om hoop te koesteren, al had Tobin Atyion levend weten te bereiken, maar wat moest hij anders.

Hij miste Rhius ook. Zijn oude vriend scheen rond te spoken in deze torenkamer, en lachte hem uit. Als zijn oude Gezel nog in leven was geweest, zou de legermacht van Atyion misschien allang in Ero zijn geweest, sterk genoeg om het tij te keren. Maar Rhius was niet te vertrouwen geweest en was een verrader gebleken, en nu had hij alleen die tengere knaap op pad kunnen sturen om Solari te halen.

De schemering viel in, vervolgens de duisternis en nog steeds was er geen teken, geen boodschap van een koerier of postduif. De drysiaanse drankjes liet hij staan en hij stuurde iedereen de deur uit om alleen de wacht te houden.

Hij dutte een beetje in bij het raam toen hij de deur hoorde opengaan. De lampen waren opgebrand, maar het haardvuur gaf genoeg licht om de slanke gestalte op de drempel te herkennen.

De moed zonk Erius in de schoenen. 'Tobin, ben je nu al terug? Hoe kan dat nou? Ben je halverwege teruggekeerd?'

'Nee, oom, ik ben naar Atyion gegaan,' fluisterde Tobin terwijl hij langzaam naar Erius toekwam.

'Maar dat is onmogelijk! Daar had je geen tijd voor! En waar zijn je troepen?'

'O, die komen eraan, oom.' Tobin stond nu over hem heen gebogen, het gezicht in schaduwen gehuld, en plotseling werd Erius door een vreselijke kou bevangen.

De jongen boog zich voorover en raakte zijn schouder aan. De kou gleed als een ijsrivier door Erius' leden, en zijn hele lichaam werd verdoofd. Toen Tobin nog dichterbij kwam en het licht op zijn gelaat viel, kon Erius noch bewegen, noch schreeuwen.

'O, die komen eraan,' siste Broer en hij toonde de van afschuw vervulde heerser zijn ware gezicht. 'Maar niet voor jou, oude man. Ze komen om mijn zuster te helpen.'

Dodelijk verlamd staarde Erius vol onbegrip naar het monsterlijke wezen aan zijn zijde. De lucht trilde en daar verscheen de bloedige schim van zijn zuster Ariani naast het wezen, en ze streelde het rottende hoofd van haar zoon zoals alleen een moeder dat kan. Pas toen drong het tot hem door wat er gebeurd was. Maar het was te laat. Toen zijn vingers zich krampachtig om zijn zwaard klemden, liet Broer zijn hart stoppen met kloppen.

Later die avond zou Korin de vingers van zijn vader moeten breken om het zwaard uit de dode hand te bevrijden.

54

Zwanen. Witte zwanen die getweeën door een onmogelijk blauwe lucht vlogen.

Tobin ging met bonzend hart rechtop zitten en vroeg zich af waar hij was.

Atyion. De kamer van mijn ouders.

De bedgordijnen waren weggetrokken en achter het raam hing een mistige ochtendschemering. Opgerold tussen Tobins voeten liet Streepstaart zijn scherpe tandjes zien terwijl hij hartgrondig gaapte en vervolgens begon te spinnen.

'Ki?'

De andere kant van het enorme bed was glad, de kussens bol en onbeslapen.

Tobin klom uit bed en keek met stijgende onrust de grote kamer rond. Er lag geen stromatras of kleedje en van Ki was al helemaal geen spoor. Waar kon hij zijn? Tobin liep naar de deur maar een vluchtig beeld in de hoge passpiegel hield hem tegen.

Daar was ze dan, de vreemdelinge die hem vanuit Lhels bron had aangestaard. Tobin liep er langzaam naartoe, zowel geschrokken als verwonderd. De onbekende voelde dat zo te zien ook – dat tengere, verlegen, angstige meisje in een lang linnen nachthemd. Ze hadden hetzelfde litteken op de kin en hetzelfde roze moedervlekje op de onderarm.

Tobin trok langzaam het nachthemd omhoog. Het lichaam was niet zo erg veranderd, nog steeds hoekig en met slanke spieren, op de kleine borsten vlak onder het met een korst bedekte wondje na. Maar daar beneden…

Een zorgzaam kamermeisje had de pot in het volle zicht voor het bed neergezet. Tobin deed twee stappen en viel erboven neer op handen en knieën, kokhalzend zonder over te geven.

De spasmen verdwenen en ze dwong zichzelf naar de spiegel terug te lopen. Streepstaart gaf kopjes langs haar schenen. Ze tilde hem op, en knuffelde hem stevig.

'Dat ben ik. Ik ben Tamír geworden,' fluisterde ze tegen de kat. Haar gezicht was vrijwel hetzelfde, iets zachter misschien, maar nog steeds gewoontjes en onopmerkelijk, op de intens blauwe ogen na dan. Iemand had de laatste sliertjes van de oude huid afgewassen en de schilfers uit haar haar geborsteld. Het omlijstte haar gezicht met gladde zwarte golven en ze bedacht hoe het eruit zou zien als het gevlochten was, met linten en parels.

'Nee!' Ze vluchtte weg van de spiegel en zocht tevergeefs haar kleren. Ze liep naar de dichtstbijzijnde kast en trok hem open. Het licht viel op haar moeders fluwelen en zijden jurken. Ze smeet de deuren dicht en trok de volgende open en haalde een van haar vaders stoffige tunieken tevoorschijn, maar die was veel te groot. Ze trok hem weer uit, nam een zwarte cape van een haakje en wikkelde zich daarin.

Haar hart bonsde in haar keel toen ze naar de deur rende om Ki te gaan zoeken.

Ze struikelde haast over hem. Hij zat op een stromatrasje op de gang naast haar deur, duttend met zijn kin op zijn borst. Haar onbesuisde uitval wekte hem. Twee op wacht staande soldaten klakten hun hakken tegen elkaar en salueerden, maar ze schonk geen aandacht aan hen.

'Wat dacht je dat je hier aan het doen was?' vroeg ze streng en ze had meteen een hekel aan haar nieuwe stem. Zo raar hoog en schril.

'Tob!' Ki krabbelde op. 'Ik… Nou ja, het was toch niet netjes om…'

'En waar zijn mijn kleren?'

'We wisten niet zeker wat je aan zou willen.'

'Wat ik aan zou willen? Gewoon, mijn kleren, verdomme. Die ik aanhad toen ik kwam!'

Ki liep naar de dichtstbijzijnde wachter en stamelde: 'Zeg tegen hofmeesteres Lytia dat To… dat de prinses… dat Tamír de kleren aan wil die gewassen zijn.'

Tobin trok Ki de kamer in en sloeg de deur met een klap dicht. 'Ik ben Tobin, Ki! Ik ben nog steeds mezelf. Ja toch?'

Ki grijnsde moeizaam. 'Nou ja, dat wil zeggen, ja en nee. Ik bedoel, ik wéét dat jij het bent, maar… Verdomme, bij de ballen van Bilairy, Tob! Ik weet ook niet wat ik moet denken.'

De verwarring in zijn ogen maakte haar nog angstiger dan ze al was. 'En sliep je daarom op de gang?'

Ki haalde zijn schouders op. 'Nou ja, ik zie mezelf al in bed klauteren bij een prinses!'

'Houd op me zo te noemen!'

'Maar dat ben je nu eenmaal.'

Tobin draaide zich om, maar Ki greep haar vast om haar schouders. 'Dat moet je blijkbaar zijn. Arkoniël heeft lang met Tharin en mij gepraat terwijl je sliep. Het is me nogal een verhaal en ik vind het ontzettend oneerlijk dat het zo gelopen is, maar zo staan de zaken nu eenmaal en terug kunnen we niet meer.' Hij liet zijn handen langs haar armen omlaag glijden om haar handen te grijpen en Tobin huiverde bij die aanraking.

Ki leek het niet te merken. 'Het is allemaal veel erger voor jou dan voor mij, maar voor mij is het ook lastig,' zei hij, en hij zag er gekweld uit. 'Ik ben nog altijd je vriend, Tob. Dat weet je best. Maar ik weet niet zeker wat dat van nu af aan betekent.'

'Het is gewoon hetzelfde als het altijd geweest is,' zei Tobin vinnig en ze greep zijn handen vast. 'Je bent mijn allereerste vriend – mijn beste vriend – en mijn schildknaap bovendien. Daaraan verandert niets. Ze denken maar wat ze willen. Ze noemen me maar hoe ze willen, als ik voor jou maar Tob blijf, oké?'

Er werd zacht op de deur geklopt en Lytia kwam binnen met Tobins kleren over haar arm. 'Tharin zegt dat de eerste troepen gereedstaan. Ik heb de vrijheid genomen om in de schatkamers een geschikte wapenrustig voor je te zoeken, aangezien je de jouwe in Ero gelaten hebt. Ik laat hem naar boven brengen zodra hij schoongemaakt is, plus een ontbijt.'

'Ik heb geen trek.'

'Daar wil ik dus niets van horen.' Lytia schudde bestraffend haar vinger. 'Jullie komen deze kamer niet uit voor jullie wat in je maag hebt. En wat dacht je van een bad? Ik heb je zo goed mogelijk afgedept terwijl je sliep, maar als je een tobbe boven wilt hebben, laat ik hem even brengen.'

Tobin bloosde. 'Nee. Wil je Tharin zeggen dat ik even met hem wil praten? En Arkoniël ook.'

'Uitstekend, hoogheid.'

Zodra ze was vertrokken trok Tobin het nachthemd uit en begon zich aan te kleden. Ze reeg net haar broek dicht toen ze merkte dat Ki zich had omgedraaid. Zijn oren gloeiden.

Ze ging rechtop staan en rechtte haar schouders. 'Kijk naar me, Ki.'

'Nee, ik...'

'Kíjk naar me!'

442

Hij draaide zich om en ze zag dat hij zijn uiterste best deed om niet naar haar kleine puntige borstjes te kijken. 'Ik heb ook niet om dit lichaam gevraagd, maar als ik het hiermee moet doen, moet jij dat ook.'

Hij kreunde. 'Zeg dat nou niet, Tob. Doe me dat niet aan.'

'Doe je wat aan?'

Ki keek weer naar opzij. 'Je begrijpt dat toch niet. Maar…. Wil je alsjeblieft wat aantrekken?'

Geschokt trok Tobin haar tuniek aan en zocht haar laarzen. De kamer begon te draaien en ze zonk neer op het bed. Ze deed haar best haar tranen in te slikken. Streepstaart sprong op haar schoot en duwde zijn kop hard tegen haar kin. Ki ging naast haar zitten en sloeg een arm om haar schouders, maar dat voelde vreemd aan, besefte ze geschrokken.

'Ik ben je vriend, Tob. Dat zal ik altijd blijven. Maar het is wel anders en ik ben daar net zo bang voor als jij. Dat we niet zomaar meer samen kunnen slapen, of zelfs samen in een kamer kunnen zitten – ik weet niet of ik dat aankan.'

'Maar dat hoeft toch zo niet te gaan!'

'Natuurlijk wel. Ik vind het afschuwelijk, maar zo is het nou eenmaal.' Zijn stem klonk zo vriendelijk, zo teder als ze nog nooit van Ki gehoord had. 'Jij bent een meisje, een prinses, en ik ben een man geworden, geen kleine page die aan je voeten mag slapen zoals …zoals deze kat.'

Het was de waarheid en ze wist het. Ze werd er verlegen van, maar pakte zijn hand en klemde hem vast. Die van haar was nog wel bruin, maar de handpalm was tijdens de gedaanteverandering veel van zijn ruwheid kwijtgeraakt. 'Ik moet dat eelt weer helemaal opbouwen,' zei ze met een te hoge, onzekere stem.

'Dat is zo gebeurd. Die van Ahra voelen ook aan als een ouwe laars. Denk gewoon aan haar, en aan al die vrouwen die je gisteren hoorde vechten. Je bent nog steeds een strijder, net als zij.' Hij kneep in haar bovenarm en grijnsde. 'Nou, dat voelt nog prima aan. Je kunt nog steeds Albens vingers breken, als het nodig mocht zijn.'

Tobin knikte hem dankbaar toe, schoof Streepstaart van haar schoot en stond op. Ze greep Ki's hand en zei: 'Je bent nog steeds mijn schildknaap, Ki. Daar houd ik je aan. Ik heb je nodig.'

Ki omhelsde haar stevig. 'Ik blijf dichter bij je dan je schaduw.'

En daarmee leek alles weer op zijn plaats te vallen, voor dat moment tenminste. Tobin keek kwaad naar het felle ochtendlicht. 'Waarom heb je me zo lang laten slapen?'

'Je gaf ons geen keus. Je had al een paar dagen niet geslapen, en toen kwam die hele poppenkast van gisteravond er nog eens bij… Tharin zei dat ik je moest laten rusten terwijl hij het garnizoen voor inspectie bijeenriep. We hadden toch moeten wachten. Ik sta versteld dat je alweer zo snel op de been bent.'

Tob snoof. 'Omdat ik een meisje ben zeker?'

'Nee, uilenbal, maar als ik mezelf moest opensnijden en dan de huid van mijn lijf moest laten roosteren, denk ik niet dat ik zo snel weer zou rondhuppelen.' Hij werd weer ernstig. 'Verdomd, Tob! Ik weet niet wat voor toverkunsten dat waren, maar heel even leek het wel of de zon precies waar jij stond naar beneden viel! Of het Havikenvuur, daar leek het ook op.' Hij griezelde. 'Deed het pijn?'

Tobin haalde haar schouders op. 'Ik herinner me er niet meer zoveel van, op die koninginnen na.'

'Welke koninginnen?'

'De geesten. Heb jij ze niet gezien?'

'Nee, alleen Broer. Ik dacht even dat het met jullie allebei gedaan was, zo zagen jullie eruit. Hij is nu echt weg, hè?'

'Ja. Ik vraag me af waar hij heen is.'

'Naar Bilairy's poort, mag ik hopen. Ik wil je wel vertellen dat ik blij ben dat ik hem zag vertrekken, al hielp hij je dan zo af en toe.'

'Dat zal best,' mompelde Tobin. 'Maar het was wel mijn allerlaatste familielid natuurlijk.'

Toen Lytia terugkwam was ze niet alleen. Tharin, Arkoniël en een stel bedienden kwamen na haar naar binnen, met allemaal in lappen gewikkelde pakken.

'Hoe voel je je?' vroeg Arkoniël en hij nam haar kin in zijn hand om haar eens te bekijken.

Tobin trok zich los. 'Weet ik nog niet.'

'Ze heeft honger,' zei Lytia en ze zette een groot blad met een ontbijt op een tafeltje bij de haard voor hen neer. 'Misschien moesten jullie de prinses eerst wat laten eten.'

'Ik heb geen honger en ik wil niet meer zo genoemd worden!' zei Tobin kattig.

Tharin sloeg zijn armen over elkaar en keek haar streng aan. 'We zeggen niets voor je gegeten hebt.'

Tobin griste een haverkoek van tafel en nam een grote hap om hem tevreden te stellen, maar merkte toen dat ze wel degelijk honger had. Staand schrokte ze er nog een naar binnen en prikte een reep gebakken lever aan haar mes. Ki viel nu ook aan, uitgehongerd als hij was.

Tharin grinnikte. 'Weet je, bij daglicht lijk je nauwelijks veranderd. Je hebt de trekken van je moeder, misschien, maar zo erg is dat niet. Volgens mij word je echt een stuk als je je hier en daar nog een beetje ontwikkelt.'

Tobin proestte het uit en de kruimels kaneelbrood vlogen in de rondte; de spiegel had hem wel iets anders laten zien.

'Misschien kikker je hier wat van op.' Tharin liep naar het bed en maakte een van de bundeltjes open die de bedienden daar hadden achtergelaten. Met een zwierige zwaai hield hij een schitterende maliënkolder omhoog. De ringetjes van metaal waren zo fijn dat het wel een slangenhuid leek onder Tobins bewonderende vingers. Aan de randen van de hals en mouwen was hij afgezet met wat smeedwerk van goud, maar het patroon was simpel, gewoon zich om elkaar slingerende lijnen, als wijnranken. In de andere pakjes zaten een klein borstkuras en een helm met hetzelfde ontwerp.

'Dat is het werk van de Aurënfaiers,' zei Lytia. 'Het waren geschenken voor de grootmoeder van je vader.'

Het kuras droeg haar embleem: de eik van Atyion van gedreven goud. Zowel dat als de maliënkolder leek wel voor haar gemaakt. De maliën vielen net zo soepel om haar heen als een van Nari's wollen truien.

'De vrouwen van het kasteel dachten dat je hier ook wel wat aan zou hebben,' zei Lytia en ze hield een nieuw leren, mouwloos jak omhoog. 'Er is ook gewatteerde onderkleding en banieren met jouw kleuren. We laten de beschermer van Atyion niet zomaar als een naamloze barbaar ten strijde trekken.'

'Bedankt!' riep Tobin uit en ze trok het leren jak als overkleed over haar maliënkolder aan. Ze liep naar de spiegel en bestudeerde haar spiegelbeeld, terwijl Ki haar zwaard omgordde. Het gezicht binnen de antieke kap was niet meer dat van een angstig meisje, maar van een strijder, zoals het altijd geweest was.

Ki grijnsde naar haar. 'Zie je het nou? Op wat kleinigheden eronder na zie je er helemaal niet zo anders uit.'

'Dat is misschien wel zo goed,' zei Arkoniël. 'Ik zou er maar niet op rekenen dat Erius een rondedansje doet als hij hoort dat hij een nicht in plaats van een neef heeft. Tharin, laat omroepen dat de naam Tamír niet genoemd mag worden in Ero, tot daarvoor toestemming wordt gegeven.'

'Ik vraag me af wat Korin zal zeggen?' vroeg Ki.

'Goede vraag,' mompelde Arkoniël.

Tobin fronste haar voorhoofd. 'Ik heb me dat al afgevraagd sinds jij en Lhel me de waarheid hebben verteld. Hij is niet alleen een familielid, Arkoniël; hij

445

is ook een vriend. Ik wil hem niet beledigen, want hij heeft me altijd goed behandeld. Ik weet eigenlijk niet hoe ik het moet brengen. Het is niet het type dat gewoon een stap opzij doet om mij de troon te laten bestijgen, toch?'

'Niet bepaald,' zei Tharin.

'Dat moeten we de goden maar laten regelen,' raadde Arkoniël hen aan. 'Maar voorlopig lijkt het me het beste als prins Tobin de stad Ero te hulp komt met zijn troepen. Hoe het verder loopt, dat zien we daarna wel weer.'

'Als er een daarna is, tenminste,' deed Ki een duit in het zakje. 'De Plenimaranen zijn ook geen types die een stapje opzij doen, voor wie dan ook, en het stikt er van de zwarte tovenaars en soldaten. Sakor mag weten hoeveel!'

'Misschien leuk om te weten dat we een beetje gespioneerd hebben om daar achter te komen,' zei Tharin en hij grinnikte om Tobins verbaasde blik. 'Sommige tovenaars kunnen hun nut hebben, als ze maar willen.'

'Weet je nog dat ik met jou naar Ero vloog?' vroeg Arkoniël.

'Dat was een visioen.'

'Nee, ik deed een zichtspreuk, waarmee je kunt schouwen. Ik ben geen generaal, maar met een beetje hulp van deze kapitein hier hebben we berekend dat het er zo'n achtduizend moeten zijn.'

'Achtduizend! En hoeveel hebben wij er?'

'Er zijn vijfhonderd ruiters in het garnizoen en twee keer zoveel voetmannen en boogschutters,' zei Tharin. 'We moeten er een paar honderd achterhouden voor het kasteel, mocht dat worden aangevallen. Mijn neef Oril kan jouw veldmaarschalk zijn en…'

'Vijftienhonderd. Dat is natuurlijk nooit genoeg!'

'Maar dat is alleen het garnizoen hier in de kazerne. De leenheren en ridders hebben zodra we aankwamen al een berichtje gekregen. Ik gok dat er dus nog zo'n tweeduizend man achter ons aankomen.' Hij glimlachte vastberaden. 'We moeten maar roeien met de riemen die we hebben.'

'Grannia vroeg of de vrouwenstrijders met jou in de voorhoede mogen rijden,' zei Lytia.

'Ja, vanzelfsprekend.' Tobin dacht even na en herinnerde zich een van de lessen van de Raaf. 'Zeg maar dat alleen de allerbeste strijders voorop mogen rijden. Laat de anderen met de troepen meerijden tot ze opgeroepen worden. Daar hoeven ze zich niet voor te schamen. Zeg maar dat Skala hen levend en met wapens in de hand nodig heeft. Er zijn te weinig vrouwenstrijders om ze te verspillen.'

Toen Lytia zich omdraaide om dat door te geven, vroeg Tobin: 'Ga jij niet met ons mee?'

Ze lachte. 'Nee, hoogheid, ik ben geen strijder. Maar de oude Hakone heeft me eens verteld hoe je rantsoenen samenstelt om een leger geen honger te laten lijden. We hebben je vader en je grootvader altijd van proviand voorzien voor ze ten strijde trokken. Je krijgt alles mee wat je nodig hebt.'

'Bedankt. Wat er ook mag gebeuren, ik ben blij dat er zulke vrienden achter me staan.'

55

Vijftienhonderd strijders leek een behoorlijke strijdmacht toen ze die dag Atyion verlieten. Tobin reed voorop met Ki en Lynx aan haar zijde, die er luisterrijk uitzagen in hun geleende wapenrustingen. Arkoniël keek wat ongelukkig uit zijn ogen in zijn maliënhemd en kap, maar Tharin had erop gestaan dat hij ze droeg. De priesters die Tobins gedaanteverandering hadden gezien reden met hen mee om in Ero getuigenis af te leggen. Kapitein Grannia en veertig strijders reden trots voor hen uit. De meesten waren van Nari's leeftijd en droegen hun haar in grijze vlechten op de rug. Ze zongen strijdliederen terwijl ze voortreden en hun kloeke, heldere stemmen deden Tobins hart sneller kloppen.

Tharin was haar veldmaarschalk en stelde haar al rijdende voor aan de kapiteins. Tobin kende er al een paar van de vorige keren dat ze Atyion had bezocht. Deze mannen hadden allemaal voor haar vader gevochten en stonden klaar om nu zijn dochter trouw te zweren, al was het allemaal een beetje rauw op hun dak gevallen.

Voor ze de grens van Atyion overgingen, waren er van alle hofsteden uit het zuiden nog honderden soldaten toegestroomd – baardige grijze ridders, boerenzonen met hakbijlen op hun schouders, en vrouwen en meisjes, soms met hun rokken nog aan. Grannia selecteerde de vrouwen; sommigen mochten het voetleger in, anderen stuurde ze weer naar huis.

'Ik wou dat we Ahra konden bereiken,' zei Ki en hij knikte naar de vrouwen. 'Zij en Una staan vast te trappelen om jou te helpen.'

'Het nieuws over Ero is vast als een lopend vuurtje rondgegaan,' zei Tharin. 'Ik denk dat we ze vroeg of laat wel zullen tegenkomen.'

Ze haalden andere strijdersgroepjes in op hun weg naar de stad, die de vorige dag gewaarschuwd waren toen ze de noordelijke weg genomen hadden. De manschappen spraken haar aan als prins Tobin en niemand probeerde dat te verbeteren.

De meeste bendes waren dorpsmilitie, maar net voor zonsondergang sloot heer Kyman van Ilear zich bij hen aan, met vijfhonderd boogschutters en tweehonderd ruiters die onder zijn bevel stonden.

Kyman was een beer van een vent met een rode baard, en zijn schede toonde de littekens van vele gevechten. Hij steeg af en begroette Tobin. 'Ik kende je vader goed, mijn prins. Het is me een eer zijn zoon te mogen dienen.'

Tobin maakte een buiging, en mompelde haar dank. Arkoniël knipoogde naar haar en nam Kyman toen even terzijde. Tharin en de priesters voegden zich bij hen en Tobin zag de priesteres van Illior haar handpalmen tonen, als om de waarheid van het verhaal kracht bij te zetten.

'Ik dacht dat we het niemand zouden vertellen?' sputterde Tobin nerveus.

'Het is niet handig om de heren niet op de hoogte te brengen,' zei Ki. 'Je hebt ze binnenkort nodig. En hij en Tharin lijken me oude kameraden. Dat is een goede start.'

Toen Arkoniël en Tharin alles onthuld hadden, draaide Kyman zich in Tobins richting en staarde een tijdje naar haar. Toen beende hij op haar af en bekeek haar gezicht, dat enigszins beschaduwd werd door de helm. 'Is dit waar?'

'Het is waar, mijn heer,' antwoordde ze. 'Maar ik ben nog steeds beschermer van Atyion en het kind van mijn vader. Wilt u met mij voor Skala vechten, al kan het zijn dat we het vroeg of laat tegen de koning moeten opnemen?'

De rode wenkbrauwen schoten omhoog. 'Maar heb je het dan nog niet gehoord? De koning is dood. Korin heeft het Zwaard in handen.'

De moed zonk Tobin in de schoenen; ze had zo gehoopt dat ze het niet tegen Korin of andere Gezellen hoefde op te nemen. Maar daar kon ze nu niet meer omheen.

'Voor hen die het Orakel hebben aangehoord staan jouw aanspraken op de troon gelijk aan die van Korin,' zei Kyman. 'We hebben berichten over jou vernomen. Al jaren hebben de boeren het over een zekere koningin die zou komen en de vloek van het land ongedaan zou maken. Maar ik dacht, eerlijk gezegd, dat er geen meisjes van koninklijken bloede meer in leven waren, dus hechtte ik niet zoveel waarde aan die praatjes.' Hij wees met zijn duim over zijn schouder naar Arkoniël en de priesters. 'Ik vind het maar een vreemd verhaal, maar dat je vaders bloed door je aderen stroomt, staat voor mij vast. En ik neem aan dat je de strijdmacht van Atyion ook niet achter je had gekregen, of mijn oude maat Tharin, als het allemaal niet waar zou zijn.'

Hij liet zich op één knie vallen en bood zijn zwaard aan. 'Dus is mijn antwoord: ja. Laat Ilear de eerste zijn die zich onder uw banier schaart, Majesteit.'

Tobin nam het zwaard aan en tikte hem ermee op zijn schouders zoals Erius het bij Ki had gedaan. 'Ik ben nog geen koningin, maar ik neem uw steun met groot genoegen aan, in naam van Skala en Illior.'

Kyman kuste de kling en nam het zwaard weer over. 'Dank u, hoogheid. Ik hoop dat u, zodra u de kroon draagt, Ilear niet zult vergeten, net zomin als het huis van Kyman.'

Met zonsondergang hielden ze halt om te eten en de paarden te laten rusten, daarna marcheerden ze verder. De wassende maan begluurde hen vanachter voortsnellende wolken, en de modderige weg voor hen werd een zwart lint dat zich in de richting van Ero uitstrekte.

Tegen middernacht zagen ze opeens een vage rode gloed aan de zuidelijke hemel boven de zwarte silhouetten van de heuvels opdoemen; de stad brandde dus nog steeds. Tharin stuurde een stel verkenners vooruit om na te gaan waar de buitenposten van de vijand lagen. Onder het voetvolk zongen sommigen om wakker te blijven.

Hoe moe ze ook was, Tobins geest stond op scherp terwijl de nachtelijke uren voorbijgleden. Met een vreemd, dromerig gevoel van onthechting voelde ze hoe ze in dit nieuwe lichaam groeide en zich erin thuis begon te voelen. Haar armen en benen waren niet veranderd, op die ergerlijke zachtheid van haar handen na. Lytia had haar daar handschoenen voor gegeven. Haar borsten werden wat gevoeliger, hoe klein ze ook waren, en ze voelde hoe het gewatteerde hemd onder haar maliën eroverheen schoof.

Dat het zadel zo anders aanvoelde was wel het meest storend, om maar te zwijgen van die onhandige broek wanneer je je fatsoenlijk wilde ontlasten. Ze was er nog niet aan toe gekomen om zich tussen haar benen eens goed te onderzoeken. Ze vond het al erg genoeg dat ze niet normaal kon plassen, maar hoe dan ook, ze had verwacht dat ze iets zou… missen in haar broek. Maar dat was niet het geval.

Arkoniël en Tharin gingen niet anders met haar om dan gewoonlijk, en Ki deed zijn best, maar Lynx keek nog steeds of hij het niet echt geloofde. Prettig was dat niet, maar aan de andere kant was het een goed teken. Sinds Orneus' dood had hij zich met niets anders beziggehouden dan met zijn eigen dood, en dat was nu tenminste voorbij.

Tobin gebaarde dat Ki in het gelid moest blijven en nam Lynx even terzijde.

'Als je van mening bent veranderd… Als je niet tegen Korin wilt vechten, dan begrijp ik dat best,' zei ze hem nogmaals. 'Als je naar hem wilt terugkeren, houd ik je niet tegen.'

Lynx haalde zijn schouders op. 'Ik blijf als je wilt dat ik blijf. Ik vraag me af wat Nik en Lutha zouden doen…'

'Geen flauw idee.' Maar inwendig kromp ze ineen bij de gedachte dat haar vrienden haar de rug zouden toekeren.

Niryn liep met grote passen door de echoënde audiëntiezaal, vergezeld door de zes overgebleven Haviken en een falanx van zijn garde grijsruggen. Er was vlak voor de nacht inviel een duif uit Atyion aangekomen met het nieuws dat de versterkingen onderweg waren.

Niryn had echter ook nieuws van zijn eigen spionnen ontvangen en was van plan alle hoop op een overwinning de grond in te boren.

Korin zat afgetobd en ongeschoren onwennig op zijn vaders troon. Het grote Zwaard hield hij vast, maar de kroon stond op een lage standaard, met een zwarte doek erover, naast hem. Opperkanselier Hylus en de andere overgebleven ministers stonden aan zijn zijde, net als het treurige restant van zijn persoonlijke garde en de Gezellen.

Niryn telde slechts acht Gezellen waar er eens negentien waren geweest. Na dat jarenlange beschermde leventje waren het niet langer jongens. Hij maakte zijn balans snel op. Alben en Urmanis zouden zeker loyaal blijven. Heer Caliël natuurlijk ook, al had deze man een onwelkome invloed op de nieuwe koning. Niryn nam zich voor daar nu een eind aan te maken en met hem af te rekenen zodra dat kon. Alleen Hylus' studieuze kleinzoontje, het gezelligheidsdier Lutha en een handjevol schildknapen die hoe dan ook hun heren zouden volgen bleven over.

En meester Porion, voegde hij er snel aan toe. De oude strijder had een zekere invloed op de prins, dus hij moest wel in de gaten worden gehouden.

Toen hij bij de verhoging kwam, maakte hij een diepe buiging voor Korin. 'Ik heb erg slecht nieuws, Majesteit! U bent verraden.'

Korins bleke wangen kregen een vlammende kleur. 'Wat is er dan? Wie heeft zich tegen ons gekeerd?'

'Uw neef, en nog wel op een walgelijke manier.' Niryn keek naar de wisselende trekken van twijfel en angst op het gezicht van de jonge koning. Hij nam een kijkje in zijn geest en vond die door wijn vertroebeld, wankelmoedig en ontvankelijk. Maar er waren Gezellen die geen twijfel toelieten.

'Dat zou Tobin nooit ofte nimmer doen!' riep Lutha.

'Stilte!' beval Hylus. 'Kunt u dit toelichten, heer Niryn?'

'De Lichtdrager heeft me een visioen geschonken. Ik kon het eerst zelf ook niet geloven, maar ik heb net een bericht ontvangen dat het verhaal bevestigt. Prins Tobin heeft het garnizoen van Atyion tegen uw leenman Solari opgezet en hem en zijn gezin laten vermoorden. Toen heeft hij een vorm van zwarte magie toegepast om de gedaante van een vrouw aan te nemen en heeft zichzelf uitgeroepen tot de ware erfgenaam van Skala omdat het Orakel van Afra dat zo heeft gezegd. Hij marcheert nu op tegen Ero met een krijgsmacht van duizenden manschappen.'

'Wat is dit voor waanzinnig verhaal?' zei Hylus schor. 'Al was die knaap in staat om hoogverraad te plegen, dan zouden de kapiteins van Atyion daar toch wel een stokje voor steken! Je moet het verkeerd hebben geïnterpreteerd, Niryn.'

'Ik verzeker u dat ik het bij het rechte eind heb. Voor de zon opgaat zult u het bewijs met eigen ogen kunnen aanschouwen.'

'Nou snap ik waarom hij en die grasridder van hem zo graag over de muur wilden klimmen,' mompelde Alben.

'Houd je bek!' Lutha sprong op de oudere jongen af en sloeg hem zo hard dat hij wijdbeens achteroverviel.

'Zo kan-ie wel weer!' bulderde Porion.

Caliël en Nikides trokken Lutha van Alben af en hielden hem in bedwang.

Alben veegde het bloed van zijn mond en snauwde: 'Dat heeft hij natuurlijk allemaal al van tevoren gepland, hij met die gluiperige oude tovenares van hem. Die zag je op de gekste momenten door de gangen sluipen.'

'Juffrouw Iya?' zei Nikides. 'Zij kwam en ging altijd heel openlijk, trouwens, ze was maar een gewone vrije tovenares.'

'Wel iets meer dan dat, denk ik,' sprak Hylus. 'Ik ken die tovenares, prins Korin. Ze is een loyale Skalaanse, en ik zweer op mijn goede naam dat ze absoluut niets met zwarte kunst te maken heeft.'

'Misschien heeft Tobin alleen maar vrouwenkleren aangetrokken,' suggereerde Urmanis.

'Doe toch niet zo achterlijk!' schreeuwde Lutha. 'Waarom zou hij zoiets doen?'

'Misschien zit er een steekje aan hem los, net als aan zijn moeder,' sneerde een van de schildknapen. 'Ik vond hem altijd al een beetje eigenaardig.'

'Korin, denk toch eens na!' smeekte Caliël. 'Je weet net zo goed als ik dat Tobin niet gek is. En dat hij je nooit zou verraden.'

Niryn liet hen redetwisten, en maakte een lijstje op van de bondgenoten en de vijanden.

Korin had iedereen zwijgend aangehoord terwijl Niryns magie zich een weg vrat naar zijn hart, met al zijn twijfels en angsten. Zijn vertrouwen in Tobin was nog niet verdwenen, maar zodra hij hem zag, zou hij wel omslaan.

Niryn maakte nogmaals een buiging. 'Ik blijf bij wat ik zeg, Majesteit. Wees op uw hoede.'

Vlak voor zonsopkomst keerden Tobins verkenners terug en vertelden dat er aan de kustweg Plenimaranen gestationeerd waren bij een stoeterij een paar mijl ten noorden van de stad. Zo te zien was het een krijgsgevangenkamp, dat nog geen honderd man bewaking had.

'We zouden hen kunnen insluiten en ze de pas af kunnen snijden voor we hen aanvallen,' adviseerde Tharin. 'We moeten voorkomen dat de bezettingsmacht te weten komt dat we eraan komen.'

'We eten het monster in hapklare brokken, hè?' grinnikte Kyman.

De verkenners beschreven de positie van de wachters. De vijand had de hele hofstede ingenomen en piketposten om het hele landgoed heen gezet. Tobin stelde zich haar oude leraar de Raaf voor, die dit soort woorden altijd omzette in een schets op de stenen vloer van hun leslokaal.

'We hebben lang niet iedereen nodig om zo'n klein groepje te overweldigen,' zei ze. 'Honderd ruiters die een verrassingsaanval uitvoeren moeten genoeg zijn.'

Kapitein Grannia was naderbij gekomen om hun bespreking bij te wonen. 'Mijn compagnie zou daar veel voor voelen, hoogheid. We snakken er al zo lang naar weer eens bloed te laten vloeien.'

'Uitstekend. Maar ik zal de aanval leiden.'

'Zou je dat wel doen?' vroeg Arkoniël weifelend. 'Als we je al bij de eerste aanval zouden verliezen…'

'Nee, ze heeft gelijk,' zei Tharin. 'We hebben deze strijders gevraagd om in het wonder te geloven. Ze zullen eraan gaan twijfelen als blijkt dat Tobin geen mens van vlees en bloed is, maar een soort meisjespop.'

Tobin knikte. 'Iedereen verwachtte dat prinses Ghërilain bang in een hoekje zou kruipen nadat haar vader haar tot koningin had uitgeroepen, en dat ze de generaals alle beslissingen zou laten nemen. Maar dat deed ze niet, ze stond vooraan bij de gevechten, en ze won. Ik ben net zo goed een koningin van Illior als zij en ik heb een betere training achter de rug.'

'De geschiedenis herhaalt zich, bedoel je?' Arkoniël dacht er even over na en wees toen één voor één Tharin, Ki en Lynx aan. 'En jullie verliezen haar geen seconde uit het oog, begrepen? Een dode koningin is nog minder waard dan een meisjespop.'

Ze bestormden de stoeterij met getrokken zwaarden. Een lage aarden wal omringde het huis, de schuur, de stallen, en drie paardenkampen van stenen muurtjes en schermen van gevlochten rijshout. Tobin en haar strijders veegden de buitenste wachters finaal van de kaart en sprongen over de omheining om op de tegemoet snellende soldaten in te hakken.

Het was Tobins eerste bereden gevecht, maar ze voelde dezelfde innerlijke rust als bij de strijd te voet, terwijl ze de zwaardvechters die haar van haar paard wilden trekken een kopje kleiner maakte. Ze vocht zwijgend, maar hoorde Ki en Tharin roepen en schreeuwen terwijl ze vlak bij haar vochten, en Grannia's vrouwen gilden als bezetenen. Bleke handen staken wuivend boven de schermen uit en Tobin kon de kreten van de gevangenen horen.

Lynx steeg af waar de strijd het hevigst was. 'Zitten blijven!' gilde Tobin naar hem, maar hij was al verdwenen. Als zijn wens om te sterven zo groot was, kon niets of niemand hem daar vanaf houden.

De Plenimaranen vochten fel, maar de overmacht was te groot. Geen van hen overleefde de strijd.

Zonder op de doden te letten rende Tobin naar het dichtstbijzijnde paardenkamp. Dat zat vol vrouwen en kinderen uit Ero. Ze snikten en dankten haar toen ze de omheining opende en renden op haar af om haar aan te raken.

Elk Skalaans kind kende de griezelverhalen over mensen die als slaaf naar Plenimar waren meegenomen. De gelukkigen die hadden kunnen ontsnappen kenden ettelijke duistere verhalen van kwellingen en martelingen. Een vrouw klemde zich vast aan Tobins enkel, en snikte: 'Laat ons nu maar! U moet de mannen in de schuur helpen! Alstublieft, generaal, in naam van de Schepper, red hen!'

Tobin steeg af en duwde de menigte van zich af om zo snel mogelijk bij de schuur te komen, met Ki op haar hielen. Een gevallen fakkel lag in een hooiberg te smeulen en wat ze zagen in het rokerige licht deed hen verstijven van afschuw.

Achttien naakte, bebloede mannen stonden tegen de wand aan het eind van de schuur, de armen omhoog alsof ze zich overgaven. Van de meesten was de buik opengereten; de ingewanden waren eruit gegleden en lagen kronkelend als worstjes over hun voeten.

'Tharin!' riep ze, terwijl ze de fakkel greep en het smeulende hooi uittrapte. 'Tharin, Grannia, hier komen! Neem een stel manschappen mee!'

Lynx rende naar haar toe en draaide zich meteen kokhalzend om.

Tobin en de anderen wisten van horen zeggen wat de Plenimaranen met krijgsgevangenen deden. Nu zagen ze het met eigen ogen. De mannen waren tot bloedens toe afgeranseld, toen uitgekleed, en met hun handen boven hun hoofd aan de wand genageld met een spijker door hun polsen. De aanval van de Skalanen had de kwelgeesten zeker in hun werk gestoord, want van drie mannen was de buik nog niet opengesneden. Tot Tobins afgrijzen waren er enkele slachtoffers bij wie dat wel gebeurd was nog in leven, en ze begonnen te bewegen en schreeuwen toen ze hen naderde.

'Lynx, haal de helers,' beval Tobin.

Tharin was binnengekomen en hield Lynx tegen die net de schuur uit wilde rennen. 'Wacht even. Laat mij eerst maar even kijken.'

Tharin liep naar Tobin en begon zacht te spreken. 'Die jongens die zijn opengesneden? Die halen het niet, zelfs met de beste drysianen van de wereld niet, en het kan nog dagen duren voor ze dood zijn.'

Tobin zag dat zijn vriend de waarheid sprak en knikte. 'We moeten ze een handje helpen.'

'Dat doe ik wel. Ze zullen het begrijpen, geloof me.'

'Maar niet die drie die nog niet afgeslacht zijn. Laat gereedschap halen.'

'Is al gebeurd.'

Een van de drie tilde zijn hoofd op toen ze hem naderden en Ki kreunde. 'O, godsamme, Tob, dat is Tanil!' De man naast hem leefde ook nog, maar was gecastreerd en bloedde vreselijk. De derde was dood of bewusteloos.

Tobin en Ki liepen meteen op Tanil af en tilden hem omhoog om het gewicht van zijn polsen te halen, die dreigden uit te scheuren.

Tanil liet een schorre zucht ontsnappen. 'O goden, jullie zijn het. Help me!'

Grannia en een aantal van haar soldaten begonnen met tangen van de hoefsmid de mannen te bevrijden, terwijl anderen de slachtoffers omhooghielden. Degene die gecastreerd was gilde de longen uit zijn lijf, maar Tanil klemde zijn tanden op elkaar, de lippen vertrokken van pijn. Tobin en Ki vlijden hem op de grond neer. Lynx wierp zijn mantel over hem heen en sneed er stukken vanaf om de wonden te verbinden.

Tanil deed zijn ogen open en keek naar Tobin. Ze zette haar helm af en veegde het donkere haar uit zijn ogen. Hij was vreselijk mishandeld en zijn ogen stonden dof.

'Korin?' hijgde hij terwijl zijn ogen van de een naar de ander gleden. 'Ik raakte hem kwijt… Stommeling dat ik ben! Ik draaide me om en hij was… Ik moet hem vinden!'

'Korin zit veilig in het paleis,' zei Ki. 'Jij bent nu ook veilig bij ons. We hebben het gered, Tanil. Tobin heeft het leger van Atyion gehaald om de stad te redden. Alles komt goed. Stil nou maar.'

Maar Tanil leek het niet te begrijpen. Hij wierp de mantel van zich af en wilde overeind krabbelen. 'Korin. Ik ben hem kwijtgeraakt. Ik moet…'

Een roodharige vrouw die net uit het paardenkamp bevrijd was knielde neer bij Tobin en raakte zijn arm aan. 'Ik zorg verder wel voor hem, hoogheid, en voor de anderen. Dit was mijn boerderij. Ik heb alles in huis om hem te helpen.'

'Dank u.' Tobin stond op en veegde haar handen af. Enkele mannen van wie de ingewanden eruit hingen waren in het hooi gelegd met mantels over hun gelaat.

Tharin hield zich bezig met hen die nog tekenen van leven vertoonden. Terwijl Tobin toekeek, liep hij naar een man toe die nog vastgenageld was. Hij sprak enkele woorden in 's mans oor en Tobin zag de stervende knikken. Tharin kuste hem op het voorhoofd en stak toen snel zijn dolk onder de ribben, recht door het hart. De man schokte even en bleef toen slap hangen. Tharin ging verder naar de volgende.

Tobin draaide zich om omdat ze het verder niet kon aanzien en liep tegen een jonge vrouw op die naar haar toe gehold was. Ze droeg de gescheurde restanten van een zijden jurk. Ze liet zich aan Tobins voeten vallen en mompelde: 'Vergeef me, prins Tobin, ik wilde u alleen maar bedanken…' Ze keek op en staarde hem met grote ogen aan.

'Ken ik je niet ergens van?' vroeg Tobin en ze fronste haar voorhoofd. Ze kwam Tobin bekend voor, al was ze mishandeld. Haar gezicht zat vol blauwe plekken en kneuzingen. Iemand had in haar schouder gebeten en de wond bloedde nog steeds.

'Ik ben Yrena, mijn…' Ze wilde 'prins' zeggen maar haar stem stokte.

'Yrena? O!' Tobin voelde hoe een blos haar gezicht kleurde. 'Je was…'

Het hoertje boog haar hoofd, nog steeds verward. 'Uw verjaardagscadeautje, hoogheid.'

Tobin wist dat Ki naar hen keek terwijl ze het blonde meisje overeind hielp. 'Hoe zou ik je kunnen vergeten, nadat je zo aardig voor me was die nacht.'

'Dat hebt u me dan dubbel en dwars terugbetaald; u hebt me een vreselijk lot bespaard.' Yrena's ogen vulden zich met tranen. 'Ik doe alles wat u wilt dat ik doe.'

'Misschien kun je de vrouwen met de gewonden helpen,' antwoordde Tobin.

'Maar natuurlijk, hoogheid.'

Yrena nam Tobins handen in de hare en kuste die. Toen liep ze snel naar de roodharige vrouw toe om haar te helpen. Helaas kon er verder niet veel meer gedaan worden. Er lag nog maar één man naast Tanil. Alle anderen waren nu dood, en soldaten zongen een rouwlied.

Tharin veegde zijn dolk aan een oude lap af. 'Kom maar mee, Tobin,' zei hij zacht. 'Er kan niets meer voor hen gedaan worden.'

Een verschrikkelijke schreeuw weerklonk door het huis, toen nog een, gevolgd door schrille Skalaanse jachtkreten.

'Er hadden zich er zeker nog een paar schuilgehouden,' zei Tharin. 'Wil je krijgsgevangenen meenemen?'

Tobin keek om naar de verminkte Skalanen. 'Nee,' zei ze. 'Ik wil geen gevangenen. Geen genade voor dat tuig.'

56

Het Wormgatbastion viel op de vierde dag van het beleg. De Plenimaranen zetten systematisch hele wijken van Ero in lichterlaaie en van
verre zag Iya hoe de stenen gebouwen boven het Wormgat tot de
kelders toe afbrandden. De oude Lyman en anderen die te oud of te zwak waren werden uit hun lijden verlost waarbij ze hun levenskracht aan vrienden of
vroegere leerlingen konden schenken. Er was geen plaats meer over die veilig
genoeg was om hen heen te brengen. De stad was onherkenbaar geworden.
De laatste vrije tovenaars slopen als geesten door de straten die door puin en
doden onbegaanbaar waren.

Iya en Dylias regelden dat de overlevenden zich zouden verzamelen bij de
Oosterpoort, in een uitgebrande ruïne van een graanpakhuis. Van de achten-
dertig tovenaars die ze hier had leren kennen, waren er nog maar negentien
over, en acht daarvan waren gewond. Geen van hen was een strijder, maar ze
konden zich schier ongemerkt verplaatsen om kleine eenheden bij verrassing
te overvallen, en ze gebruikten hun nieuwverworven kracht net zo makkelijk
tegen zwarte tovenaars als soldaten.

Sommigen waren door magie verloren gegaan – Orgeüs was tijdens een
magische ontploffing van het een of ander getroffen en stierf onmiddellijk.
Saruel van Khatme, die bij hem was, werd aan één oor doof. Pijlen en zwaarden hadden voor andere doden gezorgd. Niemand was echter gevangengeno-
men.

Te veel kostbare levens verloren, dacht Iya die die nacht de wacht hield. *En er
is al zoveel kracht in rook opgegaan.*

Zoals ze had vermoed, wisselden tovenaars kracht met elkaar uit als ze dat
over en weer wensten, en als het bij beiden voor winst zorgde, niet tot verlies.
Hoe minder tovenaars er waren, hoe minder kracht ze konden verzamelen. En
toch hadden ze hard gevochten. Voorzover ze wist hadden ze heel wat zwarte

tovenaars uitgeschakeld. Iya had er zelf drie gedood, door ze met dezelfde hit-te te lijf te gaan als waarmee ze op die eerste avond in het Wormgat een zilve-ren beker had laten smelten. Ze had hem nog nooit op een levend wezen in praktijk gebracht; ze wist nu dat ze verschroeiden en als worstjes boven het vuur uit hun vel barstten. Het was een heel leerzame avond geweest.

'En wat doen we nu?' vroeg de jonge tovenaar Hariad toen ze met zijn allen in het naar rook stinkende pakhuis zaten, en het voedsel dat ze achterover hadden kunnen drukken onder elkaar verdeelden.

Iedereen richtte zijn ogen op Iya. Ze was nooit officieel tot leider benoemd, maar zij had ten slotte het visioen gehad. Ze legde de oudbakken korst waar-aan ze knabbelde opzij, wreef in haar ogen en zuchtte. 'We hebben alles ge-daan wat we konden, dunkt me. We kunnen de Palatijnse Heuvel niet op, en het leger kunnen we niet aan. Maar als we naar buiten zouden kunnen ko-men, zouden we heel nuttig voor Tobin kunnen zijn wanneer ze arriveert.'

Aldus werd besloten. Iya en haar haveloze legertje verlieten de stad en vluchtten met de duisternis en onzichtbaarheid als dekking door de Noorder-poort die totaal in gruzelementen lag en waar vrij weinig Plenimaraanse wach-ters stonden.

Ze volgden dezelfde route als Tobin drie nachten geleden en kwamen zo te-recht bij het groepje bomen waar Eyoli nog steeds verborgen lag. Ze had ver-wacht zijn lijk aan te treffen, want ze had sinds de nacht dat hij gewond ge-raakt was geen bericht meer van hem ontvangen. Hij had nog één lichtbericht verzonden, over de hinderlaag, daarna niets meer.

Maar ze vond hem bewusteloos, dus nog in leven. Tobin had hem onder een grote eik achtergelaten, gewikkeld in Plenimaraanse mantels, met zo'n vijf veldflessen met water naast zich. De kraaien hadden het druk genoeg gehad met de doden op de open vlakte naast het bosje, dus was de jonge geestbene-velaar ongedeerd.

Het was een koude, heldere nacht. Ze maakten een kampvuurtje en zou-den hier de rest van de nacht doorbrengen. Iya gaf Eyoli alle hulp die ze had en uiteindelijk kwam hij bij.

'Ik heb gedroomd – ik heb haar gezien!' zei hij schor en hij reikte zwakjes naar haar hand.

Iya streelde zijn voorhoofd. 'Ja, we hebben het allemaal gezien.'

'Dus het is waar? Het was al die tijd prins Tobin?'

'Ja. En jij hebt haar geholpen.'

Eyoli glimlachte en sloot zijn ogen. 'Dat is dan geregeld. De rest kan me niet schelen.'

Iya haalde het vieze verband van zijn schouder en trok haar neus op voor de stank. De wond zat vol pus, maar het was nog niet gaan rotten. Ze zuchtte opgelucht want ze was nogal gesteld geraakt op de dappere jongen en ze kon altijd op hem rekenen. Ontelbare malen was hij door het net van de Haviken geglipt om boodschappen over te brengen. En hij had de berichtbezwering met het lichtje onder de knie gekregen, iets dat haar maar niet wilde lukken.

'Saruel, breng de kruiden die je nog hebt,' vroeg ze zacht. Iya wikkelde zichzelf in haar mantel en leunde tegen de boom terwijl de Aurënfaier tovenares de wond schoonmaakte. Ze verzamelde al haar krachten en deed een zichtspreuk. Ze schouwde over het donkere platteland naar de Palatijnse Heuvel. Er werd nog altijd gevochten, maar de doden lagen overal verspreid en de drie zwarte tovenaars die ze niet had kunnen pakken waren druk bezig bij de poort.

Ze richtte haar geest op het noorden en zag Tobin en haar bende de Plenimaraanse buitenpost onder handen nemen, en het leger dat haar volgde. 'Kom, mijn koningin,' zei ze toen het visioen vervaagde. 'Eis uw geboorterecht op.'

'Dat heeft ze al gedaan,' fluisterde een kille stem vlak bij haar oor.

Toen ze haar ogen opendeed zag Iya Broer gehurkt naast zich zitten, de dunne bleke lippen gekruld in een valse grijns.

'Je werk zit erop, oude vrouw.' Hij reikte naar haar hand.

Iya zag haar eigen dood in die bodemloze zwarte ogen, maar kon net op tijd een beschermende bezwering doen. 'Nee. Nog niet. Ik moet nog een paar dingen regelen.'

De bezwering werkte, de demon veerde op en trok zijn hand in. Hij gromde met ontblote tanden. Nu hij niet meer verbonden was met Tobin, was hij nog onmenselijker dan vroeger. Hij straalde het groenige licht van een lijk uit. 'Ik vergeet het niet…,' zei hij hees en hij werd weer één met de duisternis. 'Ik vergeet nooit iets…'

Iya huiverde. Vroeg of laat zou ze het gelag moeten betalen, maar nu nog niet. Nog niet.

Toen de dag aanbrak werden ze gewekt door een geluid of er onweer losbarstte. De aarde trilde en het regende bladeren en dode takken op de groep tovenaars. Iya masseerde de stijfheid uit haar rug en liep met een slepend been naar de rand van het boomgroepje.

Hun schuilplaats leek wel een eiland tussen twee huizenhoge golven, die elkaar tegemoetkwamen. Een donkere massa ruiters uit het noorden was bijna bij hen, en Iya kon de standaarden en banieren van Atyion en Ilear in de voorhoede zien opduiken. Vanuit het zuiden marcheerde een enorm Plenimaraans voetleger hen tegemoet. Binnen enkele minuten zouden de tovenaars klem zitten in het heetst van de strijd.

En waar hang jij eigenlijk uit op zo'n moment als dit, Arkoniël? vroeg ze zich af, maar een nieuwe zichtspreuk zou verspilde moeite zijn. Ze kon hem op geen enkele manier helpen, al wist ze waar hij was.

De aanval op de hofstede was slechts een inval in het vijandelijke kamp geweest, en ze hadden geluk gehad bovendien. Maar geen ballade of les had Ki kunnen voorbereiden op de realiteit van een veldslag.

Op de een of andere manier was hun komst uitgelekt en in de stad terechtgekomen. De hofstede lag maar een halve mijl achter hen toen ze een enorme legermacht op zich af zagen komen.

Ki had zo goed als hij kon opgelet bij de strategielessen van de oude Raaf, maar hij was maar wat blij dat hij dat soort zaken aan Tobin en de officieren kon overlaten. Zijn taak was alleen maar zijn plicht te doen en zijn vriend te beschermen.

'Hoeveel?' vroeg Tobin terwijl ze haar paard inhield.

'Tweeduizend ongeveer,' riep Grannia terug. 'En ze komen niet om hun kamp op te slaan.'

Tobin overlegde kort met Tharin en heer Kyman. 'Voetvolk en boogschutters vooraan opstellen,' beval ze. 'Ruiterij van Atyion, neem de linkerflank, Ilear de rechter. Ik sta in het centrum met mijn garde en Grannia's compagnie.'

De Plenimaranen waren niet van zins om te stoppen voor onderhandelingen of om verschansingen aan te brengen; ze denderden in geordende rijen voort, hun speren glinsterden in het zonlicht als een veld van zilveren korenaren. Rood, zwart, goud en wit kleurden de banieren die op standaarden in de voorhoede werden meegedragen. De rijen marcheerden voort in carré, met aan alle kanten grote, rechthoekige schilden die als muur en dak dienden tegen vijandelijke pijlen.

De Skalaanse boogschutters rukten het eerst op, in vijf rijen van honderd man. Ze richtten hoog zodat de pijlen over de schilden heen scheerden en golf na golf van gevederde dood vloog fluitend de rijen voetvolk achter de linie van schilden binnen. De Plenimaranen beantwoordden deze aanval met pijlen van eigen makelij en Ki wendde zijn paard om Tobin met zijn schild tegen de schachten te beschermen.

Bevelen werden van sergeant naar sergeant aan het front doorgegeven. Tobin stak haar zwaard de lucht in en de voetsoldaten holden geordend de Plenimaraanse linie binnen.

Tobin speurde naar een opening, gaf nogmaals haar signaal en gaf haar paard de sporen. Met Ki en Tharin aan haar zijde galoppeerde ze de vijand tegemoet. Toen Ki hun gezichten kon onderscheiden, trok hij met de anderen zijn zwaard en uit al hun kelen klonk de luide oorlogskreet.

'Atyion voor Skala en de Vier!'

Ze stormden het krijgsgewoel binnen en heel even leek het of alles voorbij was. Een piekenier stak Tobins strijdros in de zij en het dier steigerde en viel. Eén afschuwelijk ogenblik zag Ki Tobins gehelmde hoofd tegen de lichtbewolkte blauwe lucht boven hem afsteken. Toen viel ze ruggelings achterover in de draaikolk van af en aan stormende paarden en mannen.

'Tobin!' riep Tharin en hij dwong zijn paard met moeite door de vechtende massa om haar te bereiken.

Ki was met één sprong uit het zadel, en liep gebogen zoekend tussen de zwenkende paarden door. Een ruiter sloeg hem tegen de vlakte en hij moest rollen om de trappelende hoeven te ontwijken die van alle kanten leken te komen.

Hij bleek in de juiste richting gerold te zijn, want opeens lag Tobin voor hem met haar zwaard in de hand. Ki dook weg voor het zoveelste steigerende ros en dook ruggelings boven op haar, toen een Plenimaraanse ridder met zijn sabel haar hoofd wilde afhouwen. Ki ving de kling met de zijne op en de kracht ervan zinderde door zijn hele lichaam.

Tharin kwam eindelijk uit het gewoel naar voren en liet zijn kling op het hoofd van de ridder neerdalen die uit het zadel viel. Ki maakte korte metten met hem.

'Kom op, Kadmen heeft jullie paarden!' riep Tharin.

Ki en Tobin stegen weer op maar vochten spoedig weer te voet toen ze verderop in een massa voetvolk strandden. Dit gevecht had veel weg van het maaien van een eindeloos grasland. Hun zwaardhanden zaten vol blaren en de gevesten zaten met bloed aan hun verkrampte handen vastgeplakt, toen de vijand het plotseling voor gezien hield en de Plenimaranen chaotisch alle kanten op zwermden om te ontkomen aan de nietsontziende zwaarden van de Skalanen.

'Wat is er aan de hand?' riep Tobin toen ze weer in het zadel klommen.

'Colath!' riep iemand uit de troepen. 'Colath komt ons te hulp!'

'Colath?' schreeuwde Ki. 'Dat is heer Jorvai! Dan is Ahra bij hem!'

Heer Jorvais oranje-groene banier wapperde al achter de vluchtende Plenimaranen aan.

'Geen genade!' riep Tobin vastberaden, met het zwaard boven haar hoofd. 'Erachteraan, ruiters, en maak korte metten met hen!'

Eyoli was te ziek om verplaatst te worden, en er was trouwens toch geen mogelijkheid om hem naar een veiliger plek te brengen met de twee legers die om hen heen op elkaar inhakten. Iya legde een bezwering over hem heen zodat hij onzichtbaar voor anderen werd, en sprak beschermingsformules uit om te zorgen dat hij niet vertrapt zou worden. Pijlen zoefden door het gebladerte en Iya hoorde een kreet toen een lichaam met een doffe plof op de bosgrond klapte.

'Iya, vlug! Hierheen!' riep Dylias.

Een ploegje Plenimaraanse boogschutters was op weg naar hun schuilplaats. Iya vormde een kringetje met Saruel en Dylias en ze begonnen op zangerige toon hun krachten te bundelen. Krachten golfden door hen heen en toen staken ze tegelijkertijd een hand naar de vijand uit. Een blauwe bliksemflits schoot uit de vingertoppen van de tovenaars en twintig soldaten vielen ogenblikkelijk levenloos neer. Degenen die het overleefden sloegen spoorslags op de vlucht.

'Rennen, laffe honden! Voor Skala!' schreeuwde Dylias hen na en hij schudde woedend zijn vuist.

De veldslag schoof de hele ochtend dan weer links, dan weer rechts over de vlakte en de tovenaars bemanden hun bosje als een fort. Toen hun laatste restje magische energie verbruikt was, klommen ze de bomen in en verborgen zich daar.

De twee partijen waren qua aantal even groot en de Plenimaranen waren niet voor een kleintje vervaard. Driemaal zag Iya Tobins standaard wankelen en driemaal werd hij weer de lucht in gestoken. Ze konden alleen hulpeloos toezien en Iya klemde zich vast aan de ruwe stam, biddend dat de Lichtdrager niet zou toestaan dat zoveel pijn en moeite voor niets waren geweest, met Ero in zicht.

Alsof haar bede verhoord werd, verscheen er vlak na het middaguur een gigantische ruitermacht vanuit het noorden.

'Het is Colath!' riep iemand.

'Met zeker duizend man!' riep een ander, en hier en daar steeg gejuich op.

De troepen van Colath troffen de Plenimaranen in de linkerflank en de vijandelijke linie wankelde, en viel uiteen. Tobins cavalerie stoof als een roedel wolven op hen af. De Plenimaraanse standaarden vielen in een slachting die zijn weerga niet kende.

Het triomfantelijke leger dreef de paar overlevenden terug naar de stad. Tobin leidde haar leger recht op de noordelijke poort af.

De Plenimaraanse verdedigers waren er klaar voor. Ze hadden verschansingen langs de weg aangebracht en de ineengestorte poort versterkt. Boogschutters zaten achter de verschansing en de kantelen op de ringmuur; zij trakteerden de Skalaanse aanvallers op een regen van pijlen.

Heel even was Ki als de dood dat Tobin gewoon recht de vijandelijke linie in wilde trekken. Ze zag er nu zelf als een demon uit, woest en bloeddoordrenkt. Maar opeens hield ze halt.

Zonder aandacht te schenken aan de schachten die links en rechts langs hen heen vlogen zat ze op haar paard, haar blik strak op de poort gericht. Achter haar brulde Tharin haar vloekend een en ander toe.

'Kom mee!' riep Ki en hij weerde twee pijlen met zijn schild af.

Tobin keek nog eenmaal naar de poort, wendde haar paard en leidde haar leger weer terug.

'Door Sakor aangeraakt!' siste Ki, die opgelucht achter haar aanreed.

Ze reden nog een kwart mijl verder terug om de mannen en vrouwen opnieuw op te stellen. Terwijl Tobin overlegde met heer Kyman en Tharin, kwam er een grijze heer en zijn escorte op haar af om haar te begroeten. Ki herkende heer Jorvai en zijn oudste zoons, maar betwijfelde of zij nog zouden weten wie hij was. De laatste keer dat zij hem gezien hadden was hij een schriebelig varkenshoedertje geweest.

Jorvai was dezelfde kloeke oude krijger als vroeger. Hij herkende Tobin aan de eik op haar kuras, steeg van zijn paard en bood haar geknield zijn zwaard aan. 'Mijn prins! Is de Beschermer van Atyion genegen de hulp van Colath te aanvaarden?'

'Jazeker. Staat u toch op en aanvaard de dank van Atyion,' antwoordde Tobin.

Maar Jorvai bleef geknield zitten en keek fronsend naar haar op vanonder zijn woeste grijze wenkbrauwen. 'Is dit de zoon van Rhius voor wie ik buig?'

Tobin deed haar helm af. 'Ik ben de dochter van Ariani en Rhius.'

Arkoniël en de Illioraanse priesteres die meegereisd waren uit Atyion traden naar voren. 'Dit is de degene die voorspeld was. Ze is wie ze zegt te zijn,' sprak de priesteres plechtig.

'Het is echt waar,' zei Arkoniël. 'Ik ken Tobin vanaf de eerste dag en dit is hetzelfde kind.'

'Bij het Licht!' Een verbijsterde blik gleed over Jorvais gezicht. Hij had de profetieën gehoord en er niet aan getwijfeld. 'Is de dochter van Ariani genegen de loyaliteit van Colath te aanvaarden?'

Tobin nam zijn zwaard aan. 'Dat ben ik, en met de grootste dankbaarheid. Sta op, heer Jorvai, en reik me de hand. Mijn vader heeft alleen maar goede verhalen over u verteld.'

'Hij was een groot strijder, die vader van jou. Je hebt een aardje naar je vaartje, als je het mij vraagt. En wie hebben we daar: kapitein Tharin!' Hij en Tharin omhelsden elkaar. 'Bij het Licht, het is jaren geleden dat ik je zag. Fijn om te zien dat je nog steeds onder de levenden verkeert.'

Tobin glimlachte. 'Als ik vragen mag, heer, werkt Ahra van Eikenbergstee nog steeds onder uw bevel?'

'Een van mijn beste kapiteins. Hoezo?'

Tobin gebaarde Ki naderbij te komen en sloeg hem op zijn schouder. 'Zeg maar aan kapitein Ahra dat haar broer en ik naar haar gevraagd hebben, en dat ze ons op moet komen zoeken wanneer het weer rustig is in Ero.'

Jorvai bekeek Ki wat aandachtiger. 'Kijk 'ns aan! Een van de vele knapen van die ouwe Larenth, is het niet?'

'Ja, heer. Kirothius van Eikenbergstee. En Rilmar,' voegde hij eraan toe.

Jorvai schaterde het uit. 'Ik mis die ouwe bandiet en zijn kroost wel, hoor. Ik twijfel er niet aan, hoogheid, dat je zeer in je sas bent met deze kerel, als hij tenminste op die pa van hem lijkt.'

'Dat doet hij zeker, heer,' zei Tobin en Ki zag dat ze Jorvai die geen blad voor de mond nam graag mocht. *Niet vreemd natuurlijk,* dacht hij met warmte, *ze zijn van hetzelfde laken een pak.*

Toen Iya en haar tovenaars dit gebied gisteravond over trokken, was het welverzorgd akkerbouwland geweest. Nu was de omgewoelde aarde bezaaid met lijken – honderden paarden en mensen lagen als kapotte speeltjes over de modderige vlakte waar eens graan had moeten groeien.

Tobin had de vijand verjaagd, maar keerde vrij snel weer terug en stopte op enige afstand van het groepje bomen. Iya verzamelde de anderen en ze gingen op weg om Tobin te ontmoeten. Eyoli werd in een mantel door twee tovenaars gedragen.

Toen ze de beschutting van de bomen verlieten, kwam er met donderende hoeven en bloeddoorlopen ogen een zwart strijdros voorbij denderen. Zijn ingewanden die uit zijn opengesneden buik waren gevallen sleepte hij achter zich aan en zijn dode meester bungelde slingerend aan de andere kant, met één voet nog vast in de stijgbeugel.

Van alle kanten klonken het gekreun en gesteun van de gewonden terwijl de tovenaars het slagveld overstaken. Skalaanse krijgers doodden hen door hen de genadeslag te geven; daarna haalden ze meteen maar hun zakken leeg.

Ero was dankzij de zonsondergang in een doffe nevelsluier gehuld. De Palatijnse Heuvel werd nog altijd belegerd, maar Iya zag ook een donkere rij mannen voor de kleinere poorten staan. Daar zou de vijand niet verrast kunnen worden.

Toen ze de buitenste legereenheden bereikten, werden ze kort ondervraagd voor ze naar het centrum van het manschappen werden meegenomen, waar Tobin in conclaaf was met een groep grote strijders. Jorvai en Kyman namen een voorname plaats in. Ki en Tharin bleven bij Tobin in de buurt en Arkoniël eveneens, zag Iya, die een zucht van opluchting slaakte. De tovenaar zag haar en tikte Tobin op de schouder. Tobin draaide zich om en de adem stokte Iya in de keel.

Dit was het gezicht dat het orakel haar had getoond – afgemat, smerig, niet knap, maar onverzettelijk. Dit was hun strijders koningin.

'Majesteit,' zei Iya en ze snelde ondanks haar manke been voorwaarts om op haar knieën te vallen. De anderen volgden haar voorbeeld op. 'Ik breng je tovenaars die jou en Skala altijd trouw zullen blijven.'

'Iya! De Vier zijn gedankt, maar waar kom je vandaan?' De stem was anders, en toch hetzelfde. Tobin hielp haar overeind en grijnsde wrang. 'Je hebt nooit eerder voor me geknield. En ik ben nog helemaal geen koningin.'

'Maar dat word je wel. Je bent eindelijk op je eigen levenspad beland.'

'En jouw werk zit erop.'

Er trok een rilling over Iya's rug. Had Tobin opzettelijk Broers woorden herhaald? Maar ze zag alleen maar warmte en vastberadenheid in de blauwe ogen.

'En jouw taak is net begonnen, lijkt me, maar je zult alle steun krijgen die nodig is,' zei ze tegen Tobin. 'Dit is meester Dylias. Hij en zijn collega's namen het op tegen de Haviken en hebben voor Ero gevochten. Ze waren bij me toen ik jou en de Gezellen uit de herberg bevrijdde.'

'Ik dank u allen zeer,' zei Tobin en ze neeg naar het sjofel uitgedoste groepje.

'En als u wilt, vechten we weer voor u,' zei Dylias met een diepe buiging. 'We kunnen u vertellen hoe de vijand ervoor staat in de stad. We waren daar tot gisternacht.'

Tobin nam hem mee naar de officieren en heren om daar alles over te vertellen, maar Ki en Arkoniël bleven bij Iya.

Arkoniël omhelsde haar en kneep haar bijna fijn. 'Bij het Licht!' mompelde hij en ze besefte dat hij huilde. 'Het is ons gelukt,' fluisterde hij tegen haar grijze haar. 'Ik kan het bijna niet geloven. Het is ons gelukt!'

'Zo is het, mijn jongen.' Ze kneep even in zijn arm en hij deed een stap terug terwijl hij zijn ogen afveegde. Heel even zag hij er weer uit als een jongetje en haar hart zwol van genegenheid.

'Ik ben ook blij u weer te zien, juffrouw,' zei Ki verlegen. 'Ik vond het niet prettig u daar achter te laten.'

Iya glimlachte. 'En hier ben je nu, precies waar je moet zijn. Ik wist wel dat ik een goede keus had gemaakt.'

'U had me wel wat meer mogen vertellen,' antwoordde hij zacht. Ze ving iets van verwijt op in de donkerbruine ogen, maar dat verdween toen hij Eyoli in het oog kreeg, die nu door een aantal helers onder handen werd genomen. 'Hé, Eyoli, ben jij dat?' riep hij uit en hij rende naar hem toe. 'Hé, Tobin, moet je kijken! Hij heeft het gered in dat bosje!'

Tobin kwam kijken en knielde neer bij de jonge tovenaar. 'Het Licht zij gedankt! Ik heb net een paar ruiters weggestuurd om je te halen, maar je bent er al!'

Eyoli bracht zijn hand naar zijn voorhoofd en zijn hart. 'Zodra ik weer op krachten ben, zal ik weer voor je vechten. Misschien leer ik het ooit nog wel eens, als ik oefen.'

Tobin lachte, en dat was fijn om te horen na alles wat er gebeurd was. Toen stond ze op en riep uit: 'Luister eens allemaal, dit is de tovenaar Eyoli, die me uit Ero hielp ontsnappen. Hij is een held en bovendien mijn vriend!'

Er ging een hoeratje op en de jongeman kreeg een kleur van verlegenheid.

Tobin ging naar Iya toe. 'En dit is de zieneres van wie jullie gehoord hebben. De Lichtdrager heeft tegen meesteres Iya gesproken en zij en meester Arkoniël hebben me tijdens mijn jeugd beschermd. We zijn hen allemaal voor eeuwig veel eerbied verschuldigd.'

Iya en Arkoniël bogen op hun beurt en raakten hun hart en voorhoofd aan.

Toen ze haar paard weer had bestegen, richtte Tobin zich met luider stem tot al haar troepen.

'Ik dank jullie allemaal voor jullie moed, jullie vertrouwen, en jullie loyaliteit. Elke man en vrouw die naast me gevochten heeft is een held, en dat meen ik, maar ik moet nog meer van jullie vragen.'

Ze wees op de rokende stad. 'Voor de eerste keer in onze lange geschiedenis

467

heeft een vijand Ero in zijn macht. Volgens alle berichten zouden er nog zo'n zesduizend op ons liggen te wachten daar. We moeten doorgaan. Ik ga tenminste door. Volgen jullie me?'

Het antwoord was oorverdovend maar bevestigend. Tobins strijdros steigerde terwijl zij met haar zwaard zwaaide. De kling ving het zonlicht op en het leek Sakors vurige zwaard zelf wel.

Geleidelijk aan veranderde het gejuich en het nam een ander ritme aan: 'Ko-ning-in! Ko-ning-in!'

Tobin probeerde de menigte tot bedaren te brengen. Dat duurde even maar toen ze weer verstaanbaar was geworden, riep ze uit: 'Bij de maan van de Lichtdrager die in het oosten opkomt, zweer ik dat ik jullie koningin zal worden, maar ik kan pas aanspraak maken op die titel wanneer ik het Zwaard van Ghërilain in mijn rechterhand omhoog kan steken. Ik heb gehoord dat mijn neef, prins Korin, hem nu in bezit heeft...'

Overal klonken morrende stemmen op.

'Hij heeft geen recht op de troon!'

'De zoon van hem die de pest veroorzaakt heeft!'

Maar Tobin was nog niet klaar. 'Luister naar me, trouwe Skalanen, en geef dit door aan iedereen als mijn uitdrukkelijke wens!' Ze werd er hees van, maar ze ging door. 'Wat bloed betreft heeft prins Korin evenveel recht op de troon als ik. Ik wil niet dat het vergeten wordt. Eenieder die mijn neef iets aandoet, doet mij hetzelfde aan en zal voortaan tot mijn vijanden gerekend worden! Kijk' – ze wees nogmaals naar de verwoeste stad – 'al vervloeken jullie hem nu, de prins vecht wel voor Skala. We vechten voor Ero, niet tegen Korin!' Haar stem stierf weg en ze leek wat in te zakken. 'We moeten ons land redden. Daarna zien we wel weer. Voor Ero en Skala!'

Arkoniël slaakte een zucht van verlichting toen het leger de roep overnam, maar Iya fronste haar voorhoofd. 'Ziet ze dan niet in dat hij haar nooit zonder meer zijn plaats zal afstaan?'

'Misschien niet, maar al snapt ze dat best, het was goed dat ze dit even gezegd heeft,' antwoordde hij. 'Niet iedere heer zal zo makkelijk voor zich te winnen zijn als Jorvai of Kyman. Er lopen er nog heel wat van Solari's slag rond, en Korin heeft volgens velen gewoon recht op de troon. Tobin kan beter niet als familiemoordenares of verraadster beschouwd worden. Wat er later ook mag gebeuren, volgens mij zal deze toespraak de basis voor haar legendarische toekomst blijken.'

'Dat weet ik zo net nog niet.'

'Vertrouw nou maar op de Lichtdrager, Iya. Dat ze al zonder kleerscheuren deze strijd is doorgekomen, is een goed teken. En dat we hier samen bij haar staan, eveneens.' Hij omhelsde haar nogmaals. 'Bij het Licht, wat ben ik blij je te zien. Toen Eyoli ons dat bericht over die aanval stuurde – nou, het klonk niet best.'

'Ik had ook niet verwacht je zo snel alweer te zien! Heb je leren vliegen of zo?' vroeg ze. 'En wat is er met die pols van je? Toch wat opgelopen tijdens de veldslag?'

Hij lachte. 'Nee, daar heb ik me verre van gehouden. Maar ik heb wel vorderingen gemaakt met die bezwering waarover ik je laatst vertelde. Weet je wel, die waarbij ik mijn pink verloor.'

Iya trok afkeurend een wenkbrauw op. 'Die translocatieformule? Bij het Licht, je hebt hem toch niet op jezelf toegepast?'

'Ik heb hem nogal verbeterd sinds de laatste keer dat we elkaar zagen. Ik zeg niet dat ik het voor dagelijks en algemeen gebruik aanbeveel – zie mijn pols – maar ga eens na, Iya! Honderd mijl in een mum van tijd!'

Iya schudde haar hoofd. 'Ik wist dat je het ver zou schoppen, mijn jongen. Ik had alleen geen idee dat je dat zo snel zou doen. Ik ben zo trots op je…' Ze zweeg en keek verschrikt op. 'Waar is het? Je bent hem nu toch al niet kwijtgeraakt?'

Arkoniël trok zijn mantel opzij en liet haar de versleten leren tas aan zijn riem zien. 'Hier is-ie.'

'En daar zijn zij, en hun zwarte tovenaars,' murmelde Iya en ze keek met duistere blik naar Ero. 'Blijf bij ze uit de buurt. Ga niet mee of, als het moet, gooi hem in een van die zwarte gaten van je, maar zorg ervoor dat zij hem niet in handen krijgen!'

'Ik dacht eraan toen ik hier al was,' gaf hij toe. 'Ik kan hem terugsturen. Wythnir is nog…'

'Nee. Denk eraan wat Ranai je gezegd heeft. Er kan maar één Hoeder zijn, en dat kind is niet de ware. Als het echt penibel wordt en ik ben nog in leven, stuur hem dan naar mij.'

'En als je… bent heengegaan?'

'Nou, dan kunnen we vanaf nu maar beter een oogje openhouden voor de opvolger, niet?' Ze zuchtte. 'Wat dat ding met dit alles te maken heeft, is me een raadsel, maar we hebben het nu al zover gebracht. Ik zag de transformatie van Tobin, Arkoniël, en anderen zagen het ook. Het zal er wel mee te maken hebben dat de binding verbroken werd. Ik zag haar gezicht net zo scherp als ik nu dat van jou zie. Hebben jij en Lhel haar ook gezien?'

469

'Ik was erbij, maar ik weet niet hoe het met Lhel staat. Ik heb haar sinds midwinter niet meer gezien. Ze is gewoon… verdwenen. Er was geen tijd om naar haar te zoeken toen ik gisteren op de burcht was om de pop te halen.'

'Je maakt je zorgen om haar.'

Arkoniël knikte. 'Ze ging hartje winter weg en had zowat niets bij zich. Als ze niet naar de burcht of de eik is gegaan… Tja, misschien heeft ze het niet gehaald. Naar haar eigen volk zal ze wel niet vertrokken zijn. Dat zou ze pas doen als Broer weer vrij was.'

'Dan heeft ze dat vast niet overwogen.'

'Misschien komt ze naar Ero,' zei hij zonder veel hoop.

'Misschien. En Broer? Heb je die nog gezien?'

'Niet sinds Tobin de binding verbrak. Toen verscheen hij heel even. Heb jij hem nog gezien?'

'Ook heel even. Hij is nog niet klaar met ons, Arkoniël.' Haar vingers waren steenkoud toen ze zijn hand pakte. 'Wees op je hoede.'

57

Tobins aanval had tijdelijk de aandacht van de bestorming van de Plenimaranen verlegd van de citadel naar buiten.

Op de borstwering keken Lutha en Nikides met groeiende hoop toe hoe Tobins kleine leger het machtige leger van de Plenimaranen in de pan hakte en het terugdreef naar de stadswallen. Tobins standaard was voor aan elke aanval te zien.

Ondanks deze nederlaag hadden de resterende Plenimaranen de stad en de citadel nog in hun macht. De resterende verdedigers van de Palatijnse Heuvel raakten uitgeput van het eindeloze terugduwen van de ladders en het doven van brandjes.

De Plenimaraanse katapulten waren twee dagen geleden de heuvel opgetrokken en onvermoeibaar dumpten ze stenen en brandende zakken over de ringmuur. Een aantal van de villa's en tempels dicht bij de muur was al in vlammen opgegaan. Het vorige hoofdkwartier van de Gezellen in het Oude Paleis was als noodhospitaal ingericht waar de gewonden en daklozen verbleven.

De Plenimaraanse commandant, generaal Harkol, had gisteren twee keer geïnformeerd of ze zich niet wilden overgeven en twee keer had Korin geweigerd. Ze hadden voedsel en water genoeg voor een lang beleg, maar ze waren allang door hun pijlenvoorraad heen. Daarom wierpen ze alles wat ze maar konden vinden naar de hoofden van de vijanden: meubilair, kinderkopjes van de binnenplaatsen, pispotten, takken uit de bomen van de tuinen en het Bosje van Dalna. Zelfs de stenen beelden van de koninklijke graftombe moesten eraan geloven.

'Ik denk niet dat de koninginnen bezwaar zouden maken,' zei kanselier Hylus droogjes toen ze met het idee kwamen. 'Ze hebben hun leven voor Skala gegeven. Ik weet zeker dat ze zich niet druk zouden maken om een stuk steen meer of minder.'

De oude heer had het goed gezien, dacht Lutha. Want met koningin Makira alleen al hadden ze in één klap een aantal zwarte tovenaars verpletterd.

Toen hij toekeek hoe Tobins troepen zich weer opstelden, schudde Lutha het hoofd. 'Jij gelooft die onzin van Niryn toch ook niet, hè Nik?'

'Over Tobin die opeens een meisje zou zijn?' Nikides rolde met zijn ogen.

'Nee, dat hij een verrader is die de troon zou willen afpakken.'

'Daar geloof ik geen barst van, maar Korin vermoedelijk wel. Je hebt gezien hoe hij zich gisteren gedroeg. En het zit me niet lekker dat Niryn hem elke nacht uren bezighoudt door hem dronken te voeren en hem met leugens te vergiftigen. Dat vind ik persoonlijk enger dan dat leger daar beneden.'

Voor de avond viel, viel Tobin die dag nog twee keer aan door de muren en barricaden te bestormen. De Plenimaraanse verdediging gaf het niet op, maar de grond rondom was bezaaid met hun doden. Na zonsondergang bracht de zeewind regen en wolken verduisterden de hemel.

Toen de zon haast helemaal verdwenen was, marcheerde er een tweede leger uit het nevelige zuiden naar de stad op. De banieren waren in de schemering niet goed waar te nemen, maar Nikides zag ridders en bereden landeigenaren, waarschijnlijk vanuit Ylani en de kustplaatsen van Midden-Skala. Het leger bestond uit minstens tweeduizend man en plotseling zagen de Plenimaranen zichzelf ingesloten worden in de nabrandende, verwoeste stad tussen de haven en de citadel. Steeds minder soldaten hielden zich bezig met de belegering van de citadel en flakkerende toortsen die zich naar diverse kanten bewogen gaven aan dat het leger zich verdeelde om aan drie kanten tegelijk de strijd aan te binden.

'Ik verdom het!' zei Korin terwijl hij kwaad heen en weer beende in zijn zitkamer. De kamer stonk naar wijn en angst.

Niryn keek steels naar kanselier Hylus. De oude heer zat bij het vuur en mijmerde over verraad, maar hij zei niets. Niryn had Korin nu bijna geheel in zijn macht en ze wisten het allebei.

Niryn had de prins overgehaald de resterende Gezellen buiten de deur op wacht te zetten, allemaal, op Caliël na, die Niryn vanuit de schaduw bij de deur dreigend aankeek.

Het was bijna middernacht. Sinds zonsondergang was het weer geleidelijk slechter geworden. Regen en hagel striemden de ruiten, de storm loeide om het paleis. De nacht was ondoordringbaar geworden behalve voor zo af en toe een enkele bliksemflits.

'In het belang van Skala, Majesteit, moet u de mogelijkheid toch even in overweging nemen,' drong Niryn aan terwijl een volgende windvlaag de ruiten deed rammelen. 'Die nieuwe troepen uit het zuiden bestaan uit een stelletje boerenpummels! Die maken echt geen verschil uit, net zomin als Tobins legertje. Niet in dit weer. Ze weten dat ze in de minderheid zijn en ze hebben zich weer teruggetrokken. Maar de vijandelijke genie beukt nog steeds op de Palatijnse poort. Ik hoor ze al als de wind even afneemt! Ze kunnen ieder moment binnenvallen en wat doen we dan? U hebt nog maar een handvol strijders over.'

'De Plenimaranen hebben net zo veel last van dit hondenweer,' wierp Caliël tegen, met een stem die licht trilde van nauwelijks verholen woede. 'Korin, je mag hier niet voor wegrennen!'

'Voor de tweede keer, bedoel je?' snauwde Korin terug en hij glimlachte verbitterd naar zijn vriend.

'Dat zei ik helemaal niet.'

Niryn was blij met dat gekissebis tussen de twee vrienden. 'O, maar ik zou dat geen wegrennen noemen, heer Caliël,' zei hij zalvend. 'Als de vijand een bres in onze verdediging slaat, zullen ze iedereen doden die ze tegenkomen, onze jonge koning het eerst. Ze zullen zijn lichaam door de straten slepen en zijn hoofd in Bensjâl tentoonstellen. De Opperheerser zal de kroon opzetten en met Ghërilains Zwaard zwaaien tijdens hun overwinningsfeest.'

Korin stond opeens stil en greep het gevest van het grote zwaard. 'Hij heeft gelijk, Caliël. Ze weten dat ze het hele land niet met één aanval op de knieën krijgen, maar als ze Ero vernietigd hebben, de schatkist en het Zwaard op hun boot laden, de laatste erfgenaam van de troon doden – hoelang zal Skala dan nog standhouden?'

'Maar Tobin...'

'...is net zo goed een bedreiging!' viel Korin hem bits in de rede. 'Je hebt de berichten gehoord. Elke Illioraan in de stad heeft het erover, en fluistert dat de ware koningin terug is gekomen om het land te redden. Er zijn vandaag nog drie priesters extra geëxecuteerd, maar het kwaad is al geschied. Hoe lang zal het nog duren voor de vijand de poorten opengooit voor deze verrader? Je hebt zelf de banieren van Tobins leger gezien; het halve platteland is hem te hulp gesneld – of haar!' Walgend wierp hij zijn handen ten hemel. 'Het maakt niet meer uit wat waar is en wat niet; al die idioten geloven hem toch al. En als het hem nou lukt om door de linies te komen, wat dan?' Hij trok zijn zwaard en stak het in de lucht. 'Dan heb ik liever dat de Opperheerser hem in handen krijgt dan een vuile verrader!'

'Nee, Kor, je snapt het niet! Zo zit het niet in elkaar!' riep Caliël uit. 'Als Tobin echt zou willen dat de stad valt, waarom is hij ons dan te hulp gekomen? Dan had hij net zo makkelijk de boel kunnen traineren zodat de invasietroepen van Plenimar het vuile werk voor hem konden opknappen. Je hebt gezien hoe hij vandaag geknokt heeft. Wacht nog even, alsjeblieft. Zie het nog één dag aan voor je ertoe overgaat.'

Alben stormde de kamer binnen en salueerde haastig. 'Korin, de vijand is net doorgebroken, ze hebben de muren geslecht en de poort staat wagenwijd open. Ze stromen binnen als ratten!'

Korins ogen waren leeg als die van een dode toen hij Caliël aankeek. 'Roep mijn garde en de Gezellen. Ero is verloren. We vertrekken.'

58

Gevangen in die onophoudelijke stortregens kon Tobins leger niets anders doen dan ineengedoken zitten wachten tot het ochtend werd.

Met pieken, mantels en wat magie wisten de tovenaars wat tenten voor zichzelf en voor Tobin en haar legerleiders te fabriceren.

Tobin en Tharin spraken een hele tijd met de overlevenden uit het Wormgat, en hoorden alles over de sterke en zwakke punten van de vijand, maar in de afgelopen twee dagen kon alles wel zijn veranderd.

Rond middernacht steeg er een wanhopig gekreun op uit de kletsnatte troepen toen een rode gloed zich tegen de inktzwarte hemel begon af te tekenen.

'De Palatijnse Heuvel!' schreeuwde Ki. 'Ze zijn doorgebroken! Het paleis staat in de hens!'

Tobin wendde zich tot Arkoniël. 'Kan je me laten zien wat er aan de hand is, net als je met Tharin deed?'

'Natuurlijk.' Ze gingen geknield op een opgevouwen mantel zitten en Arkoniël nam haar handen in de zijne. 'We hebben het maar één keer gedaan, toen je jong was. Weet je nog hoe het ging?'

Tobin knikte. 'Ik moest me inbeelden dat ik een adelaar was.'

Arkoniël glimlachte. 'Ja, dat is genoeg. Doe je ogen maar dicht en laat jezelf opstijgen.'

Tobin werd heel even duizelig van het gevoel omhoog te gaan en zag toen de donkere, door hagel en regen geteisterde vlakte onder zich. De illusie was sterk; ze voelde haar vleugels en de regen die erop afketste. Er vloog een grote uil met haar mee die de ogen van Arkoniël had. Hij vloog naar voren en ze volgde hem, cirkelend boven de Plenimaraanse opstelling bij de poort, en toen stegen ze op naar de vernietiging van de Palatijnse Heuvel zelf.

Het Nieuwe Paleis, de tempel en het heilige bos: ze stonden allemaal in brand. Waar ze ook keek stonden mensen te vechten, man tegen man. Banieren zag ze niet, dus ook geen Gezellen. Het was één grote chaos. Toen ze boven het brandende bos vloog, keek ze naar het zuiden en zag tot haar verrassing dat daar een ander legerkamp lag, tegenover het contingent Plenimaranen dat de poort bij de Bedelaarsbrug belegerd had.

Ze wilde juist naar beneden vliegen om een kijkje te nemen toen ze plotseling weer op het kleedje in de druipende tent zat, met een zeurende koppijn boven haar ogen. Arkoniël hield zijn hoofd in zijn handen.

'Het spijt me,' bracht hij uit. 'Er is zoveel gebeurd de afgelopen dagen, ik ben een beetje opgebrand.'

'Dat zijn we allemaal,' zei Iya en ze legde haar hand in zijn nek.

Tobin stond op en sprak even met Tharin. 'We moeten aanvallen. Nu.'

'Dat kan niet!' zei Jorvai.

'Hij heeft gelijk, hoogheid,' viel Kyman in. 'Een nachtelijke aanval is altijd een risico, maar met dit beestenweer gaan de paarden geheid onderuit, of lopen zichzelf tegen die gepunte palen te pletter.'

'Dat risico nemen we dan maar, want we moeten nu aanvallen! De Palatijnse Heuvel is gevallen. Ze vechten daar voor hun leven. Als we ze nu niet helpen dan hoeft het morgenochtend ook niet meer, want dan is iedereen daar morsdood. Er ligt een ander leger aan de zuidkant van de stad en de Plenimaranen hebben zich opgesplitst om hen tegen te houden. Iya, wat kunnen je tovenaars doen? Kun je ons helpen de lage muren te slechten?'

'We doen wat we kunnen.'

'Mooi. Ki, Lynx, haal onze paarden en stuur koeriers om dat zuidelijke leger te zeggen dat we aanvallen. Kyman, Jorvai, staan jullie troepen snel paraat?'

'Ilear is met je,' antwoordde Kyman en hij drukt zijn vuist tegen zijn hart.

'Colath ook,' viel Jorvai hem bij. 'We kunnen die zakkenwassers op zijn minst een pak op hun sodemieter bezorgen!'

Het verhaal over de Palatijnse doorbraak ging als een lopend vuurtje door het kamp. Ondanks regen, modder en uitputting krabbelde Tobins rillende leger weer overeind en binnen het uur marcheerde het voor de derde maal, met het uitdrukkelijk bevel zo stil mogelijk te zijn, naar de vijandelijke linie. Jorvai stuurde een stel zware jongens vooruit om de wachtposten een kopje kleiner te maken en ze deden hun werk uitstekend. De regen was een prima dekmantel en de wachters kregen geen tijd om een kik te geven.

Toen vertrok Iya met acht tovenaars. Ze bleven op de hoofdweg met de duisternis als een mantel om zich heen, om al hun krachten voor de belangrijkste taak te sparen. Arkoniël had zich ernstig beklaagd omdat Iya hem had opgedragen achter te blijven met de achterhoede, maar ging uiteindelijk akkoord toen ze hem erop wees dat de laatste Hoeder toch moeilijk met de kom in handen van de Plenimaranen kon vallen als alles fout zou lopen.

Als kinderen die elkaars handen vasthouden om niet af te dwalen, zo ploeterden Iya en haar kleine bende saboteurs verder door karrensporen die inmiddels, volgestroomd met regenwater als ze waren, op smalle riviertjes leken.

Vlak voor de verschansing hielden ze halt. Tovenaars konden gelukkig beter in het donker zien dan gewone mensen en van hieraf zagen ze zonder problemen de bebaarde gezichten van een stel wachters rond hun kampvuurtjes. Een paar honderd voet verderop lagen de brokkelige restanten van de Noorderpoort, wiens gapende zwarte muil gebarricadeerd was met inderhaast bijeengeraapte planken en houtafval.

Ze hadden van tevoren afgesproken dat Iya de bezwering uit zou spreken, want zij bezat de meeste kracht voor dit soort werk. De anderen stelden zich vlak achter haar op, met hun handen tegen haar rug en schouders.

'Illior helpe ons,' fluisterde ze, en ze omklemde met beide handen haar toverstafje en hief het de lucht in. Het was de eerste keer dat zoveel tovenaars zich verbonden om de vernietigende magie op te roepen. Ze onderdrukte haar twijfels en liet het stafje in haar linkerhand zakken; ze kneep haar ogen half samen. De scherpe palen en de vuurtjes van de bewakers werden onscherp toen de andere tovenaars hun krachten gebundeld naar haar toe zonden.

De bezwering schoot via haar lichaam en het stafje naar buiten en Iya wist vrijwel zeker dat ze uiteengereten werd. Het voelde aan of er tegelijk bosbranden, orkanen en lawines in haar losbarstten. Haar botten leken te rammelen in haar lijf.

Maar op de een of andere manier had ze het overleefd en ze keek verbijsterd toe hoe een bleekgroen vuur de verschansing en de barricaden in lichterlaaie zette. Het leken geen vlammen, maar kronkelende figuren – slangen of draken, iets van dien aard. Het vuur werd feller en feller tot het ontplofte. De grond beefde en de enorme windvlaag blies haar bijna omver. De explosie liet een enorme rookwolk achter.

Toen beefde de grond voor de tweede maal en deze keer kwam het van achter hen. Iemand stortte zich op haar en ze vielen boven op elkaar in het ijskoude water van een greppel. Ruiters raasden in hun aanval over hen heen door het zojuist ontstane gat in de muur. Iya keek de verdwijnende gestalten na alsof ze een droom waren. Misschien was het wel een droom, want ze voelde haar lichaam niet meer.

'Het is ons gelukt! Het is ons gelukt!' schreeuwde Saruel die Iya stevig vasthield om haar te beschermen. 'Iya, zie je het? Iya?'

Iya wilde haar wel antwoorden, maar er viel een mantel van duisternis over haar heen die haar in zich opnam.

De enorme flits van de magische aanval veroorzaakte dansende zwarte vlekken voor Tobins ogen, maar dat weerhield haar er niet van de charge te leiden. Zoals Kyman al had voorspeld werd de vijand compleet overrompeld.

Kyman en Jorvai vochten bij de muren terwijl Tobin en het garnizoen van Atyion naar de Palatijnse Heuvel stormden.

De rode vlammen wezen hen de weg. De hitte van het brandende paleis leek de regen te verdrijven en het vuur verlichtte het hele gebied als een baken.

De strijd was nog steeds in volle gang en ook hier bezorgden ze de Plenimaranen een schok. Het was niet te zeggen hoeveel man hier vochten; met haar garde achter zich en Tharin, Ki en Lynx aan haar zijde wierp Tobin zich in de strijd.

Maar de grote verwarring sloeg toen pas goed toe. Het plaveisel was op de gekste plaatsen compleet verdwenen waardoor de paarden struikelden, bekende oriëntatiepunten doken op de verkeerde plek op. De halfronde hal van de koninklijke graftombe was leeg, alsof de stenen beelden en masse besloten hadden het strijdperk te betreden om mee te vechten. Toen ze al vechtend bij de tempel kwamen, bleken de zuilen en het dak in rook te zijn opgegaan.

Kleine groepjes Skalaanse verdedigers sloten zich bij Tobins ruiterij aan maar ze bleven in de minderheid. De beroete muren rondom hen vingen het wapengekletter op en versterkten het rumoer.

Ze streden urenlang, zo leek het wel, maar Tobin was zo woedend dat ze haar moeheid negeerde. Haar armen waren tot de ellebogen rood van het bloed en haar overkleed zag zwart.

Geleidelijk leek het aantal vijanden toch te minderen en ze hoorde een kreet die leek op: 'Wegwezen, wegwezen!'

'Blazen ze de aftocht?' vroeg ze Tharin toen ze even pauzeerden in het portiek van de graftombe.

Hij luisterde nauwlettend en stiet toen een barse lach uit. 'Ze zeggen *verdyweez*. En als ik me niet vergis, betekent dat "demonenkoningin".'

Ki grinnikte toen hij zijn kling aan de zoom van zijn doorweekte mouwloze jak afveegde. 'Ze schijnen het toch over je gehad te hebben.'

478

Kapitein Grannia kwam erbij zitten. 'Bent u gewond, hoogheid?'

'Nee, ik moet even op adem komen.'

'We hebben ze op de vlucht gejaagd. Mijn meiden hebben waarschijnlijk net een generaal om zeep geholpen, want een heel stel soldaten ging als een speer op weg naar de poort. We hebben de meesten gedood.'

'Complimenten! Is prins Korin trouwens gesignaleerd?'

'Niet bij mijn weten, hoogheid.'

De kapitein en haar vrouwen gingen er weer vandoor. Tobin rekte zich uit en gaapte. 'Ja, wij moesten ook maar eens opstappen.'

Net toen ze naar buiten wilden gaan keek Tobin om zich heen naar haar metgezellen en vroeg met schrik om het hart: 'Waar is Lynx?'

Ki en Tharin keken haar somber aan. 'Misschien is zijn hartenwens toch in vervulling gegaan.'

Er was geen tijd om te rouwen. Een bende Plenimaranen had hen opgemerkt en de strijd begon weer van voren af aan.

59

Het hield pas op met regenen toen de strijd eindelijk gestreden was en de zon opkwam. De laatste Plenimaranen gaven er de brui aan en vluchtten weg, maar ze liepen recht in de armen van de Skalaanse troepen die de benedenstad ontzet hadden. Heer Jorvai rekende later uit dat ze zelfs met de zuidelijke troepen driemaal zo weinig manschappen hadden gehad, maar hun razernij had hen toch naar een bloederige overwinning geleid. 'Geen genade' bleef het parool, en geen Plenimaraan ontving die dan ook. Toen het lichter werd bleken de rottende lijken van de pest- en de pokkenslachtoffers overladen te zijn met dode of stervende Plenimaranen. Een handvol zwarte schepen was ontkomen om het nieuws van hun nederlaag naar Bensjâl te brengen, maar het grootste deel van de bandietenvloot werd in brand gestoken. Rokende joekels van schepen dobberden op het getij of sloegen te pletter tegen de rotsachtige kust. Het water wemelde van drijvende lijken en de haaien genoten van het onverwachte feestmaal.

Van alle kanten kwamen boodschappers binnenrijden. De gebieden ten zuiden en ten westen van de stad waren gespaard gebleven voor vijandelijke invallen, maar behalve in de stad waren ook in het noorden de graanopslagplaatsen vernietigd; hele wijken en dorpen waren platgebrand. Er gingen geruchten dat vijandelijke soldaten 's nachts het binnenland in waren gevlucht, en Tobin gaf heer Kyman de opdracht hen op te sporen.

Vluchtelingen druppelden langzamerhand weer binnen, en zij die op wat voor manier dan ook de bezetting overleefd hadden, kwamen uit hun schuilplaatsen gekropen – huilend, lachend en vloekend. Als smerige, op wraak beluste geesten zwierven ze door de zwarte straten, om de doden van geld en goed te ontdoen, en de gewonden nog verder te verminken.

De Palatijnse Heuvel was nauwelijks meer herkenbaar. Tobin stond even stil op de tempeltrappen met Ki en Tharin en nam het trieste schouwspel in zich op. Beneden aan de trappen hielden haar garde en Grannia's vrouwen onrustig de wacht; het was te vroeg om te zeggen hoeveel Skalanen Korin trouw waren gebleven.

Rook wierp een nevelig doodskleed over de citadel en de stank van de doden werd al merkbaar. Honderden lichamen verstopten de steegjes en smalle straten: soldaten en burgers, Skalanen en Plenimaranen, als kapotte poppen op een hoop geworpen.

Het lijk van de koning was in een uitkijkpost boven de poort gevonden. Hij had zijn staatsiekleed nog aan, maar zijn kroon en het Zwaard van Ghërilain waren verdwenen. Van Korin en de overige Gezellen ontbrak elk spoor. Tobin had een stel van zijn mannen opdracht gegeven hen tussen de doden te zoeken.

Ook Lynx ontbrak nog steeds en kanselier Hylus was ook verdwenen. Ook van Iya en de overige tovenaars hadden ze niets meer vernomen en Tobin had Arkoniël erop uitgestuurd hen bij de poort te zoeken. Nu stond haar niets anders te doen dan te wachten.

Strijders en drysianen droegen de gewonden het Oude Paleis binnen maar de taak werd hen bijna te veel. Zwermen raven en kraaien stapten goedkeurend rond tussen de doden en hun triomfantelijke gekras vermengde zich met het kreunen van de gewonden.

Het Nieuwe Paleis brandde nog steeds en zou dat nog wel even blijven doen. De Schatkamer was niet geplunderd, maar ook niet bereikbaar vanwege brandende balken en puin. Van honderden prachtige huizen – waaronder dat van Tobin – restte niets meer dan smeulende hopen, en de gebouwen die nog overeind stonden waren zwart beroet. De prachtige olmen langs de laan die naar het Oude Paleis leidde waren in rook opgegaan; hun stobben stonden als rotte tanden langs de weg, en van het oude Bosje van Dalna ten noorden van het Paleis restten nog maar enkele struiken en boompjes, de eiken en beuken waren ten prooi gevallen aan bijl en brand. Het Oude Paleis had wat water- en vuurschade, maar stond nog wel overeind. Het oefenterrein van de Gezellen, getuige van duizenden schijngevechten, was nu bezaaid met echte doden en de vijver verderop was rood van het bloed.

Ki schudde het hoofd. 'Bij de ballen van Bilairy! Hebben we ook maar iets kunnen redden?'

'Wees maar blij dat wij hier op de puinhopen staan, en niet de vijand,' zei Tobin.

Dagen en nachten zonder slaap speelden Tobin parten maar ze dwong zichzelf op de been te blijven. 'Laten we maar eens kijken wie er nog allemaal in leven zijn.'

Vlak bij het Oude Paleis herkende een passerende generaal van de Palatijnse wacht haar overkleed en liet zich op één knie vallen.

'Generaal Skonis, hoogheid,' zei hij en hij keek met verwonderde ogen naar haar gezicht terwijl hij salueerde. 'Ik feliciteer u met uw overwinning.'

'Dank u, generaal. Het spijt me zeer dat we te laat waren om dit alles te voorkomen. Is er enig nieuws over mijn neef?'

De man boog zijn hoofd. 'De koning is vertrokken, hoogheid.'

'Koning?' vroeg Tharin fel. 'Hadden ze dan tijd voor de kroning?'

'Nee, heer, maar hij heeft het Zwaard…'

'Laat maar zitten,' zei Tobin. 'U zegt dat hij vertrokken is?'

'Hij is ontkomen, hoogheid. Zodra de poorten weer in onze handen waren hebben de Gezellen en heer Niryn hem weggebracht.'

'Is hij gevlucht?' vroeg Ki verbluft.

'Hij werd in veiligheid gebracht, heer,' beet de generaal hem toe en Tobin wist meteen aan wie hij loyaal was.

'Waar is hij dan heen?' vroeg Tharin.

'Heer Niryn zei dat hij daarover nog bericht zou sturen.' Hij keek Tobin brutaal aan. 'Hij heeft het Zwaard en de kroon. Hij is erfgenaam van de troon.'

Ki deed kwaad een stap op hem af maar Tharin greep hem vast en zei: 'De ware erfgenaam staat hier voor u, Skonis. Maak dat overal bekend. Geen loyale Skalaan heeft reden om haar te vrezen.'

De man salueerde weer, zei niets en ging ervandoor.

'Dat klonk niet zo best,' gromde Tharin. 'Je moet jezelf maar snel bekendmaken.'

'Ja.' Tobin keek rond. 'De oude troonzaal staat nog overeind. Laat omroepen dat iedereen die nog op zijn benen kan staan daar onmiddellijk heen moet komen. Ik zal de mensen daar toespreken.'

'Je hebt ook een grotere garde nodig. Grannia, stel een garde van zeshonderd manschappen samen. Laten ze zich opstellen op de binnenplaats.'

Grannia salueerde en snelde weg.

Toen Tobin weg wilde gaan viel haar oog op twee bekende, met bloed besmeurde gestalten die uit de nevelige paleistuin opdoemden. Het waren Lynx en Una.

'Daar ben je dan, eindelijk!' riep Una. Ze liep snel op Tobin af, bekeek haar eens goed, en keek blozend de andere kant op. 'Lynx probeerde het me te vertellen, maar ik kon me niet voorstellen…'

'Het spijt me,' zei Tobin en ze meende het. Una's tuniek stond van boven open en Tobin zag dat ze nog altijd het gouden zwaardje om haar hals droeg dat ze eens voor haar gemaakt had. 'Ik kon het je niet eerder laten weten. Maar ik kon je ook niet bedriegen.'

'Weet ik,' zei Una en ze probeerde te glimlachen. 'Ik wilde… Nou ja, het doet er niet toe.'

'Dus dit is het meisje dat al dat tumult bij de koning wist te veroorzaken?' zei Tharin en hij stak zijn hand naar haar uit. 'Leuk je weer te zien, vrouwe Una.'

'Het is ridder Una, nu,' zei ze trots. 'Tobin en Ki hebben toch een goed strijder van me weten te maken.' Ze zweeg en keek naar de rook die van het eind van het Oude Paleis afsloeg. 'Van mijn familie heb je zeker niets gehoord, hè?'

'Nee,' zei Tobin. 'Was je hier om ze te zoeken?'

Una knikte.

'Nou, veel succes dan. En Una? Ik heb nog wat mensen voor mijn garde nodig. Vraag ook aan Ahra of zij er zin in heeft, als je teruggaat. Ik heb het er wel over met Jorvai.'

'Doe ik. En bedankt.' Una rende weg naar het rokende gedeelte.

'En wat is er met jou gebeurd, Lynx?' vroeg Ki.

'O niks,' zei de andere schildknaap sloom. 'Ik raakte jullie kwijt en opeens zat ik bij Ahra's ruiters buiten de poort.'

'Ik ben blij je terug te zien. Ik was al bang dat we je kwijt waren,' zei Tobin.

Lynx haalde zijn schouders op. 'We hebben het hoofdkwartier van de Haviken in de fik gezet.'

'Daar had ik wel bij willen zijn!' zei Ki. 'Heb je er nog een paar lekker bruin geroosterd?'

'Jammer genoeg niet,' antwoordde Lynx. 'We hebben wel alle grijsruggen die we tegenkwamen omgebracht. Maar de tovenaars waren al verdwenen. Ahra en haar mannen vonden hun geldkistjes en hebben de laatste gevangenen vrijgelaten, en gooiden toen de fakkels naar binnen.'

'Opgeruimd staat netjes,' zei Ki toen ze naar het Oude Paleis wandelden.

In de gangen en kamers van hun vroegere afdeling weerklonken de kreten van de gewonden die er waren neergelegd – ze smeekten om hulp, om water, om de dood. Tobin en de anderen moesten heel behoedzaam hun voeten neerzetten om niet op hen te stappen. Sommigen lagen op matrassen of strozakken of oude tapijten, anderen lagen op de kale vloer.

Een bejaarde drysiaan in besmeurde kleren knielde voor Tobin neer. 'U bent het die de priesters van de Lichtdrager ons beloofd hebben, nietwaar?' vroeg ze.

'Ja, moedertje, dat ben ik,' antwoordde Tobin. De handen van de vrouw zaten onder het bloed, net als de hare, maar dat kwam van het helen van wonden, en niet van het doden. Opeens snakte Tobin naar een bad. 'Het vuur breidt zich misschien uit. Zij die verplaatst kunnen worden zijn buiten de stad beter af. Ik zal wagens laten brengen.'

'Illior zegene u, Majesteit!' zei de vrouw en ze haastte zich weg.

'Die titel kun je niet ontlopen,' merkte Ki op.

'Nee, maar Korin heeft hem al voor zich opgeëist.'

Toen ze de vleugel van de Gezellen in liepen hoorde ze iemand haar naam roepen. Ze volgde de zwakke stem en vond Nikides op een vieze strozak bij de deur van hun eetzaal. Hij had alleen zijn broek nog aan en zijn linkerzij was verbonden met bevlekte lappen. Hij was erg bleek en hij ademde moeizaam met horten en stoten.

'Tobin… Ben jij het echt?'

'Nik! Ik was al bang dat we je kwijt waren!' Tobin knielde neer en bracht een kroes water naar de uitgedroogde lippen van zijn vriend. 'Ja, ik ben het. Ki is er ook, en Lynx.'

Nikides tuurde naar haar gezicht, en sloot toen zijn ogen. 'Bij het Licht, het is waar. We dachten dat Ouwe Vossenbaard het uit zijn duim had gezogen, maar moet je nou zien! Ik had nooit gedacht…'

Tobin zette de kroes weer neer en klemde zijn koude hand tussen de hare. 'Ik ben minder veranderd dan je zou denken. Maar hoe is het met je? Hoe kom je zo toegetakeld?'

'Korin gaf ons het bevel…' Hij stopte en hapte naar lucht. 'Ik was bij hen tot aan de poort…' Weer stierf zijn stem weg. Toen fluisterde hij: 'Ik was al nooit zo'n fantastische strijder, toch?'

'Je leeft tenminste. En daar gaat het om,' zei Ki en hij hield het hoofd van zijn vriend op zijn knie. 'Waar zijn Lutha en de anderen?'

'Hij en Barieus brachten me hier… Ik heb ze niet meer gezien. Met Korin mee, denk ik. Hij is ervandoor.'

'Ja, dat hoorden we,' zei Tobin.

Nikides siste kwaad: 'Allemaal Niryn zijn schuld. Zat hem constant op zijn nek…' Weer haalde hij hortend adem en vertrok zijn gezicht. 'Grootvader is dood. Hij was in het Nieuwe Paleis toen het afbrandde.' Zijn greep op haar hand verhevigde. 'Wat jammer dat hij niet heeft meegemaakt... Ben je echt een meisje?' Er kwam een blos op zijn wasbleke wangen. 'Ook... daar, bedoel ik?'

'Zover ik weet wel. En nu jij weer. Kun je verplaatst worden?'

Nikides knikte. 'Het was een pijl, maar hij kwam er schoon uit. De drysiaan zei dat ik wel beter word.'

'Natuurlijk word je beter. Kom op Ki, dan brengen we hem eerst naar onze oude kamer.'

De lakens en de bedgordijnen waren verdwenen maar het bed was nog bruikbaar. Ze legden Nikides erop en Tharin ging op zoek naar water.

'Prins Tobin?' vroeg een bibberig stemmetje vanuit de oude inloopkast. Baldus keek angstig om een hoekje, en rende toen op haar af om zich snikkend in haar armen te storten.

Tobin liet haar handen over zijn haar glijden en bekeek de kleine page, maar zag geen verwondingen. 'Het is allemaal in orde nu,' zei ze en ze klopte hem zacht op de schouder. 'Rustig maar. We hebben gewonnen.'

Baldus kwam op adem en keek haar met een betraand gezichtje aan. 'Molay... Hij zei dat ik me moest verstoppen. We hebben uw valken vrijgelaten en de juwelen verborgen en toen stopte hij me in de grote klerenkast en zei dat ik er niet uit mocht komen tot hij me kwam halen. Maar hij kwam maar niet. En toen hoorde ik u... Waar is Molay nou toch?'

'Misschien heeft hij geholpen met vechten. Maar het gevecht is voorbij, dus komt hij vast snel terug,' zei ze, al had ze daar weinig hoop op. 'Hier, drink maar wat. Ja, drink maar lekker op. Je hebt vast dorst als je zolang verstopt gezeten hebt. Je kunt kijken of Molay tussen de gewonden ligt, als je wilt. Als je hem of iemand anders vindt die we kennen, moet je het ons meteen vertellen, oké?'

Baldus veegde zijn gezicht af en rechtte zijn schouders. 'Ja, mijn prins. Ik ben zo blij dat u veilig terug bent!'

Ki schudde zijn hoofd toen de page wegrende. 'Hij merkte het niet eens.'

Iya werd wakker omdat ze een bekende stem hoorde.

'Iya? Iya, hoor je me?'

Ze deed haar ogen open en zag Arkoniël geknield bij haar zitten. Het was dag. Haar lichaam deed overal pijn en ze was koud tot op het bot, maar blijkbaar leefde ze nog.

Hij hielp haar een beetje omhoog en toen ze eenmaal zat zag ze dat ze aan de kant van de weg zat, niet ver vanwaar ze de poort ontsloten hadden. Iemand had haar uit de greppel getrokken en haar in capes gewikkeld. Saruel en Dylias zaten naast haar, en de andere tovenaars zaten verderop. Iedereen glimlachte opgelucht.

'Goedemorgen,' zei Arkoniël maar zijn glimlach kwam geforceerd over.

'Wat is er gebeurd?' De vijand was nergens te bekennen.

Skalaanse wachters stonden naast de poort en mensen leken gewoon te komen en gaan zoals ze wilden.

'Wat er gebeurd is?' lachte Saruel. 'Nou, het was een klapper van jewelste, zo sterk dat jij er haast aan onderdoor ging.'

Je komt er niet in.

Waarom doken die woorden van Broer nu opeens in haar gedachten op? Ze had het overleefd. 'Tobin? Is ze…'

'Jorvai is hier voorbijgekomen en hij zei dat ze zonder ook maar een schrammetje uit de strijd is gekomen. Hij is ervan overtuigd dat ze door de goden beschermd wordt en ik denk dat hij gelijk heeft.'

Iya stond tevreden op. Alles deed haar pijn, maar er was niet echt iets mis.

Een heraut te paard reed de poort uit en galoppeerde de weg af, terwijl hij riep: 'Ga naar de troonzaal van het Oude Paleis. Iedereen wordt gevraagd naar de troonzaal van het Oude Paleis te komen!'

Dylias nam haar bij de arm met een brede glimlach. 'Kom, mijn beste. Je jonge koningin roept ons!'

'Nooit werden zoeter woorden gesproken.' Ze lachte en al haar pijntjes leken van haar af te glijden. 'Kom, mijn toegetakelde vrienden van het Derde Orëska. Laten we onze opwachting maken.'

Saruel pakte Iya vast bij haar arm. 'Kijk! Daar in de haven!'

Er voer een klein schip de haven binnen, op weg naar de gehavende kademuren. Zijn vierkante zeil, waarop het embleem van een groot wit oog boven een gekantelde maansikkel geschilderd was, was van een onmiskenbaar soort donkerrood.

Iya groette het schip door haar hand op haar hart en ogen te leggen. 'Het ziet ernaar uit dat de Lichtdrager een nieuwe boodschap voor ons heeft, en een die nogal dringend is, als het Orakel hem zelf komt brengen.'

'Maar hoe… Hoe weet ze dat?' zei Arkoniël en hij hapte naar lucht.

Iya klopte hem op de arm. 'Denk eens na, mijn jongen. Wat voor Orakel zou het zijn als ze dát niet eens kon zien?'

De loden zegels van de oude troonzaal waren verbroken en de afgebladderde gouden deuren stonden wagenwijd open. Terwijl ze met een deel van haar garde binnenkwam, trof Tobin de grote zaal al behoorlijk vol aan. Soldaten en burgers weken zwijgend uiteen om haar door te laten en Tobin voelde dat die honderden ogen alleen op haar gericht waren. De stilte voelde anders aan dan in Atyion. Men wilde de kat uit de boom kijken, er hing een spoor van twijfel en zelfs van dreiging in de lucht. Tobin had de garde bevolen de wapens in de schede te laten en daar was Tharin het mee eens geweest, maar hij en Ki keken ongerust rond terwijl ze naast haar liepen.

Er waren een paar luiken weggehaald en het namiddaglicht viel in schuine banen door de hoge, stoffige ramen. Aan beide kanten van de troon wierpen open vuurpotten een rossige gloed over de witmarmeren treden van de verhoging waarop hij stond. Een groepje priesters stond daar al op haar te wachten. Degenen uit Atyion waren daarbij aanwezig, en Kaliya stond vooraan, ongemaskerd. De tovenaars waren nergens te bekennen. Iemand had de muizennesten van de hoge zetel verwijderd en er stoffige fluwelen kussens op gelegd, zoals het in de tijd van haar grootmoeder moest zijn geweest. Tobin was te zenuwachtig om nu al plaats te nemen.

Even stond ze met haar mond vol tanden, terwijl ze dacht aan de argwanende blik van generaal Skonis. Maar ze kon nu niet meer terug.

'Ki, help me eens,' zei ze ten slotte en ze begon haar zwaardriem af te gespen. Met zijn hulp deed ze haar jak en maliënkolder en gewatteerde hemd uit. Ze haalde het bandje uit haar haar, schudde het los rond haar gezicht en riep de priesters van Ero om bij haar te komen.

'Kijk naar me. Iedereen. Raak me aan zodat jullie plechtig kunnen verklaren, voor het oog van al deze mensen, dat ik een vrouw ben.'

Een priester van Dalna liet zijn hand over Tobins schouders en borst gaan en drukte zijn handpalm tegen zijn hart. Het leek wel of er een warm zomerbriesje in Tobin opsteeg, zo prettig voelde dat.

'Ze is een vrouw, en van het ware bloed van het koninklijk huis,' verkondigde hij.

'Ja, dat zeg jij!' riep iemand honend uit het publiek, en andere stemmen vielen hem bij.

'Dat zegt het Orakel van Afra!' dreunde een zware stem achter in de zaal. Iya en Arkoniël stonden bij de gouden deuren, met tussen zich in een grote man met een vuile reismantel om.

De menigte week weer uiteen toen zij naar de voet van de verhoging liepen. Iya maakte een diepe buiging en Tobin zag haar glimlachen.

De man wierp zijn cape af. Eronder droeg hij een donkerrood gewaad. Hij haalde een zilveren priestermasker uit de mouwen en maakte het vast voor zijn gezicht. 'Ik ben Imonus, hogepriester van Afra en verkondiger van het Orakel,' zei hij galmend.

De priesters van Illior verborgen hun gezicht achter hun handen en vielen op hun knieën.

'Je hebt het teken van wijsheid en het litteken van Illior?' vroeg hij Tobin.

'Ja.' Tobin stroopte de mouw van haar onderhemd op. De priester ging de trap op en bekeek haar litteken en de moedervlek.

'Dit is Tamír, de koningin van de Lichtdrager, die in een visioen aan deze tovenares werd getoond,' riep hij uit.

Iya ging naast hen staan en liet haar handen op Tobins schouders rusten. 'Ik was aanwezig op de dag dat het Orakel deze tovenares de weg wees. Ik was het die haar visioen bijschreef in de Heilige Boekrollen en ik ben gestuurd met een geschenk voor jullie nieuwe koningin. Majesteit, wij hebben dit vele jaren lang voor u in bewaring gehad.'

Hij hief zijn hand en twee andere, in rode gewaden geklede priesters kwamen binnen, met een draagbaar tussen hen in. Een handvol vervuilde, sjofel uitziende mensen liep erachteraan. 'De vrije tovenaars van Ero,' legde Iya Tobin uit.

De dragers brachten hun last naar de voet van de troon en zetten hem neer. Er lag iets langs en plats op, gewikkeld in een donkerrode doek waarop een zilveren oog geborduurd was.

Imonus daalde de trap af om het geschenk uit te pakken. Glimmend gepoetst goud ving het licht van de vuurpotten op en zij die vooraan stonden, hielden hun adem in toen een levensgrote gouden plaquette van een paar duim dik tevoorschijn kwam. Er stonden woorden in gegraveerd, gevormd uit ouderwetse letters zoals van oude boekrollen. De letters waren groot genoeg om door de mensen halverwege de zaal gelezen te kunnen worden. En toen de dragers de plaquette ophielden, lazen ze:

Zolang er een dochter uit het geslacht van Thelátimos
heerst en het verdedigt,
zal Skala nimmer onderworpen worden.

Tobin raakte haar hart en het gevest van haar zwaard aan. 'De plaquette!'

De hogepriester knikte. 'Erius beval dat hij vernietigd moest worden, net als de stèles met de tekst die op elke marktplaats stonden,' verklaarde hij met diezelfde, bronzen stem. 'De priesters van de tempels in Ero hebben hem in veiligheid gebracht door hem in het geheim naar Afra te brengen, waar hij werd verborgen tot er weer een ware koningin naar Ero zou komen.

Hoort mij aan, inwoners van Ero, zoals jullie hier verzameld zijn in de ruïnes van jullie stad. Deze plaquette betekent niets. Maar de woorden die erop staan zijn de woorden van Illior, en Illiors eerste koningin heeft ze laten aanbrengen. Deze profetie is in vervulling gegaan en leefde voort in de harten van de getrouwen, die hun plicht geruime tijd niet konden vervullen.

Hoort mij aan, inwoners van Ero, en ziet het gezicht van Tamír, dochter van Ariani en alle koninginnen die haar voorgingen, tot aan Ghërilain toe. Het Orakel slaapt niet en vergist zich evenmin. Ze zou dit teken nimmer aan een troonpretendent schenken. Zij voorzag dat deze koningin geboren zou worden nog voor zij was verwekt, al voor Erius de plaats van zijn zuster innam, al voor hun moeder in de donkere krochten van haar geest verdwaalde. Twijfelen jullie aan mijn woorden, twijfelen jullie aan dit teken van het Orakel, dan twijfelen jullie aan de Lichtdrager, jullie beschermer. Jullie hebben geslapen, inwoners van Ero. Ontwaakt en geeft uw ogen de kost. De ware koningin heeft jullie verlost, en staat hier voor jullie om haar ware gezicht te laten zien en haar ware naam bekend te maken.'

Tobin kreeg kippenvel toen er een nevelige gestalte naast haar op de verhoging verscheen. Langzaam rees ze op uit de mist en het bleek een meisje van ongeveer haar eigen leeftijd te zijn, gekleed in een lange blauwe jurk. Eroverheen droeg ze een borstkuras van leer, met goud beslagen, waarop het embleem van Skala, de maansikkel en de vlam, was aangebracht. Het glimmende Zwaard van Ghërilain dat ze voor haar gezicht de lucht in stak, leek zo uit de smederij te komen. Haar golvende lokken waren zwart, haar ogen een bekend soort blauw.

'Ghërilain?' fluisterde Tobin.

De meisjesgeest verouderde voor Tobins ogen tot een vrouw met staalgrijs haar en zorgenrimpels rond haar ogen en mond.

Dochter.

Het zwaard bezat nu krassen en inkepingen, en droop van het bloed, maar het schitterde nog feller dan eerst. Ze bood het Tobin aan, net als Tamírs geest al eerder had gedaan en haar ogen leken te zeggen: *Dit is van jou. Eis het op.*

Toen Tobin haar hand uitstak om het aan te nemen, verdween de geest en bleek ze slechts naar een van de hoge ramen te kijken. Vanaf haar troon zag ze de verbrande tuinen, de rokende ruïnes van de stad en de met wrakken bezaaide haven erachter.

Zolang er een dochter van Thelátimos...

'Tob?' fluisterde Ki bezorgd en Tobin ontwaakte meteen uit haar mijmeringen.

Haar vrienden keken haar ongerust aan; de toeschouwers roezemoesden.

De priester van Afra had zijn masker nog op, maar ze zag de uitdaging van Ghërilain weerspiegeld in zijn donkere ogen.

'Tobin, is alles wel goed met je?' vroeg Ki nogmaals.

Haar eigen zwaard voelde veel te licht aan in haar handen toen ze het de lucht in stak om de mensenmassa aan haar voeten te begroeten en ze riep uit: 'Bij deze plaquette, en bij het Zwaard dat hier niet is, stel ik mijzelf in dienst van Skala! Ik ben Tamír!'

60

Het geluid van haar kamerdeur die opengegooid werd, wekte Nalia ruw uit haar dromen. Het was nog donker in de kamer, op de twee reepjes met sterren bezaaide hemel na die door de smalle raampjes zichtbaar waren.

'Vrouwe, ontwaakt. Ze zijn allemaal knettergek geworden!' Het was haar page en het kind klonk doodsbang. Ze voelde zijn angst in de kamer hangen, net als de altijd aanwezige vochtigheid die elke kamer van dit eenzame fort waarheen zij verbannen was doordrong.

Haar meid rolde zich in haar bed om en gromde kwaad. 'Knettergek? Wie is er hier nou gek? Als je ons weer komt vervelen met een van die nachtmerries van je, Alin, dan vil ik je levend!'

'Nee, Vena, luister.' Nalia rende naar het venster dat over het binnenhof uitkeek en duwde het glas-in-loodraampje open. Diep beneden zich zag ze toortsen heen en weer gaan en ze hoorde het gekletter van staal op staal. 'Wat gebeurt er allemaal, Alin?'

'Onze grijze garde heeft het garnizoen van Cirna aangevallen. Ze worden afgeslacht!'

'We moeten de deuren barricaderen!' Vena stak een kaars aan en hielp Alin de zware balk in de ijzeren haken te tillen. Ze stelde hem op bij de deur, bracht Nalia een omslagdoek en luisterde naar de onverklaarbare chaos beneden.

Uiteindelijk werd het stiller en Nalia klemde zich trillend aan haar halfblinde verzorgster vast; met angst in het hart wachtte ze af wat die stilte beduidde. Nu hoorde ze niets anders meer dan het slaan van de golven tegen de rotsen.

'Vrouwe, kijk daar!' Alin wees uit het andere raam, het raam dat naar het zuiden wees en de weg over de landengte. Een lange rij fakkels naderde vliegensvlug. Toen ze naderbij kwamen, kon Nalia de ruiters die de fakkels droegen onderscheiden, en ook dat ze harnassen en maliënkolders droegen.

'Ze gaan aanvallen!' fluisterde ze.

'De Plenimaranen komen eraan!' kreunde Vena. 'O Schepper, red ons toch!'

'Maar waarom zou de grijze garde de anderen binnen de muren hebben aangevallen? Waar slaat dat op?'

Er ging bijna een uur voorbij voor ze voetstappen op de wenteltrap van de toren hoorden. Vena en Alin duwden Nalia in de verst gelegen hoek en beschermden haar met hun lichaam.

De klink werd heen en weer bewogen. 'Nalia, mijn liefje, ik ben het maar. Alles is veilig nu. Doe de deur toch open!'

'Niryn!' Nalia rende naar de deur en probeerde de zware balk er in haar eentje af te schuiven. 'Was jij dat dan op de weg? O, we stonden doodsangsten uit hier.' De balk viel met een klap op de vloer en ze liet zich in haar minnaars armen vallen, waar ze veilig was.

Twee grijze gardisten van de Haviken stonden achter hem. 'Wat is er aan de hand?' vroeg ze angstig. Niryn liet nooit andere manspersonen in de toren toe; de rode haviken op hun tunieken zagen er ravenzwart uit in het schemerige licht. 'Alin vertelde dat de mannen met elkaar vochten.'

Niryns rode baard kietelde haar naakte schouders terwijl hij haar zachtjes uit de weg duwde. 'Muiterij en verraad, mijn kind, maar het is nu allemaal voorbij en er is niets waarvoor je bang hoeft te zijn. Integendeel, ik heb groot nieuws voor je. Zeg je bedienden dat ze ons even alleen moeten laten.'

Blozend maar heel nieuwsgierig knikte Nalia naar Vena en Alin en ze snelden naar buiten zoals altijd wanneer Niryn er was. De wachters gingen even voor hen opzij, maar bleven bij de deur staan. 'O oom, ik heb je zo gemist…'

Ze probeerde hem weer te omhelzen, maar hij stond het niet toe. Toen ze bevreemd naar dat geliefde gezicht keek, leek het door het kaarslicht net of er een harde blik in zijn ogen verschenen was. Ze deed een stap terug en trok haar omslagdoek strakker om zich heen. 'Er is wél iets mis. Zeg het dan, alsjeblieft.'

Weer glimlachte hij en in hetzelfde onflatteuze licht leek hij wel te grijnzen. 'Dit is een belangrijke dag, Naliaatje. Een hoogst belangrijke dag.'

'Wat… wat bedoel je?'

'Ik heb iemand meegebracht die je vast wel wilt ontmoeten.' Hij knikte naar de wachters en ze deden een stap opzij zodat een andere man binnen kon komen. Geschokt trok Nalia de sjaal verder om zich heen.

Deze man was jong en vreselijk knap, maar hij was ook vuil en ongeschoren, en hij stonk behoorlijk. Desalniettemin herkende ze de wapens op zijn smerige jak en ze viel meteen op haar knieën. 'Prins Korin?'

'Koning Korin,' verbeterde Niryn haar vriendelijk. 'Dit is vrouwe Nalia.'

'Dat wicht? Dát bedoel je?' De blik vol afschuw van de jonge koning was killer dan de nachtlucht die door het open raam binnenstroomde.

'Ze heeft koninklijk bloed, dat verzeker ik u,' zei Niryn.

Nalia keek geschrokken toe hoe hij langzaam naar de deur liep en de klink pakte om hem te sluiten. 'Nalia, mag ik je voorstellen aan je toekomstige echtgenoot.'

DANKBETUIGING

Zoals altijd bedank ik Doug, Matt, Tim, Thelma, Win en Fran voor hun niet-aflatende liefde en geduld. Ook dank aan Lucienne Diver en Anne Groell, de beste agent en redacteur die een schrijver zich maar kan wensen. En aan Nancy Jeffers, Laurie 'Eirual' Beal, Pat York, Thelma White, en Doug Flewelling omdat ze het lazen, hun opmerkingen plaatsten en me steeds weer aangespoord hebben. Aan Helen Brown en de lieve mensen van de Flewelling-site van Yahoo, die mijn werk beter kennen dan ik zelf. Aan Ron Gefaller, die de kinken uit de kabel haalde. Aan Horacio C. en Barbara R. – ze weten wel waarom. Dank aan al mijn vrienden bij SFF.NET, omdat ze er waren, vooral Doranna Durgin en Jennifer Roberson die op de valreep nog wat adviezen op paardengebied gaven; alle fouten die er nog in staan zijn mijn eigen schuld, dan had ik hen maar moeten inschakelen.